JOAN KILBY

Un mariage
au bout du monde

éMOTIONS

éditionsHarlequin

Cet ouvrage a été publié en langue anglaise
sous le titre :
THE CATTLEMAN'S BRIDE

Traduction française de
JULIETTE BOUCHERY

HARLEQUIN®

est une marque déposée du Groupe Harlequin

Photos de couverture
Paysage marin : © DARYL BENSON / MASTERFILE
Mariés : © ROYALTY FREE / CORBIS

Toute représentation ou reproduction, par quelque procédé que ce soit, constituerait
une contrefaçon sanctionnée par les articles 425 et suivants du Code pénal.
© 2000, Joan Kilby. © 2006, Traduction française : Harlequin S.A.
83-85, boulevard Vincent-Auriol, 75013 PARIS — Tél. : 01 42 16 63 63
Service Lectrices — Tél. : 01 45 82 47 47
ISBN 2-280-07995-X — ISSN 1768-773X

— Un double moka noisette avec une pincée de cannelle et un soupçon de muscade, s'il vous plaît !

Ayant passé commande, Sarah patienta en tambourinant du bout des doigts sur son volant. Elle s'arrêtait presque chaque jour à ce café drive-in du quartier Eastside de Seattle. Par ces matins gris d'octobre, elle commandait souvent un *espresso*, histoire de se réveiller, mais les mauvais jours, il lui fallait une dose de caféine plus exotique.

Elle pensait à son père, qui venait de mourir — sans chagrin particulier car elle ne l'avait vu que cinq ou six fois depuis la séparation de ses parents, alors qu'elle n'était encore qu'un bébé. Le choc était ailleurs : elle venait d'apprendre qu'il lui léguait Burrinbilli, le ranch perdu dans l'arrière-pays australien où avait grandi la mère de Sarah. Ou du moins la moitié de la « station », comme on disait en Australie ; le contremaître en possédait l'autre moitié.

— Merci, dit-elle distraitement au serveur en acceptant son gobelet de polystyrène.

Habilement, elle glissa la voiture dans le flot de la circulation et endura les bouchons du matin, savourant son café en rêvant à l'appartement à vendre, tout en haut du building où elle travaillait. Que ce serait bon de se lever à une heure raisonnable, descendre prendre un petit déjeuner tranquille au café du coin, n'avoir qu'un ascenseur à emprunter pour se rendre à l'entreprise pour laquelle elle créait des logiciels pédagogiques… Un véritable paradis urbain !

La file de voiture avançait par brefs sursauts, le pare-brise ruisselait de pluie. La sonnerie du fax la fit sursauter ; elle enfonça une touche et jeta un regard rapide au papier qui se déroulait. Rien d'important, seulement un message du boulot.

Elle pourrait vendre sa part de Burrinbilli et acheter l'appartement en terrasse. Ou faire un cadeau vraiment spécial à sa mère.

Elle s'engouffra dans le parking en sous-sol du building ; quelques minutes plus tard, elle émergeait de l'ascenseur et plongeait dans le labyrinthe de postes de travail des programmeurs, petits boxes séparés par des paravents. Ayant rejoint son repaire, elle ressortit de son sac la lettre du notaire chargé de la succession de son père et, après un instant de réflexion, composa le numéro de Burrinbilli. Le combiné pressé à son oreille, elle fit pivoter son siège pour contempler la vieille photo épinglée à la cloison, entre les dessins comiques et les photos de son chat. Une longue maison basse avec une véranda à colonnettes ; la petite fille debout sur les marches, les yeux plissés sous le soleil éblouissant du Queensland occidental, était sa mère.

Sa mère parlait souvent de Burrinbilli, avec enthousiasme et nostalgie. Le ciel, un dôme bleu intense posé sur un océan d'herbe ; le cours d'eau où elle allait pêcher les écrevisses d'eau douce qu'elle appelait des *yabbies* ; la large véranda où l'on était si bien à l'ombre, et qui encerclait complètement la belle maison bâtie en 1880. Et le lac, un lac rien que pour eux, à cent mètres à peine !

A des milliers de kilomètres de là, de l'autre côté de la planète, le téléphone sonnait dans le vide. Un peu tard, elle se demanda quelle heure il était en Australie. Gênée, elle voulut raccrocher — et ce fut à cet instant qu'on répondit.

— 'lô, marmotta une voix d'homme.

— Bonjour ! Je viens seulement de penser qu'il n'est pas la même heure chez vous. Je vous prie de m'excuser, je vous rappellerai plus tard.

— Qui appelle ?

— Sarah Templestowe. Mon père était Warren Temp…

— Que puis-je faire pour vous ?

La voix un peu rauque, à l'accent si particulier, se faisait très alerte tout à coup.

— Je cherche à joindre Luke Sampson, le gérant et contre-maître de la station.

— Vous l'avez trouvé.

— Bonjour, répéta-t-elle. Contente de vous rencontrer…

Sentant qu'elle perdait pied, elle fit un effort pour se concentrer.

— Je suppose que vous avez été contacté par le notaire, vous aussi ? Vous savez qu'il m'a légué la moitié de la propriété.

— J'ai su, oui. Je suis désolé pour votre père.

— Oui, merci, dit-elle, gênée d'accepter des condoléances pour un homme qu'elle connaissait à peine.

On n'est pas père par la simple vertu d'une carte à Noël et une visite tous les cinq ans ! Son véritable papa, toujours tendre et toujours là, c'était Dennis, le compagnon de sa mère. Dennis qui lui manquait encore, deux ans après sa mort.

— J'avais l'intention de vous contacter, dit Sampson à son oreille. Je voulais vous proposer de racheter votre part.

— Oh, non, s'écria-t-elle. C'est moi qui rachète la vôtre !

Il y eut un long silence. Craignant qu'ils n'aient été coupés, elle lança un « allô ? » hésitant.

— Une semaine avant la mort de votre père, je lui ai fait une offre, reprit la voix de Sampson. J'ai obtenu mon prêt, et tous les papiers sont rassemblés pour la vente.

— Mais... protesta Sarah, troublée. Il vous avait donné son accord ? Les documents étaient signés ?

— Non, répondit lentement l'homme à l'autre bout du monde. Mais il n'a fait aucun investissement ici depuis des années.

Cette négligence ne la surprenait pas de la part d'un homme qui n'avait jamais versé un sou pour élever sa fille.

— Burrinbilli appartenait à la famille de ma mère, dit-elle. Elle a grandi là-bas. J'aimerais qu'elle puisse y revenir.

— Je ne savais pas. A une époque, Burrinbilli était l'une des meilleures stations de la région, mais les temps sont durs avec la sécheresse. Si vous cherchez un investissement...

— En clair, la station a des problèmes ? Lesquels ?

— Il faudrait réparer les enclos, racheter du matériel, des tracteurs, un taureau ! Et ce ne serait qu'un début.

— Et la maison ? demanda-t-elle en se mordant la lèvre.

— La maison, ma foi...

Le découragement la saisit — et pourtant, quelque chose dans la voix de son interlocuteur ne sonnait pas juste.

— Si c'est à ce point, répliqua-t-elle, vous devriez être content que je veuille vous en débarrasser.

— Enfin, concéda la voix lente et posée, on n'en est pas encore à tout raser.

Il y eut un silence puis, d'un ton très différent, il lança :

— La vérité, c'est que j'ai investi dix ans de ma vie et toutes mes économies dans cette exploitation. Je n'ai pas l'intention de vendre.

— Je paierai ce qu'il faudra.

10

Une proposition imprudente. Un instant, elle paniqua, mais se dit qu'elle parviendrait à se procurer l'argent nécessaire.

— Attention, je pourrais vous prendre au mot... mais je ne voudrais pas profiter du fait que vous êtes probablement en état de choc suite au décès de votre père.

— Nous n'étions pas proches, mon père et moi.

— Admettons. Mais l'argent ne m'intéresse pas, je veux cette terre. Et moi, je ne paierai que la valeur du marché.

Elle réfléchit quelques instants en silence. Il semblait fichtrement déterminé... mais chacun a son point faible, et elle ne découvrirait pas celui de Sampson au téléphone. Elle détestait les voyages, mais vu les circonstances...

— Je suppose que le mieux serait d'aller là-bas voir par moi-même, dit-elle.

— Vous envisageriez de reprendre la station en main ? s'enquit-il.

— Bien sûr que non ! Je ne saurais pas comment m'y prendre. J'ai ma vie ici, à Seattle. Auriez-vous la place pour m'accueillir si je venais pour une visite de quelques jours ?

— La place ne manque pas, il n'y a que moi et ma fille. Le seul problème, c'est que ce sera bientôt le *muster*, le grand rassemblement du bétail. Nous sommes en retard cette année. J'aurai énormément à faire et je ne serai pas très disponible.

— J'essaierai de vous déranger le moins possible.

Elle se contenterait de le harceler un peu, histoire de le pousser à vendre ! Se souvenant qu'elle n'avait pas encore commencé sa journée de travail, elle se hâta de conclure :

— Je vais devoir vous quitter pour cette fois. Excusez-moi de vous avoir réveillé.

— Ne vous en faites pas pour ça.

— Je vous ferai savoir le numéro de mon vol.

— Oh, vous n'aurez qu'à prendre le train à Brisbane, et le car à Longreach. Nous sommes tout au bout de la ligne.

Tout au bout... ? Pour l'amour du ciel...

— A bientôt !

— D'accord pour ça. A vous revoir.

Elle raccrocha, le regard fixé sur la vieille photo de Burrinbilli. La maison semblait l'appeler... à moins que ce ne soit la voix délicieusement bourrue de Sampson ?

Luke remplit la bouilloire au robinet de la cuisine ; par la fenêtre, il voyait une barre de ciel plus pâle à l'est. Un nouveau propriétaire pour Burrinbilli. Il avait cru que ce serait lui. Nom de nom, il fallait faire quelque chose. A trente-trois ans, il était trop vieux pour tout reprendre à zéro.

— Tu m'as réveillée en faisant du bruit. Pourquoi tu fais le petit déjeuner au milieu de la nuit ?

Ce ton accusateur... Il se retourna avec un sourire, en s'interdisant de réagir. Cette petite boule d'hostilité était-elle vraiment sa fille ? Quand cette distance s'était-elle creusée entre eux, où était passée la gamine câline et rieuse qu'il faisait sauter sur ses genoux ? Il aurait fallu la prendre avec lui tout de suite après la mort de Caroline, au lieu de la laisser avec sa grand-tante Abby — mais comment aurait-il pu s'occuper d'un bébé, lui qui faisait déjà des journées de douze heures avec le bétail ?

— Recouche-toi, conseilla-t-il. Je reviendrai vers 9 heures pour une petite pause, je te ferai ton petit déjeuner.

— Je ne veux pas me recoucher, je veux manger tout de suite.

Boudeuse, elle s'installa à la longue table de bois de *jarrah*. Il prit le temps de respirer à fond. Elle n'était ici que depuis une semaine, les choses finiraient forcément par s'améliorer — mais tôt ou tard, elle allait devoir apprendre à se comporter correctement. Lui tournant le dos, il entreprit de préparer le petit déjeuner, cassant une demi-douzaine d'œufs dans une poêle, grillant des lamelles de steak dans l'autre.

— Je ne vois pas pourquoi je dois partir de chez tante Abby, se plaignit-elle. Je veux rentrer à la maison.

— C'est ici ta maison, maintenant. Abby et moi, nous nous sommes mis d'accord quand tu étais bébé : quand tu aurais neuf ans, tu aurais l'âge de vivre à la station.

A l'époque, il ne mesurait pas le bouleversement que cela représenterait pour eux tous ! Jusqu'ici, Becka ne le voyait que quelques jours par mois, chaque fois qu'il pouvait quitter la station pour aller lui rendre visite. Dans un sens, il comprenait sa réticence mais elle était sa fille et il l'aimait. Si Caroline ne s'était pas noyée dans le naufrage de ce fichu ferry thaïlandais, il aurait peut-être su la convaincre de l'épouser. Ils auraient pu former une famille.

Avec un bref soupir, il posa une assiette de steak et d'œufs devant Becka et s'installa en face d'elle. Elle leva un regard incrédule vers lui.

— Je ne peux pas manger ça ! Pourquoi est-ce que tu me donnes de la viande ? Tante Abby ne fait jamais de la viande pour le petit déjeuner !

— Tu n'es plus chez ta tante Abby. Tu vas devoir t'y faire.

Il n'avait jamais beaucoup aimé Abby qui était maniaque, irritante et gâtait terriblement la petite. Mais il ne pouvait pas oublier qu'elle adorait Becka et qu'elle lui avait consacré tout le temps et l'attention que lui-même avait été incapable de lui offrir.

Le visage de la petite se plissa comme si elle allait pleurer. Se penchant vers la poupée qu'elle tenait serrée sur son cœur, elle lui glissa :

— Ne t'en fais pas, Suzy, on retournera voir tante Abby.

Très ennuyé, il posa la main sur son bras, le serra gentiment.

— Ne te frappe pas si je parle un peu fort, petit opossum. Je n'ai pas l'habitude d'avoir une jeune fille à la maison, il faut que je réapprenne les bonnes manières.

— Je veux des céréales.

Il retira sa main.

— La prochaine fois qu'on ira se ravitailler à Longreach, je prendrai des céréales. En attendant, mange.

Sans lâcher sa poupée, elle prit sa fourchette et piqua sans entrain un œuf frit.

— Je n'aurais pas pu rester à Murrum au moins jusqu'à la fin de l'année scolaire ?

— Le car vient jusqu'ici. Je te conduirai jusqu'à la route tous les matins.

— Mais pendant la saison des pluies ? La route sera inondée. Et je ne pourrai pas jouer avec mes copines le week-end. Vivre sur une station, c'est nul.

Sévère, il heurta la table du manche de son couteau.

— Surveille ton langage !

Il fit un effort pour adoucir sa voix et reprit :

— Les grandes vacances arrivent, en décembre. Tu pourras inviter une copine à passer quelques jours ici.

Boudeuse, elle se mit à grignoter. Il commençait à croire qu'il allait pouvoir manger en paix quand elle l'attaqua sous un autre angle :

— Tu travailles toute la journée. Qu'est-ce que je vais faire toute seule ? Qui va m'aider avec mes devoirs ?

— Nous trouverons une solution. Je t'aiderai le soir.

Ce n'était sûrement pas facile pour elle de tout quitter pour une vie très différente. Sans doute aurait-il dû la laisser terminer l'année scolaire mais il n'avait pas réfléchi, n'avait

14

pas l'expérience nécessaire pour savoir ce qui comptait pour une gosse.

— Tu viens avec moi en moto faire la tournée des forages ?

Un regard à la fois triste et dédaigneux lui montra ce qu'elle pensait de sa proposition. Furieux et déçu, il emporta son assiette vers l'évier, son amour pour sa fille devenu une boule douloureuse dans sa poitrine.

— La vie d'une station, ce n'est pas si mal, dit-il en lavant son assiette. Tu pourras monter Smokey tous les jours.

— Tante Abby allait me donner un chiot.

— Nous avons le Grand Wal.

Dans son coin près de la cuisinière, Wal leva sa tête mouchetée et remua la queue.

— Il n'est pas à moi.

Bien ! En voilà assez, décida Luke. Il avait fait suffisamment d'efforts pour cette fois.

— Ecoute-moi bien, mademoiselle. Tu vas devoir changer d'attitude. Nous allons bientôt avoir une invitée. L'autre propriétaire de la station vient d'Amérique pour voir la maison. Je te demanderai d'être polie et souriante pour l'accueillir.

— Pourquoi est-ce qu'elle vient ? A sa place, je resterais en Amérique.

— Elle veut ramener sa mère ici pour l'y installer.

— Oh, non ! Il va y avoir des gens qui habitent avec nous ? Des gens qu'on ne connaît même pas ?

Luke se figea. Il n'avait pas encore eu le loisir d'envisager la situation sous cet angle.

— Nous serons peut-être obligés de nous installer dans la petite maison.

L'enfant se rembrunit instantanément.

— Elle est horrible.

— Nous ferons ce qu'il faudra, même si nous devons

15

vivre dans le dortoir des *jackaroos*. Si tu as terminé ton petit déjeuner, tu peux t'habiller et m'aider à nourrir la volaille.

Franchissant les portes de verre coulissantes, il émergea sur la véranda. Le soleil levant dorait les branches argentées des *river gums* rangés le long du lit asséché du cours d'eau. Une nuée de *corellas* blancs s'éleva dans le ciel bleu laiteux, piaillant et battant bruyamment des ailes. Il aimait passionnément Burrinbilli et venait de passer à deux doigts de l'avoir tout à lui. Prenant son chapeau bosselé au clou près de la porte, il le vissa sur sa tête et se dirigea vers l'étable en sifflant Wal. C'était l'heure de la traite. Quoi qu'il arrive, on faisait ce qu'on avait à faire.

Sarah poussa la porte du magasin d'objets exotiques de sa mère. La clochette de cuivre du Népal tinta, un parfum d'ylang-ylang s'éleva du brûleur d'huiles essentielles placé dans la vitrine, sous les cristaux de couleur et les ornements en vitrail. Perchée sur un tabouret derrière son comptoir, Anne reportait ses comptes à la main dans un registre. Des mèches folles auburn bouclaient sur ses tempes et ses drôles de petites lunettes carrées glissaient sur son nez.

— Bonjour, maman !

— Sarah, ma chérie. Qu'est-ce qui t'amène par cette épouvantable journée ?

— J'ai vu le notaire chargé de la succession de Warren, annonça Sarah en accrochant son imperméable mouillé à la corne d'un rhinocéros de bois sculpté. J'ai essayé de te joindre toute la journée. Où étais-tu ?

— Le téléphone était mal raccroché, répondit sa mère en refermant son registre. Je viens juste de m'en apercevoir.

Sarah éclata de rire.

— Je te reconnais bien là ! En tout cas, ce que le notaire

m'a appris m'a fait bondir. La façon dont Warren t'a piqué Burrinbilli après votre divorce !

Anne secoua les épaules avec désinvolture.

— Oublie tout ça, ma grande. C'est le passé. Et puis, il ne m'a pas piqué la propriété, je la lui ai vendue.

— Oui ! Pour une bouchée de pain !

— Une bouchée assez importante pour acheter ce magasin, et c'était tout ce qui m'importait à l'époque. J'ai pu travailler pour nous faire vivre en te gardant avec moi.

— Mais cela te laissait sans rien.

— Je t'avais, toi !

— Oh, maman...

Oubliant son indignation, elle se faufila derrière le comptoir pour la serrer dans ses bras.

— Je ne comprendrai jamais comment il a pu te laisser tomber.

Anne eut une petite grimace gênée.

— En fait, j'ai eu de la chance ! Si nous n'avions pas divorcé, ton père et moi, je n'aurais pas rencontré Dennis. Quant à Burrinbilli, j'ai regretté mais... j'en ai fait mon deuil.

Sarah réprima un sourire de jubilation.

— Tu retournerais là-bas si tu le pouvais ? demanda-t-elle innocemment.

Glissant à bas de son tabouret, Anne s'avança vers la vitrine ruisselante et contempla la rue. De sa voix douce, qui gardait des traces d'accent australien, elle murmura :

— Il m'arrive encore de rêver à Burrinbilli. Le soleil, la chaleur, le merveilleux paysage des Downs, ouvert à l'infini...

Sa voix s'étouffa un peu.

— ... la maison qu'a bâtie mon arrière-grand-père quand il a émigré d'Angleterre.

Elle serra son châle autour d'elle avec un petit soupir.

— Qu'est-ce qu'on dit toujours ? On ne retourne jamais chez soi ?

Eclatant d'un rire triomphant, Sarah clama :

— Mais toi, tu peux ! Warren aura tout de même fait une chose correcte avant de mourir : il m'a légué Burrinbilli.

Anne fit volte-face, son joli visage ovale illuminé de surprise et de joie.

— Tu veux dire… la propriété était encore à lui ? Je n'aurais jamais cru qu'il s'y accrocherait toutes ces années. C'est fantastique !

— Attends : en fait, ce n'est pas tout à fait à moi. Il a dû avoir des difficultés financières il y a quelques années : il l'a vendue pour moitié au gérant de la station.

— Dommage, soupira Anne. Et maintenant, il est trop tard pour racheter sa part ?

— Le problème, c'est qu'il veut la propriété, lui aussi. Je vais partir là-bas pour tenter de le convaincre. Et quand tout sera remis en état, tu pourras prendre ta retraite et t'installer dans ta maison d'enfance.

— Tu dis ? s'exclama Anne d'une voix étranglée.

— Tu peux retourner vivre à Burrinbilli, répéta Sarah avec douceur, en lui prenant la main. Rien ne te retient ici maintenant que Dennis n'est plus là. Tu as toujours répété combien l'Australie te manquait.

— Oui, enfin…

Lui retirant sa main, Anna effleura un collier de couleurs vives venu d'Afrique.

— Tu envisages sérieusement d'aller à Burrinbilli ?

— Tu parles comme si c'était le bout du monde. D'ailleurs, le bout du monde ne signifie rien pour une grande voyageuse comme toi.

Chaque année, Anne la suppliait en vain de l'accompagner dans les voyages qu'elle faisait pour trouver de nouveaux fournisseurs. Poussant de côté le présentoir de colliers, Sarah posa sa mallette sur le comptoir.

— Regarde ce que je nous ai trouvé.

— Pas un nouveau gadget électronique, j'espère ? Je ne sais toujours pas me servir de la radio-cafetière avec horloge intégrée que tu m'as offerte à Noël.

— Oh, maman… Et l'ordinateur portable ?

— Ne me parle même pas de cet engin.

— Ce serait un tel plus pour ton commerce si seulement tu voulais bien t'y mettre.

— Je suis encore à l'âge de pierre, je sais bien, mais il n'y a pas de place dans mon cerveau pour programmer tant de machines différentes. Qu'est-ce que tu m'apportes encore ?

Sans entrain, elle feuilleta le petit livret que lui tendait Sarah. Celle-ci sortit de sa mallette un coffret contenant deux téléphones portables.

— Regarde, ils sont superbes, non ? Ils font téléphone, fax et e-mail, nous pourrons communiquer quand nous voudrons.

Prudemment, Anne prit l'un des appareils.

— Le jour où quelqu'un inventera un appareil qui facilitera une véritable communication entre les humains…

— Maman ! Pas de philosophie, je te prie. Regarde : pour passer un coup de fil, tu presses cette touche. C'est celle-ci pour envoyer un fax, et celle-ci pour un e-mail. Ne t'inquiète pas pour l'abonnement Internet, je t'ai déjà reliée à mon serveur.

— Je ne m'en servirai jamais !

— Essaie-le ! Tu seras surprise.

— Mais tu peux m'appeler sur ma ligne fixe ! Et tu as déjà un portable, pourquoi t'en faut-il un deuxième !

— Celui-ci est un modèle tout récent, compatible avec

l'Australie et le Japon. Un nouveau système digital qui franchit le Pacifique. C'est cool, non ?

— Stupéfiant.

Bien décidée à ne pas relever l'ironie de sa mère, Sarah fourra l'un des portables dans la poche de celle-ci et rangea l'autre dans sa mallette.

— Pourquoi ne pas venir avec moi au Queensland ? proposa-t-elle. Ce serait plus drôle d'y aller ensemble.

— Je ne peux pas laisser le magasin en ce moment, ma grande.

Sarah contempla le bric-à-brac bariolé qui les entourait. Le magasin avait son apparence habituelle : encombré, coloré, un peu trop rétro à son goût... Rien n'indiquait qu'il ait besoin de soins particuliers.

— Ton amie Mandy te remplacerait.

— Elle vient de partir passer quinze jours au Mexique.

La clochette de la porte tinta ; deux adolescentes entrèrent et s'intéressèrent à des robes de coton en provenance du Ghana. Le visage troublé, Anne tendit la main pour écarter une mèche de la joue de sa fille.

— Es-tu bien sûre de vouloir faire ça ?

Sarah lui offrit un sourire un peu crispé.

— Pas tout à fait, non. Tu me manquerais horriblement si tu retournais là-bas.

— Dans ce cas, pourquoi ne pas vendre ta part de la station et acheter l'appartement qui te fait tant envie ?

Sarah écarta cette idée d'un geste de la main.

— Je suis trop jeune pour m'installer pour de bon.

— Et ton Quincy ?

— Quentin, corrigea Sarah en levant les yeux au ciel. Le mot mariage lui donne des boutons. Chaque fois qu'on le prononce devant lui, il court téléphoner à son analyste.

— Je croyais que c'était lui, l'analyste.

— De toute façon, j'ai décidé que je ne pouvais pas l'épouser. Je veux un homme, un vrai.

Anne éclata de rire.

— Et qu'est-ce que c'est, un vrai ? s'écria-t-elle.

— Je ne sais pas au juste mais ce n'est pas Quentin. Ecoute, je file à l'agence de voyages. Réfléchis vite. Tu n'es jamais retournée là-bas sauf pour les enterrements de tes parents, et c'était il y a une éternité. On serait bien, toutes les deux !

Le regard lointain, Anne murmura :

— Il y a trop de fantômes là-bas. Des vivants et des morts.

Sarah scruta le visage de sa mère. Elle ne comprenait pas cette réticence ; s'il y avait des fantômes, c'était l'occasion de les exorciser !

— Maman, depuis que je suis née, tu te sacrifies pour moi. Je tiens enfin l'occasion de faire quelque chose pour toi, quelque chose qui compte vraiment.

— Je ne peux pas te dire à quel point ton idée me fait chaud au cœur. Amuse-toi bien au pays d'Oz et raconte-moi tout en rentrant. Même si cela ne va pas plus loin, ce sera une pause dans ton travail. Cela doit faire deux ans que tu n'es pas partie en vacances.

— Oui, à peu près. Je suis contente de partir. Je vais découvrir mes racines !

Un tout petit sourire retroussa les lèvres de sa mère.

— C'est peut-être toi qui décideras de rester.

— Sûrement pas !

— Surtout, emporte des vêtements légers. On entre dans l'été là-bas, et il fait chaud !

— Je compte faire du shopping dès que j'aurai réservé ma place.

— Prends soin de toi, ma grande, dit Anne en la serrant

très fort dans ses bras. Bon voyage, et si tu croises Len Johnson, dis-lui...

Sa voix s'éteignit, ses joues rosirent. Interdite, Sarah demanda :

— Je lui dis quoi ? Qui est Len Johnson ?

Les deux adolescentes se présentèrent à la caisse, les mains pleines de bougies parfumées. Se tournant vers elles avec un sourire, Anne marmotta :

— Juste quelqu'un que je... connaissais quand j'étais très jeune. Réflexion faite, inutile de lui dire quoi que ce soit.

Sarah s'écarta pour laisser la place aux deux clientes. La transaction terminée, elle reprit :

— Ce sera extraordinaire de voir tous ces endroits dont tu m'as parlé, et de rencontrer tes anciens amis.

— Ne te fais pas trop d'illusions, l'avertit sa mère. Comparé à Seattle, Murrum n'est qu'un petit bourg poussiéreux au fin fond de nulle part.

— Je vais adorer ! De toute façon, ce ne sera que pour deux semaines. Tu auras à peine le temps de t'apercevoir que je suis partie.

2.

Sarah chercha en vain une position confortable sur la banquette du car. Elle n'en pouvait plus ! Après plus de trente-six heures de voyage, elle se sentait sale et poisseuse ; la chaleur était insupportable. L'ourlet de sa jupe ne cessait de remonter, ses cuisses nues collaient au vinyle du siège et elle avait un mauvais goût dans la bouche.

La climatisation du car était en panne depuis des heures, le dernier autre passager descendu depuis longtemps. Le soleil était un projecteur jaune dans un ciel chauffé à blanc, un ciel trop vaste, effrayant. La plaine plate et rouge, revêtue d'une herbe pauvre, s'étendait jusqu'à l'horizon. Avec un frisson, elle détourna les yeux de ce paysage trop immense et trop vide.

A travers la brume de chaleur, elle distingua un groupe de boîtes rectangulaires. Des maisons, des magasins ! Oh, Dieu merci, une présence humaine. Toutes les bourgades traversées jusqu'ici ressemblaient à des villes du vieux Far West — les palmiers en plus. Maisons de bois pointues et magasins à façades plates, avec de larges auvents de bois pour abriter le trottoir. La route poussiéreuse se transforma en rue, elle vit une minuscule église de bois, puis un hôtel à l'architecture très ouvragée ; une véranda encerclait tout le premier étage. Le car ralentit, puis s'immobilisa devant une petite gare de

23

chemin de fer aux fenêtres aveuglées par des planches. Le nom de la localité s'affichait sur un écriteau d'une longueur insolite. Murrumburrumgurrandah. Elle était arrivée.

Abritant ses yeux du soleil aveuglant, elle descendit du car sur le talus de terre rouge qui tenait lieu de trottoir. La chaleur s'abattit sur elle. Désorientée, elle recula sous l'abri de tôle ondulée en s'éventant d'une revue achetée à Sydney. Si elle ne trouvait pas un endroit frais à l'instant même, elle allait craquer. Une grande boisson fraîche, servie dans une pièce climatisée. Et ensuite, un café frappé avec un peu de cannelle.

— Quelqu'un vient vous chercher ? demanda le chauffeur en sortant ses bagages des soutes.

— Oui, je crois, dit-elle vaguement. Vous savez s'il y a un taxi pour m'emmener au centre-ville ?

Le chauffeur repoussa son chapeau en arrière pour se gratter la tête, déposant au passage une trace de poussière rouge sur son front.

— Le centre-ville… c'est ici.

— Mais il n'y a personne !

— En milieu de journée, on évite de sortir en plein soleil, répondit-il en haussant les épaules.

— Et une cabine téléphonique ?

La batterie de son portable était à plat : elle avait beaucoup parlé à sa mère pendant le voyage.

— Il y en a une aux pompes, un peu plus loin.

— Merci.

Le chauffeur remonta dans son car, le grand véhicule fit demi-tour et s'éloigna dans un nuage de poussière rouge. Où pouvait être Luke Sampson ? La seule silhouette en vue était celle d'un mouton solitaire, à la toison rouge de poussière, qui broutait l'herbe rêche du bas-côté. La panique commençait à la gagner, tout était trop étrange et hostile ;

24

ce trou complètement mort aux rues trop larges ne pouvait pas être le bourg animé où sa mère avait passé son enfance. Cela ressemblait à un film d'épouvante, et il n'y avait même pas de café à emporter.

Il était temps de réagir. « Les pompes », en dialecte local, c'était la station-service. Elle voyait l'enseigne d'ici, devant un long bâtiment au ras du trottoir. Et il y avait tout de même une présence humaine : à l'ombre de l'un de ces arbres qu'on appelle *gums*, elle distinguait deux hommes assis sur un banc.

Ravalant ses angoisses, elle souleva ses valises et entreprit la traversée de l'immense feuille de macadam poussiéreux qui tenait lieu de rue. Le soleil grillait son visage, la sueur gouttait dans son cou. Elle se sentit un peu mieux en voyant les inconnus agiter la main. Enfin, un geste accueillant ! Les mains prises par ses bagages, elle ne put leur rendre leur salut et dut se contenter d'un sourire. Bien installés à l'ombre, ils continuèrent à lui faire signe tandis qu'elle marchait en ayant l'impression cauchemardesque de ne pas avancer — marchait et souriait de plus en plus crispée.

Une mouche vrombit devant son nez ; elle secoua la tête pour la chasser et une autre vint se poser sur son menton. Un instant plus tard, une demi-douzaine s'agglutinaient sur ses bras et ses mains en sueur. La plus téméraire se posa sur sa lèvre supérieure et tenta d'entrer dans sa narine ; dégoûtée, elle laissa choir ses valises et gesticula pour dissiper le nuage qui vrombissait autour de sa tête. C'est alors qu'elle comprit : ces fichus bonshommes ne lui souhaitaient pas la bienvenue — ils chassaient les mouches !

Un 4x4, blanc à l'origine mais enduit comme tout le reste d'une couche de poussière rouge, déboucha dans la rue et se rangea devant « les pompes ». Un homme en descendit et se tourna vers elle en retirant son chapeau à larges bords.

Il avait des cheveux splendides, blonds avec des mèches allant de la paille au vieil or.

— B'jour, dit-il. Sarah Templestowe ?

— Monsieur Sampson ? Bonjour !

Une grande main très brune, un peu calleuse, se referma sur la sienne.

— Le car était à l'heure, pour une fois, observa-t-il.

Elle secoua les épaules, trop assommée par la chaleur pour bavarder — et un peu étourdie par l'impact d'un regard incroyablement bleu !

— Si vous n'avez besoin de rien ici, reprit-il en soulevant ses valises, nous ferons la visite touristique une autre fois. Nous rentrons tout droit à Burrinbilli ?

— Oui, parfait...

Elle ne voyait pas ce qu'elle pourrait acheter dans ce trou perdu ; quant aux attractions touristiques... mieux valait ne pas le vexer en éclatant de rire.

Les deux oisifs n'avaient pas bougé de leur banc. Le plus jeune des deux n'avait pas plus de vingt ans ; médusée, elle contempla son visage bronzé, le collier de crocs autour de son cou, le grand coutelas à sa ceinture, sa chemise ouverte aux manches coupées aux épaules. Levant un bras aux muscles lisses, il retira son grand chapeau.

— Luke, dit-il avec un fort accent australien. Ça va, vieux ?

— Ça va pour moi. Je vous présente Sarah, de Seattle, la fille de Warren Templestowe et la nouvelle copropriétaire de Burrinbilli. Lui, c'est Bazza, ajouta-t-il en se tournant vers elle. Et Len, maire de Murrum et propriétaire du magasin.

Len ? Sarah le dévisagea avec curiosité. Il devait avoir l'âge de sa mère et sous son chapeau à larges bords, son long visage osseux respirait l'intelligence et la gentillesse. Un appareil discret était glissé dans son oreille, sa tenue était sobre — surtout en comparaison de celle du garçon assis près de lui. Lui aussi semblait l'étudier avec intérêt.

— Bonjour, dit-elle en souriant. Contente de vous rencontrer.

— Je commencerai le *muster* d'ici une semaine ou dix jours, dit Sampson au jeune Bazza. Ça t'intéresse ?

— Ouais. Gus et Kev seraient partants aussi.

Sortant une blague à tabac et un petit paquet de papier, Bazza se roula une cigarette puis, levant les yeux vers Sarah, il s'enquit d'un ton blasé :

— Z'êtes déjà allée à Hollywood ?

— Euh… non, répondit-elle, surprise. Ma mère m'a emmenée à Disney Land quand j'avais dix ans.

— J'ai joué dans un film. Des Américains sont venus tourner ici l'an dernier.

Il alluma sa cigarette et plissa les yeux pour les protéger de la fumée.

— Il s'appelait *Epreuve dans l'Outback*. Vous l'avez vu ?

L'accent du garçon était si marqué qu'elle avait du mal à le comprendre. Consciente de la présence de Sampson juste derrière elle, elle murmura :

— Je ne vais pas beaucoup au cinéma.

— Vous êtes la fille d'Anne Hafford, dit subitement Len.

Soulagée, elle se tourna vers lui.

— Vous êtes bien Len Johnson ? Maman m'a parlé de vous ! Enfin, non, elle m'a juste dit de vous dire bonjour si je vous voyais. Vous la connaissiez bien ?

Il la fixa avec un sourire paisible et distant.

— Un peu. Pendant un temps.

Troublée par son expression énigmatique, sentant qu'elle parlait trop mais incapable de s'arrêter, elle insista :

— Elle sera si contente de savoir que je vous ai rencontré dès ma descente du car. Je la saluerai de votre part ?

Il y eut une longue pause, puis il lâcha :

— Si vous voulez.

Sampson s'éclaircit la gorge et fit un signe du menton vers son 4x4. Ces gens-là ne bavardaient pas à tort et à travers. A quoi bon gaspiller sa salive quand un geste suffisait — et quand elle parlait suffisamment pour quatre ?

— Contente de vous avoir rencontrés, répéta-t-elle, un peu penaude, en se détournant.

En émergeant de l'ombre en plein soleil, elle entendit Bazza glisser à son compagnon :

— Elle ne fait pas mal aux yeux mais elle est un peu *dag*.

Elle ne saisit pas la réponse de Len. *Dag* ? Qu'est-ce que cela pouvait être ? Rejoignant Sampson qui chargeait ses valises à l'arrière du 4x4, elle lui glissa :

— Il est acteur pour de vrai ?

— Qui, Bazza ? répondit-il avec un sourire. Depuis qu'il a décroché un petit rôle dans ce film, il attend un coup de fil de Spielberg. C'est un bon pote, il se prend juste pour Crocodile Dundee.

Soulagée, elle se mit à rire. Au fond, Len la troublait bien davantage. Elle aurait donné beaucoup pour savoir ce qui s'était passé entre lui et sa mère !

Elle grimpa sur le siège du passager, attacha sa ceinture et contempla son ensemble de lin, couvert d'une fine couche de poussière rouge. Si elle avait espéré faire bonne impression, c'était fichu ! Discrètement, elle tenta d'épousseter sa jupe, ne parvint qu'à incruster un peu plus la poussière dans le tissu. Croisant le regard de Sampson, elle lança :

— Pas de problème, le rouge, c'est ma couleur. Qu'est-ce que c'est qu'une *dag* ?

Elle vit le coin de sa bouche se retrousser.

— Ne vous en faites pas pour ça, recommanda-t-il.

La traversée de la bourgade ne prit que dix secondes. Quand ils débouchèrent au large de la plaine, Sarah rabattit son pare-soleil et fixa obstinément ses genoux. Curieusement, son malaise face à ces grands espaces ne faisait que s'amplifier. Vu ce qu'elle endurait pour s'y rendre, elle espérait bien que Burrinbilli répondrait à son attente !

« Sois positive, s'enjoignit-elle. Ta mère t'a élevée à l'australienne, en t'apprenant à ne jamais te laisser abattre. » N'empêche, Burrinbilli avait intérêt à lui en mettre plein la vue !

Luke conduisait en silence en pensant au pauvre Wal, laissé à la maison au cas où Sarah Templestowe avait peur des chiens. Quel genre de vie menait-il s'il en venait à regretter son chien alors qu'une femme telle que Sarah était assise près de lui ? Mal à l'aise, il frotta sa mâchoire rasée de près.

— Le *muster*, c'est un grand rassemblement des bêtes ? demanda sa passagère.

Zut ! Il avait oublié d'afficher l'annonce pour demander une cuisinière.

— C'est ça, répondit-il un peu distraitement. Habituellement, il a lieu pendant l'hiver, quand il fait plus frais. Le bétail est moins maniable avec la chaleur.

— Pourquoi ce retard ?

— Je me suis cassé la jambe il y a deux mois. Un accident de tracteur.

— Oh, je suis désolée. Quel genre de vaches élevez-vous… élevons-nous, je devrais dire ?

— Des Santa Gertrudis.

Il lui jeta un bref regard de biais ; elle avait l'air perplexe.

— Elles sont entièrement rousses, précisa-t-il. A l'origine, elles viennent du Texas.

— Je vois. Et les enclos dont vous parliez au téléphone ?

— Nous y enfermons le bétail quand nous les rassemblons pour les marquer, les traiter, trier les taureaux d'un an…

Il fut surpris de l'attention avec laquelle elle l'écoutait. S'intéressait-elle réellement au fonctionnement de la station ? Cela expliquerait que son père ait tenu à garder ce bien pendant toutes ces années — mais cela signifiait aussi qu'il aurait du mal à la convaincre de vendre sa part.

— Vous montez à cheval ? lui demanda-t-il.

Il la vit hésiter, et jeter le plus bref des regards par sa vitre.

— Euh, j'ai essayé une ou deux fois, en colonie de vacances.

— Je pourrais vous trouver une monture très calme.

— Ne vous sentez pas obligé de me distraire, répondit-elle très vite. Je ne suis ici que pour quelques jours et j'aurai sûrement trop à faire pour visiter la région.

— Très bien.

Cela l'arrangeait plutôt ! Il avait suffisamment à faire avec la station et Becka.

— A quelle distance est Burrinbilli ?

— Dans les quatre-vingts kilomètres. Cette plaine que nous traversons s'appelle les Downs.

Il risqua un nouveau regard vers elle ; son nez paré de quelques pâles taches de rousseur se plissait sous l'effort du calcul mental. Sa joue était saupoudrée de poussière, ses cheveux auburn retenus par une espèce de pince se dressaient derrière sa tête comme un petit palmier… Il sourit. Bazza avait raison, elle était bien un peu *dag*, mais en s'aguerrissant

30

un peu, elle serait *bonza*. Une femme comme il les aimait, grande, avec de longs membres solides. Elle avait le teint un peu ambré et les yeux verts les plus limpides qu'il ait jamais vus.

— Mais cela fait… cinquante *miles* ! s'exclama-t-elle.

Elle se retourna sur son siège pour contempler la route qui se dévidait derrière eux.

— Je vous en prie, dites-moi que Murrum n'est pas l'agglomération la plus proche !

— Vous ne saviez pas ça ?

— Mais d'après ma mère, c'était un endroit très animé !

— Beaucoup de choses ont changé depuis le temps où elle vivait ici, dit-il avec amertume. D'abord, le train a cessé de passer ; ensuite, les banques ont fermé boutique. Un peu plus tard, nous avons perdu la poste et les bureaux des administrations. Après ça, il n'est plus resté grand-chose à part le pub, les pompes et le magasin. Et l'église, bien sûr. Les différentes congrégations partagent le même local.

— Le rationalisme économique a encore frappé ?

Un peu sur la défensive, il lança :

— Il paraît que Murrum va connaître un nouvel essor. Avec le tourisme.

Il y eut un bref silence, puis elle dit :

— Oui, bien sûr…

Luke connaissait suffisamment les citadins pour deviner ce qu'elle pensait : pourquoi viendrait-on visiter un endroit pareil ? Pourquoi voudrait-on y vivre ? Ils ne pouvaient pas comprendre, ils ne restaient pas assez longtemps. A part Rose, qui avait épousé Tony, le propriétaire du pub — mais Luke voyait mal une femme comme Sarah s'installer avec un gars d'ici.

— Combien de temps restez-vous ? demanda-t-il.

— J'ai pris mes deux semaines de congé, et j'ai quelques

jours de récupération. J'espère être rentrée avant la fin du mois.

A son avis, elle ne tiendrait pas jusque-là. Bazza et Len avaient fait un pari, misant cinq dollars sur le jour de son départ. Ils lui avaient proposé de participer mais comme elle habitait chez lui, il ne trouvait pas cela correct.

Chez lui… c'était aussi chez elle. Avec Warren, ils n'avaient jamais éprouvé le besoin de clarifier à qui revenait la maison d'habitation.

D'un geste du menton, il désigna la maisonnette d'Abby, un peu en retrait de la route.

— C'est là qu'habite la grand-tante de ma fille. Becka lui rend visite cet après-midi, après l'école.

— Quel âge a votre fille ?

— Neuf ans.

— Vous n'avez pas parlé de votre femme. Vous êtes divorcé ?

Elle posa la question avec une candeur si franche qu'il ne sut comment la rabrouer. Manifestement, elle faisait partie de ces gens qui commentent leur vie privée sans la moindre réticence ! Il lui livra une part de la vérité :

— Je n'ai jamais été marié.

Elle hocha la tête. Il vit qu'elle aurait aimé en savoir davantage, mais il ne voulait pas parler de lui et d'ailleurs ne savait pas le faire. En fait, c'était tout simple : Caroline ne voulait pas se marier. Même enceinte, elle répétait qu'elle n'épouserait jamais personne. Et maintenant, elle était morte et il ne saurait jamais si elle aurait changé d'avis.

— Vous allez devoir refaire tout ce chemin pour aller chercher Becka ? demanda Sarah.

— Abby la ramènera tout à l'heure.

Le silence retomba. Elle préparait sûrement de nouvelles questions ! se dit-il avec amertume. Cherchant à prolonger cet

32

instant de paix, il garda son regard braqué droit devant lui. Bientôt, ils laissèrent le bitume derrière eux et continuèrent sur une piste de terre battue bordée ici et là de profondes poches de cette poussière très fine appelée *bulldust*. Pendant la saison des pluies, ces endroits devenaient des marécages, ou même des lacs. Du moins, les années de pluies correctes…

— J'ai hâte de me baigner ! soupira Sarah en pinçant son top humide entre le pouce et l'index.

— Vous baigner ! répéta-t-il avec un petit rire surpris.

— Oui, dans le lac…

Elle se laissa aller contre le dossier de son siège avec un sourire rêveur.

— Ma mère m'a raconté ses baignades avec son frère Robby. Avec cette chaleur, ce doit être vital d'avoir de l'eau à portée de main.

— Votre mère vous a dit qu'elle se baignait dans un lac ?

— Tout était si beau, dans ses descriptions…, continuait-elle. La vieille maison entourée de *ghost gums*, et derrière, le lac. J'ai tellement chaud, je n'arrête pas d'y penser.

Voilà donc ce qu'elle appelait le lac ? Luke regretta presque de n'avoir pas parié avec Bazza et Len. Il aurait visé plus bas que l'estimation de Bazza, qui misait sur quatre jours et demi.

— Le… euh, le niveau d'eau est plutôt bas en ce moment.

Un instant déçue, elle lui sourit bravement.

— Ce sera déjà bon de patauger !

— Le ruisseau ne coule qu'une partie de l'année mais il y a des trous d'eau qui ne sont jamais à sec.

Elle ouvrit de grands yeux.

— Nous y voilà ! lança-t-il en hâte, voyant le vieux réfrigérateur qui leur servait de boîte aux lettres.

Elle parcourut du regard le paysage rigoureusement plat ; il fut surpris de la voir frémir.

— Où donc ? demanda-t-elle.

— Le chemin d'accès à la maison, expliqua-t-il en rétro-gradant pour s'engager dans l'ornière double qui tenait lieu de chemin. Nous sommes maintenant sur nos terres.

Elle jeta un nouveau regard à la ronde et cette fois, il lut clairement la révulsion sur son visage.

— Le chemin ? répéta-t-elle d'une voix morne.

— Oui. Il ne reste plus que trente kilomètres.

Sarah sentit son courage l'abandonner. Encore trente kilomètres ! Elle n'en pouvait plus d'étudier chaque détail du tableau de bord, chaque cadran, chaque éraflure — et de se sentir si mal chaque fois qu'elle risquait un coup d'œil vers le grand vide dans lequel voguait la voiture. Tendue, elle fixa l'aiguille indiquant leur vitesse — n'importe quoi pour oublier cette sensation bizarre. Jamais il ne lui était rien arrivé de comparable. Comment cela aurait-il pu lui arriver, nichée bien à l'abri entre les montagnes et la mer, enveloppée par les nuages douillets qui abaissaient le ciel, rapprochaient l'horizon ?

Elle se sentait prête à craquer quand elle distingua au loin un bosquet d'arbres blancs, et les toits en pente d'une maison à demi enfouie dans les feuillages. Burrinbilli ! Elle n'était jamais venue ici, et le paysage lui était profondément étranger, mais elle avait entendu tant de récits qu'elle eut le sentiment curieux de revenir au foyer. Ses racines étaient ici, là où sa mère avait vécu son enfance, où sa grand-mère avait mis ses enfants au monde, où ses arrière-arrière-grand-parents avaient bâti la maison et importé les premières têtes de bétail…

Luke Sampson vivait ici depuis dix ans. Cette maison comptait également pour lui, et pour des raisons autrement plus tangibles que les siennes. Elle lui jeta un regard en coin en se demandant ce qu'il pensait réellement de sa visite, mais son profil bien dessiné ne révélait rien.

— Vous avez réfléchi à ma proposition de racheter votre part ? demanda-t-elle.

Une barrière de barbelés leur barrait la route.

— Seulement pour chercher le moyen de vous convaincre de me vendre la vôtre, répondit-il en immobilisant le véhicule. J'étais à une signature de tout posséder.

Subitement, il pivota face à elle sur son siège, un coude sur le dossier, l'autre sur le volant. Il émanait de lui une telle force que ce simple mouvement lui fit perdre momentanément le fil de la discussion.

— J'aurais cru que vous respecteriez le souhait de votre père, dit-il.

— Je ne connais pas le souhait de mon père, répondit-elle, sur la défensive. Et je ne lui dois rien.

Il repoussa son chapeau en arrière avec un regard assez bizarre.

— C'est possible de ne rien devoir à son père ?

— Au moment où mes parents se sont séparés, il a racheté Burrinbilli à ma mère pour une bouchée de pain. Peu de temps après, il s'est remarié et il est parti s'installer sur la côte est.

L'amertume familiale perçait dans sa voix. Dennis avait été un père adorable, mais elle souffrait encore de ce que son père biologique ne se soit jamais intéressé à elle.

— Votre mère n'est pas rentrée en Australie après le naufrage de son mariage ?

— Son père était mort en luttant contre un feu dans le *bush*, peu après qu'elle s'installe en Amérique. Son frère avait été tué au Vietnam l'année précédente. Comme il ne restait pas d'homme à Burrinbilli, ma grand-mère lui a donné la propriété, en pensant que Warren et elle prendraient la suite — puis elle est morte à son tour. Comme il ne restait plus personne de sa famille, je suppose qu'elle n'avait plus le cœur de revenir.

Elle s'interrompit pour reprendre son souffle. D'après son regard vitreux, Sampson ne tenait pas à en savoir autant sur son histoire familiale, mais elle tenait à bien lui expliquer la situation.

— Ma mère est aussi restée pour ne pas m'éloigner de mon père — mais il s'était remarié et sa seconde femme refusait qu'il ait le moindre contact avec nous. Le temps que maman comprenne que Warren ne passerait pas outre pour me voir, elle avait rencontré mon beau-père, Dennis, qui avait une affaire à Seattle. Résultat, elle n'est jamais repartie.

— Je vois.

Sampson scruta son visage avec prudence, comme pour s'assurer qu'elle avait bien terminé et, tirant sèchement le frein à main, il sauta à terre et se dirigea à grands pas vers la barrière. Sarah resta à sa place, l'estomac noué comme chaque fois qu'elle pensait à son père. En suivant des yeux la haute silhouette dégingandée de Sampson, elle se souvint tout à coup des vieux romans sentimentaux de Lucy Walker, qui se déroulaient dans l'arrière-pays australien. Quand elle était adolescente, elle les prenait en cachette sur les étagères de sa mère.

Une fois la barrière ouverte, Sampson reprit place auprès d'elle, fit avancer la voiture de quelques mètres et l'arrêta.

— Je vais refermer, proposa-t-elle.

Dans les romans de Lucy Walker, c'était toujours au passager de descendre ouvrir les barrières ! Amusée par la situation, elle se laissa glisser à terre, s'arc-bouta pour pousser le long vantail instable, se brûla les doigts au verrou de métal. C'est alors qu'elle commit l'erreur de regarder par-dessus la barrière. Une brume de chaleur vibrait au-dessus d'un paysage si immense et si plat que l'œil ne s'arrêtait nulle part. Elle fut stupéfaite de sentir une vague de panique la

36

saisir. Inexorablement, sa poitrine se comprima. Impossible de respirer ! Une faiblesse affreuse s'empara d'elle, des étincelles noires jaillirent devant ses yeux, une sueur froide lui inonda le front. Elle allait s'évanouir quand elle sentit des mains solides l'agripper aux épaules.

— Penchez-vous. Respirez.

Elle fit ce qu'on lui ordonnait et bientôt, sa respiration était presque redevenue normale. Elle fit un effort et réussit à se redresser.

— Merci, bredouilla-t-elle.

Sampson scrutait son visage avec inquiétude.

— Vous êtes aussi blanche qu'un *ghost gum*.

— Je me… suis sentie… étourdie, balbutia-t-elle en forçant un sourire. C'est sûrement la chaleur.

Il la regarda d'un air de doute, mais l'aida à remonter en voiture sans faire d'autre commentaire. Elle ne dit pas un mot pendant le reste du bref trajet. Que s'était-il réellement passé ? La température était effectivement extrême, surtout par rapport à Seattle, mais la chaleur n'était pas la seule cause de cette crise d'angoisse. Car à force de côtoyer Quentin, elle savait ce qu'elle venait de vivre, sans avoir jamais fait cette expérience auparavant.

Ils franchirent un petit repli du terrain et Burrinbilli se dressa devant elle. Oubliant instantanément ses inquiétudes, elle se tendit en avant pour étudier passionnément le long bâtiment de plain-pied encadré de deux palmiers trapus. Ces murs de grès crémeux, ce toit métallique vert sauge, cette large véranda qui encerclait la maison — elle avait grandi avec ces images ! Et les hautes fenêtres étroites, les fins piliers de fer forgé de la véranda, leurs volutes délicates noyées dans les feuillages des bougainvillées…

— Il faudrait tailler les plantes grimpantes, observa Sampson en freinant devant la maison.

— C'est magnifique, souffla-t-elle avec émotion.

Un chien noir et blanc moucheté se leva de sa place sur la véranda et lança un aboiement bref, agitant frénétiquement la queue, tout à la joie de revoir son maître.

— Ça va comme tu veux ? s'enquit celui-ci.

Se penchant pour gratter les oreilles de l'animal, il le présenta à Sarah :

— Le Grand Wal.

— Bonjour, Grand Wal, répondit celle-ci, amusée, en lui tendant la main pour qu'il la renifle. On dirait un nom de cirque, il sait faire des tours particuliers ?

— Non, c'est un *blue heeler*, un chien de bétail. Je l'appelle le Grand pour lui faire plaisir.

Se redressant, Sarah regarda autour d'elle. Une pelouse, un peu râpée mais une pelouse tout de même, entourait la maison. A une centaine de mètres, une rangée de *gums* immenses s'éloignait en suivant les méandres d'un cours d'eau. A droite, un pré avec des chevaux ; un bai luisant s'approcha au grand trot, ployant son encolure musclée et secouant sa crinière. Quelle allure ! Un instant, elle regretta d'avoir menti en disant qu'elle ne savait pas monter. Le mensonge lui était venu spontanément, un déni instinctif, pour qu'on ne lui demande pas d'affronter à cheval ce paysage terrifiant.

Elle s'avança, gravit la marche unique et prit pied sur la véranda. Que l'ombre était agréable ! Son pas sonnait un peu creux sur le plancher de bois. Lentement, elle s'approcha de la porte, contemplant l'imposte au-dessus du vantail de bois, et les panneaux de verre gravés qui l'encadraient. Du bout des doigts, elle dessina le chardon écossais entrelacé de roses et de trèfles à quatre feuilles. Sa mère possédait une broche ancienne portant le même motif.

Elle ne savait rien de la famille de Warren, à peine davantage de celle de sa mère ; jusqu'ici, cela ne lui avait jamais manqué mais tout à coup, elle désirait en apprendre davantage.

Un bruit de pas résonna derrière elle. Se retournant, elle se trouva nez à nez avec Sampson, ses valises à la main.

— Désolée, je… j'aurais dû les décharger mais cela m'a fait un effet extraordinaire de voir la maison. Je n'aurais jamais cru que cela m'affecterait autant. Je me retrouve plongée dans une foule de souvenirs — même pas les miens, ceux de ma mère — des anecdotes qu'elle m'a racontées au fil des ans. J'ai l'impression de connaître Burrinbilli presque aussi bien que si j'y avais vécu moi-même.

Avec un regard un brin ironique, il l'invita du geste à entrer en murmurant :

— Vous êtes chez vous.

Ce n'était pas tout à fait une formule de politesse ; gênée, elle réalisa qu'elle parlait trop librement, vu leurs situations respectives. Lui aussi se sentait chez lui ici !

Il s'effaçait pour la laisser passer. Elle s'avança dans le spacieux hall d'entrée, leva les yeux vers les moulures de stuc du plafond, s'arrêta devant une impressionnante vitrine remplie de papillons multicolores. Décidant de mettre les choses au point une fois pour toutes, elle lança :

— Je ne pourrais jamais m'installer ici, vous savez. Je suis une fille de la ville. Les lumières, les buildings, le bruit de la circulation… Pour tout vous dire, ce silence me met assez mal à l'aise. Pour me sentir chez moi, il me faut un appartement agréable au vingtième étage et un café avec vue sur le Puget Sound.

Revenant vers la porte d'un air décidé, elle reprit :

— Vous voulez bien me montrer le lac ?

Il accrocha son chapeau près de la porte et soupira :

— D'accord. Mais je vous préviens, ce n'est pas ce que vous croyez.

3.

Il l'entraîna vers le fond de la maison. Elle entrevit au passage une vaste cuisine rustique, avec une grande cheminée de pierre abritant une gazinière moderne en acier — et franchit une porte de verre coulissante donnant sur l'arrière de la véranda. Cette partie était close par un fin grillage moustiquaire et meublée de fauteuils de rotin aux coussins rebondis, groupés autour d'une table de teck ; dans un angle, elle vit un bureau d'enfant et des rayonnages de livres. Son regard impatient franchit la moustiquaire, glissa sur les dépendances, la corde à linge, les grands arbres qui ombrageaient le jardin… et s'arrêta net, tandis que sa bouche dessinait un O de déception. Là où auraient dû s'étendre les eaux du lac, il n'y avait qu'une large dépression dans la terre sèche et rouge. Des touffes d'herbe rêche poussaient ici et là.

— C'est… ça ?

Il avait eu beau la mettre en garde, elle avait envie de pleurer. La perspective d'un bain dans le lac dès son arrivée l'avait soutenue tout au long de ce voyage interminable !

— Depuis combien de temps est-il à sec ? demanda-t-elle.

— Trois, quatre ans peut-être. Ce n'est pas vraiment un lac, juste un creux argileux qui retient l'eau des inondations. Cela doit bien faire six ans qu'il y a à peine de quoi patauger.

40

Elle pressa ses paupières du bout des doigts, sentit une humidité sous ses cils. La fatigue la rendait émotive, décida-t-elle. Elle était effondrée de découvrir qu'une fois sur place, les souvenirs de sa mère ne la soutenaient plus. Il lui fallait d'urgence un bon café, et ensuite un peu de solitude pour encaisser sa déception.

— Je crois que je vais prendre une douche et m'allonger un peu, dit-elle d'une voix mourante.

— C'est un autre monde à la saison des pluies, dit Sampson. Les Downs sont tout verts, couverts de fleurs sauvages et de petites grenouilles. Des nuées d'oiseaux emplissent le ciel.

Elle ouvrit les yeux. Le regard au loin, il contemplait le lac asséché, en voyant sans doute le paradis qu'il décrivait.

— J'aimerais voir cela, dit-elle en plissant les yeux pour affronter le paysage réel, blanchi de soleil.

— La vie reviendra s'épanouir ici, dit-il encore.

Un instant, son regard plongea dans le sien. *Pour ceux qui restent*, semblait-il dire. Elle fut stupéfaite de se sentir blessée, comme si l'on venait de l'exclure d'une confrérie privilégiée. Faisant volte-face, il lui fit de nouveau traverser la cuisine et s'engagea dans un long couloir.

— Ma chambre, la chambre de Becka, indiqua-t-il en passant devant des portes closes. La salle de bains est ici et voici votre chambre.

Il poussa une porte et s'écarta. Elle s'avança dans une pièce carrée, assez triste avec sa tapisserie aux fleurs ternies. Les rideaux assortis étaient propres mais leurs bords s'effrangeaient ; une courtepointe blanche couvrait l'étroit lit de cuivre. Ses amis de Seattle, qui aimaient les meubles anciens, auraient payé une fortune pour la commode et l'armoire. Au plafond, un ventilateur créait une petite brise réconfortante.

Posant ses valises près du lit, Sampson recula vers la porte.

— J'allais déménager de la chambre de maître pendant votre visite mais…

— Mais non, je ne veux pas vous déranger.

— … je pense que c'était la chambre de votre mère.

— La chambre de ma mère ? répéta-t-elle en regardant autour d'elle avec intérêt. Pourquoi pensez-vous… ?

Du menton, il montra un gros cahier posé sur la commode.

— J'ai trouvé son journal intime un jour, en réparant une latte du plancher. Il devait être là depuis des années. J'en ai parlé à votre père mais il n'a pas dit ce que je devais en faire. J'aurais peut-être dû le brûler mais je ne sais pas pourquoi, je l'ai mis de côté.

Fascinée, elle prit le gros cahier, le retourna entre ses mains. Le titre griffonné sur la couverture rouge fanée la fit sourire : « Le Journal d'Anne. Privé. Pas Touche ! » L'écriture était bien celle de sa mère.

— Vous l'avez lu ? demanda-t-elle.

Le visage de Sampson se ferma.

— Bien sûr que non, c'est privé. Et je n'ai pas le temps de lire des journaux intimes de jeunes filles.

Les pages étaient couvertes d'une écriture serrée. Résistant à la tentation, elle reposa le cahier sur le meuble.

— Je le lui rapporterai, décida-t-elle. Elle sera peut-être contente de le retrouver après tout ce temps.

— Bien. Je vous laisse vous installer.

Il sortit en refermant la porte derrière lui. Rapidement, elle défit ses bagages et se laissa tomber sur le lit, portable à la main. Le temps de changer la batterie usée, elle put composer le numéro de sa mère. Quelle déception quand le répondeur prit son appel !

— Maman, bonjour, soupira-t-elle. Je suis arrivée, après un voyage affreux. Il fait une chaleur incroyable, et tu ne

42

m'avais jamais parlé des mouches ! Quant au lac... Mais la maison est magnifique. Au fait, Luke Sampson a trouvé un vieux journal intime à toi. Tu sais quoi ? J'ai déjà rencontré Len, et j'ai l'impression qu'il s'est passé quelque chose entre vous deux. Bien, je vais me reposer, je te rappellerai plus tard. Je t'embrasse !

Luke arpentait la véranda, le regard braqué sur le chemin de terre qui coupait à travers les Downs. A l'ouest, le ciel immense virait au rouge sang et il ne voyait toujours pas le nuage de poussière annonçant l'arrivée d'Abby et de Becka.

— A ton avis, Wal, qu'est-ce qu'elles fichent ?

Le chien pressa sa truffe froide dans sa main. Entendant un mouvement derrière lui, il se retourna d'un bond. Sarah se tenait sur le seuil. Elle avait enfilé une robe sans manches de coton tressé qui soulignait ses formes et montrait ses longues jambes. Ses cheveux auburn tombaient en longues mèches humides sur ses épaules nues. Il sentit des instincts assoupis se réveiller en lui.

— Quelque chose ne va pas ? demanda-t-elle.

Quand elle s'avança, il sentit son parfum subtil et fruité. S'efforçant de maîtriser l'homme des cavernes qui se levait en lui, il répondit :

— Il est presque 7 heures et Abby n'a pas encore déposé Becka.

— Elles sont sûrement en chemin, murmura-t-elle en se penchant pour tapoter la tête de Wal.

— Abby ne roule jamais de nuit. On peut facilement s'écarter de la piste et se perdre. Elle devait ramener la petite pour le thé.

— Le thé ? Oh, vous voulez dire le dîner.

Elle scruta l'horizon un instant, et passa derrière l'écran

des bougainvillées, effleurant du bout des doigts les feuilles luisantes.

— Vous pensez qu'elle est tombée en panne ? Ou qu'elle n'a pas fait attention à l'heure ?

Luke s'engouffra dans la maison pour téléphoner. Un peu tard, il s'aperçut qu'il était parti sans un mot. A force de vivre seul, il n'avait plus l'habitude d'informer les autres de ses mouvements ! D'abord Becka, maintenant Sarah...

— Allô !

La voix d'Abby était détendue, désinvolte.

— Tu es encore chez toi ? aboya-t-il. Qu'est-ce qui se passe, Becka va bien ?

Une cacophonie subite l'empêcha de saisir la réponse. Comme chaque soir à la tombée de la nuit, les *corellas* blancs revenaient pas douzaines à leurs nids dans les *river gums*. Refermant d'une main la fenêtre de la cuisine, il écouta Abby dévider explications et prétextes. « Plus beaucoup d'essence, les pompes fermées pour la soirée, j'ai essayé de t'appeler dans l'après-midi... » Elle parlait, parlait, d'un ton raisonnable, sans exprimer de regrets. Il aurait aimé crier, l'injurier, lui dire combien il s'était inquiété — mais il redoutait de tomber dans une réaction excessive.

— Bon, bon. Pas de problème, dit-il enfin, sans savoir qui il cherchait à rassurer. Je passerai prendre Becka demain.

Il retrouva Sarah sur la véranda qui contemplait, fascinée, les acrobaties des *corellas* qui se balançaient la tête en bas dans les branches, se chamaillant entre eux, cassant des noix dans leurs solides becs recourbés. Son regard à lui était plutôt attiré par la courbe de la gorge de la jeune femme, par son visage émerveillé, par son sourire. Elle se tourna vers lui, rayonnante, et s'écria :

— Ils sont adorables, non ?

44

— Ouais, grogna-t-il. Vous voulez manger quelque chose ?

— Merci, j'ai faim, maintenant qu'il fait plus frais.

Puis, tandis qu'elle le suivait dans la maison :

— Vous avez réussi à joindre Abby ?

Prenant son masque le plus inexpressif, il répondit :

— En fin de compte, Becka passera la nuit là-bas. J'irai la chercher demain.

Les yeux verts de sa visiteuse sondèrent les siens.

— Cela ne vous pose pas problème ?

Eh bien oui, justement ! Sa fille ne vivait avec lui que depuis une semaine et elle semblait n'avoir qu'une hâte : retourner chez Abby. Ce qui le hérissait le plus, c'était d'être mis devant le fait accompli. Abby devait se douter qu'il hésiterait à refaire la longue route de Murrum en laissant sa visiteuse seule, le premier soir. Il se sentait manipulé et, curieusement, plutôt inquiet.

— Tout ira bien, assura-t-il maladroitement. Venez prendre un peu de carburant. J'espère que vous aimez le steak et les pommes de terre.

— Un steak ? Je n'en ai pas mangé depuis 1989.

Retrouvant son ton pince-sans-rire, il murmura :

— Nous en mangeons quelquefois par ici. Vous êtes végétarienne ?

Ce serait une première pour une propriétaire de station !

— Non, mais je mange rarement de gros morceaux de viande rouge.

— Nous vous en donnerons un petit.

Il commença par ouvrir la bouteille de cabernet sauvignon qu'il gardait pour une grande occasion — en refusant de s'interroger sur le motif de cette impulsion subite.

— Voilà un tire-bouchon original, s'écria-t-elle.

Luke y tenait beaucoup : c'était un grand clou, planté au travers d'une corne de vache sculptée et patiemment tordu sur lui-même dans une spirale serrée.

— C'est mon grand-père qui l'a fabriqué, dit-il avec fierté. Presque tout ce qu'il possédait, il l'avait fait de ses mains ou cultivé sur ses terres. Il était tellement indépendant qu'il a même fait son propre cercueil et creusé sa propre tombe.

— Et c'est l'idéal auquel vous aspirez ? répliqua-t-elle avec une moue comique.

— L'indépendance, oui, mais je ne compte pas commencer à creuser tout de suite.

Il s'aperçut qu'il lui souriait sans réserve. Cela faisait longtemps qu'il n'avait pas plaisanté avec une jolie femme. Cette visite intempestive avait du bon… seul, il aurait passé sa soirée à se ronger les sangs en pensant à Becka et Abby.

Après le dîner, ils emportèrent leur café sur la véranda. Luke s'installa à sa place habituelle, bien calé dans un siège de toile. En se creusant la tête avant l'arrivée de Sarah pour trouver les arguments qui la convaincraient de vendre, il n'avait jamais envisagé de la trouver attirante. Posant ses pieds bottés contre un pilier, il se laissa glisser tout au fond de son siège. Elle n'était même pas si jolie, en fait, pensa-t-il avec un peu de rancune. Son nez avait une petite bosse, son visage était un peu carré…

Debout à quelques pas de lui, elle regardait la cour en serrant sa tasse entre ses paumes.

— Quel silence…, murmura-t-elle.

— Vous trouvez ? demanda-t-il, sincèrement surpris. J'aurais dit que c'était plutôt bruyant, avec les grillons le long du ruisseau et les opossums qui jouent dans les *gums*.

— Et vous ne vous sentez pas trop seuls tous les deux, si loin de tout ?

Il faillit répondre : « Seulement la nuit. »

— Être seul et se sentir seul, ce n'est pas la même chose, biaisa-t-il. Nous avons souvent de la visite. Et pour revoir les amis et avoir des nouvelles, il y a les courses et les bals.

Pensif, il tripota sa tasse. C'était une vie solitaire, dans un sens. Il y était habitué mais… pas Becka. Si seulement elle était une gosse plus sportive, plus passionnée par la nature ! Elle le suivrait partout, il lui expliquerait l'élevage, la faune et la flore. Mais voilà, Abby l'avait transformée en citadine.

Il leva les yeux, juste à temps pour noter la grimace de Sarah quand elle goûta son café.

— Il n'est pas comme vous l'aimez ? s'enquit-il poliment.

— Si ! Il est parfait !

Ce sourire… Tout à coup, il regrettait de n'avoir rien de mieux à lui offrir — pour se raviser aussitôt car c'était une citadine, et rien ne lui semblerait assez bien.

— Que faites-vous, à Seattle ? demanda-t-il.

— Je suis informaticienne. Je crée des logiciels pédagogiques pour une grande société. Vous avez l'Internet ?

Il laissa échapper une petite exclamation de dérision.

— Je préférerais traverser le désert Simpson que de m'aventurer dans le cyberespace.

— C'est vrai ? Eh bien moi, ce sont ces espaces-là qui m'impressionnent. Ce vide !

— Du vide ? C'est bourré de vie quand on sait où la chercher. Moi, je deviendrais fou entre les murs d'une ville.

Elle s'adossa contre un pilier et baissa les yeux vers lui.

— Que faisiez-vous avant de venir à Burrinbilli ?

— Je travaillais dans une station tout au nord du Queensland.

— Et avant cela ?

— J'ai commencé en tant que simple vacher sur la station de mon oncle, près de Hughenden. C'est là que j'ai grandi.

47

La nuit tombait. Dans un *gum*, un *kookaburra* lança son appel en forme d'éclat de rire. Un autre lui répondit, puis un autre. Il eut envie de la prendre à témoin. Voilà quelque chose que l'on n'entendait pas en ville ! Pensif, il dit :

— J'avais un ami, quand j'étais petit, un aborigène. Lui et moi, on partait quelquefois dans le désert. Son grand-père lui avait appris à pister, à trouver de l'eau. Il m'a appris à mon tour.

— Vous… vous mangiez des bestioles, des asticots, ce genre de choses ? demanda-t-elle, les yeux ronds.

— Exactement, répliqua-t-il avec tout le sérieux dont il était capable. Je vous ferai goûter si vous voulez.

— Oh, frémit-elle. Je suppose que je mangerais des asticots si je mourais de faim, mais tant que j'ai le choix…

Il éclata de rire, vida sa tasse et se remit sur pied.

— Je vais me coucher. Le soleil se lève tôt.

Au moment de franchir la porte, il se retourna pour lui demander :

— Vous restez encore un petit moment ?

— Eh bien…

— Parce que si jamais vous vous promenez de nuit, pensez à emporter une lampe de poche. Les serpents bruns s'endorment généralement au crépuscule, mais les vipères et les *mulgas* sont très actifs.

— Des vipères ? Des *mulgas* ? Ils sont venimeux ?

— La plupart des serpents d'Australie le sont.

Elle se précipita vers la porte, disant très vite :

— En fait, je suis assez fatiguée. Le voyage a été long.

— Je me disais aussi…

Il s'effaça pour la laisser passer. Le plafonnier illumina ses épaules nues semées de pâles taches de rousseur ; le parfum de sa peau tiède monta à ses narines. Cela faisait longtemps qu'il n'avait pas serré une femme dans ses bras !

Et ce ne serait pas pour demain, et ce ne serait pas cette femme, malgré tout son charme. Dommage…

Sarah passa une partie de l'après-midi du lendemain dans sa chambre, à dresser la liste de ce qu'elle voulait acheter pour la maison. Maintenant qu'elle était propriétaire (pour moitié), elle voulait participer aux charges de la maison — à supposer que Sampson lui permette de le faire. Les gros investissements en matériel agricole seraient à voir par la suite, mais des cloisons repeintes et des rideaux aux fenêtres pouvaient, pour une somme modeste, améliorer sensiblement la qualité de la vie. Elle avait trouvé une vieille machine à coudre dans le placard du linge de maison et, sans être particulièrement douée dans ce registre, elle se sentait d'attaque pour créer des rideaux et des housses de coussin.

Elle entendit la porte coulissante de la cuisine et se souvint que Sampson rentrait tôt aujourd'hui, pour aller chercher Becka. Ce matin, il lui avait demandé si elle voulait l'accompagner, histoire de découvrir leurs terres. Demain peut-être, avait-elle répondu sans parvenir à croiser son regard.

Débouchant du couloir, elle s'immobilisa sur le seuil de la cuisine. Sampson avait retiré sa chemise ; penché sur l'évier, il brassait de l'eau chaude savonneuse, s'inondant la tête et les bras. Elle n'avait jamais particulièrement apprécié les westerns et la séduction des cow-boys lui échappait totalement. Mais le spectacle la cloua sur place, et la laissa l'esprit parfaitement vide.

Il tâtonna à la recherche de sa serviette, se tamponna le visage, les cheveux — ouvrit les yeux. Ce fut son tour de se figer, la serviette pressée sur sa poitrine.

— Oh. B'jour.

— Bonjour, bredouilla-t-elle, dépliant et repliant nerveusement sa liste. Vous partez chercher Becka ?

Il approuva de la tête, ramassa sa chemise en la froissant dans son poing.

— Vous voulez venir ?

— Non. Merci.

Elle vit passer une lueur dans son regard et se demanda s'il devinait à quel point elle le trouvait séduisant.

— Je pensais préparer quelque chose pour le dîner, si vous voulez bien me montrer comment me servir de la cuisinière à bois.

— La cuisinière électrique fonctionne.

— Disons que la cuisinière à bois m'inspire. Vous m'autorisez à puiser dans vos réserves ?

Elle vit les coins de sa bouche se retrousser. Il rabattit en arrière ses cheveux humides aux mèches blond paille et cannelle.

— Allez-y, dit-il sobrement. Déchaînez-vous.

Luke rangea le 4x4 devant la maison d'Abby et sauta à terre. Personne ne verrouillait sa porte par ici, et personne n'attendait d'invitation pour se rendre visite. Il se contenta donc de frapper un coup bref en entrant.

— Abby ? Becka ?

Pas de réponse. Passant dans la cuisine, il jeta un coup d'œil dans le jardin. A genoux dans le potager, Becka et Abby nouaient les branches des plants de tomates à des tuteurs. A la vue de sa fille, gravement au travail, il sourit. Poussant la porte de derrière, il lança gaiement :

— B'jour !

Abby leva la tête, repoussa posément une mèche de cheveux gris de son front.

— Bonjour, Luke ! Nous avons presque terminé.

Il se tourna vers Becka, espérant qu'elle se précipiterait vers lui pour lui raconter toutes ses petites nouvelles, comme elle le faisait quand elle était plus jeune. Les temps avaient bien changé car elle se contenta de le regarder sans sourire avant de se concentrer de nouveau sur ses tomates. Si elles lui avaient manifesté le moindre signe d'encouragement, il serait volontiers venu les aider — mais il aurait pu tout aussi bien être invisible, pour ce qu'elles s'occupaient de lui.

— Ne vous dérangez pas pour moi, marmotta-t-il.

Fulminant en silence, il battit en retraite dans la maison, se servit un grand verre d'eau et s'assit à la table de la cuisine. Le désordre habituel y régnait : une pile de factures payées, des élastiques à cheveux de Becka, une grille de mots croisés inachevée. Au mur, il vit une aquarelle de Caroline, une vue du désert. Leur amour commun de ce pays n'avait pas suffi à faire d'eux un couple. Pas plus que son amour pour elle.

Le tableau lui rappela que cette maison avait été celle de Caroline. Abby l'avait reprise à sa mort, comme elle avait repris Becka.

Distraitement, il prit l'album photo sur l'étagère, l'ouvrit au hasard. Le visage de Caroline lui sauta aux yeux. Caroline avec ses parents, Caroline avec Abby... Il revint en arrière, curieux de voir des photos d'Abby dans sa jeunesse. Elle faisait une jeune fille agréable, même si ses yeux vairons, l'un bleu, l'autre noisette, étaient déconcertants. Dommage qu'elle ne se soit jamais mariée, elle qui aimait tant les enfants. Vaguement, il se souvint que d'après Caroline, Abby ne s'était jamais remise d'un amour de jeunesse contrarié pour Len.

Il revint aux années plus récentes, retrouva Caroline à son chevalet, Caroline enceinte. Une grossesse imprévue, mais il avait été content ; il avait cru que dès lors, ils formeraient une famille. Elle l'avait vite détrompé, répétant qu'elle ne voulait pas se ranger, elle voulait voyager. Une autre page... une enveloppe non scellée était glissée dans la fente. Curieux, il l'ouvrit et en sortit une photo de Caroline à la maternité. Il fronça les sourcils, incrédule. Le visage de Caroline avait été découpé de la photo, et le visage d'Abby inséré à la place.

Pour l'amour du ciel ! Il lâcha la photo en sautant sur ses pieds, secoué par un frisson malgré la chaleur étouffante. Pris d'un doute, il examina de nouveau l'image. C'était bien réel, et absolument répugnant.

Des voix, des pas à la porte. Vite, il fourra la photo dans son enveloppe et referma sèchement l'album. Abby parut sur le seuil, souriante, essuyant longuement la terre rouge de ses chaussures sur le grattoir.

— Voilà, une bonne chose de faite ! Tu as le temps de prendre une tasse de thé avant de repartir ?

La bouche sèche, incapable de répondre, il la regarda remplir la bouilloire électrique au robinet en fredonnant tout bas. Qui donc se cachait derrière ce visage qu'il croyait si bien connaître... et quels mensonges cette femme avait-elle pu raconter à Becka ? Becka, son bébé, avec sa queue-de-cheval blonde et ses longues jambes de pouliche.

— Becka, va chercher tes affaires, ordonna-t-il.

— Détends-toi, Luke ! protesta Abby. Il te reste encore deux heures de jour.

Protectrice, elle alla se pencher sur la petite fille.

— Lave-toi les mains, chérie. Prends la brosse pour les ongles. Encore un peu de savon. C'est bien.

Une colère terrible montait en lui. S'efforçant de parler d'une voix tout à fait normale, il répondit :

— Sarah prépare quelque chose pour le dîner. Becka, viens tout de suite, s'il te plaît.

Elle se détourna de l'évier ; il vit qu'elle avait son expression de princesse martyre.

— Je suis obligée ?

— Oui !

Il attendit qu'elle se sèche les mains, qu'elle quitte la pièce, lui donna encore cinq secondes pour atteindre sa chambre et lança :

— Abby...

— Alors comme cela, Sarah Templestowe prépare le dîner ? C'est charmant.

La voix d'Abby s'était faite taquine, insinuante, ses yeux dépareillés scrutaient son visage. Il s'interdit de réagir. Abby cherchait toujours à découvrir des petits secrets, inventait des romans à partir de rien, et semblait bizarrement satisfaite si une idylle naissante s'écroulait comme un château de cartes.

— J'ai regardé ton album photo, lui dit-il.

Elle lui jeta un sourire affable, sortit des tasses du placard.

— Tu as su que Sandy Ronstad avait eu son bébé ?

— Abby ! répéta-t-il en serrant les poings malgré lui. Pourquoi as-tu découpé la photo de Caroline en mettant la tienne à la place ?

Elle eut une sorte de haut-le-corps, mais continua à s'affairer sans se retourner vers lui.

— De quoi parles-tu, voyons ?

Il ouvrit l'album, agita l'enveloppe sous son nez. La rage le rendait presque incohérent.

— As-tu montré ça à Becka ?

— Je ne suis pas surprise, pour Sarah Templestowe. Tu es beau garçon, tu es célibataire. Mais je trouve qu'elle va tout de même un peu vite en besogne...

La voix un peu tremblante, elle revenait résolument à

son idée, avec cette douceur qui le mettait hors de lui parce qu'elle ne lui laissait aucune prise.

— ... comme sa mère, partie avec cet Américain qu'elle connaissait à peine. Pauvre Len, elle lui a brisé le cœur.

Il la saisit aux épaules, se retint de justesse de la secouer.

— As-tu dit à Becka que tu étais sa mère ? scanda-t-il dans un chuchotement féroce.

— Bien sûr que non ! protesta-t-elle en s'effleurant les tempes du bout des doigts. Ce serait insensé.

— Alors pourquoi as-tu mis ta photo à la place de celle de Caroline ?

Les mains d'Abby quittèrent ses tempes, se pressèrent sur ses oreilles.

— Réponds-moi, ordonna-t-il durement.

— Elle est tout ce que j'ai. Je ne peux pas vivre sans elle.

— Il est temps. Nous nous sommes mis d'accord quand Caroline est morte.

— Neuf ans, c'était un chiffre arbitraire. Elle a toujours autant besoin d'une mère...

Son regard furieux la fit reculer.

— D'une figure maternelle, rectifia-t-elle.

— Elle a aussi besoin de son père, assena Luke.

Ce regard suppliant ! Cela devenait difficile de garder une attitude intransigeante, mais cette photo défigurée le hantait.

— Papa ! cria Becka de sa chambre. C'est lourd, tu m'aides ?

Lançant un dernier regard furieux à Abby, il alla rejoindre sa fille — et la trouva croulant sous les paquets avec son cartable, son sac d'affaires pour la nuit, et deux grands sachets portant les logos de magasins.

— Qu'est-ce que c'est que ça ? demanda-t-il.

— Tante Abby m'a acheté des vêtements !

Luke plongea la main dans un sachet au hasard, en retira une poignée d'étoffe souple et lustrée avec des bretelles très fines.

— C'est... une chemise de nuit ?

— Non ! Une robe de fête. Elle est cool, non ?

— Tu n'as que neuf ans. Tu ne peux pas aller aux fêtes dans une tenue pareille. Laisse-la ici.

— Oh, papa !

Levant les yeux, il vit Abby sur le seuil. De sa voix la plus enjôleuse, elle dit :

— Laisse-la les garder. Il lui faut bien quelque chose d'amusant et de joli dans sa garde-robe.

— Tu n'aurais pas dû, Abby. Pas sans me consulter.

— Voyons ! Les hommes n'ont aucune idée de ce qu'il faut acheter pour des filles de cet âge. N'est-ce pas, Becka ?

Elle caressa les cheveux de la petite qui leva la tête pour lui sourire. Il jeta les sachets sur le lit comme s'ils étaient contaminés.

— Reprends tout ça, scanda-t-il, les dents serrées. Elle n'a pas besoin de robes de fête à la station, il lui faut des jeans, des T-shirts et des bottes.

— J'essayais seulement de l'aider. Tu ne l'as peut-être pas remarqué, mais ta petite fille est en train de grandir.

Oh, si, il avait remarqué, et il détestait cela. Il avait déjà raté une telle tranche de sa vie...

— Tu la pousses à grandir trop vite, assena-t-il. Ce sont des robes pour une fille bien plus âgée.

— Tu n'es pas du tout au courant de ce que les enfants portent de nos jours. Je te comprends, tu vis si loin de tout. Moi, je me suis occupée d'elle, je sais ce qu'il lui faut.

Il fallait bien faire quelques achats, la moitié de ses affaires sont trop petites.

— S'il lui faut des vêtements, je les lui achèterai.

Becka, qui s'était tue jusqu'ici, se retourna brusquement contre lui.

— Je te déteste ! hurla-t-elle.

Fondant en larmes, elle sortit en courant de la pièce, son cartable heurtant la porte au passage. Abby leva vers Luke un regard de reproche.

— Luke, je trouve que tu aurais pu aborder la question avec un peu plus de doigté. Mais bon, tu n'as pas beaucoup d'expérience en tant que père, n'est-ce pas ?

Il serra les dents si violemment qu'il se fit mal.

— Nous ne te reverrons pas pendant quelque temps, articula-t-il. Becka sera très occupée, à la station.

Debout sur sa véranda, agrippée des deux mains à la balustrade, Abby suivit du regard le 4x4 qui dérapait dans la poussière, montait sur le bitume dans un cahot brutal et filait vers l'horizon. Une écharde perça sa peau, faisant éclore une goutte de sang rouge vif ; elle ne remarqua rien. Becka était tout pour elle, Luke ne pouvait pas la lui prendre. Comme Anne Hafford lui avait pris Len, tant d'années auparavant.

« Ne t'en fais pas, Becka, ma chérie, pensa-t-elle avec rage. Nous nous retrouverons, toutes les deux. »

— Aïe !

Sarah agita furieusement ses doigts brûlés et courut à l'évier les passer sous l'eau froide. Que cette cuisinière aille au diable, pourquoi ne produisait-elle pas des chefs-d'œuvre savoureux comme ceux du Bistro d'Alfredo, à Seattle ? Sa pizza était brûlée sur le pourtour, pâle et mal cuite au centre.

Peut-être, si elle allumait le four électrique et la mettait quelques minutes sous le gril…

Contrariée, elle essuya une trace de farine sur son nez, souffla sur la mèche qui lui tombait sur le front. Les tomates en boîte, même bien égouttées, ce n'était pas comme les tomates séchées au soleil. Et en guise de jambon de Parme aux tranches fines comme du papier, elle n'avait pu trouver que du bacon grossier.

En fait, le dîner gâché n'était qu'une difficulté mineure ; si elle grinçait des dents et sursautait au moindre bruit, c'était parce qu'elle était en manque. Il n'y avait pas de café ! L'instantané de Luke pouvait à la rigueur passer une ou deux fois, mais pas davantage. Il lui fallait un goût intense, un arôme savoureux ; de la caféine concentrée à haute dose. Aussi humiliant que cela puisse être de se l'avouer, il lui fallait sa drogue. Jetant son torchon sur la table, elle quitta la cuisine à grands pas, retourna dans sa chambre et s'empara du téléphone portable.

— Maman ! Dieu merci, tu es encore debout.

— Ma grande ! Tu vas bien ? Il y a un problème ?

— J'ai besoin de café. Du vrai café, en grains ou fraîchement moulu, fait avec de l'eau bien bouillante. Avec du lait qui mousse. De l'espresso, du café torréfié à la française, du café à la cannelle, à la noisette, du cappuccino…

— Sarah, Sarah, tu es sûre que tu vas bien ?

— C'était quoi, ce bruit ? s'écria celle-ci, soupçonneuse. J'ai entendu un bruit. Tu bois quelque chose ?

— Juste une tisane. Ma grande, il faut te ressaisir !

— Je ne peux pas. Il faut que tu m'envoies du café.

— Je sais que Murrum n'est pas exactement le centre du monde civilisé, mais ils ont tout de même du café !

— Instantané ! En tout cas, c'est tout ce qu'il y a chez Sampson.

Le téléphone pressé à son oreille, elle retourna dans la cuisine, vérifia la chaleur du gril et y glissa la pizza.

— Maman, je t'en prie ! supplia-t-elle.

— C'est comme si c'était fait ! répondit Anne en riant un peu. Alors, raconte ! J'ai pensé à toi toute la journée. Tu es descendue au cours d'eau ?

— Euh, non. Il y avait tant à faire que je n'ai pas encore eu l'occasion.

Pas question d'avouer à sa mère qu'elle avait peur de sortir de la cour. C'était trop ridicule !

— Et la maison ? C'est très délabré ? demanda Anne avec nostalgie.

— Non, tout au plus un peu défraîchi. Ne t'en fais pas, je m'en occupe, et ce sera superbe en un rien de temps. En revanche, Sampson sera plus difficile à convaincre que je ne le pensais. Il s'accroche !

— C'est assez normal. Que penses-tu de lui ? En tant que contremaître, je veux dire. A ton avis, il est sérieux ?

Quelques images défilèrent devant ses yeux. Sampson le regard plissé sous le grand soleil, Sampson torse nu devant l'évier, ou souriant dans la pénombre de la véranda à une blague qu'il était seul à connaître.

— Il ne dit pas grand-chose mais il te regarde droit dans les yeux en le disant, rapporta-t-elle. J'ai parcouru les comptes de la station avant de quitter Seattle, et tout semble parfaitement en ordre. Je me demande même comment il réussit à s'en sortir, avec le peu de revenus qu'il a dégagés ces deux dernières années.

— C'est une vie très dure, observa Anne.

Elle se tut un instant, puis reprit :

— Tu disais que tu avais rencontré Len.

— Il s'est tout de suite souvenu de toi, mais quand j'ai dit que je te transmettrais le bonjour de sa part, il s'est refermé comme une huître.

— Oh, nous nous connaissions il y a très, très longtemps. Cela ne sert à rien de remuer ces vieilles histoires.

Sarah tendit l'oreille. Anne ne semblait pas particulièrement déçue, sa voix était neutre. Un peu trop neutre justement ; décidément, elle lui cachait quelque chose. Elle lança :

— Je parie qu'il était irrésistible quand il était jeune.

— Je crois qu'il s'est marié, répondit vaguement sa mère. Euh… ce vieux cahier que tu as trouvé… range-le quelque part, tu veux ? Il n'y a rien d'intéressant dedans, juste les états d'âme habituels d'une adolescente.

— Ne t'en fais pas, maman, je ne le lirai pas.

Elle s'interrompit un instant pour jeter un coup d'œil au gril. Oups ! Cette fois, la pizza était cuite et bien cuite, la surface semblait avoir été passée à la lampe à souder. Côté positif, les tomates avaient enfin séché.

— Il faut que je te quitte, dit-elle. Le dîner est… disons que c'est prêt. Je te rappelle demain.

Elle entendit le 4x4 entrer dans la cour et posa la pizza sur la table, en s'efforçant de la cacher derrière la salade et le pain à l'ail. Quelques instants plus tard, Sampson entra dans la cuisine avec un visage de pierre, suivi d'une gamine boudeuse à tresses blondes qui traînait un sac de sport.

— Sarah, voici Becka. Dis bonjour, Becka.

— B'jour.

— Bonjour, Becka. Je suis contente de te voir.

Sarah sourit de son mieux. Le visage de la petite l'avait choquée avec ses yeux gonflés et rougis, et les traces de larmes sur ses joues semées de taches de rousseur. Que se passait-il donc ? Il y eut un silence gêné, puis elle reprit gaiement :

— Le dîner est prêt !

Luke prit place à table sans desserrer les dents. Au bout

d'un instant, Becka fit de même, raclant bruyamment sa chaise sur le sol d'ardoise. Le visage figé dans une expression de défi, elle refusait de regarder son père. Sarah s'installa à son tour et s'efforça d'entamer la conversation.

— Ce n'est pas précisément un plat de gourmet, dit-elle en servant sa pizza. C'est même complètement raté mais il y a de la salade. Et avec la pâte qui restait, j'ai fait du pain à l'ail...

Luke enfourna une grande bouchée de la pizza brûlée, mâcha et avala sans commentaire.

— Alors ? Elle est comment ? demanda Sarah qui commençait à perdre pied.

— Bonne.

Maintenant, elle était sûre qu'il ne goûtait pas ce qu'il mangeait !

— Et toi, Becka ? hasarda-t-elle.

La petite secoua les épaules et entreprit de retirer les tomates de sa part.

Le dîner se poursuivit en silence. Sarah mangea surtout de la salade. C'était trop humiliant ! Comment montrer à Sampson que si elle n'était qu'une piètre cuisinière, elle avait tout de même d'autres talents ! Elle savait mieux que personne corriger les bugs d'un programme informatique. Elle était bonne gestionnaire, menait avec tact son équipe de six personnes et supervisait tous les détails techniques de leur travail... Du bout de sa fourchette, elle embrocha une lamelle de poivron rouge et la croqua, irritée. A quoi pensait-elle donc ? Ses talents ne signifiaient rien pour un homme comme lui. Pourquoi devrait-elle se préoccuper de son opinion ?

— Tu t'es amusée chez ta tante ? demanda-t-elle à Becka.

Une question anodine, mais le résultat la stupéfia. Les yeux

60

de la petite se remplirent de larmes ; au lieu de répondre, elle se tourna vers son père et demanda furieusement :

— Pourquoi est-ce que je ne peux pas retourner chez tante Abby ? Pourquoi ! Je crois que tu me détestes.

— Becka, tu sais bien que non…

— Si, c'est vrai ! Tu ne veux pas que je retourne chez elle mais tu ne me dis même pas pourquoi.

Clignant des yeux pour retenir ses larmes, elle glissa à bas de sa chaise et sortit sur la véranda. Atterrée, Sarah se retourna vers Luke.

— Les gosses, grogna-t-il.

Le visage crispé, il prit une grosse bouchée de pizza brûlée. Troublée, elle posa sa fourchette. Manifestement, il se passait quelque chose dont il ne comptait pas lui parler. Choisissant ses mots avec précaution, elle demanda :

— Il y a une raison pour laquelle je ne devrais pas évoquer sa tante devant elle ?

Il empoigna son verre d'un geste si féroce qu'elle crut qu'il allait le pulvériser.

— Commencez par ne pas parler d'elle devant moi.

— Je vois, dit-elle. Vous êtes en colère contre la tante mais vous ne voulez pas en parler. Becka est bouleversée par ce qui s'est passé mais elle ne peut pas en parler parce que vous refusez de l'écouter. Je n'ai aucune idée de ce qui se passe, mais je dois m'occuper de mes affaires parce que je ne suis pas d'ici. C'est un bon aperçu de la situation ?

Il hocha brièvement la tête, puis consentit tout de même à lâcher :

— Ce n'est pas contre vous.

Par la vitre, elle voyait Becka qui boudait, tristement adossée à un pilier. Wal la rejoignit et chercha à lui lécher la main mais elle le repoussa. Sarah demanda :

— Vous allez tout de même parler à votre fille, n'est-ce pas ?

Il se rembrunit encore davantage.

— J'ai dit tout ce que j'avais à dire.

Se mettant sur pied, il quitta la cuisine à son tour... par la porte du couloir. Au lieu de sortir réconforter son enfant, ou de lui expliquer une situation à laquelle elle ne comprenait manifestement rien. Choquée, attristée, Sarah le suivit des yeux. Ce n'était pas son affaire, mais son propre père n'avait pas su être là pour elle, ni dans son enfance ni plus tard, à l'âge adulte. Et maintenant, il était mort et il n'y aurait jamais de réconciliation. Elle voyait bien qu'elle ne devait pas projeter son propre ressenti sur la petite fille qui pleurait sur la véranda, mais sa peine la touchait profondément. Sans connaître grand-chose aux enfants, elle savait combien cela fait mal de penser que l'on ne compte pas pour son père.

Quant à Luke... Elle avait été témoin de son inquiétude la veille au soir, quand sa fille n'était pas rentrée à l'heure dite. Il aimait Becka, mais semblait incapable d'exprimer cet amour. Tout à coup, une chose fut très claire pour elle : que ce soit ou non son affaire, elle ne baisserait pas les bras tant qu'elle n'aurait pas découvert ce qui empêchait ces deux-là de se rejoindre. Tant qu'elle n'aurait pas cerné le problème... et tant qu'elle ne l'aurait pas réglé.

4.

Le lendemain matin, Sarah enfila un petit débardeur et une jupe courte et s'enduisit d'écran solaire de la tête aux pieds. Elle voulait voir le cours d'eau où sa mère pêchait les *yabbies*.

Le décalage horaire l'avait réveillée au plus noir de la nuit, mais elle était parvenue à se rendormir. L'horloge de la cuisine lui apprit qu'il était presque 10 heures. Elle tâta la bouilloire et la trouva encore tiède ; Sampson avait dû revenir boire un café matinal avant de retourner à ses occupations ; une radio bavardait derrière la porte close de Becka.

Elle fit griller du pain, prit un petit déjeuner rapide et sortit sur la véranda. L'air tiède et sec sentait l'eucalyptus. Elle descendit les marches et contourna la citerne ; chacun de ses pas soulevait un petit champignon de poussière rouge. Elle se dirigea vers les arbres qui suivaient le tracé du cours d'eau, la tête pleine des récits de sa mère. « *Un jour, un yabby a pincé le gros orteil de Robby. Impossible de lui faire lâcher prise. Je crois que je n'ai plus jamais ri aussi fort de ma vie.* » Elle entendait presque des rires d'enfants monter de l'ombre pommelée des grands arbres. Quelques pas encore, et elle émergea de l'ombre réconfortante de la maison et déboucha au large de la plaine. Et le phénomène se reproduisit.

Elle frissonnait, son cœur battait trop violemment, respirer lui demandait un effort conscient. Elle voulut faire un pas de plus — et découvrit que c'était impossible. Malgré elle, son regard dériva vers la plaine ; un affreux malaise se lova dans son ventre, un vertige la saisit. Au prix d'un violent effort, elle réussit à ramener son regard vers les arbres, qui semblaient maintenant se dresser à une distance infranchissable. Les rires d'enfants dans son esprit se firent moqueurs ; dans sa poitrine, son cœur tressautait douloureusement. Faisant volte-face, elle se précipita vers la maison en trébuchant. L'ombre… la véranda. Quand elle reprit ses esprits, elle serrait un pilier de fer forgé sur son cœur. Ouvrant les yeux, elle se traîna jusqu'au fauteuil le plus proche et s'y effondra. Quel soulagement ! Le vertige diminuait, elle ne se sentait plus aussi mal… mais son angoisse ne faisait que changer de forme.

Que lui arrivait-il ? Etait-elle malade ? Mourante ? En train de devenir folle ? Peu à peu, son cœur emballé s'apaisa, sa respiration redevint normale. Se remettant sur pied, elle entama un circuit complet de la véranda en s'efforçant de marcher posément, d'un pas régulier. Ici, elle était à l'abri, elle ne pouvait pas se sentir aspirée par le vide. Elle déboucha côté façade… et dut détourner les yeux en toute hâte du panorama des Downs. Tête basse, elle se mit à trotter pour atteindre plus vite l'angle de la maison, retrouver un horizon bouché par les dépendances. Elle commençait à se faire l'effet d'un tigre qui explore les limites de sa cage ! Demain, décida-t-elle. Elle surmonterait cette peur irraisonnée demain.

Pour l'instant, elle avait besoin d'un peu de compagnie. Partant à la recherche de Becka, elle la trouva assise à même le plancher de sa chambre, entre les cartons de jouets et de livres qu'elle n'avait pas déballés. Son petit visage était morne, ses longs cheveux blonds maladroitement tressés dans son dos. Elle portait une robe à fleurs surchargée de fanfreluches qui n'allait pas du tout à sa petite personnalité volontaire, et serrait une poupée dans ses bras. S'appuyant au chambranle de la porte, Sarah lui sourit.

— Bonjour ! Qu'est-ce que tu fais ?

— Je joue, lui répondit-on sans sourire.

— Je peux entrer ?

La petite hocha la tête sans entrain.

— Je vais coudre des rideaux neufs, annonça Sarah en levant les yeux vers la fenêtre. Quelle couleur veux-tu ?

— Ce qu'il y aura, soupira Becka en haussant les épaules.

— C'est une question de moral, tu comprends ? Si on remplaçait ces rideaux marron par des jaunes — peut-être avec des tournesols — cette chambre serait beaucoup plus gaie. Qu'est-ce que tu en dis ?

— D'accord.

— Quelque chose ne va pas, Becka ?

Le petit menton se releva d'un air de défi.

— Non !

— Je vois bien que quelque chose t'ennuie, avança Sarah avec prudence. Ton père se fait beaucoup de souci pour toi.

— Mon père s'en fiche, répliqua la gamine avec un mépris écrasant.

Troublée, Sarah s'assit sur le lit et se pencha vers elle, les coudes sur les genoux.

— Ton père t'aime très fort. Même moi, je le vois, et je viens juste d'arriver.

— Alors, pourquoi est-ce qu'il m'enferme ici ? Il ne veut même pas me parler.

La pauvre ! Il y avait beaucoup d'inquiétude et de chagrin derrière sa façade agressive.

— Je suppose que ta tante te manque, murmura-t-elle.

Becka se mordilla la lèvre et, sans répondre, se mit à peigner sa poupée.

— Je déteste venir ici, marmotta-t-elle. Il n'y a rien à faire.

— C'est très étrange pour moi aussi...

Elle s'interrompit. Ce n'était pas ainsi qu'il fallait parler à cette petite ! Se ravisant, elle s'écria :

— J'ai vu un ordinateur tout neuf dans le bureau. Un modèle de la dernière génération !

— Papa l'a acheté pour que je puisse m'en servir pour l'école. Il a essayé de me montrer mais il ne sait pas faire. Il a dit des gros mots.

— Moi, je peux te montrer, proposa Sarah en réprimant un sourire.

Becka avait l'âge idéal pour se mettre à l'ordinateur ! Les yeux de la petite s'éclairèrent, Sarah crut qu'elle allait accepter... mais le rôle de victime injustement emprisonnée était trop tentant. Ses épaules s'affaissèrent, elle se pencha de nouveau sur sa poupée.

— Non. Je vais juste rester là.

— Si tu changes d'avis, dis-le-moi, dit Sarah en se levant. Ça t'ennuie si j'essaie ton ordinateur ?

Elle n'eut pour toute réponse qu'un nouveau haussement d'épaules, qu'elle décida d'interpréter comme une autorisation. Au moment où elle sortait, la petite chuchota, si bas qu'elle l'entendit à peine :

— Merci quand même.

Pauvre gosse, pensa-t-elle en refermant doucement la porte derrière elle.

Elle rallia la petite pièce qui servait de bureau. Une cloison était couverte de livres ; en parcourant les titres, elle découvrit un nombre surprenant de livres sur la géologie, la botanique, la zoologie et l'histoire naturelle de la région du Queensland.

66

En face se dressait un meuble curieux, très haut, avec une foule de tiroirs très minces. Un instant, elle se demanda ce que Luke pouvait y ranger mais l'appel de l'ordinateur fut plus fort que la curiosité. S'installant, elle mit la belle machine en route. Le protocole de démarrage s'acheva dans un temps record et elle se mit à explorer son contenu. Elle trouva de nombreux logiciels et, malgré le dédain affiché par Sampson, un modem. Il ne roulait pas sur l'or, mais il n'avait pas lésiné sur les moyens de relier Becka au monde ! Si jamais il se décidait à se mettre à l'informatique, il verrait bien vite les avantages au niveau de la gestion de la station.

Un modem, oui, mais pas de connexion Internet, constata-t-elle bientôt. Trouvant un annuaire, elle contacta le serveur le plus proche, paya un an d'abonnement avec sa carte de crédit et, ne connaissant pas la fiabilité du courrier local, demanda à ce que le kit de connexion soit expédié par porteur spécial au magasin général de Murrum. Ce serait un coup de pouce pour Luke et Becka, et cela lui permettrait de faire des recherches sur l'agoraphobie. Avec un peu de chance, elle trouverait une solution à son problème.

Satisfaite de sa matinée de travail, elle éteignit l'ordinateur et retourna dans la cuisine se faire une tasse de ce misérable succédané de café. Elle mettait l'eau à chauffer quand le téléphone sonna.

— Bonjour, dit une voix masculine très cultivée. Ici le professeur Winter, de l'Université Nationale de Canberra. Puis-je parler à Luke ?

— Il n'est pas ici pour l'instant, répondit-elle, en se demandant pourquoi un professeur d'université téléphonait au copropriétaire d'une station perdue dans le *bush*. Je peux prendre un message ?

— Oui, si vous voulez bien lui demander de me rappeler à ce numéro…

Sarah prit note. Elle terminait son café quand elle entendit un pas sur la véranda. Sampson était de retour. Il lui jeta un bref regard et accrocha son chapeau à la rangée de patères où figuraient déjà une bride, une corde, un petit fouet soigneusement enroulé sur lui-même et quelques autres chapeaux plus ou moins cabossés.

— Il y a deux règles pour les chapeaux, observa-t-il. On ne les porte jamais dans la maison, et on ne sort jamais tête nue.

— J'essaierai de m'en souvenir. Dites, un Pr Winter vient de téléphoner. Son numéro est sur le bloc près du téléphone.

— Merci. Je le rappellerai plus tard.

Elle le dévisagea avec agacement. Ce n'était même pas un refus de satisfaire sa curiosité : il ne lui venait pas à l'esprit qu'elle veuille savoir ! Au fond, il reconnaissait à peine son existence ! Elle laissa échapper un bref soupir. C'était vexant, mais probablement préférable. Mieux valait ne pas établir de rapports trop amicaux, vu la transaction qu'ils devaient traiter ensemble.

— Auriez-vous, par le plus grand des hasards, du café moulu ? s'enquit-elle.

— Cela ne vaut pas la peine de faire du vrai café pour une seule personne.

Comment ? Un bon café, cela valait toujours la peine ! Sauf peut-être lorsqu'on a quarante mille acres et quinze cents têtes de bétail à gérer ? Changeant de nouveau de sujet, elle reprit :

— Vous avez un excellent ordinateur. J'ai demandé la connexion sur Internet.

Sampson, qui fourrageait dans le réfrigérateur, se retourna si brusquement qu'une mèche blonde lui tomba sur un œil.

— Qu'est-ce que cela va coûter ?

— C'est moi qui offre.

68

— Je vous rembourse, grogna-t-il.

— Mais non ! protesta-t-elle gaiement, en préparant deux tasses de café en granulés.

Puis, avant qu'il ne puisse protester, elle précisa :

— Je voudrais contribuer, d'une façon ou d'une autre, au fonctionnement de la station.

Sans rien ajouter, il se retourna vers le réfrigérateur et en sortit une assiette de rôti de bœuf froid, un reste de salade et des bocaux de moutarde et de mayonnaise.

— Il y a bien une chose que vous pouvez faire, si cela ne vous ennuie pas, dit-il tout à coup.

— Pas de problème ! Dites-moi.

— Avec le *muster*, nous allons avoir besoin d'une cuisinière.

Oh, non ! Tout mais pas ça ! Mais comment refuser si c'était là qu'elle pouvait apporter son aide ? Elle aussi avait une responsabilité envers la station. Plaçant une tasse devant Luke, elle ajouta du sucre dans la sienne et se décida. Très bien ! Elle ferait le sacrifice.

— Pas de problème, lança-t-elle en forçant un courageux sourire

Interloqué, il leva les yeux de la tranche de pain qu'il couvrait de mayonnaise.

— Pardon ?

— Je ferai la cuisine. Ce sera... amusant.

Sa détermination faiblissait déjà. Etait-elle seulement capable de préparer trois repas mangeables chaque jour, pour Dieu sait combien de cow-boys affamés ?

— Combien disiez-vous que vous seriez, dans l'équipe de *muster* ? demanda-t-elle avec inquiétude.

— Quatre, en me comptant. Mais je ne vous demande pas cela, je voudrais juste que vous alliez à Murrum afficher l'offre d'emploi au panneau devant le magasin de Len. Je comptais le faire hier, mais j'ai oublié.

Oh, non… Elle ne pensait plus affronter la longue route à travers les Downs avant le jour de son départ ! L'idée de faire le trajet en tenant le volant la terrifiait. Et si elle faisait une crise d'angoisse, toute seule, loin de tout refuge ?

— Non, vraiment, je serais contente de faire la cuisine ! s'écria-t-elle très vite.

Sampson, qui découpait avec soin d'épaisses tranches de rôti, observa sans lever les yeux :

— C'est beaucoup de travail. Il faut à la fois de la quantité et de la qualité, ou ils nous laisseront tomber.

— Vous ne pouvez pas juger d'après la pizza, Luke.

Un sourcil doré se haussa au-dessus d'un œil bleu sceptique.

— Le pain à l'ail n'était pas mal. Si vous voulez donner un coup de main, vous pourriez faire du pain. Le pain maison, c'est mille fois mieux que celui du magasin.

— Du pain ? répéta-t-elle en essayant de se voir dans la farine jusqu'aux coudes. Oui, bien sûr, pourquoi pas ? Mais pour ce qui est d'aller en ville…

— Je ferais bien le pain moi-même, mais si l'on ne fait pas je ne sais quoi avec la pâte toutes les deux heures, c'est fichu.

— Comme les enfants, plaisanta-t-elle sans réfléchir.

C'était sorti tout seul, sans intention particulière, et voilà qu'il fronçait ses sourcils en se concentrant sur son sandwich, couvrant son rôti de tomates, de salade et de betterave en tranches. De la betterave ? Autant assainir l'atmosphère tout de suite, décida-t-elle en se mordant la lèvre. Puisqu'elle avait mis les pieds dans le plat…

— Je sais que vous n'avez guère le choix, dit-elle. Et

vous avez forcément une bonne raison de séparer Becka de sa tante...

Il lui jeta un regard si hostile qu'elle se tut — pour se ressaisir aussitôt.

— Il faut que vous lui parliez ! insista-t-elle. Elle est bouleversée, elle ne comprend rien à ce qui se passe. Elle pense que vous ne tenez pas à elle.

D'un geste d'une précision exagérée, il couronna son énorme sandwich d'une seconde tranche de pain.

— C'est ce qu'elle vous a dit ?

— C'est à vous qu'elle l'a dit.

— Pas du tout. C'est ridicule. Elle...

A cet instant, Becka fit irruption dans la pièce, criant :

— Sarah !

La vue de son père ralentit son élan.

— B'jour, Becka, dit-il.

Elle passa devant lui sans répondre et se planta devant leur visiteuse.

— Tu veux bien me montrer comment me servir de l'ordinateur maintenant ?

Sarah leva les yeux vers Luke, désemparée. Quelles que soient leurs difficultés, la petite ne devait pas ignorer son père de cette façon.

— Sarah va faire une course en ville pour moi, dit-il.

Puis, d'une voix plus douce :

— Tu peux y aller aussi, et lui montrer le chemin. Tu te prendras une gâterie au magasin.

— Je peux aller voir tante Abby ? s'enthousiasma la petite.

Il se rembrunit aussitôt.

— Tu peux rendre visite à une copine de l'école.

Sentant qu'elle allait protester, Sarah se hâta d'intervenir.

71

— Ça, c'est formidable ! Qui est ta meilleure amie ?

La petite lança un coup de pied morose dans le vide.

— Lucy. Moui, ce ne serait pas mal.

— Fantastique !

La gamine courut se préparer, et Sarah put mesurer l'étendue du désastre. Cette fois, elle ne pouvait plus éviter de faire le trajet jusqu'à Murrum ! Le cœur serré, elle se dirigeait vers sa chambre pour prendre son sac quand Sampson l'intercepta.

— Donnez-moi une minute, je vais chercher la petite annonce que j'ai préparée.

— Vous ne vous y prenez pas un peu tard pour trouver quelqu'un ? demanda-t-elle en le suivant dans le bureau.

— J'avais quelqu'un, mais elle s'est décommandée à la dernière minute, pour suivre son petit ami qui a décroché un poste dans le Nord.

Il sortit une feuille d'un tiroir, la parcourut du regard. Spontanément, elle s'approcha pour lire par-dessus son épaule. La peau bronzée de Sampson luisait légèrement à l'échancrure de sa chemise ; il s'en dégageait un parfum d'homme et de grand air. Les types qu'elle fréquentait habituellement ne suaient qu'au gymnase.

— Pourquoi l'avoir rédigée à la main ? demanda-t-elle. J'aurais pu concevoir une annonce sur l'ordinateur, en plusieurs exemplaires, avec une bordure et des graphiques.

— Pourquoi faire compliqué ? Il n'y a qu'un panneau d'affichage, dit-il en lui tendant le papier.

Une fois de plus, elle eut le sentiment désagréable qu'il ne la voyait pas.

— Si nous ne sommes pas revenues à la tombée du jour, déclenchez des recherches, plaisanta-t-elle.

— Contentez-vous de suivre les règles fondamentales de l'*outback*, répondit-il sans l'ombre d'un sourire. Si vous tombez en panne, restez près du véhicule. J'y pense : ne laissez pas les phares ou la radio allumés à l'arrêt, la batterie n'est plus très fiable.

— Je devrais peut-être emporter des rations de survie, répliqua-t-elle d'un ton léger.

— Il y a un bidon de vingt litres d'eau à l'arrière.

Prenant une autre feuille de papier, il griffonna une courte liste.

— J'aurais quelques achats à faire, si cela ne vous ennuie pas. Je peux vous laisser vous charger de l'embauche ? s'enquit-il sans lever les yeux.

— Bien sûr. Vous cherchez des compétences particulières ?

— Non, dit-il en lui tendant sa liste. Tant que la personne a de l'expérience et qu'elle ne boit pas. Il y a beaucoup d'alcoolisme chez les cuisiniers. Faites bien attention sur la route et ne glissez pas dans le *bulldust*.

Etait-ce bien prudent de conduire le regard braqué sur la route, à cinquante mètres devant le capot ? Sarah en doutait, mais elle redoutait tant de faire une nouvelle crise d'angoisse… Quelle folie de prendre Becka avec elle dans la voiture ! Pourquoi ne s'était-elle pas confiée à Sampson ? Tout bêtement parce qu'elle se sentait humiliée.

Elle voulut bavarder, pour ne pas penser à la plaine infinie qui s'étendait tout autour d'elle.

— Dis-moi, c'est quoi, le *bulldust* ? demanda-t-elle.

— Il y en a le long de la route, regarde. Des trous de poussière où on peut s'enliser.

Sarah se pencha en avant pour examiner le phénomène. Cela ne semblait pas bien dangereux mais qu'y connaissait-elle ? Tout lui paraissait étrange ici, du paysage lunaire aux buissons hérissés, au gris à peine teinté de vert sous la lumière aveuglante du soleil. Remarquant un nuage de poussière au loin, droit devant elle, elle plissa les yeux derrière ses lunettes de soleil. Une autre voiture ?

Plutôt un camion. Le nuage grandissait à vue d'œil et fondait droit sur elles. Elle crispa les mains sur le volant, les sentit glisser sur la surface enduite de sueur. Quelques secondes plus tard, le camion était sur elles. Un tourbillon vertigineux de poussière, un rugissement de moteur, le braiment assourdissant du klaxon. Elle sursauta si violemment que la voiture fit un écart. Le camion, d'une longueur inimaginable, traînant une, deux, *trois* remorques, les croisa dans un vacarme de fin du monde. Une roue arrière du 4x4 dérapa dans l'épaisse couche de *bulldust* ; Sarah enfonça l'accélérateur au plancher et le véhicule chassa, fit une embardée…et retrouva la surface dure de la route.

— Qu'est-ce que c'était que ça ! s'exclama-t-elle, le regard rivé au rétroviseur.

Becka ne leva même pas les yeux des figurines avec lesquelles elle jouait.

— Un train routier, lâcha-t-elle, blasée.

Apparemment, ce monstre était un véhicule banal pour les natifs de l'*outback*, mais Sarah venait de subir un choc. Il lui fallut attendre Murrum et la sécurité des bâtiments pour se sentir un peu rassurée. Quand elles passèrent devant la maison que lui avait désignée Sampson comme étant celle de la fameuse tante Abby, une femme penchée sur une plate-bande du jardin se redressa et agita la main dans leur direction. Elle se trouvait trop loin pour que Sarah puisse voir son visage, mais le petit cri que poussa Becka confirma l'identité de l'inconnue.

Se tournant vers elle, la petite demanda d'une voix suppliante :

74

— Est-ce que je pourrais…. ?

— Pas question, coupa-t-elle fermement.

Même si elle admettait mal l'attitude de Sampson envers sa fille, elle ne saperait pas son autorité. La petite hocha la tête, résignée.

— Tu me diriges jusqu'à la maison de Lucy ? demanda Sarah avec gentillesse.

La petite la guida jusqu'à une maison de l'autre côté du bourg, une structure à deux étages bâtie sur pilotis. Une petite brune du même âge que Becka se balançait sur le portillon du jardin. Sarah déposa la petite en prévenant la mère de Lucy qu'elle reviendrait dans une heure environ.

Retrouvant le chemin de la rue principale, elle se gara — encore déconcertée par la façon de faire locale qui exigeait de ranger les voitures perpendiculaires au trottoir — et franchit la porte du magasin de Len. Sur le seuil, elle s'arrêta, surprise par la fraîcheur délicieuse de la climatisation.

Le magasin semblait désert. Prenant un panier, elle parcourut méthodiquement les rayons en consultant sa liste. Bientôt, Len émergea du fond, les bras chargés de boîtes de conserve.

— B'jour, Sarah. Il y a eu un paquet pour vous ce matin.

— Bonjour, Len. Pour moi, vous êtes sûr ?

— Je pense qu'il est de votre mère, précisa-t-il avec une petite toux gênée. Il est arrivé ce matin par porteur.

— Oh, formidable. C'était rapide ! Faites voir ?

Sans commentaire, il posa son chargement et disparut dans son arrière-boutique. Quelques instants plus tard, il en ressortit avec un paquet assez gros qu'il lui remit.

— Il y a un papier à signer…

Pressant son nez contre le paquet, elle inspira profondément. Ah… Même à travers l'emballage, elle reconnaissait l'arôme sublime du café. Obligeant, Len fendit l'adhésif d'un délicat coup de cutter. Elle le remercia d'un sourire et se hâta de soulever les rabats. Deux gros sachets de café aromatisé en grains ! Avec un petit mot glissé entre leurs flancs rebondis : « Je me disais que tu apprécierais. Baisers de ta maman. » Intriguée, elle vérifia la date d'envoi. Le paquet était parti de Seattle le même jour qu'elle, deux jours entiers avant son coup de fil pour réclamer sa drogue préférée ! Riant à moitié, à moitié furieuse que sa mère l'ait laissée souffrir des affres du manque, elle soupesa les sachets de noisette hawaïenne et de moka amande.

— Anne a toujours eu le goût de l'exotisme, murmura Len.

Un peu gênée d'avoir oublié sa présence, elle scruta son visage avec curiosité, se demandant une fois de plus s'il avait été amoureux de sa mère, au temps du lycée. Elle cherchait un moyen de l'interroger délicatement quand il désigna du menton une vitrine où étaient exposés de petits appareils électroménagers.

— Est-ce qu'il vous faudra un moulin à café ? Je ne pense pas que Luke en ait un, il m'achète toujours de l'instantané.

— Oui, heureusement que vous m'y faites penser !

Elle s'approcha de la vitrine. Ces magasins à l'ancienne ne proposaient pas un grand choix, mais ils étaient tellement commodes ! Dans le monde civilisé, si l'on voulait acheter une boîte de thon et un grille-pain, il fallait chercher deux fois une place pour se garer. Elle choisit un moulin à café ; au moment où elle se détournait pour revenir au comptoir, son regard tomba sur une machine à faire le pain. Curieuse, elle s'empara du mode d'emploi et vit que l'on pouvait la programmer pour terminer la cuisson à l'heure où l'on sortait du lit. Elle n'avait jamais pu résister à un appareil à programmation différée ! Puisque Sampson voulait du pain maison, elle le lui fournirait ! Et il n'aurait pas à se priver une fois qu'elle serait repartie.

— Je vais prendre celle-ci aussi, annonça-t-elle en hissant la grosse boîte sur le comptoir. Vous prenez la carte Visa, j'espère ?

— Bien sûr. La levure est dans la troisième allée, juste au-dessus de la farine.

Décidément, ce Len lui plaisait ! Elle retourna chercher ses ingrédients, puis sortit son annonce de son sac.

— Je peux afficher ceci sur votre panneau ?

— Luke cherche une autre cuisinière ?

— Comment le saviez-vous ? demanda-t-elle, interdite.

— Personne n'a de secrets dans une petite ville.

Pour la première fois, elle le vit sourire et comprit tout à fait ce que sa mère avait pu lui trouver.

— Tout le monde sait que Rachel a suivi le petit Calhoun, ajouta-t-il. Cela risque de mal se terminer pour elle.

Il parlait avec une véhémence qui la surprit.

— Oui, bien sûr, affichez votre annonce, reprit-il un ton plus bas. J'en toucherai un mot à quelques personnes qui pourraient être intéressées.

— Merci.

Elle hésita un instant, puis se jeta à l'eau.

— Est-ce que vous sortiez avec elle ? Ma mère, je veux dire.

Le visage maigre de Len se crispa un peu.

— Oui, quand nous étions au lycée, dit-il d'une voix brève en acceptant la carte de crédit qu'elle lui tendait. Seulement, Murrum n'était pas assez grand pour elle.

— Elle aime toujours autant les voyages. Elle a un magasin d'objets exotiques, et elle part une ou deux fois par an dans des pays aux noms imprononçables pour renouveler son stock.

— Elle est restée avec Warren ? demanda-t-il.

— Ils se sont séparés il y a très longtemps, quand j'étais encore un bébé. Elle s'est remariée deux ans plus tard avec mon beau-père mais elle est veuve, maintenant. Et vous ? demanda-t-elle en se penchant pour signer le reçu. Vous vous êtes marié ?

Il fit oui de la tête.

— Margaret est décédée il y a cinq ans. Nous avons eu une bonne vie tous les deux, et deux garçons formidables.

Avec soin, il sépara le reçu de son carbone en demandant :

— Vous pensez que votre mère reviendra un jour par ici ?

Elle scruta de nouveau son visage, mais son expression était indéchiffrable.

— J'espère...

Elle s'apprêtait à dire qu'elle espérait que sa mère s'installerait un jour à Burrinbilli, mais elle sentit que ce serait injuste envers Sampson d'en parler à ce stade.

— J'espère que oui, acheva-t-elle maladroitement. Nous pourrions peut-être nous réunir un jour tous les trois.

Il approuva d'un signe de tête qui ne l'engageait à rien. Empoignant deux sacs d'achats, elle lança :

— J'étais contente de parler avec vous. A une autre fois !

Elle dut faire plusieurs allers et retours pour charger son butin dans le 4x4. Sa tâche achevée, elle revint vers le panneau d'affichage et s'amusa à le parcourir. Une course de chevaux était annoncée, quelqu'un vendait une machine à mettre le foin en bottes, quelqu'un d'autre cherchait une place de garçon vacher. Elle s'efforçait de trouver un emplacement pour son annonce quand une petite berline bleue se gara près du 4x4. Une femme aux cheveux gris coupés court

78

et au corps volumineux boudiné dans une robe imprimée lilas en descendit.

— Enfin quelque chose de nouveau ! s'écria-t-elle gaiement.

Sans façons, elle vint regarder par-dessus l'épaule de Sarah.

— Luke a besoin d'une autre cuisinière pour son *muster* ? Alors ça, c'est une coïncidence ! Je cherchais justement une place de cuisinière.

Son regard inquisiteur balaya Sarah de la tête aux pieds.

— Vous êtes nouvelle par ici ?

— Je m'appelle Sarah, dit celle-ci en lui tendant la main. Je suis en visite à Burrinbilli pendant une quinzaine de jours.

— Sarah... Vous ne seriez pas la fille d'Anne Hafford ? Si, je suis sûre que je ne me trompe pas, je vois la ressemblance. J'avais entendu dire que vous étiez en ville.

— Vous connaissiez ma mère ? s'écria Sarah, enchantée.

L'autre femme éclata de rire.

— Si je la connais ? Nous étions dans la même classe pendant presque toute notre scolarité !

— Fantastique ! Et en plus, vous êtes cuisinière ? C'est vraiment de la chance. Je suppose que je devrais vous interroger sur votre expérience.

— J'ai travaillé pendant des années dans un snack à Brisbane. Je suis à la retraite maintenant, mais je reprends généralement du service au moment du *muster*. Si vous voulez, je chercherai mes lettres de références.

Un visage ouvert, un sourire détendu. Cette femme semblait compétente et son côté maternel plairait sans doute aux hommes. Elle la voyait très bien assembler d'énormes repas pour une bande de *jackaroos* affamés. De plus, si elle l'embauchait, elle ne serait pas obligée de refaire le trajet pour rencontrer d'autres candidates. Et puis, c'était une amie de sa mère…

Pourtant, elle ne devait pas oublier qu'elle agissait au nom de Sampson.

— Cela m'ennuie de vous poser une question aussi personnelle, mais je dois vous demander : quelle est votre consommation d'alcool ?

— Oh, aucune. Je n'aime pas du tout cela.

— Fantastique ! Ecoutez, pourquoi ne pas venir à la station demain ? Vous pourrez parler avec M. Sampson, et nous finaliserons l'embauche.

Joyeusement, elle retira l'annonce du panneau et se retourna vers l'autre femme, main tendue.

— Comment vous appelez-vous ?

Curieusement, son interlocutrice sembla hésiter un instant.

— Gail, dit-elle en serrant fermement la main qu'elle lui offrait. Je m'appelle Gail. Je viendrai demain après-midi ; je suppose qu'il sera dans les pâturages le plus gros de la journée. J'apporterai mes affaires, pour ne pas avoir à refaire ce long trajet. Je suis sûre que vous serez contente de moi.

Sarah aussi en était sûre. Elle se félicita pendant tout le trajet du retour, tout en écoutant d'une oreille le bavardage de Becka. Gail était une femme agréable — même s'il y avait quelque chose de curieux dans son regard. Elle était parfaite, Sampson serait content, et ce serait amusant de raconter à sa mère qu'elle avait rencontré encore une vieille amie.

Elle parla à Sampson de la cuisinière le soir même, au dîner, et il se déclara très satisfait qu'elle ait trouvé quelqu'un aussi rapidement. Il passa quelques minutes à se creuser la tête en cherchant à situer le personnage. Il ne connaissait personne du nom de Gail à Murrum.

80

La machine à pain le laissa plus sceptique, jusqu'à ce que la cuisine s'emplisse de l'arôme exquis du pain en train de cuire. Quand la première miche fut prête, vers 9 heures, il en dévora la moitié sous une épaisse couche de beurre frais et convint que c'était quasiment aussi bon que du pain fait entièrement à la main.

Sarah mêlait les ingrédients pour une troisième fournée quand Gail se présenta le lendemain après-midi, armée de ses références et chargée de valises.

— Entrez ! l'accueillit Sarah en l'entraînant dans la cuisine. Luke est un peu en retard aujourd'hui, sa fille et lui sont sortis à cheval après l'école. Vous prenez un café ?

— Merci, je veux bien.

Elle tint à disposer elle-même les tasses, la crème et le sucre.

— Terminez ce que vous étiez en train de faire, insista-t-elle. La fille de Luke aime monter à cheval ?

— J'ai cru comprendre qu'elle n'avait guère d'expérience mais je suis sûre qu'elle va adorer. Elle a exactement le bon âge pour s'y mettre.

En réalité, Becka s'était montrée très réticente... elle avait dû la soudoyer en cachette de Luke en lui promettant un jeu vidéo. Ils avaient beau être père et fille, elle voyait bien que Luke et Becka se connaissaient à peine. Tout serait différent quand ils auraient passé un peu de temps ensemble, quand ils auraient appris à se parler...

Quelques minutes plus tard, les deux femmes étaient installées devant des tasses fumantes de café à la noisette, et Sarah parcourait les lettres de références apportées par la cuisinière. Toutes étaient enthousiastes. Son nom complet était Abigail, Abigail McCrae. Sarah fronça les sourcils. Elle avait déjà entendu ce nom quelque part, mais où ?

— Ce café est extraordinaire, dit la visiteuse.

Sarah lui sourit amicalement.

— Vos références sont très bien, Gail. Ecoutez, Luke a préparé le contrat, nous n'avons qu'à le signer. Ce sera une bonne chose de faite !

Un peu tard, elle se demanda si elle ne s'avançait pas trop — mais puisqu'il lui avait donné tout pouvoir pour agir !

— Bien sûr, s'empressa Gail en s'emparant du stylo qu'elle lui tendait. Pourquoi l'ennuyer avec des détails ?

Elle signa et fit glisser l'accord vers Sarah, qui ajouta sa propre signature en bas du document.

Sarah leur versait une nouvelle tasse de café quand deux paires de bottes martelèrent la véranda. Quelques instants plus tard, Luke entrait dans la cuisine, Becka sur ses talons.

— Luke ! s'écria fièrement Sarah en se levant pour les accueillir. Je vous présente votre nouvelle cuisinière, Gail…

Sa voix s'éteignit. Le visage bronzé du jeune homme avait brutalement pâli.

— Abby, qu'est-ce que tu fiches ici ? articula-t-il.

— Tante Abby ! cria Becka au même instant.

Folle de joie, elle se jeta dans les bras de sa tante.

5.

Nom de… !

Tournant les talons, Luke reprit la porte, traversa la véranda en trois enjambées et s'éloigna dans la cour, les poings serrés. S'il ne se calmait pas, il étranglerait quelqu'un. Abby ou Sarah !

— Quel culot, cette Abby, gronda-t-il à l'intention du fidèle Wal qui trottait près de lui. Assise à ma table en train de boire son café, toute contente d'elle. Et pourquoi Sarah a-t-elle fait ça, tu peux me le dire ? Elle savait que je ne voulais plus que Becka la voie, et elle l'embauche comme cuisinière. Elle l'amène sous mon toit !

Juste au moment où il venait de réussir à emmener Becka faire un tour à cheval ! Ils avaient même parlé un peu ! Et maintenant, Abby était de retour. Il s'arrêta net au milieu de la grande aire de terre battue.

— Je ne vais pas me laisser faire. Viens, Wal.

Il fit volte-face et fonça vers la maison. Wal émit un petit jappement interrogateur et se hâta de le rattraper.

Postée à la fenêtre de la cuisine, Sarah regarda Luke revenir au pas de charge. Il était dans une belle colère, et elle ne pouvait pas lui en vouloir !

— Gail, lança-t-elle en se retournant.

L'autre femme suivait d'un regard attendri la petite Becka qui sortait en courant.

— Ou plutôt Abby, reprit Sarah, plus sèchement encore. Pourquoi ne m'avoir pas dit que vous étiez la grand-tante de Becka ?

Les yeux mal assortis d'Abby se détournèrent.

— Becka me manque ! Vous comprenez, je l'ai élevée depuis qu'elle était bébé. Il me l'a enlevée. Je ne pense pas qu'il cherche délibérément à la monter contre moi mais...

Sautant sur ses pieds, elle empila rapidement les tasses.

— Je vais juste faire notre petite vaisselle...

— Laissez ça.

Elle ne savait comment répondre à l'accusation de l'autre femme. Luke n'avait pas voulu lui dire ce qu'il lui reprochait. Prudente, elle reprit :

— La situation est difficile, je m'en doute...

— C'est terrible. Terrible, gémit Abby dans son mouchoir.

— Et si je lui parlais ?

— Merci, mais je ferais mieux de m'en charger.

Becka revint avec ses figurines de plastique. Abby, qui reniflait toujours, la serra contre elle, lui promit de revenir très vite et sortit à son tour.

— Tante Abby a des soucis ? demanda la petite, inquiète.

— Non, elle va juste parler avec ton papa.

Becka se mit à aligner ses jouets sur la table. Retournant se poster à la fenêtre, Sarah essaya de deviner ce que Luke et Abby se disaient. Cette dernière parlait très vite, la main posée sur la manche du jeune homme ; il l'écoutait, le visage impassible. Assis au garde-à-vous près des bottes poussié-

84

reuses de son maître, Wal semblait suivre attentivement la conversation.

— Tu as besoin d'une cuisinière et j'ai toute l'expérience nécessaire, répéta calmement Abby.

— Ce n'est pas pour cela que tu es ici.

— Tu m'avais pourtant proposé de venir vivre à la station. Je ne te demande pas de m'entretenir, je me chargerai de l'intendance.

— Cette proposition, je te l'ai faite il y a des années. Il n'en est plus question.

Il se détourna et la planta là.

— Ce n'est pas juste de nous séparer, Becka et moi, insista-t-elle en trottant sur ses talons. Si tu ne veux pas de moi ici, laisse-moi reprendre Becka chez moi. C'est ce que Caroline aurait voulu.

Luke vit rouge. S'arrêtant net, il se retourna lentement vers elle et articula :

— Caroline est morte. Je suis le père de Becka. Ce qui compte maintenant, c'est ce que je veux, moi.

— Tu devrais vouloir ce qui est le mieux pour elle. Elle est bien plus heureuse quand elle vit en ville, près de son école et de ses amies.

La voix d'Abby se faisait acide, autoritaire. Se forçant à la patience, il répliqua :

— Cela, nous ne pouvons pas le savoir. Elle n'a pas encore donné sa chance à notre mode de vie. De plus...

— De plus ?

Il cherchait une formule qui ne soit pas trop blessante. De son côté, elle avait perdu de sa superbe. A son regard, il sut qu'elle pensait aussi à la photo.

— Becka et toi, vous avez besoin de prendre un peu de

85

distance, dit-il. Et toi, tu as besoin de parler à quelqu'un. Un médecin par exemple.

— Tu te trompes, gémit-elle en se tordant les mains. C'est juste… juste la ménopause, tu comprends. Je suis très émotive en ce moment et… Mais je ne suis pas folle !

— Cette photo avec ton visage à la place de celui de Caroline. C'est… Ce n'est pas sain.

Les yeux d'Abby s'embuèrent, elle éclata d'un rire désolé.

— Oh, Luke… C'était seulement un jeu auquel je jouais de temps en temps. J'étais sa mère, elle était ma fille. Tu sais que j'ai toujours voulu avoir des enfants. Je ne le ferai plus !

Luke scrutait ses yeux dépareillés en s'efforçant de jauger sa sincérité. Ses subites transitions, de l'autoritaire au pathétique, le déconcertaient toujours. Son explication était plausible — plus ou moins — mais il ne lui faisait pas confiance. Pour tout ce qui touchait à Becka, il n'avait pas droit à l'erreur ! En même temps, que redoutait-il au juste ? Abby ne chercherait pas à nuire à Becka !

C'est alors qu'il regarda en face sa véritable angoisse : tant qu'Abby serait là, elle s'interposerait entre sa fille et lui. Il ne voulait pas séparer la petite de celle qui lui avait servi de mère, mais il voulait aussi avoir sa chance ! Excédé, il se frotta la nuque. Dès qu'il était question de rapports humains, plus rien n'était simple. Il ne pouvait pas laisser ses angoisses prendre le dessus ; et même s'il avait honte de se l'avouer, il savait qu'il gagnerait des points auprès de Becka s'il autorisait Abby à rester. Alors que s'il la renvoyait, il perdrait tout le terrain gagné auprès d'elle !

— Très bien, s'exclama-t-il, tu peux te charger de la cuisine pendant le *muster*, mais à une condition.

— Tout ce que tu voudras ! s'écria Abby, rayonnante.

— Tu n'emmènes pas Becka hors de la station.

Il voyait cela d'ici, Abby emmenant Becka chez elle sur un coup de tête, la retenant là-bas sous divers prétextes... Il disposait chaque soir d'un temps très bref avec sa fille et il voulait en profiter pleinement.

— Oui ! Merci, Luke ! Je vais le dire aux autres !

Elle battait littéralement des mains.

— Attends une minute, objecta-t-il. Inutile de parler à Sarah de tout le... contexte.

Car Sarah était une étrangère, et Abby faisait partie de la famille.

— Bien sûr que non ! s'écria celle-ci, l'air vexé.

Luke la regarda filer vers la maison.

— Qu'est-ce que tu en dis, Wal ? On peut lui faire confiance ?

Wal lui lécha la main, et garda son opinion pour lui.

Tard dans l'après-midi du lendemain, quand l'ombre des *gums* de rivière s'étira en travers du lit asséché du cours d'eau, Sarah prit l'un des grands chapeaux cabossés accrochés près de la porte et s'aventura à l'extérieur. Abby et Becka faisaient des tartes, Luke et Bazza réparaient les enclos en prévision du *muster* ; c'était le moment de tenter une nouvelle sortie. Si elle échouait, personne ne le saurait.

Ce serait facile, décida-t-elle. Il suffisait de ne pas regarder vers les terres vides qui s'étendaient à l'ouest. En gardant le regard fixé sur les arbres et en pensant à autre chose, ce serait comme n'importe quelle promenade. Elle respira à fond et se mit en marche. « *Trois fois un, trois, trois fois deux, six...* » Les mouches vrombissaient autour de sa tête, la sueur perlait sous ses cheveux. Un pied devant l'autre. « *Six fois huit...* »

Une ombre fraîche sur son front. Elle leva les yeux et

vit qu'elle se tenait sous les branches épaisses et lisses d'un immense *gum*. Elle avait réussi !

Le cœur absurdement léger, elle dévala le talus jusqu'au lit craquelé du ruisseau et se mit à suivre son parcours sinueux entre les arbres. La boue durcie formait une surface commode pour marcher, l'ombre était agréable. Au-dessus d'elle, des perroquets arc-en-ciel s'ébattaient bruyamment dans les branches. Quel bonheur d'avoir échappé à la maison ! Elle marcha longtemps dans ce tunnel de verdure, sachant qu'elle n'aurait aucune difficulté à retrouver son chemin. Elle se demandait ce qu'il advenait des *yabbies* pendant la saison sèche quand un froissement dans l'herbe du talus la figea sur place. Un serpent ?

Le cœur battant, elle ramassa une branche morte et s'avança à pas de loup, le regard aux aguets pour distinguer toute ondulation suspecte. Ce qu'elle découvrit la surprit : une plume se dressait au-dessus de la bordure d'herbes qui couronnait le talus ; une plume dans la bande d'un chapeau de cuir. Elle reconnaissait cette plume ! Grimpant la pente ; elle trouva Bazza allongé sur le ventre, carabine braquée sur une cible invisible. Une moto était garée sous les arbres.

— Qu'est-ce que vous faites ? demanda-t-elle.

Le jeune homme sursauta violemment, le coup partit. Lançant un chapelet de jurons — par chance, il avait un tel accent que Abby n'en comprit pas plus du quart —, il sauta sur ses pieds en tonnant :

— Ne faites jamais, jamais sursauter un homme qui a un fusil à la main !

— Désolée. Qu'est-ce que vous faites ? répéta-t-elle.

— Je débarrasse vos terres des vermines.

Elle eut un mouvement de recul : elle venait de remarquer la grappe de lapins morts accrochée à sa ceinture.

— Mais je ne veux pas que vous abattiez des petits lapins sans défense ! protesta-t-elle.

— Si on ne les abat pas, ils se reproduisent comme… comme des lapins, expliqua-t-il de sa voix traînante. Le bétail n'a plus rien à brouter, il n'y a plus de racines pour retenir la terre ; tout sèche et le vent emporte la poussière.

— Je vois. Mais tout de même, je trouve…

— Mes excuses, m'dame, mais vous n'y connaissez rien.

Laissant choir sa douille vide, il rechargea sa carabine.

— Où est Luke ? demanda-t-elle.

— Il arrive. Il est allé à l'enclos sud pour soigner un veau au sabot infecté.

Si elle le faisait parler, il ne penserait plus à tirer les lapins, pensa-t-elle.

— Alors comme ça, vous voulez faire du cinéma ?

— Ouais.

Elle fut déçue de voir qu'il n'ajoutait rien. Les yeux plissés, il se remit à scruter l'étendue d'herbe sèche à la recherche de petites boules de fourrure brune. Elle tenta un nouvel effort :

— Vous… vous avez un agent ?

— Ouais, bien sûr, elle est à Sydney.

— A Sydney ? Pas à Los Angeles ?

— Elle y va plusieurs fois dans l'année. Tenez, chaque fois que j'appelle, sa secrétaire me dit qu'elle est en Californie.

Il leva la carabine, visa avec soin ; faisant mine de trébucher, Sarah lui heurta le coude.

— Oh ! Désolée.

Il abaissa sur elle un regard agacé. D'ici, en haut du talus, plus rien ne la protégeait des Downs et elle sentait venir ce vertige bizarre, cette nausée… Agitant la main pour écarter les mouches, elle sourit au garçon et se déplaça un peu de côté de façon à ce que sa haute silhouette lui cache le paysage.

— Vous avez toujours travaillé avec le bétail ? demanda-t-elle au hasard. Quand vous n'êtes pas sur un tournage ou en train d'abattre des lapins ?

Le jeune homme retrouva son sourire.

— J'ai tout fait, moi, dit-il avec une fierté naïve. J'ai chassé le sanglier sauvage, j'ai lutté avec les *salties* à Darwin, j'ai traversé le désert Stuart à dos de chameau...

— Les *salties* ? Qu'est-ce que c'est ?

— Les crocodiles de marais salants. De vrais fumiers, une fois qu'ils vous tiennent, ils n'ont qu'à rouler sur eux-mêmes pour vous entraîner au fond et là, et vous êtes fichus.

Il souligna le dernier mot d'un coup d'index joyeux en travers de sa jugulaire.

— Oh ! Ça doit être... excitant.

— C'est plus drôle que de se fourrer des pois cassés dans les narines. Moi, je me dis qu'à Hollywood, ils pourraient faire une série qui se passerait dans l'*outback*. Avec un type qui n'arrête pas de sauver des gens et de courir des risques.

— Et vous seriez la star.

— C'est ça.

La carabine revint se nicher au creux de son épaule. Discrètement, elle s'apprêtait à le heurter encore une fois quand il abaissa sur elle un regard las.

— Vous allez continuer longtemps ? soupira-t-il.

— Oui, avoua-t-elle avec un sourire un peu piteux.

Il cala son arme en travers de ses épaules.

— Dans ce cas, on va dire que j'en ai suffisamment fait pour aujourd'hui.

— Parfait, s'écria-t-elle, soulagée.

— Je vais plutôt vérifier mes pièges.

Il s'éloigna le long du chemin défoncé qui suivait les méandres du cours d'eau.

— Attendez-moi ! s'écria-t-elle.

— J'en ai un !

Il s'enfonçait déjà dans les hautes herbes. Elle le suivit et poussa un cri de pitié en découvrant un lapin minuscule, une oreille prise dans la mâchoire d'acier du piège. Sans ménagement, elle écarta Bazza pour se précipiter.

— C'est juste un bébé ! Un pauvre petit lapereau !

Elle se jeta à genoux. Il y avait des traces de sang sur le pelage brun du lapin. Effondré sur le flanc, il haletait en levant vers elle un regard suppliant. Bazza s'avança, un peu gêné.

— Si vous voulez bien vous écarter, m'dame, je vais l'achever.

— Vous ne ferez rien du tout ! s'exclama-t-elle.

Un nuage de poussière, un bruit de moteur — une moto fondit sur eux, pilotée par Luke, le chapeau enfoncé sur le front, la chemise plaquée au torse par le vent. Il s'immobilisa, plantant ses longues jambes de part et d'autre de la machine.

— Qu'est-ce qui se passe ici ?

— C'est un petit lapin ! s'écria Sarah en sautant sur ses pieds. Il est blessé.

— Elle ne veut pas me laisser l'abattre, grogna Bazza.

Luke repoussa son chapeau en arrière. Sarah retint son souffle, osa encore préciser :

— Il s'est juste déchiré l'oreille…

— Les lapins sont une véritable plaie, lui dit Luke. Les éleveurs les abattent. C'est inévitable.

Elle savait qu'il avait raison, qu'elle se comportait en citadine qui n'a aucune idée des règles de survie dans cet environnement — mais elle ne pouvait pas s'empêcher de plaider la cause de ce pauvre lapin.

— Ce n'est qu'un bébé.

Le regard de Luke revint se poser sur Bazza. Baissant la voix, il lui glissa :

— Tu connais les femmes. Des cœurs tendres.

— A mon avis, ce serait plutôt un problème de cerveau, répondit l'autre sur le même ton.

D'un regard, Luke le fit taire. Se tournant vers Sarah, il lui demanda :

— Si je vous le laissais, qu'est-ce que vous en feriez ?

— Je... je le soignerais, se hâta-t-elle d'improviser.

En fait, en cherchant à sauver la vie du lapereau, elle ne s'était pas du tout interrogée sur la suite !

— Je le garderais comme animal de compagnie. Il mangerait les épluchures de la cuisine.

— Et quand vous retournerez à Seattle ?

— Euh... cela amuserait Becka de le garder ?

— C'est un animal sauvage.

Elle baissa la tête. Vaincu, Luke haussa les épaules.

— Très bien. Gardez-le, soupira-t-il.

Poussant une exclamation excédée, Bazza fit volte-face et partit reprendre sa moto.

— Oh, merci ! Merci ! s'exclama Sarah.

Toute joyeuse, elle se jeta au cou de Luke... qui recula d'un bond, le chapeau de travers, et la toisa d'un air sévère.

— Si jamais cette bestiole trouve le chemin du potager...

— Ne vous en faites pas ! Il sera enfermé. Dans... dans la cage que je vais lui faire.

« *Toi, fabriquer un clapier ?* s'enquit une petite voix moqueuse dans sa tête. *Vu ton talent pour le bricolage...* »

— Bon, céda Luke, radouci.

Il s'agenouilla, ses biceps se gonflèrent et il écarta les mâchoires du piège. S'accroupissant près de lui, elle tendit les mains pour prendre le petit animal qui se débattait faiblement.

— Attention, prévint-il, ils ont des griffes. Donnez-moi votre chapeau.

Elle obéit sans comprendre et le regarda déposer délicatement le lapereau à l'intérieur, puis replier le rebord.

— Vous feriez mieux de revenir en moto avec moi.

Elle suivit des yeux la trajectoire du chemin, qui s'écartait des arbres et filait au large des Downs. Puis elle se retourna vers le cours encaissé du ruisseau. A pied, le retour serait long, surtout avec un lapin blessé qui ne cesserait de se débattre… Tout à coup, la situation lui apparut dans toute sa splendeur et elle faillit éclater de rire. C'était du pur roman, on nageait en plein dans les années soixante ! Le beau propriétaire du ranch qui aide l'héroïne perdue dans la nature à retrouver le chemin de la civilisation, quel scénario classique ! Et Luke, avec son incroyable chevelure fauve et or, incarnait si bien le héros ! Il ne lui manquait que l'étalon !

— Pourquoi n'êtes-vous pas à cheval ? lui demanda-t-elle.

— Pour les tâches courantes de la station, je vais plus vite et plus loin à moto, expliqua-t-il, un peu perplexe mais tout prêt à répondre à ses questions. Pour le *muster* en revanche, nous serons à cheval. Certains grands élevages utilisent des motos ou même les hélicoptères mais pour le tri en finesse, pour répartir les bêtes dans les enclos, le mieux est encore un bon cheval.

— J'aimerais voir un *muster* ! s'écria-t-elle.

Elle pensait surtout qu'elle aimerait le voir à cheval. Il décrocha un casque de l'arrière de sa moto et le lui posa sur la tête en proposant :

— Vous n'aurez qu'à venir avec nous !

Se retrouver au large des Downs, dans la confusion du

troupeau, et faire une crise d'angoisse devant tout le monde ? Non merci !

— Je risquerais de vous ralentir…, bredouilla-t-elle.

— Vous pourriez prendre Smokey, le poney de Becka. Il est parfait pour une débutante.

Il ajustait la mentonnière du casque, ses longs doigts tièdes lui effleuraient la joue.

— Non… Non merci, murmura-t-elle.

Leurs visages étaient très proches l'un de l'autre. Le regard de Luke plongea dans le sien et elle y lut la curiosité, et aussi un brin de méfiance.

— De quoi avez-vous peur ? demanda-t-il.

— Peur, moi ? De quoi pourrais-je avoir peur ? A part les serpents, les araignées et les insolations…

Sans lui laisser le temps de répondre, elle brandit le chapeau en demandant :

— Et le lapin, où allons-nous le mettre ?

Il enfourcha la moto, démarra d'une ruade.

— Glissez-le entre nous, conseilla-t-il. Accrochez-vous bien à moi.

Elle grimpa en selle derrière lui, cala le chapeau entre leurs deux corps, pressa sa joue contre son dos et ferma les yeux bien fort pour ne pas voir les Downs. Maintenant, elle n'avait plus qu'à s'accrocher. Heureusement qu'il lui offrait un point d'ancrage solide ! Son corps entre ses bras était une protection contre ce pays vide et cette sensation d'être aspirée dans ce ciel bleu sans limites, roulée sur des centaines de kilomètres jusqu'à n'être plus qu'un grain de poussière dans le désert…

Elle sentait le vent chaud de leur vitesse contre son corps, des mèches fouettaient son menton. Les yeux clos, elle respirait l'odeur réconfortante de Luke : le coton de sa chemise, sa sueur propre, la poussière de leur course. Ces romans des années soixante n'étaient peut-être pas si dépassés, en fin de compte… Ce fut presque une déception quand la moto s'immobilisa. Ouvrant les yeux, elle vit qu'ils étaient de retour à Burrinbilli, arrêtés devant un petit hangar de rondins au toit de tôle ondulée. Alerté par le bruit du moteur, Wal quitta sa place à l'ombre de la citerne, vint les rejoindre au trot et se dressa sur les pattes de derrière pour renifler le chapeau.

— Non, Wal ! s'écria Sarah. Si elle t'entend souffler comme ça, la pauvre Dorothy va faire une crise cardiaque !

— Dorothy ? répéta Luke en haussant les sourcils.

Pourtant, il parla sèchement au chien — qui s'assit avec un petit gémissement plaintif — et disparut dans le hangar. En le suivant, Sarah découvrit un atelier avec une partie aménagée pour la mécanique, des établis pour la soudure et la menuiserie et des parois couvertes d'outils. Certains étaient modernes, d'autres manifestement des antiquités. Des râteliers contenaient des planches et des pièces de bois, des rouleaux de grillage et de fil de fer, des tubes et des tuyaux.

— Votre arrière-arrière-grand-père a construit cet atelier il y a cent cinquante ans, expliqua Luke. Certains de ces outils lui appartenaient. Je les ai trouvés dans un coin et remis en état.

— Vous vous servez de tout ce matériel ?

— Ce n'est pas une exposition pour les touristes. Je dois entretenir et réparer les véhicules de la station, les pompes de forage et les engins agricoles, il faut ferrer les chevaux… Mettons Dorothy dans l'écurie pour l'instant.

L'écurie se trouvait dans une autre dépendance aménagée avec des box, une sellerie et des bacs de bois à couvercle — elle supposa qu'ils contenaient l'avoine et les granulés des chevaux. Soulevant le couvercle d'un bac vide, Luke déposa le lapin à l'intérieur. Le hongre bai salua son maître d'un petit hennissement.

— Quelle bête magnifique, murmura Sarah en s'approchant pour caresser son encolure puissante. On dirait un Thoroughbred, en plus petit. Quelle taille fait-il, un mètre soixante-quinze au garrot ?

— Exactement, répondit Luke en s'accoudant au rebord du box. Kimba est un *stock horse* australien de pure race. Vous disiez que vous ne connaissiez rien aux chevaux.

— J'ai deviné, murmura-t-elle en évitant son regard sceptique. Kimba, cela veut dire quelque chose ?

— C'est le mot aborigène pour les feux de brousse, répondit-il en caressant les naseaux du bel animal. Il est incroyablement rapide.

Donnant une claque amicale à l'encolure de son cheval, il se détourna en lançant :

— Voyons avec quoi nous allons construire cette cage.

De retour dans l'atelier, il montra la réserve de bois.

— Choisissez de quoi faire le cadre. Moi, je prends les outils.

Elle resta plantée devant les planches, perplexe et assez irritée. Si encore elle s'était trouvée chez elle, elle aurait pu télécharger une maquette, la modifier graphiquement et imprimer des instructions détaillées à partir du site Web du fabricant ! Mais elle se retrouvait au milieu de nulle part, sans ressources et sans la moindre idée de la manière de fabriquer un simple clapier à lapins.

Se décidant brusquement, elle sortit du lot quelques pièces de bois qui lui semblaient assez solides pour faire un cadre.

— Par quoi faut-il commencer ? demanda-t-elle à Luke qui revenait avec une boîte à outils et une scie.

Wal choisit une place aux premières loges et s'assit pour assister au spectacle. La question de Sarah sembla laisser Luke assez perplexe. Il hésita un instant, puis proposa :

— Je vais m'en charger, ce sera aussi simple.

— Non ! Je voulais le lapin, je ferai la cage. Donnez-moi juste quelques conseils pour commencer.

Il ouvrit la bouche pour lui répondre. L'interrompant d'un geste d'agent qui règle la circulation, elle s'écria :

— Et je vous demanderai de garder pour vous vos remarques machistes, parce que cela n'a rien à voir avec le fait d'être une femme.

— Bien sûr que non, dit-il avec beaucoup de naturel, en mesurant le bois qu'elle avait choisi. C'est une question de venir de la ville, et de ne pas avoir l'habitude de travailler de ses mains. Ces deux-là sont de la même longueur, vous pouvez les clouer l'un à l'autre, à angle droit.

De la ville, il disait cela comme si elle venait d'une autre planète ! S'accroupissant maladroitement sur le plancher de bois, elle prit une poignée de clous et les fourra dans sa bouche comme elle avait vu faire dans les émissions de bricolage à la télé. Se penchant, il les retira avec délicatesse.

— Je serais bien ennuyé si vous en avaliez un, observa-t-il. Il n'est jamais venu vous voir ?

Elle prit le clou qu'il lui tendait, le positionna avec soin et brandit le marteau en demandant :

— Qui donc ?

— Votre père.

Le marteau s'abattit sur son pouce. Elle réprima un cri. Heureusement, elle avait eu le temps d'amortir le coup.

— De loin en loin, répondit-elle, agacée, en secouant son pouce endolori. Sa seconde femme était contre, et ils vivaient sur la côte est.

— Essayez de les caler avec votre pied, conseilla-t-il en repositionnant ses morceaux de bois. Voilà, c'est mieux.

Se tournant vers son chien, il ordonna :

— Wal, apporte la scie.

Stupéfaite, Sarah vit le chien sauter sur ses pattes, prendre la scie entre ses dents et la poser dans la main tendue de son maître. Réprimant un sourire, elle fit comme si elle trouvait cela parfaitement normal et enfonça son clou, satisfaite de voir qu'elle l'avait à peine plié. Luke mesura deux pièces de bois, les marqua d'un coup de crayon et se mit à les scier à la même longueur que les deux premières.

— Je ne comprends pas qu'on ait un enfant, et qu'on laisse une tierce personne décider si oui ou non on ira la voir, dit-il.

Elle fut surprise de s'entendre défendre Warren.

— Il m'envoyait des cartes pour mon anniversaire, et des cadeaux à Noël. Il m'a légué la station.

— La station, c'est plutôt un boulet pour vous.

— Vous dites ça parce que vous la voulez, décocha-t-elle.

— Je suis surpris que votre mère n'ait pas exigé qu'il soit plus présent. Pour vous.

— Elle aurait préféré mourir que lui demander quoi que ce soit. Même pour moi.

Agacée, elle cessa de marteler ses clous et lança :

— Ecoutez, maman s'est remariée, j'ai eu un beau-père formidable qui m'aimait de tout son cœur. On peut changer de sujet ?

— D'accord. Que feriez-vous de Burrinbilli si je vous vendais ma part ?

— Ma mère...

— Votre mère n'est pas revenue ici quand elle a hérité il y a... vingt-cinq ans ou un peu plus. Pourquoi reviendrait-elle maintenant ?

— J'ai vingt-neuf ans, dit-elle, répondant à la question qu'il n'avait pas posée. J'aimerais que ma mère ait la possibilité de prendre sa retraite dans sa maison d'enfance.

En fait, elle sentait que cette histoire commençait à la

concerner bien davantage que sa mère. Elle ne vivrait jamais à Burrinbilli, mais un lien s'était créé entre elle et la propriété. Ce serait un crève-cœur de la perdre.

— Et vous, que feriez-vous de la station ? demanda-t-elle.

— Mon rêve serait de vivre en autarcie. Elever ou faire pousser toute notre nourriture, générer notre propre énergie. Ce que je ne pourrais pas produire moi-même, je l'achèterais grâce aux ventes de bétail.

— Ce serait un travail énorme. Vous feriez ça tout seul ?

— Effectivement, il faudrait quelqu'un avec moi. Idéalement, une femme qui aurait envie de la même chose.

Son regard brûlait d'enthousiasme. Craignant sans doute d'en avoir trop dit, il baissa la tête et se remit à assembler le cadre du clapier. Une pensée fugitive la saisit : ce serait passionnant d'être ce genre de femme.

— Caroline voulait la même chose ? demanda-t-elle.

— Non. Elle refusait de vivre ici.

Il parlait avec une telle amertume qu'elle sentit son cœur se serrer. Même si elle comprenait parfaitement le point de vue de la pauvre Caroline !

— Nous pourrions peut-être trouver un compromis, proposa-t-elle. Faire deux lots. Je paierais davantage pour pouvoir garder la maison. C'est la maison de famille de ma mère et j'y tiens énormément.

— La moitié de la station, ce ne serait pas suffisant pour un troupeau rentable et je n'ai pas de quoi bâtir une autre maison.

D'un geste vif, il posa sa scie et se pencha vers elle.

— Disons que j'accepte de vous vendre ma part. Votre mère a-t-elle dit qu'elle reviendrait s'installer ici ?

— Pas en ces termes, non. Elle a tant fait pour moi que je

crois que c'est difficile pour elle de savoir accepter en retour. Surtout en sachant que s'il n'y avait que moi, j'emploierais l'argent pour quelque chose de tout à fait différent.

Le regard bleu de Luke scruta son visage.

— Et que veut Sarah Templestowe ? demanda-t-il.

— Vous trouverez sûrement cela absurde, mais il y a un appartement en terrasse à vendre dans l'immeuble où je travaille.

Elle secoua les épaules, prit un autre clou et conclut :

— C'était surtout un fantasme, quand j'étais coincée dans les embouteillages le matin.

— C'est important de rêver. C'est ce qui nous donne la force de faire de vrais projets.

Sa propre tâche terminée, il vint lui tenir les morceaux de bois pendant qu'elle jouait du marteau. Pendant quelques instants, ils travaillèrent en silence, puis il demanda :

— Et que ferez-vous si votre mère décide de ne pas s'installer ici ?

— Eh bien… je trouverai quelqu'un pour tout superviser et… je viendrai ici en vacances…

Il laissa peser sur elle un long regard sceptique. Gênée, elle se remit à jouer du marteau, avec un tel enthousiasme qu'elle plia plusieurs clous. Lui tendant un autre morceau de bois, il fit mine d'inspecter la boîte.

— Je préfère vous prévenir, il ne nous en reste que cinq douzaines…

— Très drôle.

— Sérieusement, Sarah… Vous ne pensez pas que vous auriez dû étudier la situation d'un peu plus près avant de vous précipiter ici pour tenter de me racheter la station ?

La question lui arracha une grimace qui n'avait rien à voir avec son pouce douloureux.

— J'ai réfléchi ! Mais je ne me suis pas posé les bonnes

questions. Je savais bien que c'était différent de Seattle, j'étais au courant pour le climat et la géographie, la distance et l'isolement mais... avant d'en faire l'expérience, je ne pouvais pas savoir. Vous comprenez ?

Il réfléchit quelques instants.

— Comme quand j'ai fait un voyage en Europe, et j'ai vu de la neige pour la première fois ?

— Exactement ! Maintenant, imaginez que vous êtes tout nu dans la neige, à la merci des éléments, et vous aurez une petite idée de ce que je ressens.

Aux mots « tout nu », leurs regards se croisèrent et une chaleur intense jaillit entre eux. Elle sentit ses joues s'enflammer. Peut-être remarquait-il sa présence, en fin de compte ? Pourtant, s'il se sentait attiré par elle, il était déterminé à ne pas le montrer. Se remettant sur pied, il alla chercher un rouleau de grillage, en déroula une partie et lui tendit la pince coupante.

Pourquoi, pourquoi avait-elle tenu à fabriquer elle-même ce fichu clapier ? Laborieusement, elle découpa le fil de fer, alvéole par alvéole, s'égratignant copieusement les mains, ses pensées revenant sans cesse à la curieuse électricité qui passait entre eux. Dans un sens, elle ne pouvait pas lui en vouloir de ne pas faire un geste vers elle. Elle n'était pas du tout ce qu'il cherchait !

— Disons que Burrinbilli me revient et que ma mère s'installe ici, lança-t-elle. Accepteriez-vous de rester pour gérer la station ? Nous pourrions rénover la maison du contremaître, y mettre tout le confort moderne.

Il secoua la tête.

— Je veux une terre à moi. Mais ne vous inquiétez pas, vous n'aurez aucun mal à trouver quelqu'un. Il y a une foule de gars très compétents qui seraient contents d'avoir le poste.

Sans doute y avait-il des hordes de types dans l'*outback*

qui cherchaient désespérément un job mal payé sur une station isolée, mais…

— Mais ils ne connaîtraient pas la station comme vous la connaissez. Ils ne se seraient pas investis de la même façon.

— Si je me suis investi autant, c'est parce que Burrinbilli est à moitié à moi. Parce que, grâce à mes efforts, je pourrai passer une propriété valable à ma fille.

— Et si Becka décide que cela ne l'intéresse pas ? Elle n'est pas franchement enchantée d'être ici pour l'instant.

— Elle s'y fera. C'est une bonne vie et tôt ou tard, elle saura l'apprécier. J'aurai peut-être d'autres enfants. Même si je reste tout seul, je travaillerai aussi longtemps que j'en serai capable. Vous comprenez…

Il s'interrompit et braqua sur elle ce regard déconcertant de franchise.

— … moi, je veux Burrinbilli pour moi. Voilà la différence entre nous, et voilà pourquoi la station devrait me revenir.

— Ce n'est pas aussi simple, protesta-t-elle.

Elle le contredisait d'instinct mais au fond d'elle-même, elle avait l'impression désagréable de se tromper. Pas question de l'avouer à Luke, surtout à ce stade ! Mieux valait changer de sujet.

— Je ne veux pas être indiscrète, mais vous devriez me dire quel est le problème avec Abby et Becka. C'est par ignorance que j'ai envenimé les choses. Je vous jure que je ne savais pas qui elle était, ou je vous aurais consulté avant de l'inviter à la station.

— Je sais, je sais.

Il fronça les sourcils, réfléchit un instant et commença :

— Abby…

Comme rien d'autre ne venait, elle murmura :

— Oui ?

— Finissons déjà ce clapier.

En quelques gestes habiles, il l'aida à envelopper le cadre dans le grillage et chargea un pistolet à agrafes. L'air de s'excuser, il dit :

— Je préfère le faire. Ces engins sont dangereux.

— Si vous voulez, murmura-t-elle en s'écartant.

S'il ne le lui avait pas proposé, elle lui aurait demandé de se charger de cette tâche. Son besoin de prouver ses capacités n'allait pas jusque-là !

En quelques minutes, il agrafa le grillage au cadre et y fixa une porte à charnières. La dernière agrafe décochée, il recula un peu pour inspecter sa création. *Leur* création, rectifia mentalement Sarah, fière d'avoir participé.

— Alors ?

— Un peu bâclé, mais ça tiendra.

— Je vous parle d'Abby !

Il se mit à ranger ses outils. Elle commençait à désespérer de le voir desserrer les dents, quand il se mit à parler.

— Quand Caroline est morte, dit-il sans préambule, Abby s'est occupée du bébé. Nous nous étions mis d'accord pour que Becka vienne vivre avec moi quand elle aurait neuf ans. Maintenant que nous y sommes, Abby a du mal à lâcher prise.

— Mais pourquoi a-t-elle été obligée de me mentir pour venir ici ? Et pourquoi avez-vous été aussi furieux de la voir ? A-t-elle fait quelque chose… ?

De nouveau ce regard, si difficile à soutenir.

— Abby est…

Il s'interrompit de nouveau, si longuement qu'elle se sentit prête à craquer.

— Quoi ? s'écria-t-elle enfin. Abby est quoi ?

— Une cuisinière formidable, dit-il en se levant, sa boîte à outils à la main.

— Vous au moins, vous n'avez aucun problème pour aborder les questions personnelles !

Il poussa un grognement, s'épousseta les genoux.

— C'est culturel, ou seulement le mutisme habituel des hommes ? s'enquit-elle.

Son regard perçant se leva vers elle.

— C'est qui je suis, répondit-il. Voyons si Dorothy apprécie sa nouvelle maison.

Ses grandes mains immobilisèrent le petit lapin avec une douceur surprenante pendant qu'elle nettoyait le sang de son oreille. Puis il le déposa dans la cage, avec une poignée de foin et une carotte fourragère.

— Pourquoi avez-vous fait cela ? demanda-t-elle. Pourquoi vous êtes-vous donné tout ce mal pour un lapin ?

— Vous me l'avez demandé, lâcha-t-il en haussant les épaules.

C'était une raison suffisante pour entreprendre une tâche qui lui prenait du temps et des matériaux, et allait contre tous ses principes ? Incrédule, elle demanda :

— Pourquoi, c'est la loi du *bush* ?

L'expression sembla amuser Luke.

— Exactement, dit-il avec un petit rire. Si les terres d'un voisin sont menacées par des feux de brousse, vous luttez contre l'incendie. S'il a besoin d'un coup de main pendant la tonte ou le *muster*, vous venez avec vos chevaux et votre matériel. Si son véhicule tombe en panne, vous essayez de le réparer. Si quelqu'un a envie d'un clapier à lapin, vous en faites un.

Sarah essaya de s'imaginer en train de proposer ses services à ses voisins de palier pour réparer la plomberie, ou faire le ménage après une fête. La scène refusait de prendre corps dans son esprit. Puis elle s'efforça de se souvenir du visage de ses voisins. Les avait-elle seulement rencontrés ? Aider les autres simplement parce qu'ils avaient besoin d'un coup de main, quel concept stupéfiant ! pensa-t-elle en toisant Luke avec admiration.

— Alors vous ne me prenez pas pour une idiote parce que j'ai voulu sauver le petit lapin ?

— Bien sûr que si !

Elle se rembrunit et vit qu'il s'efforçait de ne pas sourire.

— Une idiote fichtrement adorable, ajouta-t-il, bourru.

Elle plongea la tête la première dans son regard souriant. Un vertige, une sorte d'électricité dans tout le corps... sans réfléchir, elle s'approcha d'un pas. Le sourire de Luke s'effaça lentement, son visage se pencha vers le sien...

— Papa ? cria une petite voix flûtée. Tu es où ?

6.

— Ici, Becka. Dans l'atelier.

Luke se détourna si brusquement que Sarah faillit trébucher. La porte de l'atelier s'ouvrit en grinçant, le soleil inonda la pièce poussiéreuse et la petite fille passa la tête à l'intérieur en s'écriant :

— Tante Abby doit aller à Longreach demain faire des provisions pour le *muster*. Je peux y aller aussi ?

— C'est un jour d'école.

— Non, c'est la journée portes ouvertes, il n'y a pas classe. Je peux ?

Luke réfléchit un instant, les sourcils froncés.

— Elle t'a proposé d'y aller ?

— Pas vraiment mais je sais qu'elle serait contente. Elle a dit que si je voulais venir, je devais te demander.

De là où elle se tenait, à deux pas de lui, Sarah sentit son grand corps se crisper.

— Je suis désolé, petit opossum, dit-il tristement.

— Mais papa !

Sarah se hâta d'intervenir.

— Viens voir mon petit lapin, proposa-t-elle. Bazza l'a pris dans un piège et ton papa m'a aidée à le sauver.

— Papa ?

La petite semblait stupéfaite, comme si c'était la dernière

chose à laquelle elle se serait attendue de la part de son père. S'agenouillant devant la cage, elle contempla la petite bête, fascinée.

— Il est mignon !

— Elle s'appelle Dorothy. J'ai décidé que c'était une fille. Bon, je retourne à la maison, ajouta-t-elle en sautant sur ses pieds. Je veux demander à Abby de me rapporter quelques petites choses de Longreach. C'est bien la ville où j'ai pris le bus pour venir ici ?

Il lui semblait avoir vu un magasin de tissus, tout près de la gare routière. Becka esquissa un mouvement pour l'accompagner, mais Luke la retint par l'épaule.

— Attends un peu, Becka. Je...

Son regard se posa un instant sur Sarah et il acheva :

— Je voudrais te parler.

Sarah lui offrit son sourire le plus éblouissant et fila vers la porte, tirant affectueusement la tresse de Becka au passage. Ils allaient parler ! Le père et la fille allaient parler !

Dès qu'elle déboucha au grand jour, la nausée la saisit de nouveau. Elle n'y pensait même plus, ne redoutait rien et... Elle devait absolument surmonter ce problème ! Ne serait-ce que parce que maintenant, elle allait devoir sortir chaque jour pour nourrir Dorothy. Le regard braqué sur la maison, elle mit un pied devant l'autre et entama la traversée de la cour.

Luke arpenta le plancher semé de paille en se demandant par où commencer. Il avait tant de choses à dire à Becka ; combien il l'aimait, combien il tenait à son amour et son respect. Une foule d'émotions bouillonnait dans sa poitrine... et il n'avait jamais su exprimer ses émotions.

Il s'accroupit devant la petite et écarta une mèche folle blonde de son front.

— Abby sera seulement ici jusqu'à la fin du *muster*, dit-il gauchement.

— Je veux juste aller à Longreach avec elle.

— Elle n'aurait pas dû t'envoyer me demander. Elle sait que je ne veux pas qu'elle t'emmène hors de la station.

— J'ai fait mon lit ce matin, j'ai nourri les poules sans qu'on me le demande, plaida Becka, accrochée des deux mains à la sienne. Je ferai tout ce que tu voudras, je mangerai même de la viande au petit déjeuner si tu me laisses juste y aller.

Y a-t-il une épreuve plus difficile que de résister au plaidoyer d'une enfant adorée ? Le cœur serré, il répéta :

— Je suis désolé, Becka.

Les larmes jaillirent et la Becka qu'il appréciait le moins se retourna contre lui.

— Tu es méchant ! Pourquoi est-ce que tu es si méchant avec moi ? Je déteste Burrinbilli et je te déteste, toi !

Il en avait mal dans toute la poitrine. Abby avait raison : si c'était aussi douloureux d'être père, il n'avait pas beaucoup d'expérience. Si seulement son style de vie pouvait suffire à Becka, si elle pouvait comprendre qu'en ne lui confiant pas ses inquiétudes au sujet d'Abby, il cherchait uniquement à la protéger. A préserver sa tendresse pour sa tante…

— Donne-nous du temps, Becka. Tu verras les choses différemment.

Ou du moins, il l'espérait !

Sarah agita la main de la véranda pour souhaiter bonne route à Abby. En rentrant, elle vit Luke à l'autre extrémité du couloir.

— Abby s'en va déjà ? demanda-t-il.

Elle hocha affirmativement la tête, encore un peu gênée en sa présence. Même s'il semblait avoir complètement oublié cet instant incroyable la veille, quand il avait failli l'embrasser. Tant pis ! Une aventure avec Luke, ce serait tentant mais assez déplacé, vu le contexte...

— J'avais l'intention de lui parler de la batterie. Oh, ce n'est pas grave, elle roulera de jour, elle n'aura pas besoin des phares.

Tournant les talons, il s'éloigna vers la cuisine en lançant :

— Je fais du café. Vous en voulez ?

— Merci, je viendrai me servir dans un petit moment. J'allais juste appeler ma mère.

Elle mourait d'envie de savoir comment s'était passée la discussion entre lui et Becka, mais elle savait qu'il se refermerait comme une huître si elle se hasardait à lui poser la question. De retour dans sa chambre, elle composa le numéro de sa mère et patienta, traçant machinalement du bout du doigt le titre du journal intime. Ce cahier la fascinait, elle l'imaginait rempli de pensées et de sentiments insoupçonnés. Pourtant, sa mère et elle étaient très proches, Anne ne lui avait jamais rien caché. A part peut-être un très vieil amour pour Len ?

— Bonjour, La Malle aux Trésors ?

Elle sourit en se représentant sa mère derrière son comptoir, toujours sereine dans la fraîcheur agréable de Seattle. S'éventant avec le cahier, elle s'écria :

— Bonjour, m'man !

— Bonjour, ma grande. Quelle heure est-il là-bas ?

— Vers midi, mercredi. Et chez toi ?

— Près de 5 heures du soir, mardi. Je vais bientôt fermer.

— Merci pour le café, c'était une surprise formidable.

— Préviens-moi quand tu en voudras davantage.

— Merci, mais Len a promis d'en commander à Sydney.

— Il a toujours été gentil.

La voix d'Anne n'était plus très naturelle. Le petit appareil plaqué à son oreille, Sarah alla chercher sa trousse de maquillage, en sortit du vernis à ongles et du coton.

— Il m'a dit que vous étiez sortis ensemble, tous les deux. Tu savais qu'il est veuf ? Ce serait drôle de vous revoir, tous les deux. A mon avis, il a une très haute opinion de toi.

— Tu crois ? Tu m'étonnes.

— Pourquoi donc ?

Assise au milieu du lit, elle entreprit de glisser du coton entre ses orteils. A l'autre bout du fil, sa mère soupira :

— Nous ne nous sommes pas quittés en très bons termes, voilà tout. Tu perdrais ton temps à vouloir jouer les entremetteuses.

— J'ai rencontré une autre amie à toi, reprit sa fille en secouant un petit flacon de vernis cuivré. Abby McCrae. Elle est la grand-tante de la fille de Luke.

— Je me souviens d'elle. Elle avait un an de moins. Nous n'étions pas vraiment proches.

— Non ? Elle a l'air gentille, mais Luke et elle ont du mal à se mettre d'accord sur l'éducation de Becka.

Elle s'abstint de dire qu'elle trouvait à Abby quelque chose d'assez bizarre. Ce n'était probablement qu'une impression. Trempant le petit pinceau dans le vernis, elle s'attaqua à l'ongle de son gros orteil.

— Elle a été folle de Len pendant des années, reprit Anne d'un ton tout à fait neutre. C'était même plutôt gênant pour lui. Je croyais qu'elle était partie s'installer à Brisbane.

— Elle est revenue s'occuper de Becka à la mort de sa mère. Elle sera à la station quelques jours, pour faire la cuisine pour l'équipe du *muster*.

— Vous devriez vous régaler. Elle décrochait toujours des médailles pour sa pâtisserie aux kermesses de Brisbane.

— Parlant de pâtisserie, tu as déjà envisagé d'acheter une machine à pain ? C'est génial, je t'assure.

— Sarah...

— Oui, bon, d'accord. Au fait, je suis allée au ruisseau mais je n'ai pas encore trouvé le trou d'eau où vous alliez pêcher les *yabbies*, Robby et toi.

Son pied gauche était terminé. Ajoutant un peu de coton entre les orteils, elle passa au pied droit.

— Fais bien attention, les serpents viennent y boire.

— Ne t'en fais pas pour moi, je pense tout le temps aux serpents ! Tu as réfléchi à l'idée de venir me rejoindre ici ?

— Je ne vois pas comment je pourrais me libérer, ma grande. Et toi, tu t'habitues à la vie de la station ? Tu ne te sens pas trop seule, loin de tous tes amis ?

— Pas vraiment, enfin, pas encore. Il y a tant à faire ! J'ai aidé à fabriquer un clapier à lapins aujourd'hui, et j'ai les cicatrices pour le prouver.

Rebouchant le flacon, elle agita avec satisfaction ses dix orteils cuivrés.

— Les soirées sont un peu mornes, enchaîna-t-elle. Le soleil se couche, et un peu plus tard on arrête le générateur, les lumières s'éteignent et il ne se passe plus rien jusqu'au chant du coq le lendemain matin. Si quelqu'un me proposait une soirée en ville, je ne dirais pas non. M'habiller, dîner au restaurant, aller danser...

Elle laissa échapper un petit soupir et conclut :

— Je me rattraperai dès mon retour.

— Sampson a accepté de te vendre sa part de la station ?

Sarah hésita. Sa porte n'était pas bien fermée et elle avait cru entendre un son dans le couloir. Descendant du lit en marchant sur les talons, elle alla jeter un coup d'œil et vit Luke disparaître dans la cuisine.

— Ce sera plus difficile que je ne pensais, avoua-t-elle en refermant la porte. Dis-moi : à ton avis, j'ai tort de vouloir garder Burrinbilli dans la famille ?

— Cela dépend…

— Qu'est-ce que tu voudrais, toi, sincèrement ?

— J'y suis très attachée, sentimentalement, mais…

— Mais quoi ?

— Je suis aussi très partagée. Ton voyage là-bas m'a rappelé beaucoup de souvenirs… qui ne sont pas tous agréables.

Sarah attendit la suite, espérant que cette fois, sa mère allait tout lui expliquer. Quand rien ne vint, elle reprit :

— Mon unique espoir pour l'instant est que sa fille réussisse à le convaincre de s'installer en ville.

— Et c'est probable, ça ? demanda Anne, sceptique.

— Pas franchement. Et ce n'est pas faute d'avoir essayé. Il est buté !

— Les hommes de l'*outback* sont une race à part. Certains sont assez machistes.

Buté oui, mais machiste… On ne pouvait pas accuser de machisme un homme qui sauvait les petits lapins.

— Luke est à part, effectivement ! Je te quitte pour cette fois. Promets-moi de réfléchir à ma proposition de venir faire un séjour ici.

Il y eut un silence, puis la voix à son oreille murmura :

— Tu devrais peut-être lire mon journal, en fin de compte. Tu comprendrais mieux la situation.

— Tu es sûre ? Je ne cherche pas à fouiller ton passé douteux.

— Je suis sûre. Au revoir, ma grande. Je te rappelle bientôt.

Maintenant qu'elle en avait l'autorisation, Sarah pouvait

bien s'avouer combien elle avait envie de lire ce journal !
Elle bondit sur le lit et ouvrit le cahier.

*1ᵉʳ mars 1969. La fête pour mes seize ans était fabuleuse.
Robby a oublié d'être horrible, il m'a même offert le dernier
disque des Beatles. Tout le monde est venu, même les Myers qui
sont à cinq heures de route ! Dot Myers était la meilleure amie
de m'man à l'école, et Trina et moi, on est comme des cousines.
Toutes les copines de l'internat étaient là aussi. P.S. Je crois
bien que je plais à Len.*

Sarah tourna la page avec un sourire gourmand… et fut
un peu déçue quand, pendant deux bons mois, le journal
d'Anne ne parla plus que de ses copines et du quotidien de
la station. Jusqu'à ce que…

*Le 14 mai 1969. Ça y est, c'est sûr, Len craque pour moi !
Son père et lui sont venus aider à marquer les bêtes et il n'arrêtait
pas de me regarder. Papa dit que nous avons fait un bon muster
cette année. N'empêche, l'ambiance à la maison est épouvantable.
Robby parle de s'engager dans l'armée et de partir au Vietnam,
maman est folle d'inquiétude, papa fou de rage. Je crois bien
que Robby a perdu la tête. Il veut partir à la guerre !*

Soupirant, Sarah jeta un coup d'œil à sa montre et referma
le cahier pour cette fois. Rapidement, elle se passa de l'eau
sur le visage, se recoiffa — mais le temps qu'elle arrive à
la cuisine, Luke était déjà ressorti. Consciente d'un petit
pincement de déception, elle entreprit de se faire un sandwich… et fut surprise de voir un paquet à son nom, posé
près du téléphone.

— Bazza a apporté le courrier de Murrum ce matin,
expliqua Becka qui dessinait, installée à la table de la cuisine.
Qu'est-ce que c'est ?

— Je vais te dire ça tout de suite... Ah, c'est le kit de connexion Internet que j'ai demandé !

Rapidement, elle parcourut les instructions et s'installa avec son sandwich près de Becka, curieuse de voir ce qu'elle faisait. Avec des crayons pastel, la petite avait colorié un *gum* rempli de *lorikeets* arc-en-ciel et de *galahs* gris et rose. Avec beaucoup de délicatesse, elle passait de l'eau avec un pinceau, transformant le dessin en aquarelle.

— C'est vraiment très bien ! dit Sarah.

Très concentrée, la gamine passa un lavis léger sur les feuilles gris-vert du *gum*.

— Merci. Ma mère était peintre.

— Tu as bien hérité de son talent.

— Elle s'est noyée quand j'étais encore tout bébé, ajouta Becka d'un ton parfaitement naturel. Maintenant, ma tante Abby est comme ma maman.

— Je suis désolée, pour ta première maman. Ton papa a l'air très gentil.

La petite secoua les épaules et s'abstint de répondre.

— Il travaille énormément, reprit Sarah. J'ai de la chance qu'il ait si bien tenu la station.

Des yeux très bleus se levèrent vers les siens.

— Il te plaît ? Mon père, je veux dire. Tu vas rester ici ?

— Oh, Seigneur, non !

C'était parti tout seul. Gênée, elle chercha un moyen de faire machine arrière. C'était peu délicat de se montrer si véhémente, mais la petite se trompait du tout au tout sur l'intérêt qu'elle portait à son père !

— Je veux dire que cet endroit est tellement différent de tout ce dont j'ai l'habitude...

— Au moins, toi, tu sais que tu ne resteras pas long-temps.

Posant son pinceau, Becka poussa son aquarelle de côté.

— Je dois laisser sécher avant de faire les oiseaux. Tu veux bien me montrer l'ordinateur ?

— Bien sûr ! Viens, je lave vite mon assiette et nous installerons le moteur de recherche. Tes amies à Murrum… elles ont une adresse e-mail ?

— Lucie, oui. Julie en aura bientôt une.

— Je vais te montrer comment leur envoyer des messages. C'est presque aussi bien que de se parler au téléphone.

Elles passèrent dans le bureau et Sarah configura l'installation. Tout en testant la connexion, elle demanda distraitement :

— Qu'y a-t-il dans tous ces meubles à tiroirs ?

— Oh, juste la collection de bestioles de papa.

Sautant sur ses pieds, elle ouvrit le tiroir le plus proche. Des scarabées s'alignaient dans un cadre, des grands, des petits, avec des pois, des rayures, iridescents ou d'un noir parfaitement mat, certains effrayants, d'autres charmants, chacun avec son étiquette calligraphiée à la main portant un nom latin.

Le tiroir suivant contenait des insectes volants, guêpes, abeilles, papillons de nuit, libellules, flanqués de toute une armada de créatures ailées qu'elle n'avait jamais imaginées. Fascinée, elle tendit la main pour ouvrir le troisième tiroir… et faillit hurler en découvrant des araignées dans de petits flacons de formol. Des araignées de toutes les tailles et de toutes les formes, certaines aussi grandes que sa main, avec huit yeux et d'énormes mandibules. Refermant rapidement le tiroir, elle ouvrit le suivant et trouva une paire de phasmes aussi grands que des petits chiens.

— Incroyable. D'où est-ce que cela vient ?

— C'est la collection de papa, répéta la petite sur le ton de l'évidence.

— Il les a tous trouvés dans la région ?

Partagée entre l'intérêt et la répulsion, elle n'était pas sûre de vouloir connaître la réponse ! Si tout cela grouillait dans le secteur, elle ne parviendrait plus à dormir tranquille. La petite hocha la tête avec désinvolture.

— Chaque fois que nous faisons un pique-nique ou une randonnée, il emporte ses filets, ses presses, ses pincettes à serpents et ses flacons. C'est moi qui ai trouvé celui-ci, ajouta-t-elle en montrant un gros scarabée vert.

— Il est très beau. Mais pourquoi fait-il la collection ?

— Parce qu'il aime ça. Enfin, je crois. Il y a beaucoup de gens qui lui téléphonent pour lui poser des questions.

— Des gens comme le Pr Winter ?

— Oui, des professeurs et des scientifiques du musée. On peut faire de l'ordinateur ?

— C'est parti !

Le modem avait émis le signal familier indiquant qu'il était connecté au serveur à Longreach. Elles s'installèrent côte à côte, et Sarah entreprit de lui montrer comment envoyer un e-mail. En guise de démonstration, elle envoya un message à sa mère — un test qui ne valait pas grand-chose puisque Anne ne vérifiait presque jamais sa boîte. Elles passèrent une heure à explorer les bases du Net, puis Sarah se déconnecta.

— Je sais que cela fait beaucoup à assimiler d'un seul coup mais avant de terminer, je vais te montrer un peu de traitement de texte.

— C'est trop cool ! décida Becka.

— Tu pourras enregistrer tes rédactions et tes projets ici. Tu as accès à un logiciel graphique ici, une calculatrice ici. Je te crée un dossier où tu pourras écrire des histoires ou tenir un journal. Tu tiens un journal, toi ?

— Seulement pour l'école, pour raconter ce qu'on fait pendant le week-end.

— Je pensais à quelque chose de plus personnel. Quelquefois, si tu notes ce que tu ressens, c'est plus facile de comprendre et d'accepter ce qui t'arrive.

— Je sais ce que je ressens pour mes taches de rousseur, répliqua la petite avec une grimace. Je les déteste.

Ce n'était pas le genre de problème auquel pensait Sarah ! Amusée, elle lui fit un sourire de connivence.

— Moi non plus, je n'ai jamais aimé les miennes. Une vraie horreur. Avant, je les effaçais avec du jus de citron.

— Ça marche ?

— Il me semblait. Tu veux essayer ?

— Qu'est-ce qu'il faut faire ?

— Attends, on va éteindre l'ordinateur et je te montrerai. Tu as des citrons ?

— Derrière la maison.

Le petit arbre se dressait entre les cordes à linge et le potager. Pouffant, la petite courut devant pour choisir un fruit.

— Bazza l'appelle l'arbre à gin tonic. Tiens, celui-là !

Sarah sauta, réussit à saisir le citron et l'arracha dans une pluie de feuilles.

— Maintenant, on le coupe en deux !

Quelques instants plus tard, de retour sur la véranda. Sarah promenait doucement la pulpe du citron sur le nez de Becka.

— Toi aussi, réclama la petite.

De bonne grâce, Sarah enduisit son propre visage de jus de citron.

— Maintenant, il faut s'asseoir au soleil.

— Sans chapeau ? demanda la gamine d'un air de doute. Papa ne serait pas content.

— Juste quelques minutes…

Allant chercher le minuteur à la cuisine, elle le régla sur cinq minutes. Côte à côte, elles s'assirent sur le rebord de la véranda, les jambes ballantes et les yeux clos, offrant leurs visages au soleil.

— Les taches de rousseur s'effacent souvent quand on grandit, observa Sarah au bout de quelques instants. Et elles ne sont pas si terribles. Les miennes ne me dérangent plus du tout. Même ton père en a quelques-unes.

— Oui, mais c'est un homme !

— Et alors ?

Sarah fronça le nez : le jus de citron lui tirait la peau en séchant. Sans répondre à sa question, Becka demanda :

— Tu aimes vraiment tes taches de rousseur ?

— J'essaie…

Une ombre leur cacha le soleil. Dans un sursaut, Sarah ouvrit les yeux et vit Luke dressé devant elles. La truffe froide de Wal vint renifler son visage, puis il voulut la lécher. Comme elle le repoussait en riant, il se rabattit sur Becka.

— Nous ne sommes ici que depuis trois minutes ! se défendit-elle.

— Trois minutes de trop. Qu'est-ce que vous fichez ?

Les deux filles échangèrent un regard de biais en pouffant.

— Becka ? demanda Luke d'une voix sévère.

Sarah voyait bien qu'il n'était pas réellement en colère ; comme Becka ne semblait pas faire la différence, elle se hâta d'intervenir :

— Des histoires de filles !

— Je déteste mes taches de rousseur, s'écria Becka en même temps. Sarah a dit que si on mettait du jus de citron et qu'on allait au soleil, elles allaient s'effacer.

— Voilà, conclut Sarah.

118

Pourvu qu'il se montre sensible à la féminité naissante de sa fille ! Avec un brin d'appréhension, elle le vit s'accroupir devant Becka et lui chatouiller le nez du bout d'une tresse blonde.

— J'aimerais que tu sois heureuse exactement comme tu es, dit-il gentiment.

La petite le regarda avec gravité.

— Mais les taches de rousseur, c'est moche.

— Tu trouves que Sarah est moche ?

— Oh, non ! se récria la petite. Elle est très belle !

Sarah se sentit rougir. Sans un regard vers elle, entièrement concentré sur la petite, Luke demanda :

— Donc, ce sont seulement tes taches de rousseur qui t'embêtent ?

— Oui !

— Moi, je trouve que tu es la petite fille la plus adorable du monde. Et tes taches de rousseur sont adorables, elles aussi.

Un instant, Becka eut l'air abasourdi, puis un grand sourire illumina son visage. Wal revint à la charge, léchant bruyamment sa joue ; cette fois, ce fut Luke qui le repoussa.

— Tu devrais te laver la figure, dit-il à sa fille.

— C'est seulement du jus de citron.

— Oui, mais Wal a reniflé des bouses toute la matinée.

Avec un cri de dégoût, la petite sauta sur ses pieds et se précipita dans la maison. Levant les yeux vers Sarah, Luke lui fit un large sourire, ses dents très blanches dans son visage bronzé. Elle lui sourit en retour.

— Bravo, s'écria-t-elle. Elle s'est sentie jolie et elle a entendu qu'elle comptait pour vous.

Les longs doigts de Luke fourragèrent machinalement dans le pelage de Wal.

— Personne ne compte davantage, marmotta-t-il.

Elle fut surprise de ressentir un pincement doux-amer au niveau du cœur. Sa mère et Dennis lui avaient toujours donné une image d'elle-même très positive, mais jamais, pas une fois, Warren ne lui avait dit qu'elle comptait pour lui. Elle avait beau se répéter que cela n'avait aucune importance, cela faisait encore mal.

— Vous trouvez vraiment les taches de rousseur adorables ? demanda-t-elle.

Un coin de la bouche de Luke se retroussa, le sourcil opposé se haussa.

— C'est adorable chez les petites filles…

Elle ravala un absurde sentiment de déception. Il repoussa son chapeau en arrière, se pencha un peu vers elle, et conclut d'une voix très basse :

— Chez vous, c'est sexy.

— Oh !

Elle plongea dans son regard bleu de cristal ; la peau de son cou frémissait, là où le souffle de Luke l'avait effleurée. Sans ajouter un mot, il remit son chapeau, se redressa et suivit sa fille dans la maison. Sarah resta à sa place cinq bonnes minutes avant d'être sûre que ses jambes la porteraient.

Le lendemain, dès que les autres eurent quitté la maison, Becka pour aller en classe et Luke pour vaquer à son élevage, Sarah tapa « agoraphobie » dans le moteur de recherche de l'ordinateur et se retrouva confrontée à une liste impressionnante de sites. En les explorant, elle fut surprise d'apprendre que l'agoraphobie n'était pas la peur des grands espaces comme elle l'avait cru, mais la peur de perdre le contrôle de soi, d'avoir une crise d'angoisse en public. La liste des symptômes était longue et elle y retrouva tous les siens : tachycardie, nausées, vertiges, incapacité à reprendre son souffle… L'élément déclencheur serait une angoisse latente causée par une période de stress intense ou un événement traumatisant, comme une naissance ou un deuil. Médusée, elle se renversa sur son siège. Un deuil… Elle venait effectivement de perdre son père biologique, mais cela n'avait rien de traumatisant ! Un homme qu'elle connaissait à peine…

Elle reprit ses recherches et découvrit que certains lieux pouvaient déclencher une crise. Dans son cas, il s'agissait des Downs. Les textes recommandaient tous de ne pas chercher à faire son propre diagnostic, mais vers qui pouvait-elle se tourner ? Un instant, elle envisagea de demander à Luke le nom d'un analyste local, et décida que ce serait trop humiliant.

Le traitement maintenant : elle lut des articles sur la relaxation, la thérapie cognitive et comportementale, la méditation, les anxiolytiques, les techniques de respiration… Sans avis médical, elle ne pouvait pas avoir recours aux médicaments. Elle appliquait déjà certaines des autres approches, en se servant par exemple de la table de multiplication pour maîtriser la panique. En tout cas, il n'y aurait pas de solution facile ! Avec un gros soupir, elle éteignit l'ordinateur.

Elle ne vit guère Luke pendant plusieurs jours : il était très pris par la réparation des enclos à bétail pour le *muster*. Elle s'affaira donc de son côté, fit du ménage et repeignit sa chambre et celle de Becka. La maison était très bien entretenue, mais Luke ne s'intéressait visiblement pas à la décoration. Sarah aurait également aimé rafraîchir la cuisine mais cette pièce était devenue le domaine d'Abby.

— Emportez votre café dans le living, lança celle-ci en s'attaquant énergiquement à la vaisselle après le dîner du vendredi soir. Je vais terminer ici.

— Mais…

Lui prenant le dernier plat des mains, Abby la poussa vers la porte.

— Ne vous en faites pas pour moi, je suis juste la domestique. Allez vous détendre.

Cette fausse humilité, cette façon de culpabiliser tout le monde, tout en les menant à la baguette ! Contrariée, Sarah se laissa renvoyer dans l'autre pièce… et découvrit que l'état d'entente cordiale entre Luke et Becka était déjà compromis. Le père était lancé dans une grande tirade, défendant le mode de vie des stations et l'industrie du bétail, face à une petite fille extrêmement sceptique. Se laissant tomber sur un siège, elle écouta sans intervenir.

— Nous faisons un travail très important, s'exclamait Luke. Si tout le monde vivait en ville, qui élèverait le bœuf, qui ferait pousser le blé qui nourrit l'Australie ? Nous en serions réduits à importer notre nourriture.

— Et alors ? grogna Becka de sa place à même le plancher.

— Dès que l'on dépend des autres, on est vulnérable. Du jour au lendemain, ils peuvent refuser de vendre, ou faire monter les prix. Un pays, comme un homme, doit se suffire à lui-même, c'est une question de dignité ; sinon, les autres nations peuvent profiter de tes besoins.

Cela ressemblait davantage à un credo personnel qu'à une opinion politique, pensa Sarah en goûtant son café. Elle demanda :

— Et ce que l'on ne peut pas produire soi-même ? Pour certaines choses, on est bien obligé de se tourner vers les autres.

— Comme le phosphate, dit la petite voix de Becka.

Sarah pensait plutôt à des valeurs comme l'amour et la solidarité ! Tiraillant une de ses tresses, la petite expliqua :

— La maîtresse a dit que l'Australie est obligée d'importer du phosphate de l'île de Nauru pour faire de l'engrais. A Nauru, ils prennent le phosphate dans les fientes d'oiseau.

122

Trouvant l'argument valable, Sarah se tourna vers Luke.

— Alors, le phosphate ?

— Eh bien, dit-il lentement, il faut peut-être poser la question autrement : est-ce que j'ai vraiment besoin d'engrais, ou est-ce que je peux m'en passer ?

— Vous pourrez peut-être vous en passer, mais votre qualité de vie en souffrira.

Elle sentit que Luke voyait ce qu'elle cherchait à lui dire ; Becka, en revanche, les regardait tour à tour, le front plissé.

— Le blé ne pousserait pas aussi bien ? hasarda-t-elle.

Luke sourit à sa fille puis, se tournant vers Sarah, il dit :

— Dans l'*outback*, nous avons l'habitude de faire avec les moyens du bord.

Renonçant à comprendre, Becka revint à ce qui, pour elle, était la question fondamentale :

— J'aime quand même mieux habiter à Murrum. Toi, tu t'en fiches que je ne sois pas bien ici.

Luke ouvrit une revue d'élevage, signal que la discussion était close. Ils se retrouvaient dans l'impasse, et ni l'un ni l'autre ne se sentait entendu. Emue, Sarah glissa :

— Tu sais, tu pourrais très bien apprendre à te plaire ici.

— Mais si je continue à ne pas aimer ? insista la petite, butée.

Sarah sentit la moutarde lui monter au nez. Ce n'était pas à elle de parler avec la petite ! Manifestement, Luke n'avait rien mis au point ; elle devrait peut-être le pousser à bout, l'obliger à intervenir, à prendre les choses en main. Becka avait besoin de savoir qu'il se préoccupait suffisamment d'elle pour prendre position. Jetant toute prudence aux orties, elle lança :

— Je suis sûre que ton père trouvera un compromis. Peut-être, si tu es toujours aussi malheureuse à la fin de la saison des pluies...

— Stop ! intervint l'intéressé avec un regard sévère.

— Je pourrai retourner chez tante Abby ? s'exclama Becka, tout excitée. S'il te plaît, papa, si je suis sage pendant toutes les vacances, je pourrai ?

— Pas question ! tonna-t-il en foudroyant Sarah du regard. Quant à toi, Becka, ne commence pas ! Tout serait plus facile si tu faisais un effort pour accepter la situation avec le sourire.

Il sortit en coup de vent. Quelques instants plus tard, elles entendirent ses bottes sur la véranda.

— Luke est de mauvaise humeur ce soir, observa Abby.

Elle vint prendre la tasse de Sarah. Celle-ci faillit protester qu'elle était encore à moitié pleine, mais elle préféra se taire et regarda l'autre femme quadriller la pièce en marquant son territoire avec un chiffon à poussière. Au bout de quelques instants, n'y tenant plus, elle se leva et suivit Luke. Au fond, elle s'en voulait autant qu'à lui. Pourquoi s'était-elle mêlée de cette affaire ?

Elle sortit sur la véranda et vit la petite flaque de lumière d'une lampe de poche s'éloigner dans les ténèbres de la cour. Vite, sans se laisser le temps de réfléchir, elle se lança à sa suite. De nuit, elle ne voyait pas les Downs mais son imagination peuplait la cour de serpents monstrueux.

— Luke ! lança-t-elle.

Il ne ralentit pas, ne réagit d'aucune façon.

— Luke ! répéta-t-elle plus fort en trottant vers lui.

Cette fois, il se retourna avec emportement en jetant :

— Qu'est-ce que vous voulez !

Une bouffée de colère balaya son sentiment de culpabilité.

Au lieu de s'excuser comme elle s'apprêtait à le faire, elle s'entendit lancer un nouveau défi :

— D'accord, je n'aurais pas dû intervenir, mais...

— Effectivement, vous n'auriez pas dû. Vous ne savez rien de notre vie et vous avez le culot de venir ici, de remplir la tête de Becka de vos idées...

— Et si vous m'expliquiez ce qui se passe avec Abby et Becka ? Cela m'éviterait de faire des gaffes ! Vous n'aimez pas Abby, c'est clair, mais en quoi est-elle si dangereuse pour votre fille ? Becka non plus ne comprend pas ! Si vous ne lui parlez pas, vous allez la perdre.

Elle s'attendait à une véritable explosion de fureur. Ce qui sortit de la nuit fut un chuchotement rauque et désolé :

— Vous ne comprenez pas. Je vais la perdre de toute façon. Il n'y a pas de collège à Murrum. Quand elle aura douze ans, elle entrera au pensionnat de Mount Isa.

La lampe n'éclairait que leurs pieds. Elle vit ses bottes se détourner et l'entendit marmotter :

— Il ne me reste que très peu de temps avec elle.

— Je ne savais pas. Je suis désolée.

La colère de Sarah était retombée. Comme il n'ajoutait rien, elle rassembla son courage et reprit :

— C'est juste que je comprends ce qu'elle ressent en se retrouvant ici, loin de tout ce qu'elle a connu. La différence, c'est que moi, je peux rentrer chez moi.

La silhouette obscure de Luke se raidit.

— Becka est chez elle.

— Elle ne le sent pas encore.

— Je sais parfaitement ce qu'elle ressent.

— Sans doute. Mais elle ne sait pas ce que vous ressentez, vous. Ou pourquoi.

— Eh bien, nous verrons. En attendant, je vous remercierais de ne pas vous mettre entre moi et ma fille.

— C'est injuste de dire ça ! clama-t-elle, horrifiée de sentir les larmes lui piquer les yeux. Je me mets en quatre pour essayer de vous rapprocher, tous les deux !

— Je n'ai pas besoin de votre aide.

— Désolée de vous contredire, mais il me semble évident que si.

Elle fit volte-face et repartit vers la maison en trébuchant dans l'obscurité. Elle n'avait fait que quelques pas quand il lui saisit le bras.

— Sarah, attendez. Je...

Sa main glissa jusqu'à son poignet, s'empara de la sienne. Il souffla :

— Je fais de mon mieux.

La souffrance dans sa voix, son intonation presque suppliante, la toucha davantage que ses excuses.

— Je le sais, murmura-t-elle.

Il n'avait pas lâché sa main, et semblait chercher ses mots.

— Ecoutez... j'ai entendu une phrase de votre conversation avec votre mère l'autre jour, dit-il enfin. Il y a un bal samedi en huit, un bal des célibataires. Ce n'est pas ce dont vous avez l'habitude, mais ce serait une occasion de vous amuser un peu, et de faire la connaissance de nos voisins. Cela vous dirait d'y aller ?

— Un bal des célibataires ? C'est la version *outback* d'un club de rencontres ?

— On pourrait le dire ainsi, fit-il avec un petit rire.

— Eh bien... d'accord, merci. Ce sera amusant.

Ce serait aussi un bon moyen de conclure son séjour. Dire qu'elle était déjà ici depuis une semaine !

— C'est... très habillé ? Qu'est-ce que je devrais porter ?

126

— C'est assez habillé, oui, mais vous pouvez porter ce que vous voudrez.

— C'est bien d'un homme de dire ça !

Côte à côte, ils retournèrent vers la maison, suivant le faisceau jaune de la lampe. Négligemment, elle laissa tomber la main qui serrait toujours la sienne. Une part d'elle aurait aimé garder ses doigts mêlés aux siens, mais ce bal ressemblait déjà un peu trop à un rendez-vous.

— Le bal est à Murrum ? demanda-t-elle.

— A Rowan. A deux cents kilomètres environ au nord d'ici.

— Comment ? Mais il faudra toute la nuit pour y aller et en revenir.

Il lui jeta un bref regard en coin.

— Nous reviendrons le lendemain, bien sûr. Tout le monde passera la nuit sur place.

7.

Le lendemain matin, Sarah se réveilla avant l'aube et paressa dans son lit en lisant le journal d'Anne.

8 décembre 1969. Je termine ma Première avec le vent en poupe ! Plus qu'une année et ce sera fini pour de bon. Maman dit que je devrais envisager d'aller à l'université mais ce que je veux, moi, c'est voyager. Voir Londres, Paris, le monde !

1ᵉʳ janvier 1970. Nouvel An. Len et moi, nous avons dansé ensemble toute la soirée. A minuit, Neville Foster a coupé les lumières et il m'a embrassée sur la bouche. Len, bien sûr, pas Neville. Il est tellement gentil ! C'est décidé, Robby part au Vietnam. Maman a pleuré toute la journée.

Robby, le grand garçon monté en graine du vieil album photo de sa mère — son oncle. Tout à coup, Sarah regrettait de ne pas l'avoir connu.

7 mars 1970. Robby a terminé ses classes à Darwin, il sera à Saïgon la semaine prochaine. Le muster se fera sans lui cette année. Papa est furieux. Len viendra remplacer Rob : ils ne veulent pas de lui dans l'armée parce qu'il est un peu sourd. Abby est ridicule, elle se jette à sa tête, mais il ne pense qu'à moi.

Sarah leva les yeux de la page. Ainsi, sa mère et Abby avaient été rivales ? Un nouveau mensonge à mettre à l'actif d'Abby, qui prétendait être une amie !

30 août 1970. Les acacias sont en fleur. Ils sont magnifiques mais maman a son rhume des foins. Quelques têtes de bétail sont mortes, le vétérinaire craint la brucellose et maintenant, tout le troupeau doit être mis en quarantaine. Len reviendra aujourd'hui. Il me plaît vraiment beaucoup, je pense à lui tout le temps. Est-ce que c'est ça, l'amour ?

Comme c'était étrange de pouvoir suivre les pensées les plus intimes de sa mère adolescente ! A la fois gênée et fascinée, Sarah tourna la page.

28 novembre 1970. Robby est porté disparu après une embuscade. J'ai peur ! Len est venu dès qu'il a su, pour demander s'il pouvait faire quelque chose. Il est vraiment gentil, et il ne me met pas la pression. Nous aimons les mêmes livres, la même musique, etc, mais... Oh, je ne sais pas ce que je dois faire. Il restera coincé ici à tout jamais, à gérer la station pour sa mère. Il ne pourrait pas partir voir le monde, même s'il en avait envie.

De l'avis de Sarah, Anne ne se rendait pas compte de sa chance... et Len comptait pour beaucoup dans son refus de revenir en Australie !

6 janvier 1971. Enfin libre, les études sont terminées. Je suis à la maison pour l'été mais ce n'est pas la joie. Le prix du bœuf dégringole, la banque traîne les pieds pour le crédit. La saison des pluies s'annonce longue cette année : 30 000 acres inondés, le bétail rassemblé sur les hauteurs. Je me sens coupée de tout. Toujours aucune nouvelle de Robby, je prie tous les soirs pour qu'il nous revienne.

Une trace de larme sur la page. Anne avait souffert cet été-là, trente ans auparavant. Avec un soupir, Sarah referma le journal et se rendit dans la cuisine pour le petit déjeuner.

Abby s'affairait, lavant chaque ustensile dès que l'on cessait de s'en servir. Becka terminait son deuxième bol de céréales, Luke était rentré boire un café matinal. Elle fut un peu gênée de sa propre oisiveté en pensant qu'il avait déjà abattu trois ou quatre heures de travail !

Elle s'installa en face de lui en s'efforçant de ne pas penser au jour où elle l'avait vu sans chemise. Elle n'avait pas de quoi s'occuper l'esprit, voilà le problème ; la peinture, c'était bien, mais cela représentait beaucoup d'heures solitaires pour fantasmer… Sa force, sa solidité allait au-delà du physique… et son physique, même vêtu, était difficile à ignorer. C'était tout de même bizarre : Quentin semblait fait pour elle, même culture, mêmes centres d'intérêts… mais jamais elle n'avait pensé à lui de cette façon.

L'objet de ses fantasmes but une gorgée du moka aux amandes et réprima une grimace. Elle réprima un bref soupir. Personne n'est parfait.

— Vous faites encore de la peinture aujourd'hui ? demanda-t-il en reculant sa chaise pour croiser ses longues jambes.

Se hâtant d'émerger de ses pensées, elle répondit :

— Je pensais faire une pause. Je voudrais essayer de trouver le trou d'eau et pêcher quelques *yabbies*.

— Il suffit de suivre le lit du ruisseau dans la direction opposée à celle où vous avez trouvé le lapin. Becka pourrait vous montrer. A moins qu'elle ne veuille venir avec moi ?

Il jeta un regard interrogateur à sa fille, qui secoua la tête. Le visage sombre, il versa de la crème dans son café et le remua si fort que la cuillère tinta contre sa tasse. Sentant sans doute qu'elle devait adoucir son refus, la petite dit :

130

— Je dois réciter un poème à l'école, lundi. Tu veux bien me faire réciter, papa ? C'est quelque chose qui fait sourire.

Luke approuva de la tête. Glissant à bas de sa chaise, la petite se tint bien droite, tête haute, et annonça :

— J'y vais, alors.

Je voudrais être une luciole
Une luciole n'est jamais funeste
Comment avoir le cœur ronchon
Quand on a le soleil aux...

— Becka ! s'exclama Abby.

Luke poussa un grognement joyeux, Sarah éclata de rire.

— Je ne l'ai pas inventé ! gémit Becka.

— Ce n'est pas un poème pour l'école, gronda Abby en essuyant du pouce une goutte de lait sur la lèvre de la petite.

— Tu as parlé lentement, tu as bien articulé, je pense que c'est ce qui compte le plus, opina Luke. Tu veux bien montrer le trou d'eau à Becka ?

— Elle allait m'aider à faire des gâteaux, je veux en congeler pour le *muster*, protesta Abby.

La tasse de café aux lèvres, Luke la toisa en silence. Le regard anxieux de la petite fille passa de son père à sa grand-tante. Se tenant à quatre pour ne pas intervenir, Sarah fourra une nouvelle cuillerée de céréales dans sa bouche. C'était trop injuste pour la petite d'être tiraillée ainsi ! Elle tint bon cinq interminables secondes... et ne put endurer la tension davantage.

— Qu'est-ce que tu aurais envie de faire ? demanda-t-elle gentiment à Becka.

— Je ne sais pas, marmotta la petite.

131

— Si tu m'aides, tu pourras gratter la pâte au fond du bol, proposa Abby.

— Laisse Becka décider, coupa sèchement Luke. Sarah, il y a des pièges dans la cabane à outils. On les appâte avec des restes de viande.

— Merci. Dans ce cas, Becka pourrait peut-être aider Abby ce matin et venir se promener avec moi cet après-midi. De toute façon, je dois m'occuper des rideaux.

— J'apprécie ce que vous faites pour la maison, mais vous n'êtes pas obligée de passer vos journées ici à travailler.

— Pour les rideaux, c'est déjà réglé, intervint Abby en s'emparant du bol de Sarah à l'instant précis où celle-ci allait le vider. J'ai coupé le tissu, tout est épinglé.

— Oh ! Mais quand... ? s'exclama Sarah, abasourdie.

Elle ne pouvait pas faire grand-chose pour contribuer à la vie de la maison, et voilà qu'Abby usurpait la tâche principale qu'elle s'était choisie !

— L'autre soir, pendant que vous vous promeniez avec Luke au jardin.

Chantonnant tout bas, Abby retourna à l'évier avec sa vaisselle. Sarah l'entendit marmotter tout bas :

— Telle mère, telle fille...

— Qu'est-ce que vous voulez dire par là ! s'exclama-t-elle, outrée.

Derrière elle, la chaise de Luke grinça sur le sol d'ardoise. Le temps qu'elle se retourne, il franchissait déjà la porte. Abby revint essuyer la table. Que faire, rire de ses insinuations, lui envoyer une gifle ? Maîtrisant sa colère, elle se tourna vers Becka.

— Bon ! Puisque je n'ai plus rien à faire, tu n'as qu'à venir à la pêche aux *yabbies* ce matin.

— Mais les gâteaux ?

— Ta tante Abby est fantastiquement efficace, répondit-elle

132

avec un sourire angélique. Je suis sûre qu'elle se débrouillera très bien toute seule.

Abby se retourna d'un bond, bouche ouverte pour protester... mais Becka filait déjà vers la porte.

— Je vais chercher les pièges !

— Merci, Abby ! lança Sarah, désinvolte. A plus tard.

— Prenez bien soin de Becka, recommanda celle-ci, la suivant vers la porte en tordant son torchon entre ses mains. Vous ne connaissez pas le *bush*. C'est dangereux.

— Ne vous inquiétez pas. Je prendrai un gros bâton au cas où nous verrions un serpent.

— Un bâton, cela ne sert à rien si vous ratez votre coup, se tourmenta l'autre femme. Si vous voyez un serpent, il faut courir tout de suite.

— Oui, d'accord.

Lui tournant le dos en s'efforçant tout de même de ne pas se montrer trop impolie, Sarah s'écria :

— Becka ! Attends-moi !

Au moment de partir, elles entendirent la moto de Luke ; il s'éloignait de son côté, un rouleau de fil de fer sur l'épaule. Faisant un bref détour, il s'arrêta près d'elles en posant un pied botté sur le sol poussiéreux pour équilibrer sa machine.

— Et les gâteaux ?

— Ne posez même pas la question, dit Sarah en levant les yeux au ciel.

Puis elle se pencha pour lui glisser à l'oreille :

— Cette femme est folle à lier.

Il lui jeta un regard bizarre, mit les gaz et s'éloigna le long de la piste menant aux Downs.

— Oh, non ! Nous avons oublié l'appât, s'écria Sarah. Je n'ai pas envie de retourner à la maison.

Becka sortit un petit paquet de sa poche.

— J'ai pris le gras du bacon !

— Bien vu ! Je vois que tu t'y connais.

— Papa m'a emmenée quand j'étais petite.

— Ma mère m'en a parlé si souvent que j'ai presque l'impression de l'avoir déjà fait, moi aussi. A nous deux, nous allons faire une bonne pêche !

Elles marchaient au fond du lit du ruisseau, de loin le chemin le plus commode. Difficile d'imaginer cette tranchée craquelée remplie d'eau tumultueuse ! L'air immobile fleurait bon l'eucalyptus, la chaleur semblait étouffer les sons. Les oiseaux s'étaient tus, les feuilles mortes se froissaient à peine sous leurs pas. Sarah fit passer les pièges d'une main à l'autre et pressa le pas pour rejoindre la petite silhouette blonde qui dansait devant elle.

Au bout d'une demi-heure de marche, elle remarqua que les arbres se faisaient plus denses. Au méandre suivant, elles pénétrèrent dans une ombre plus profonde. Des fougères poussaient autour d'une nappe d'eau sombre. Tout de suite, Becka rejeta ses chaussures et entra dans l'eau.

— C'est frais ! cria-t-elle.

— Fais bien attention ! lança Sarah, laissant choir les pièges et retirant ses baskets pour pouvoir l'imiter au plus vite.

— On aurait dû apporter nos maillots, dit la petite en éclaboussant d'eau son visage rouge de chaleur.

— Il n'y a personne. Nous pouvons nous baigner en sous-vêtements.

Joignant le geste à la parole, en petite culotte et soutien-gorge lilas, elle se jeta à corps perdu dans cette incroyable fraîcheur. Avec la pudeur de ses neuf ans, Becka retira son short mais garda son débardeur.

— J'aime mieux ne pas me demander ce qui vit là-dedans, marmotta Sarah en brassant l'eau rougeâtre avec délices.

— Des *yabbies*, répliqua Becka avec logique. Elles vivent dans la boue sous les branches basses et les talus.

— Nous avons dû les envoyer aux abris en faisant tant de remue-ménage. Tu crois qu'elles vont ressortir ?

— Elles ressortiront si elles ont faim.

Toujours pratique, la petite revint la première vers la rive et se mit à préparer les pièges avec des lambeaux de viande. Sarah la rejoignit et se mit au travail sous sa direction.

— Il faut attendre longtemps ? demanda-t-elle quelques minutes plus tard en immergeant un piège sous un talus.

— D'habitude, papa les laisse en place toute la nuit.

— Parfait ! Nous pourrons nous baigner de nouveau en revenant demain.

— Je vais en mettre deux de l'autre côté de ce gros tronc, décida Becka.

Escaladant le talus comme un écureuil, elle disparut derrière un arbre mort qui reposait en travers du trou d'eau.

Sarah glissa des lamelles de bacon dans les entonnoirs de grillage et mit en place les derniers pièges. Sa tâche terminée, elle s'avisa tout à coup qu'elle ne voyait plus Becka. Et qu'elle ne l'entendait plus depuis cinq bonnes minutes !

— Becka ?

Un oiseau lança son chant dans le silence.

— Becka, où es-tu ?

Elle sortit de l'eau à son tour, se hissa maladroitement sur le talus. Où la petite avait-elle pu disparaître aussi vite ?

— Becka !

Avec un soulagement immense, elle distingua ses tresses blondes dans une tache de soleil de l'autre côté du trou d'eau.

— Becka !

Lentement, très lentement, la petite tourna la tête. Son visage était livide, ses yeux écarquillés de terreur.

— Qu'est-ce qui se passe ? cria Sarah en se précipitant.

— Non, stop, souffla la petite d'une voix atone. Ne cours pas.

— Pourqu…

Sa voix s'éteignit quand elle vit le serpent. Enorme, au moins six pieds de long, il se dressait juste devant Becka, prêt à frapper. Elle se figea sur place et sentit les forces se retirer de son corps, les pensées de son cerveau. Le serpent se balançait doucement, elle voyait frémir sa langue. Les larmes ruisselaient sur le visage de Becka.

« Si vous voyez un serpent, il faut courir tout de suite. » De très loin, elle entendit sa propre voix dire avec un calme surprenant :

— Ne t'en fais pas, Becka. J'arrive.

Elle fit un pas de côté et quitta le sentier, espérant de tout son cœur que d'autres serpents n'étaient pas tapis dans les feuilles mortes. Des brindilles égratignèrent ses jambes nues tandis que lentement, très lentement, elle contournait la bête. Un instant, celle-ci fit mine de se balancer vers elle ; elle se figea en retenant son souffle. La petite, trop terrorisée pour parler, tremblait de tout son corps.

Voilà, elle était parvenue à la hauteur du serpent. Si près que dans sa mâchoire entrouverte, elle distinguait les crocs, petits mais mortels. Sans se laisser le temps de réfléchir, chuchotant une prière rapide, elle bondit sur Becka.

— Non ! hurla la petite. Ne cours pas !

Sarah la souleva dans ses bras et fonça. Un trait brun jaillit derrière elle, elle sentit les crocs percer sa cuisse. Terrifiée, elle poursuivit sa course en trébuchant, les bras de Becka serrant son cou à l'étrangler, ses sanglots résonnant à ses oreilles. Trois images se détachaient de la confusion de ses pensées : la maison, un médecin, Luke. Elle filait droit devant elle quand elle prit conscience des paroles que répétait Becka :

136

— Arrête, suppliait-elle. Tu dois t'arrêter. Je t'en prie !

Epuisée, elle s'abattit sur les genoux. Ses cheveux mouillés se plaquaient sur ses joues et ses épaules, son corps dénudé était éraflé, couvert de bleus. Quelques centimètres au-dessus de son genou droit, sa cuisse commençait à enfler et à rougir. A part cela, on ne voyait que deux petites piqûres, et une goutte de sang séché.

C'était donc ainsi que tout se terminerait pour elle ?

Becka sanglotait toujours et pesait sur ses épaules pour la faire allonger sur le sentier.

— Il ne faut pas bouger du tout. Reste là, sans bouger. Je reviens tout de suite.

— Où vas-tu ?

Elle lutta pour se redresser, affolée de voir la petite rebrousser chemin vers le trou d'eau.

— Je retourne chercher nos habits pour serrer ta jambe. Ne bouge plus, ou le poison va avancer plus vite.

Etourdie, Sarah se laissa aller sur le dos et contempla le ciel bleu porcelaine à travers les branchages touffus.

Abby lui avait dit de courir.

Elle secoua violemment la tête. Elle avait forcément mal entendu ! Elle était énervée, elle n'écoutait pas. Becka reparut sur le sentier, courant à toute vitesse. Haletant, sanglotant, elle se laissa tomber à genoux et noua le T-shirt de Sarah autour de sa cuisse, en serrant de toutes ses forces.

— C'est trop court ! gémit-elle. Il faudrait enrouler toute la jambe. On aurait dû mettre des pantalons !

Elle aurait surtout dû éviter de venir en Australie, pensa Sarah avec une épouvantable tranquillité. Sa tête lui faisait mal, sa vue se brouillait. Fini, c'était fini.

— Merci, ma jolie, articula-t-elle avec effort. Maintenant, rentre à la maison te mettre en sécurité. File vite.

— Non ! Tu parles comme si... Ne dis pas ça.

Elle se pencha sur elle, presque nez à nez, et dit très lentement et distinctement :

— Je vais chercher papa. Promets que tu ne bougeras pas.

Sarah lui sourit. Elle se sentait bizarrement engourdie ; des larmes roulaient sur ses tempes et lui chatouillaient désagréablement les oreilles.

— Je promets.

Les pas pressés de la petite s'éloignèrent le long de la piste… s'éteignirent. Voilà, elle était seule, dans la chaleur et le silence écrasants, seule avec les coups sourds de son cœur qui diffusaient le venin dans son corps. Elle aurait beau rester parfaitement immobile… Elle fit un effort pour se détendre, pensa au mantra que lui avait enseigné sa mère et qu'elle ne trouvait jamais le temps de répéter. Fermant les yeux, elle scanda mentalement les deux syllabes dont elle ne connaissait pas le sens. Miraculeusement, elle sentit son pouls affolé s'apaiser peu à peu, son esprit s'évader, léger…

A moins que ce ne soit la mort qui venait la prendre ? Cette idée lui fit ouvrir tout grand les yeux, son cœur reprit sa course affolée. Non, non, non. Calme. Mantra. Mantra. De nouveau, l'apaisement la gagna et cette fois, elle glissa dans une véritable transe. Son corps flottait, elle ne sentait plus ses membres. Sommeil… tellement sommeil.

Luke était penché sur elle. Elle plongea dans les profondeurs de son regard de cristal bleu. Gentiment, il repoussa une mèche humide de son front.

— Eh bien, mademoiselle Templestowe ?

— Je vais mourir ?

— Un jour, sans doute.

Calmement, il déroulait un longue bande de tissu.

— Vous vous promenez toujours dans le *bush* dans cette tenue ?

138

Pour l'amour du ciel, elle avait oublié qu'elle était presque nue ! En même temps, l'humiliation n'avait guère de prise sur elle, vu la situation... et son horrible nausée.

— On se baignait...

La voix de Becka. Sarah tourna la tête et vit la petite qui se tordait les mains, le visage livide. Luke retira le T-shirt noué autour de sa jambe, jeta un regard à sa fille et lui dit avec beaucoup de sérieux :

— Tu as fait du bon travail.

En quelques gestes rapides et efficaces, il lui banda la jambe de l'aine à la cheville, plaça une attelle à l'extérieur et la fixa avec un nouveau bandage. Allongée dans la poussière et les feuilles mortes, la sueur roulant sur sa peau, Sarah sentit la terreur s'emparer d'elle. Elle se sentait, littéralement, mal à en mourir.

— Vous avez appelé le Médecin Volant ? bredouilla-t-elle. Si je suis fichue, autant partir en beauté.

Elle vit frémir sa bouche dans le plus bref des sourires.

— Nous ne l'appelons que pour les cas vraiment graves. L'ambulance est en route. Nous irons à sa rencontre dans le 4x4 et vous serez soignée à la Clinique du Bush, à Murrum.

— Combien de temps me reste-t-il avant...

— Tout le temps nécessaire, dit-il en nouant le dernier bandage.

— Mais combien de temps !

— Deux bonnes heures.

Deux heures. Elle tendit le cou pour voir la montre au poignet de Luke. Il avait dû se passer... vingt minutes depuis que Becka était partie chercher de l'aide. Il fallait plus d'une heure pour arriver en ville, à supposer qu'ils ne tombent pas en panne. Elle ferma les yeux. C'était risqué... beaucoup trop risqué à son goût.

— Becka, prends ma trousse, je vais porter Sarah.

Dans ses bras, la crise de panique prit fin instantanément. Les données du problème n'avaient pas changé et pourtant, elle se sentait en sécurité. Malheureusement, cela ne dura guère car dans le mouvement qu'il fit pour la caler contre sa poitrine, la douleur lui arracha un mouvement involontaire. Le regard de Luke croisa le sien, une tension jaillit ; elle fut glacée de comprendre que malgré le calme qu'il affichait, il avait peur pour elle. Rassemblant ses forces, il se mit en marche à longs pas réguliers. Par chance, le 4x4 n'était pas loin. Becka courut devant pour ouvrir la portière.

— Vous aurez assez d'essence ? marmotta Sarah. Ce ne serait pas le jour pour une panne sèche.

— J'ai rempli le réservoir ce matin.

Très doucement, il l'allongea sur le siège, étendit une couverture sur elle. Posant la main sur sa joue, il lui dit :

— Vous allez vous en sortir.

Pour la première fois depuis qu'elle avait senti les crochets plonger dans sa chair, elle retrouva l'espoir.

Le vieux Dr Murchison lui fit une piqûre d'antivenin et lui dit qu'elle avait eu beaucoup de chance. On l'installa dans le dortoir des femmes et elle y resta trois longues journées. Becka avait pensé à lui apporter son portable ; elle put donc parler à sa mère mais pour ne pas l'inquiéter, elle préféra ne rien lui dire.

A part un vieux monsieur que l'on gardait en observation, elle était la seule patiente de la petite clinique et les infirmières se montraient aux petits soins pour elle. Apprenant qu'elle était informaticienne, elles la bombardèrent de questions et dès qu'elle put sortir de son lit, elle entreprit de régler les nombreux *bugs* de l'ordinateur de la clinique.

C'était agréable de pouvoir donner un coup de main, et

très utile pour se changer les idées… car ses pensées ne cessaient de revenir vers Luke. Occupé comme il l'était, elle comprenait qu'il ne puisse trouver le temps de lui rendre visite… mais il lui manquait.

Le jour de son départ de l'hôpital, elle l'attendit assise dans le foyer d'entrée, son sac à ses pieds, réprimant avec difficulté la joie qu'elle n'osait pas exprimer. Enfin, elle vit passer le 4x4 poussiéreux et sa main monta d'elle-même tapoter ses cheveux pour s'assurer qu'ils étaient bien en place. Tout en sachant qu'il ne remarquerait rien ! Les dernières minutes d'attente s'écoulèrent, interminables… puis la porte s'ouvrit et Abby entra, en traînant un peu les pieds sur le carrelage immaculé.

— Oh, pauvre chérie ! s'exclama-t-elle. Quelle épreuve pour vous.

— Je vais bien, merci.

Ravalant sa déception, Sarah se mit sur pied et souleva son sac. Abby s'en saisit au même instant et le tira à elle. Agacée, Sarah le lui abandonna.

— Vous avez faillir mourir, insistait l'autre femme. Maintenant vous comprenez pourquoi je trouve que Becka n'est pas en sécurité à la station.

Au bureau d'accueil, l'infirmière en chef penchée sur ses dossiers ne perdait pas un mot de leur échange.

— Mais non, lança Sarah d'un ton léger. C'est moi qui me suis fait mordre, Becka savait parfaitement comment se comporter. Luke l'a bien éduquée.

— Oui, bref. Vous êtes prête, nous pouvons y aller ?

Elle sortit la première, chargea le sac de Sarah à l'arrière et se hâta de revenir prendre le volant. Surprise de se sentir aussi faible, Sarah s'installa laborieusement côté passager.

— Vous ne vous sentez pas très bien, pas encore.

La voix d'Abby était onctueuse, débordante de cordialité.

Avec peut-être une très légère note de satisfaction ? Sarah décida de prendre le taureau par les cornes. Se tournant sur son siège pour mieux guetter l'expression de son interlocutrice, elle lança :

— Ce matin-là, quand j'ai quitté la maison, vous m'avez dit : « si vous voyez un serpent, il faut courir ».

— Non, bien sûr que non, protesta instantanément Abby.

Puis, se tournant à son tour pour dévisager Sarah, elle la surprit en demandant :

— Vous croyez ?

— Oui. J'en suis sûre. Pourquoi avez-vous fait ça ? Tous les gens d'ici savent qu'au contraire, il faut rester parfaitement immobile.

Abby se retourna vers la route, les mains crispées sur le volant.

— Vous vous trompez forcément. Jamais je ne vous aurais donné un conseil pareil. Vous avez dû mal entendre.

Que répondre à cela ? Il était effectivement possible — peu probable mais possible — qu'elle ait mal compris.

— Laissez tomber, soupira-t-elle. J'ai survécu.

La voiture démarra. Elle se retourna vers sa vitre et s'exerça à jeter de brefs regards aux Downs. Bientôt, elle fut capable de tenir six secondes avant que son estomac ne se rebelle.

— Votre mère allait souvent se promener du côté du ruisseau, dit Abby après plusieurs minutes de silence.

— Oui, elle m'en a souvent parlé.

— Je parie qu'elle ne vous a pas tout dit.

Sachant qu'elle allait encore entendre des insinuations douteuses, Sarah ne put s'empêcher de demander :

— Que voulez-vous dire ?

— C'est là que c'est arrivé.

Que c'était lassant, cette manie de tourner autour du pot !

142

Elle supposa qu'il devait être question de Len. Son agacement se transforma en colère. Dire que la jalousie d'Abby restait aussi virulente, après toutes ces années…

— Ils faisaient ça sur le talus, sans même se cacher.

— Se cacher de qui, si loin de tout ? Il aurait fallu que quelqu'un soit assez indiscret pour les suivre, en se cachant dans le *bush*. Comment se fait-il que vous les ayez vus, Abby ?

— J'étais venue apporter des patrons à la mère d'Anne, se défendit l'autre femme. J'ai vu leurs chevaux qui broutaient en bordure des arbres.

— Autrement dit, vous les avez espionnés.

— Je cherchais Anne pour lui dire quelque chose ! C'était la fin des vacances, juste avant de retourner au pensionnat.

Sarah secoua la tête, médusée.

— Il y avait deux chevaux, vous saviez qu'il s'intéressait à elle… Vous avez appelé pour les prévenir que vous arriviez ?

— C'est un interrogatoire ? se rebiffa Abby. Je n'ai rien fait de mal, moi !

Sarah ne se donna pas la peine de répondre, Abby n'insista pas et le reste du trajet se fit en silence. Une fois arrivées à la station, Sarah la remercia poliment d'être venue la chercher et se retira dans sa chambre. Becka était en classe, Luke au travail et elle ne voulait plus voir Abby. Elle referma la porte, se laissa tomber sur le lit et reprit le journal de sa mère.

1ᵉʳ mars 1971. J'ai dix-huit ans aujourd'hui et je crois bien que je resterai enterrée ici jusqu'à la fin de mes jours. Len m'a offert une bague. Quand je l'ai mise à ma main droite, il a secoué la tête et l'a passée à mon annulaire gauche. C'était très solennel. Je ne sais plus où j'en suis. Je n'ai rien dit, mais j'ai laissé la bague. Est-ce que je viens d'accepter de l'épouser ? Nous n'avons toujours pas couché ensemble. Quand elle a vu la bague, Abby m'a jeté un regard de haine avec ses yeux bizarres.

5 juin 1971. Papa retarde le muster en espérant que Robby va reparaître par magie. Maman passe ses matinées près de la boîte aux lettres. J'ai tellement peur pour lui. Peur pour nous tous. Robby, je t'en prie, rentre à la maison.

27 juin 1971. La lettre officielle est arrivée de Canberra. Quand elle l'a vue, maman a failli s'évanouir. Robby ne reviendra pas.

Sarah sentit ses yeux se remplir de larmes. Du bout des doigts, elle effleura la page gondolée par les pleurs de la très jeune fille qu'avait été sa mère. Avec un gros soupir, elle reprit sa lecture.

6 juillet 1971. Len me demande tous les jours de fixer une date pour le mariage. Papa voudrait que nous reprenions la station tous les deux, maintenant que Robby n'est plus là et que la mère de Len a été obligée de vendre. Quand j'avais dix ans, je n'imaginais pas de vivre ailleurs et maintenant, il me semble que je vais devenir folle si je dois rester une semaine de plus.

Refermant le cahier, Sarah prit son portable et composa le numéro de sa mère.

— Maman ?

— Ma chérie, comment vas-tu ?

Cette voix douce, un peu traînante, pleine de chaleur et de tendresse… Sans avertissement, la bonde sauta et toutes les émotions qu'elle retenait jaillirent au grand jour. Les yeux pleins de larmes, elle balbutia :

— J'ai été mordue par un serpent brun, maman ! Près du ruisseau. Nous étions à la pêche aux *yabbies*, avec Becka. Je suis arrivée à l'hôpital juste à temps. Si Luke n'était pas venu très vite, je ne sais pas ce qui…

144

Elle s'interrompit, à bout de souffle.

— Pour l'amour du ciel, ma grande ! Je ferme le magasin, je prends le premier avion.

— Non, non, je suis guérie. Je ne voulais pas t'inquiéter.

— Comment est-ce arrivé ? Raconte-moi.

Un peu confusément, Sarah raconta son aventure.

— Dieu merci, tu t'en sors bien. Tu es sûre que tu ne veux pas que je vienne ?

— Je voudrais que tu viennes, maman, mais pas à cause du serpent. Je ne me sens pas très en forme, mais c'est tout.

— Qui est près de toi si tu as besoin de quelque chose ?

— Abby, soupira Sarah. Maman, j'ai fait comme tu as dit, j'ai commencé à lire ton journal. Je suis tellement désolée, pour Robby.

— Oui, dit sa mère à voix basse. Moi aussi.

Le lendemain, Sarah se sentait toujours aussi déphasée. Elle passa la matinée au lit mais se leva pour le déjeuner. Tout plutôt que de voir Abby s'empresser à son chevet avec un plateau ! Après le repas, elle laissa Abby dans la cuisine, occupée à découper une pièce de bœuf, et emporta son café et un livre sur la véranda. Elle ne voulait pas retourner au lit, mais ne se sentait pas suffisamment en forme pour se rendre utile.

Elle somnolait dans son fauteuil quand elle entendit des pas étouffés. Ouvrant les yeux, elle vit Luke se laisser tomber dans le fauteuil voisin, Wal à ses pieds. Elle se redressa, un peu étourdie. Luke avait les cheveux humides, les vêtements propres ; s'il s'était douché et changé, il devait être tard.

— J'ai dû m'endormir, marmotta-t-elle.

— Comment vous sentez-vous ?

145

— Je ne m'inscrirais pas pour un marathon, mais ça va.

Son regard retrouvait avec plaisir le visage de Luke, front large, nez droit, long profil un peu anguleux. Et ses cheveux paille, or et cannelle qui bouclaient sur des oreilles qui ressortaient un peu en haut. Des oreilles attendrissantes, pensa-t-elle en souriant malgré elle. Quand il n'était pas couvert de poussière, il était absolument irrésistible.

— Nous devrions peut-être oublier le bal, samedi, dit-il.

— Oh, non ! Je serai en pleine forme !

— Vous êtes sûre ?

— Tout à fait.

En fait, elle n'était sûre de rien, mais elle avait trop rêvé à cette soirée passée à danser dans ses bras pour rester cloîtrée ici. Même si cette attirance n'était qu'un fantasme passager !

— D'accord. Nous n'en ferons pas un marathon. Sarah...

Il se pencha en avant, les coudes sur les genoux, et reprit avec beaucoup de gravité :

— Je vous remercie d'avoir voulu sauver Becka.

— Je vous en prie, l'interrompit-elle, gênée. Je me suis comportée comme une imbécile.

Il prit sa main, la lissa entre ses paumes. Une femme moderne pouvait-elle encore tomber en pâmoison ? se demanda-t-elle, se réfugiant dans l'humour pour se préserver de l'émotion.

— Vous avez délibérément risqué votre vie pour elle.

Le visage crispé d'émotion, il baissa les yeux et avoua :

— Je ne sais pas ce que je ferais s'il lui arrivait quelque chose.

Elle posa la main sur les siennes, délicatement, comme pour capturer ce rare instant où il se livrait sans réticence.

— Elle vous aime, Luke.

146

— Ça ne se voit guère.

— Elle redoute de vous décevoir.

Projetait-elle ses propres sentiments sur la petite ? Face à ces gens de l'*outback,* si solides, courageux et pleins de ressources, elle ne se sentait pas du tout à la hauteur. Non pas qu'elle souhaitât devenir l'un d'eux, bien entendu…

Le regard de Luke se leva vers son visage.

— On ne sait pas de quoi on est capable tant qu'on n'a pas essayé, dit-il.

Lisait-il dans ses pensées ? Avec douceur, elle répliqua :

— C'est vrai. Surtout pour tout ce qui touche à la communication, au courage de montrer ce que l'on ressent.

Il lâcha ses mains, se jeta en arrière dans son siège.

— J'ai essayé de lui parler ! C'est juste… tout revient toujours à Abby.

— Que voulez-vous dire ?

Il jeta un bref coup d'œil vers la porte de la maison.

— Quelquefois, il me semble qu'Abby détruit systématiquement mon rapport avec elle. Vous allez me trouver paranoïaque…

Elle secoua la tête sans répondre. Elle avait envie d'exposer ses propres griefs mais ce n'était pas le moment, pas alors que Luke se décidait enfin à lui confier ses soucis.

— Abby a quasiment élevé Becka jusqu'ici, murmura-t-elle. C'est naturel pour elle de s'accrocher, et naturel pour vous de redouter de partager la petite, de peur de n'avoir que la seconde place. Pourtant, pour le bien de Becka, vous serez bien obligé de partager un peu.

Les yeux de Luke scrutaient les siens, tourmentés, un peu méfiants. Une fois de plus, elle sentit qu'il y avait quelque chose qu'il ne lui disait pas. Mais quoi ?

— C'était une bonne idée de lui offrir le poney, enchaîna-

147

t-elle. Abby ne monte pas, c'est quelque chose que vous pouvez faire ensemble, tous les deux.

— C'est dommage que vous ne montiez pas, vous.

Troublée par ce regard si direct posé sur elle, elle se leva et s'avança jusqu'à la balustrade ouvragée de la véranda.

— Oui, c'est dommage. Ça m'empêcherait d'aller traîner dans les coins à serpents.

Elle réprima un frisson et confia spontanément :

— Je n'ai jamais eu aussi peur de ma vie.

— Moi non plus, dit-il d'une voix égale.

Elle sentit sa grande main tiède sur son épaule nue, tourna la tête… vit sa bouche fondre sur la sienne et se perdit dans un océan de sensation délicieuse.

Ce fut un baiser presque chaste mais bouleversant. Un peu étourdie, elle scruta son regard. Cela existait donc, une réaction chimique aussi explosive entre deux êtres qui se connaissaient à peine ?

Luke sentait bien qu'il devait dire quelque chose mais son cerveau avait tout simplement cessé de fonctionner. Il venait d'embrasser Sarah dans un élan de reconnaissance, de soulagement et d'affection — et aussi parce qu'il la désirait, il voulait bien l'admettre — mais qui aurait cru qu'un simple contact de leurs bouches lui ferait l'effet d'un séisme ? Il cherchait encore à décider s'il devrait s'excuser ou recommencer quand Abby parut à la porte de la cuisine. Son regard sagace nota la position de son bras, autour de la taille de Sarah, se posa sur les joues roses de la jeune femme.

— Bientôt, tu n'auras plus besoin de moi ici, susurra-t-elle en passant devant eux sans les regarder, chargée des restes sanglants de la carcasse de bœuf.

Elle s'éloigna en fredonnant la Marche Nuptiale.

Sarah se détourna brusquement, écarlate. Sans réfléchir, Luke prit son visage entre ses mains et lui dit ce qu'il mourait d'envie de lui avouer depuis le début :

— Abby est déséquilibrée.

Elle le fixa, horrifiée, puis se dégagea brusquement.

— Je... je vois. Pardon, dit-elle en le bousculant presque pour atteindre la porte. Je dois aller...

Dans un abîme de perplexité, il la regarda se précipiter dans la maison.

— A ton avis, Wal ? demanda-t-il. Les femmes sont bizarres ou c'est moi qui ne sais pas m'y prendre ?

Toujours loyal, Wal poussa un grondement sourd.

— Merci, vieux, marmotta ironiquement son maître. Je savais bien que ça ne pouvait pas être moi.

8.

La porte coulissante se referma derrière Sarah. Incapable de tenir en place, Luke partit à grands pas inspecter le dortoir qui abriterait Bazza, son frère Gus, et Kev, le *ringer* aborigène, pendant le *muster*.

Pourquoi avait-il dit cela au sujet d'Abby ? C'était important de rester loyal envers sa famille. Maintenant, Sarah serait mal à l'aise de savoir qu'elle vivait sous le même toit qu'une déséquilibrée. Non pas qu'Abby soit dangereuse, juste un peu… décalée. Elle créait des tensions partout, entre lui et Sarah, entre lui et Becka…

Il baissa la tête pour franchir la porte basse de la petite maison de torchis bâtie un siècle plus tôt. Toujours efficace, Abby avait déjà tout préparé. Dans la pièce principale, quatre lits métalliques étaient rangés contre les murs, chacun flanqué d'une étagère. Au fond, une porte menait à la salle de bains, spartiate mais suffisante ; les serviettes propres étaient déjà empilées sur une étagère. Il n'y avait pas si longtemps, il vivait lui-même dans ce genre de local. Après une longue journée à cheval à manger la poussière du troupeau, il se laissait tomber sur son lit et rêvait au jour où il aurait sa propre station. Le jour où il travaillerait au coude à coude avec une femme qui aimerait cette vie autant que lui. Quinze années avaient passé, et il était toujours aussi loin du but.

Avec un soupir, il ressortit et se dirigea vers l'atelier. Au diable les rêveries, il avait une pompe de forage à réparer.

— Je n'aurais jamais dû l'embrasser, Wal, soupira-t-il.

Le chien poussa un bref gémissement en penchant la tête sur le côté.

— Oui, répliqua Luke, c'est une femme formidable et elle me plaît beaucoup… mais elle est de la ville.

Il voyait bien qu'elle détestait tout ici, malgré les efforts qu'elle faisait pour ne pas le montrer. Elle supportait à peine de regarder le vaste pays brun auquel il était attaché par toutes les fibres de son être.

— Je sais bien ce que tu penses, Wal. Personne d'ici ne m'a jamais fait autant d'effet. Pas depuis Caroline. Mais pour tenir la distance ? Il faut bien penser à l'avenir, et je n'en vois aucun avec Sarah. Tu me passes la clef à molette ?

Il prit l'outil des mâchoires du chien et, écartant délibérément la pensée de Sarah, se concentra sur sa pompe. Une heure plus tard, son estomac lui annonça que l'heure du repas était arrivée. Retirant son masque, il rangea sa lampe à souder et retourna vers la maison.

Ce soir-là, Sarah se coucha tôt pour lire encore une partie du journal d'Anne avant que le générateur ne s'arrête, coupant les lumières.

10 juillet 1971. Un jour faste à Murrum : un soldat américain s'est installé à l'hôtel. Un ancien pilote du Vietnam. Trina dit qu'il est plutôt craquant. Si je fais un tour en ville, je le verrai peut-être aussi.

15 juillet 1971. Il est craquant ! Il s'appelle Warren… et il viendra faire le muster à Burrinbilli !

Sarah eut un frisson d'excitation. Son père venait d'entrer en scène ! Elle allait tout savoir de cette rencontre que sa mère ne lui avait jamais racontée. Mais le pauvre Len, comment allait-il prendre la chose ?

Len est fou de rage…

On le comprend, pensa-t-elle.

… mais tant de jeunes sont partis, et nous avons besoin de bras. Warren tombe à pic ! Len est juste jaloux, parce qu'on n'a pas voulu de lui dans l'armée.

20 août 1971. Les veaux sont tous marqués, décornés et châtrés, et les bêtes à viande sont parties au marché. Le muster est terminé mais Warren va rester encore un peu pour aider à réparer les clôtures ! Il a des yeux incroyables, d'un vert magnifique. Et si gentils !

16 septembre 1971. J'ai emmené Warren au trou d'eau où nous pêchons les yabbies. Il m'a embrassée, et c'était si merveilleux que je n'arrivais pas à reprendre mon souffle. Je craque pour lui. Il est beau, il est charmant, il a voyagé dans le monde entier. Il n'est pas du tout comme le pauvre Len. Le cher Len. Je vais devoir lui rendre sa bague.

Sarah se laissa aller sur son oreiller, effleurant du bout des doigts ses lèvres où s'était pressée la bouche de Luke. Il était reconnaissant, pour Becka. C'était la seule raison… Même s'il se sentait attiré par elle, elle savait qu'il ne *voulait* pas la désirer… et c'était pire que de n'être pas désirée du tout.

— A demain, Becka. Amuse-toi bien avec Lucy !

Sarah se pencha hors du 4x4 pour embrasser la petite, qui passerait la nuit chez une copine pendant qu'ils allaient au bal à Rowan. Abby n'était pas très contente de rester toute

152

seule, mais elle pouvait difficilement refuser ce plaisir à sa petite-nièce qui voyait si rarement ses amies en dehors des heures de classe.

Luke accompagna sa fille jusqu'à la porte et revint, incroyablement séduisant dans son pantalon noir et sa chemise blanche bien coupés. Son veston et son nœud papillon, noirs tous deux, étaient accrochés à l'arrière de la voiture. Ennuyée, Sarah baissa les yeux sur sa robe de coton. Comment aurait-elle pu deviner qu'il fallait emporter une tenue plus élégante pour un séjour dans l'*outback* ?

— Je ne suis pas habillée comme il faut, marmotta-t-elle.

— Une heure après le début des festivités, plus personne ne remarquera ce que vous portez, opina Luke.

— Oh, merci beaucoup ! se récria-t-elle en riant. C'est pour me rassurer que vous dites ça ?

Il lui décocha un sourire.

— Vous êtes très bien comme ça. Belle.

Son regard chaleureux la fit rosir.

— Je ne cherchais pas les compliments, protesta-t-elle, contrariée de sentir son cœur s'envoler.

— Je sais.

La petite route filait tout droit à travers la plaine herbeuse. Aucun relief, pas un arbre, pas un bâtiment. Sarah sortit une lime de son sac et se concentra sur ses ongles en écoutant distraitement la musique *country* qui passait à la radio.

— Vous allez finir par vous rogner les phalanges, observa Luke après un long silence.

Prenant garde de ne pas laisser son regard s'égarer à l'extérieur, elle contempla sa main, qui reposait négligemment sur le volant. Elle vit les cals brillants de sa paume, la fine poussière rouge incrustée dans sa peau. Il faisait partie de cette terre et cette terre faisait partie de lui… et elle n'avait même pas un pied dans la place.

— Qu'est-ce qui vous tourmente, Sarah ?

La musique s'interrompit et le DJ s'enthousiasma pour un festival *country* organisé dans un lieu appelé Tambo.

— Moi ? Rien…, murmura-t-elle en soufflant sur un ongle.

— Vous vous tenez raide comme la justice.

La surprise lui arracha un petit rire.

— Je comprends de moins en moins !

— Nous traversons les plus beaux pâturages d'Australie et vous ne regardez même pas.

— Mais si, je regarde.

Pour le prouver, elle se pencha en avant et jeta un regard à travers le pare-brise. Ils arrivaient au sommet d'une côte si insensible qu'elle ne l'avait même pas remarquée ; tout à coup, elle voyait à cinquante kilomètres au lieu de quinze. Sa gorge se serra, des taches noires dansèrent devant ses yeux. Elle fit appel au mantra de sa mère, tenta la table de multiplication… mais il était déjà trop tard. Avec un hoquet étouffé, elle se plia en deux, tête sur les genoux, paupières serrées, son cœur emballé battant à défoncer sa poitrine.

Quand le malaise s'atténua un peu, elle risqua un regard vers Luke. Il semblait interdit, assez inquiet. Elle chercha une excuse, n'en trouva aucune et se résigna à lui dire la vérité :

— C'est si grand, si infini. Cela va jusqu'au bout du monde…

— Oui, dit-il avec tendresse. On pourrait passer des semaines à cheval sans jamais rencontrer personne.

Elle frémit.

— Comme une âme en peine perdue dans les limbes.

154

— Quand le ciel est dégagé, on voit jusqu'au bout de l'univers, dit-il avec une émotion grave.

— Vous n'entendez pas du tout ce que je cherche à vous dire. Je suis terrorisée !

— Il n'y a rien de plus beau que…

Il s'interrompit pour la dévisager, interdit.

— Ça vous fait peur ?

Elle se blottit sur elle-même en frissonnant malgré la chaleur et avoua, piteuse :

— Je fais des crises d'angoisse.

Il la fixait toujours en se frottant la mâchoire, médusé.

— Je n'ai jamais rien vu de pareil. Vous avez toujours eu ce problème ?

— Cela ne m'était jamais arrivé avant de venir ici. J'ai fait quelques recherches sur Internet ; apparemment, je suis agoraphobe. Je ne sais pas pourquoi.

Voulant changer de sujet, elle demanda :

— Warren ne vous a jamais parlé de moi ?

Elle lut de la compassion dans le bref regard qu'il lui jeta.

— Nous parlions uniquement de la station.

— Bien sûr. Aucune importance.

— C'est à cause de ces crises d'angoisse que vous ne voulez pas venir dans les pâturages ?

— Oui, mais cela n'a aucune importance, répéta-t-elle. Dans moins d'une semaine, je serai repartie et ce sera fini.

— C'est comme cela que vous abordez les problèmes ? Vous les ignorez en espérant qu'ils s'en iront ?

— Je n'ai aucun problème en temps normal, protesta-t-elle, mal à l'aise. Ce n'est pas comme si je vivais ici.

— Mais si votre mère s'installe ici, vous lui rendrez visite.

155

A ce stade, ce scénario semblait peu vraisemblable, mais elle saisit la perche qu'il lui tendait.

— Vous avez décidé de me vendre votre part de la station ?

— Je n'ai pas dit cela.

— J'essaie de me défaire de cette… phobie, ou je ne sais quoi, soupira-t-elle. Je pratique des techniques de respiration et de méditation, je m'impose de contempler les Downs pendant un temps donné, et j'y arrive de mieux en mieux.

Elle s'interrompit un instant, puis ajouta :

— Vous savez quoi ? Cela me fait du bien d'en parler.

Luke ralentit. Elle vit qu'ils approchaient d'un troupeau, plusieurs centaines de bêtes d'une splendide couleur brun-rouge égaillées le long de la route, broutant le bas-côté entre le bitume et la clôture de barbelés.

— Ce sont des Santa Gertrudis comme les nôtres, dit Luke. C'est dommage que vous n'ayez pas pu venir les voir.

— Elles sont si belles ! Pourquoi sont-elles en liberté ? Est-ce que nous devrions prévenir le propriétaire ?

— Non, non, elles broutent ce que nous appelons « le long paddock ». Pendant une sécheresse, les éleveurs s'arrangent pour utiliser tout le fourrage disponible.

Il rétrograda pour laisser le passage à une vache et son veau, et surprit Sarah en s'engageant dans une piste à deux ornières.

— Pourquoi prenons-nous par là ? Il n'y a même pas de route.

— C'est un raccourci à travers les Downs de Johnston. Nous retrouverons la route un peu plus loin. Cela va secouer un peu mais le voyage en sera raccourci d'une heure.

— Voilà une bonne nouvelle ! Le restaurant dont vous parliez est encore loin ? Je meurs de faim.

156

— Encore une quarantaine de minutes. Vous tiendrez jusque-là ?

— Il faudra bien.

Décidant qu'elle avait fait suffisamment de thérapie pour la journée, elle se cala contre le dossier de son siège et ferma les yeux.

— Réveillez-moi quand nous y serons, marmotta-t-elle.

Elle fut réveillée par le grondement de son propre estomac. Ils roulaient de nouveau sur une route pavée, et se trouvaient à l'orée d'une petite ville.

— Nous y sommes ? demanda-t-elle en s'étirant.

— Presque.

Ils passèrent devant un hôtel. Elle regarda avec envie un grand panneau vantant l'agneau rôti, spécialité de la maison. Captant sans doute son expression, il répéta :

— Il n'y en a plus pour bien longtemps.

La petite ville était déjà derrière eux. Ils roulèrent encore quelques kilomètres et se garèrent devant une vieille maison isolée. La véranda, ombragée par des *gums* et festonnée de plantes grimpantes, leur offrit sa délicieuse fraîcheur. Luke retira son chapeau et ils entrèrent.

Tout le rez-de-chaussée était transformé en restaurant ; les tables réparties entre plusieurs pièces créaient une ambiance à la fois confortable et sophistiquée. Luke salua plusieurs personnes au passage et leur présenta Sarah. On les installa à une table présentée avec beaucoup de goût, avec des fleurs fraîches et une nappe de lin blanc.

— Nous sommes à cent cinquante kilomètres de Burrinbilli et vous connaissez quasiment tout le monde, observa-t-elle.

— Quasiment, oui. Nous ne sommes pas si nombreux. Quand votre voisin le plus proche est à une heure de route, vous finissez par connaître tous les gens de la contrée.

Une jolie blonde d'une quarantaine d'années se présenta devant leur table.

— B'jour, Luke. Tout va bien pour toi ?

— On fait aller. Sarah, voici Inga, le meilleur cordon-bleu de Longreach.

Sarah ne trouva pas le compliment bien flatteur : combien de restaurants pouvait-il y avoir dans toute la région ? Pourtant, Inga semblait enchantée.

— Qu'est-ce que je vous sers ? Aujourd'hui, nous avons des *barramundi* frais sautés dans de l'huile de noix avec un coulis de tomates mi-sèches, ou du filet d'*ému* dans une sauce crème et estragon.

Luke se gratta la joue et sembla réfléchir.

— Ce qui me ferait vraiment plaisir, ce serait un plat de bestioles. En as-tu qui soient bien fraîches ?

— Elles tricotaient encore de leurs petites pattes ce matin. Bravo, un bon choix.

— Très bien ! Des bestioles pour deux, alors.

— Tout va bien, Sarah ? s'enquit gentiment la patronne. Je vous trouve un peu pâle.

— Des bestioles ? articula Sarah en foudroyant son compagnon du regard.

— Vous aviez dit que vous y goûteriez si vous mouriez de faim, lui rappela-t-il avec un sourire impudent. Celles d'Inga sont les meilleures de tout le Queensland. Vous n'allez tout de même pas la vexer ?

— Très bien, je veux bien essayer les bestioles, dit-elle d'une voix grinçante. Je peux… vous demander du pain avec mon plat ?

— Bien sûr. Focaccia, bruschetta ou pita à l'ail ?

Elle ne s'attendait pas à une palette aussi délicieuse !

— Oh, donnez-moi un peu de chaque ! décida-t-elle.

De cette façon, au moins, elle aurait quelque chose à se

mettre sous la dent ; avec un peu de chance, le pain servirait à déguiser le goût des bestioles.

— Très bien, dit Inga avec un sourire surpris.

— J'aime qu'une femme ait de l'appétit, ajouta Luke.

Sarah sirota un excellent chardonnay en ruminant des projets de vengeance. Dire qu'il y avait de l'agneau rôti à quelques kilomètres à peine ! Des bestioles ! Il la prenait pour ces touristes qui tiennent à goûter les spécialités locales les plus bizarres, rien que pour prouver qu'elles sont allées quelque part !

Un serveur chargé d'un énorme plateau s'approcha de leur table. Des petits pains variés dans une grande corbeille, et deux assiettes d'un plat appétissant qui baignait dans une sauce jaune crémeuse. Envieuse, elle se demanda à quelle table elles étaient destinées... et fut surprise quand le serveur les déposa cérémonieusement devant eux.

— Des bestioles de Moreton Bay dans une sauce au safran.

Bouche bée, elle contempla les petits crustacés blancs et dodus, braisés dans leur coquille et nappés de sauce délicate.

— Ce n'est pas un vrai plat du *bush*, mais j'espère que vous n'êtes pas trop déçue, commenta Luke en prenant sa fourchette.

Elle leva les yeux, toujours muette de saisissement.

— Vous comptez les manger ou attendre qu'ils ressuscitent ? s'enquit-il. Si vous n'aimez pas, je les terminerai.

Cette menace la fit sortir de sa transe. Elle brandit sa fourchette, interceptant celle de Luke qui se tendait déjà vers son assiette. Ils se mesurèrent du regard comme deux duellistes.

— Touchez ces bestioles, scanda-t-elle, et vous êtes mort.

Le bal se tenait dans un local de parpaings au toit de tôle jouxtant le terrain de rodéo de la ville — un site peu prometteur pour réunir plusieurs centaines d'hommes et de femmes en tenue de soirée. Des tonneaux de bière, des bouteilles de vin et d'immenses jattes de punch s'alignaient sur des tables le long d'un mur, et chacun se servait à volonté.

Sarah fut accueillie très chaleureusement. Surprise et assez touchée, elle crut comprendre qu'on lui ouvrait les bras parce que sa mère était de la région, parce qu'elle était avec Luke, mais surtout parce que c'étaient là des gens chaleureux qui accueillaient les visiteurs avec un plaisir sincère.

Luke connaissait littéralement tout le monde, y compris la très jolie cousine de Brisbane d'un éleveur du voisinage. Cette magnifique brune n'était pas la seule à s'intéresser à lui, mais si Sarah eut des instants de jalousie quand une autre femme le réclamait pour une danse, ce n'était rien à côté de la joie et de la fierté qu'elle ressentait en reprenant sa place entre ses bras.

— Vous vous amusez ? lui glissa-t-il à l'oreille pendant un slow.

L'une de ses mains reposait sur ses reins, l'autre serrait la sienne contre sa poitrine. Tout autour d'eux, des couples se balançaient doucement en rythme — ou vacillaient sans rythme particulier, car ces Australiens faisaient honneur à leur réputation de bons buveurs.

— J'adore, répondit-elle en esquivant habilement un *jackaroo* qui titubait, hilare.

Luke restait parfaitement maître de lui, et elle-même ne ressentait qu'un très léger et capiteux vertige.

Vers minuit, de grands plats de sandwichs et de pâtisseries et d'immenses thermos de café firent leur apparition sur les tréteaux du buffet. Les hordes affamées se ruèrent sur la nourriture qui disparut comme par enchantement. Bientôt,

160

les danses reprirent. Vers 3 heures du matin, elle se laissa aller contre Luke, complètement épuisée.

— Je ne peux pas faire un pas de plus, soupira-t-elle d'une voix mourante.

— On ne tient plus le coup ? la taquina-t-il. Je croyais que les gens de la ville passaient leurs nuits à danser.

— Je ne tiens plus la forme. J'ai manqué deux semaines de cours d'aérobic.

— Vous payez pour vous démener ? Certains des gars que vous voyez là ont travaillé dix ou douze heures aujourd'hui. Sans parler des filles !

— Vous tenez vraiment à ce que je me sente minable ? s'enquit-elle.

Elle parlait d'un ton léger, mais il venait de renforcer la conviction qui s'ancrait en elle plus fortement chaque jour : elle n'arrivait pas à la cheville des gens de l'*outback*.

— Vous êtes quelqu'un de formidable, murmura-t-il.

D'un geste très doux, il repoussa les cheveux de sa tempe, ses lèvres toutes proches de sa peau.

— Dites… je me disais que le meilleur moyen de surmonter votre peur des grands espaces serait de vous jeter à l'eau. Venez sur les Downs !

— Bien sûr, ironisa-t-elle, troublée. Rien de plus facile !

— Je n'ai pas dit que ce serait facile, mais je vous aiderai.

— De quelle façon ?

— Venez faire le *muster* avec nous.

Ce serait fabuleux. Ce serait terrifiant.

— Je… je ne sais pas monter, bredouilla-t-elle.

Il braqua sur elle un regard sceptique. Elle scruta son visage un instant, et avoua :

— D'accord, c'est un mensonge. Je sais monter.

— Vous montez bien ?

— J'ai fait de l'équitation pendant des années. Maman voulait que sa fille sache monter à cheval. Ecoutez, franchement, je ne vois pas l'intérêt…

Elle bluffait, bien sûr, car tout au fond d'elle, elle désirait réellement conquérir sa peur. Les mains de Luke se resserrèrent sur ses bras.

— Je ne vous laisserai pas vous défiler. Je sais que vous pouvez le faire, du moment que vous le déciderez.

Elle se tut un long instant, puis capitula.

— D'accord, Luke. Je ferai de mon mieux.

Pour *toi*, ajouta-t-elle en silence, en levant les yeux pour lui sourire.

Le fracas de la musique diminuait derrière eux. Ils s'éloignaient de la salle brillamment éclairée, traversant le pré pelé sur lequel les camionnettes et les 4x4 des danseurs étaient garés dans le plus grand désordre. La voiture de Luke était tout au bout du terrain ; ici, les lumières électriques n'entamaient pas la splendeur du ciel crépitant d'étoiles. Un quartier de lune se levait tout juste à l'horizon.

Elle s'était demandé où ils allaient dormir ; elle eut sa réponse quand Luke abattit le hayon arrière et déroula deux sacs de couchage bien rembourrés. A la tête, de courts piquets de fibre de verre soutenaient un petit auvent, d'où retombait un rideau de moustiquaire. A l'intérieur, le dormeur se trouvait comme dans un cocon.

— Qu'est-ce que c'est ? demanda-t-elle en grimpant à bord.

— On appelle cela un *swag*, répondit-il en retirant son

nœud papillon et en s'allongeant sur son sac de couchage sans retirer ses bottes.

Otant ses escarpins, elle s'allongea près de lui, le cœur battant. Levant les yeux, elle contempla un ciel aux étoiles si drues que la Voie lactée ressemblait à un rideau de lumière.

— Où est la Croix du Sud ? demanda-t-elle.

Se redressant sur un coude, il tendit le bras devant elle.

— Ici, vers dix heures. Vous la voyez ?

— Je crois. Je l'aurais crue plus grande.

— Déçue ? demanda-t-il, un sourire dans la voix.

— Oh, non ! Elle est belle.

Elle tourna la tête, trouva son visage tout proche du sien. Il était beau, lui, au sens le plus viril du mot. D'elle-même, sa main se leva, se posa sur sa joue ; elle sentit la texture rêche d'un début de barbe. Elle qui disait vouloir un vrai homme… qu'allait-elle faire maintenant qu'elle l'avait trouvé ? Elle réprima un sourire en pensant à tout ce qu'elle aimerait faire !

— Qu'est-ce qui est drôle ?

Tournant la tête, il cueillit doucement son doigt entre ses dents. La pointe de sa langue passa sur sa peau sensible, et la température entre eux s'éleva de plusieurs degrés. Elle tira doucement sa main à elle et il suivit le mouvement.

— Je me demandais quel effet cela ferait de t'embrasser pour de vrai, souffla-t-elle.

— Il n'y a qu'une façon de le savoir.

Dès que ses lèvres effleurèrent les siennes, une chaleur délicieuse se diffusa dans tout son corps. Il avait un goût de soleil, de ciel bleu et de terre rouge, avec une légère amertume laissée par la bière. Elle entrouvrit les lèvres ; avec un grondement sourd, il répondit à son invitation. Ses longs doigts aux cals lisses prirent possession de son cou, plongèrent dans ses cheveux, l'attirant plus près encore. Elle fondit dans son baiser. Si seulement cet instant pouvait ne jamais se terminer !

Il finit par s'écarter, le souffle court, les yeux fouillant les siens.

— Alors ?

Elle ne put articuler qu'un seul mot :

— Fantastique.

Il caressa son cou, descendit plus bas, défit délicatement les deux premiers boutons de sa robe et écarta doucement l'étoffe, dévoilant son soutien-gorge de dentelle gonflé par ses seins durcis. Elle s'entendit pousser un gémissement très doux. Baissant la tête, il posa une pluie de baisers tièdes sur sa peau ; sa main remontait sa jupe, caressait la peau douce à l'intérieur de sa cuisse. Elle se représenta sa main bronzée et rude sur la pâleur de sa peau et fondit littéralement de désir.

Puis sa main s'immobilisa, il releva la tête et la fixa en fronçant les sourcils.

— Je n'ai pas de préservatif, murmura-t-il.

Une part d'elle appréciait qu'il n'ait pas considéré comme acquis qu'elle céderait ; le reste était torturé de désir.

— Dans ce cas, nous pourrions…

Sa voix s'éteignit. C'était gênant de faire des suggestions aussi intimes — et si cela la gênait, cela signifiait peut-être qu'elle ne le connaissait pas assez bien pour lui faire l'amour. Il l'embrassa de nouveau, avec une conviction qui balaya ses réticences. Eh bien, pensa-t-elle, égarée, ce serait encore le meilleur moyen d'apprendre à se connaître ! Le désir l'emportait sur la raison, la tentation la poussait vers la solution la plus facile.

— Je pourrais descendre à Redfern, murmura-t-il dans son cou.

— Quoi donc ? demanda-t-elle avec un petit rire.

164

— C'est une expression. Redfern est le dernier arrêt avant la gare centrale de Sydney.

Cette fois, elle comprit.

— Ce n'est pas très sûr…

— C'est vrai…

Sa main se retira, laissant un grand froid sur sa peau. Comme pour compenser, il reboutonna sa robe avec soin, posa un baiser léger sur sa bouche et roula sur le dos, ses doigts mêlés aux siens. Elle entendit son profond soupir et dans sa frustration, regretta presque de n'avoir pas pensé elle-même à apporter le nécessaire ! En pensant aux ragots qui fleuriraient si jamais elle s'avisait d'acheter une boîte de préservatifs à Murrum, elle pouffa de nouveau.

— Je ne sais pas ce que tu te demandes maintenant et je ne veux pas le savoir, gronda-t-il doucement. Mon stoïcisme a des limites.

Elle adorerait tester ces limites, pensa-t-elle en laissant retomber ses paupières. Un jour… très bientôt…

Luke entendit son souffle se faire plus profond et régulier, sentit ses doigts se relâcher dans les siens. Peu à peu, la tension se retira de son corps… mais pas de son esprit. Il désirait Sarah de tout son être mais il sentait qu'ils avaient eu raison de ne pas aller plus loin. La dernière chose dont il avait besoin était une nouvelle grossesse imprévue, avec une femme qui ne souhaiterait pas partager sa vie.

Il ne recommencerait pas ce qu'il avait vécu avec Becka. Une trop grande part de la vie de sa fille s'était écoulée loin de lui. La prochaine fois qu'il ferait un bébé, il serait un père à plein temps dès le premier instant.

Bien sûr, il y avait d'autres façons de faire l'amour, mais ils correspondaient à différents niveaux d'intimité. Sarah et lui n'en étaient encore qu'à un stade très superficiel, et ils n'iraient sans doute pas plus loin. Il aurait été mieux avisé de ne pas l'encourager à surmonter sa peur des grands espaces. Moins elle se sentirait à l'aise à Burrinbilli, moins elle s'accrocherait à sa maison de famille. Plus elle resterait, plus ce serait douloureux de la voir repartir.

9.

— C'est pour toi, dit Sarah en tendant le téléphone à Luke. Un étudiant en doctorat à l'université de Sydney veut savoir si le tilo-je-ne-sais-quoi est en fleur.

— Le ptilotus macrocephalus, lâcha Luke en prenant le combiné. Allô, Peter, c'est vous ? Le ptilotus est en fleur sur la terre rouge, mais pas encore sur l'argile.

Sarah alla rejoindre Becka à la table de la cuisine. Ces coups de fil, émanant de scientifiques ou de conservateurs de musées, étaient fréquents mais l'attitude de Luke, si désinvolte sur le thème de ses connaissances, la surprenait toujours.

— Tu y comprends quelque chose, toi ? glissa-t-elle à Becka. Je croyais qu'il était un spécialiste des insectes.

Derrière elle, Luke dévida un nouveau chapelet de termes botaniques. Becka, craquante dans son uniforme d'école bleu et blanc, une moustache de lait sur sa lèvre supérieure, expliqua d'un air blasé :

— Papa est aussi une autorité sur les plantes de l'*outback*. Et aussi les reptiles et la palo... paléo... enfin, les fossiles. On a même donné son nom à un lézard. Une université en Californie lui a demandé de venir faire une conférence, mais la date tombait en plein *muster*.

Sarah se retourna à demi pour considérer Luke. Il n'avait pas parlé de cette invitation ! Si on avait demandé à Quentin de s'adresser aux étudiants d'une université étrangère, il l'aurait crié sur les toits. Elle s'efforça de se représenter Luke en tenue de ville, face à un public d'érudits... l'image refusa de prendre corps. Car Luke n'était pas homme à apprécier tant de regards braqués sur lui, ou à quitter la station pour se rendre en ville !

— Papa dit que je ne suis pas obligée d'aller à l'école demain, je pourrai faire le *muster*, s'écria la petite, revenant à des questions plus importantes que l'érudition de son père.

— Ça ne va pas ennuyer ta maîtresse ?

— On est beaucoup à le faire. Je me rattraperai.

— J'y vais aussi, même si je ne sais pas si je pourrai vous aider, répondit Sarah.

Elle avait téléphoné à son patron pour demander à prolonger son congé, en utilisant ses derniers jours de récupération. Ron s'était fait tirer l'oreille avant de céder.

Ce matin-là, Bazza, son frère et l'autre *ringer* terminaient d'installer les enclos provisoires. La seule idée de les rejoindre demain sur les Downs la paralysait, mais elle s'était juré d'essayer.

— Il te faudrait des bottes, dit Becka en toisant ses baskets.

Elle brandit un pied chaussé d'une version miniature des bottes de Luke, avec des bouts pointus, des élastiques sur le côté et des languettes de cuir devant et derrière.

— Elles sont géniales ! Je veux les mêmes !

— Papa m'emmène à Murrum ce matin parce qu'il doit aller chercher des granulés. Tu n'as qu'à venir t'en acheter.

Luke raccrocha le téléphone, se versa du café, le goûta et fit une grimace déçue.

— Il n'y a plus de noisette hawaïenne ?

Quel progrès ! Sarah réprima un sourire ravi.

— Je demanderai à Len d'en commander, promit-elle.

— Sarah vient en ville avec nous, annonça la petite voix pointue de Becka. Elle va s'acheter des bottes !

Le regard de Luke s'abaissa sur les pieds de Sarah.

— Il serait temps ! Tu es prête, Becka ?

— Je dois juste me laver les dents.

— N'oublie pas ton déjeuner.

Sarah lui tendit le sachet contenant le repas qu'Abby avait tenu à préparer en personne pour sa petite-nièce. Abby faisait quasiment tout dans la maison, une attitude qui agaçait Sarah un peu plus chaque jour. En même temps, cela lui permettait d'éviter l'autre femme et de se rendre utile à l'extérieur, en nourrissant les chevaux et la basse-cour et en désherbant le potager.

Une heure plus tard, ils déposèrent Becka à l'école et se dirigèrent vers le centre du bourg. C'était la première fois qu'elle se retrouvait seule avec Luke depuis le bal.

— Je crois que je prendrai aussi un chapeau pendant que j'y suis, dit-elle.

— Bonne idée.

Il se gara mais ne bougea pas de sa place, les mains sur le volant, le regard braqué devant lui.

— Sarah, pour l'autre soir...

Il tourna la tête vers elle, plongea ses yeux bleus dans les siens. Elle sentit son cœur se serrer. Si seulement ils pouvaient prendre ce plaisir qui s'offrait à eux, sans chercher plus loin ! Mais il y avait entre eux trop de questions non résolues, à commencer par la propriété de la station... et le fait qu'ils vivaient sur les rives opposées de l'océan Pacifique ! Ils ne pouvaient tout simplement pas s'autoriser le luxe de s'attacher l'un à l'autre.

— Oui ? dit-elle, la gorge serrée.

— Si je fais un saut à la pharmacie, et qu'un curieux me

remarque, la population au grand complet sera au courant dans une heure. Je doute que cela te plaise.

Cela lui faisait chaud au cœur qu'il veuille protéger sa réputation ; elle comprenait également qu'il était en train de lui demander si elle tenait vraiment à se rapprocher de lui.

— Je pense que nous avons eu raison, l'autre soir, souffla-t-elle. De ne rien faire, je veux dire.

Il réfléchit quelques instants.

— Autrement dit, tu as changé d'avis, tu ne veux plus...

— Je redoute de tout compliquer. Je ne peux pas rester ici.

— Je le sais.

Sa main vint effleurer lentement son bras nu.

— En revanche, murmura-t-elle en frémissant sous ce contact presque imperceptible, il vaut mieux être préparé.

Il lui lança un sourire subit puis, jetant un regard sur la rue déserte, il se pencha pour l'embrasser sur la joue. Il était irrésistible ! Repoussant son chapeau en arrière, il se renversa contre le dossier de son siège.

— De toute façon, nous avons raté notre moment, c'est déjà le *muster*. Nous allons nous lever à 4 heures du matin et travailler dur jusqu'à la nuit. Je ne suis pas Superman.

Tiens ? Elle aurait juré le contraire !

— Luke ?

— Oui, lui dit-il, les yeux dans les yeux.

— Quoi qu'il arrive... restons sur un registre léger, d'accord ?

Une expression fugace — la déception peut-être ? — passa sur son visage.

— D'accord, dit-il. Comme cela, personne ne souffrira.

Il sauta à terre. Quand elle le rejoignit sur le large trottoir couvert, il lança, sur le ton qu'il aurait employé pour orienter une touriste :

— Tu trouveras des bottes ici. Ils ont aussi des chapeaux. Je te retrouve dans une demi-heure.

Elle le regarda s'éloigner, admirant sa haute silhouette et sa démarche un peu chaloupée. Un homme, un vrai. Et cette vérité ne tenait pas uniquement à son corps solide, à son bon sens ou sa façon d'être planté les deux pieds sur la terre. Ou même à son lien si surprenant avec les sphères universitaires. Il savait exactement qui il était et ce qu'il voulait faire de sa vie ; il relevait chaque défi qui se présentait à lui. Discrètement, avec patience, il améliorait sa relation avec sa fille. Tout n'était pas encore parfait mais Becka s'ouvrait de plus en plus. Elle n'était plus la petite fille boudeuse rencontrée deux semaines auparavant.

Sarah se demanda tout à coup si elle avait jamais admiré quelqu'un autant qu'elle admirait Luke. Comment ne pas vouloir partager le plaisir et l'intimité d'une nuit d'amour avec un homme pareil ? Se détournant avec un soupir, elle entra dans le magasin de vêtements. Ils venaient de se promettre de ne pas se faire de mal ; y parviendraient-ils ? Les bottes qu'elle s'apprêtait à acheter ne tarderaient pas à la porter loin d'ici.

En rentrant, ils trouvèrent Bazza sur la véranda, le visage sombre.

— Mauvaise nouvelle, vieux.

Sarah sentit Luke se raidir.

— Quoi donc ?

— Old Ripper a mis le pied dans un terrier de lapin. Je crois que c'est une fracture.

Son regard se posa un instant sur Sarah, se détourna aussitôt ; elle se sentit affreusement coupable, comme si Dorothy avait personnellement creusé ce terrier.

Luke poussa un juron, arracha son chapeau et le fit claquer contre une colonnette. Puis, mains sur les hanches et dents serrées, il regarda fixement le sol.

— Tu l'as achevé ?

— Pas encore. Je viens juste d'arriver. J'ai pensé que tu voudrais t'en charger toi-même.

— Merci, vieux.

Enfonçant son chapeau sur sa tête, il rafla la carabine de Bazza et se dirigea à grands pas vers l'enclos où broutait son cheval.

— Attends ! cria Sarah en se lançant derrière lui. Il te faut un taureau tout de suite ?

Elle savait qu'une fois le *muster* achevé, ce serait le moment de couvrir les vaches. Luke comptait déjà remplacer Old Ripper, mais le vieux taureau n'aurait pas pu mourir à un pire moment ! Luke se retourna vers elle avec un visage de pierre. Elle comprit que sa colère n'était pas seulement due à ce nouveau problème ; il était attaché à tous ses animaux. Evitant soigneusement toute expression de sympathie, elle se contenta de lui proposer une aide pratique.

— Si tu me dis ce que tu cherches, je peux t'en trouver un sur Internet.

Il poussa une exclamation irritée, fit volte-face et reprit son chemin.

— Tu peux acheter un taureau sur le CALM, le Marché du bétail virtuel, expliqua-t-elle en allongeant le pas pour rester à son niveau. J'ai trouvé le site web l'autre jour.

— Je préfère voir ce que j'achète, lâcha-t-il.

— Il y a des photos, des statistiques, des courbes de croissance, toute l'information dont tu as besoin. L'achat et la livraison peuvent être organisés par ordinateur.

La main de Luke se crispait sur le canon de la carabine.

— Je n'ai pas le temps, scanda-t-il.

— Moi, si. Quel genre de taureau veux-tu ? Je vais jeter un coup d'œil et je te montrerai ce qu'on te propose.

— Bon, d'accord…

Sans cesser de marcher, il dévida quelques spécifications et une fourchette de prix.

— Mais cela ne signifie pas que j'achète, prévint-il.

— Attends de voir. Et Luke ? Je suis désolée.

Il hocha brièvement la tête et tourna les talons, tout à son sinistre devoir. Heureuse d'avoir enfin une tâche réellement utile, Sarah emporta ses emplettes dans la maison et se hâta vers le bureau pour ce shopping en ligne d'un genre assez inhabituel. Cela s'avéra aussi intéressant que de faire les magasins de livres ou de musique virtuels.

Ce soir-là, après le dîner, elle traîna Luke devant l'écran et ouvrit la documentation enregistrée quelques heures plus tôt.

— Celui-ci me plaît, déclara-t-elle.

— Voyons ça.

L'écartant doucement, il s'assit devant l'ordinateur.

— Comment est-ce qu'on passe d'une page à l'autre ?

Elle lui montra quelques commandes de base et le laissa pour aller faire du café. En humant avec délices le parfum sensuel du café fraîchement moulu, elle s'aperçut que si elle y prenait toujours autant de plaisir, elle buvait beaucoup moins de café ici qu'à Seattle. Et elle dormait mieux !

— Alors, qu'en penses-tu ? demanda-t-elle quelques minutes plus tard en apportant une tasse pour Luke — et en la posant bien à l'écart du clavier.

Il indiqua l'écran d'un mouvement du menton.

— Ce gros père est exactement ce que je cherchais.

Tendant la main, il prit sa tasse et la vida d'un trait, demandant :

— Pourquoi ne m'as-tu pas parlé plus tôt de ce système ?

Le lendemain matin, avant l'aube, Sarah put contempler son reflet dans le miroir en pied fixé à la porte de la salle de bains. Chemise à carreaux bruns et rouille, pantalon beige, chapeau Akubra et bottes R.M. Williams — elle était très bien en vachère australienne !

Il n'était que 4 heures du matin mais elle se sentait gonflée à bloc. A grands pas, elle se dirigea vers la cuisine, sûre d'impressionner ses nouveaux collègues ; Luke l'accueillit d'un large sourire, l'équivalent d'un grand éclat de rire chez un homme moins réservé.

— On dirait une touriste !

Abby pénétra dans la cuisine, précédée par son fredonnement sans timbre. Tombant en arrêt devant Sarah, elle s'exclama :

— Eh bien !

— Waouh ! Tu es toute neuve ! s'écria Becka.

— Merci, lui répondit dignement Sarah, ignorant Abby et jetant un regard de défi à Luke.

Secouant la tête d'un air fataliste, il prit son chapeau usé de son clou et lança :

— Quand tu seras prête, viens à l'écurie. On va user un peu tes bottes.

Une heure plus tard, elle trottait vers le soleil levant, chapeau tiré sur le front, dos rond, jambes projetées vers l'avant pour imiter le style de Luke et Bazza.

— Tu apprécieras, au bout de quelques heures en selle, avait assuré Luke.

Fixant son regard entre les oreilles de son cheval, elle écouta Luke lui parler à mi-voix des plantes et des animaux

174

de cette terre sauvage. Elle devinait qu'il faisait cela pour lui faire oublier ses angoisses — et cela fonctionnait.

Ils coupèrent à travers les Downs jusqu'aux collines basses où le bétail broutait entre les buissons de *mulga* et les festivités commencèrent. Sarah, Luke et les *ringers* se déployèrent à travers le *bush* pour débusquer les bêtes égaillées et les ramener vers le troupeau principal, dont la docilité apaisait leurs congénères plus rebelles. Par chance, la monture de Sarah, un bai plein de feu appelé Kismet, connaissait bien son métier et le faisait sans trop attendre d'indications de sa cavalière. Car ses années de haute école ne lui étaient guère utiles pour mener du bétail ! Elle repéra un taurillon qui se faufilait derrière un amas de rochers et n'eut qu'à amorcer le mouvement pour que Kismet se précipite, voltant lestement pour couper la route à l'animal qui cherchait à se dérober. Après une brève poursuite, le bai ramena le taurillon vers le troupeau. Triomphante, Sarah chercha un autre égaré.

Les heures passèrent, la masse du troupeau grandit. Des centaines de Santa Gertrudis piétinaient la terre battue, une poussière étouffante emplissait les narines et la gorge de Sarah. Enfin, Luke donna le signal de pousser le troupeau vers les enclos temporaires érigés près d'un trou d'eau. Bazza et Kev entamèrent un mouvement circulaire, décrivant des cercles ou *rings* autour du troupeau, maintenant sa masse indocile dans le droit chemin. Gus, le *jackaroo*, fermait la marche, flanqué de Sarah et Becka. C'était le premier *muster* de la petite, mais à voir l'excitation de son visage maculé de poussière tandis qu'elle filait à la poursuite d'un veau échappé, ce ne serait pas le dernier ! Wal rejoignit le veau le premier et le poussa vers sa mère qui meuglait, anxieuse, en périphérie du troupeau.

A travers le lourd rideau de poussière qui flottait sur l'océan d'échines brun-roux, Sarah distinguait Luke qui ouvrait la marche, claquant du fouet et criant pour encourager les bêtes à se déverser par la barrière dans l'enclos temporaire. Il montait debout dans ses longs étriers, son corps musclé projeté en avant et suivant chaque mouvement de sa monture. Enfin, la barrière d'acier se referma derrière la masse mouvante et beuglante du troupeau, et la pompe fut amorcée pour lui donner de l'eau.

Luke retira son chapeau, s'essuya le front et annonça :

— C'est la pause ! On déjeune.

On donna d'abord à boire aux chevaux, puis l'équipe du *muster* prépara son déjeuner à l'ombre d'un *coolibah* géant. Sarah envisageait de se tremper les pieds dans le trou d'eau quand elle vit Bazza se pencher pour y remplir sa bouilloire.

— Un bon thé bien fort, ça fait du bien, dit-il gaiement derrière la cigarette roulée collée à sa lèvre.

— Oui, bien sûr, convint-elle sans enthousiasme.

— L'eau est potable, lui glissa Luke. La couleur brune provient d'un sédiment trop fin pour se déposer au fond.

Rassurée, elle aida Becka à ramasser du bois mort pendant que Bazza creusait un trou dans le sable pour le foyer. Dès que les flammes furent bien claires, il les coiffa d'un gril de fer sur lequel il déposa sa bouilloire.

Le thé fut chaud, très fort et merveilleusement désaltérant. Confortablement installée sur un tronc abattu, Sarah s'attaqua au sandwich d'agneau rôti et de betteraves préparé la veille par Abby. Décidément, les Australiens tenaient à leurs betteraves ! De toute façon, elle avait si faim qu'elle aurait pu, comme disait Bazza, avaler un cheval avec son jockey. Elle dévora deux sandwichs, puis refit du thé pour accompagner le gâteau au chocolat du dessert. Très satisfaite de son savoir nouvellement acquis, elle balança la bouilloire d'un mouvement ample pour plaquer les feuilles de thé au fond, à la mode australienne. Gus, qui n'avait pas dit un mot de toute la journée, lui tendit son quart métallique avec un sourire absolument charmant. Dix-huit ans tout au plus, petit et malingre, il était aussi silencieux que Bazza était bavard.

— Toi aussi, tu veux faire du cinéma ? lui demanda Sarah.

Sans cesser de sourire, il secoua la tête.

— Tu as d'autres projets, alors ?

Il souffla sur son thé, secoua les épaules d'un air hésitant.

— Tu aimerais voyager ? Faire des études ?

Le garçon ouvrit de grands yeux et secoua vigoureusement la tête.

— Moi, je lui dis qu'il devrait lancer un bon petit circuit de randonnées à dos de chameau pour les touristes, lança Kev avec son accent à couper au couteau.

— Il mettrait une tenue de sheikh, et les *sheilas* seraient folles de lui, taquina Bazza.

Gus rougissait de plus en plus. D'une voix très douce, il murmura :

— Je veux juste rester dans le *bush* et travailler avec le bétail...

Ayant achevé de servir les autres, Sarah retourna sur son tronc pour savourer son propre thé. Croisant le regard amusé de Luke, elle lui rendit son sourire mais intérieurement, elle était pensive. Pour la première fois, elle mesurait réellement le fossé entre ces hommes et elle. Ils ne désiraient vraiment rien d'autre que cette terre nue et ces troupeaux !

— Comment vont tes pieds, dans tes bottes neuves ? demanda Luke quand ils sellèrent des chevaux de relais pour l'après-midi.

— Les pieds, ça va. Les jambes ne tiendront peut-être pas.

177

Bonne cavalière, elle n'avait tout de même pas l'habitude de passer la journée en selle ! Ses cuisses étaient déjà douloureuses, et ce serait mille fois pire le lendemain.

— Et les grands espaces ? demanda-t-il en baissant la voix.

— Je m'en accommode.

Ils se trouvaient en bordure des Downs. Instinctivement, son regard quitta le maquis qui les entourait pour plonger vers l'océan d'herbe qui s'étendait jusqu'à l'horizon. Un frisson la saisit.

— Je n'aurais pas dû dire ça, marmotta-t-il en pressant son épaule. Tu t'en sors très bien. Et tu montes comme une fille d'ici.

Rouge de fierté, elle tira son chapeau sur son front pour cacher sa confusion. Le geste et les paroles de Luke venaient de lui redonner le courage et l'énergie nécessaires pour remonter en selle.

Le reste de la journée se déroula dans les enclos. Les barrières formaient une sorte d'entonnoir pour canaliser les bêtes ; posté à l'entrée, Luke les expédiait vers Bazza en criant : « Marquage ! », « Viande ! », ou « Reproductrice ! », et le jeune homme les faisait passer dans l'enclos approprié. Sale, rayonnante et épuisée, Becka trônait sur la barrière près de son père.

Courant, criant, agitant les bras, Sarah aidait les *ringers* à pousser le bétail vers l'entonnoir. De temps en temps, un taurillon faisait volte-face pour les charger, et il fallait sauter la barrière. Wal et Sue, la chienne de Bazza, jappaient avec enthousiasme en mordillant les pattes des récalcitrants.

La poussière, couleur d'or rouge ce matin, était chauffée à blanc par le soleil de l'après-midi. Le vacarme assourdissant du *muster* — piétinement et meuglement du bétail, cris et claquements de fouets des hommes —, résonnait dans la tête de Sarah. La chaleur, l'odeur emplissaient ses sens, la poussière encombrait son nez, obstruait ses pores. Elle adorait. Elle détestait. Jamais de sa vie elle ne s'était sentie aussi épuisée, mais c'était la première fois qu'elle avait un objectif aussi clair et un tel sentiment de son utilité. Jamais elle ne s'était sentie aussi pleinement vivante.

L'idée romantique qu'elle se faisait des éleveurs s'était un peu ternie en voyant marquer les veaux. Ce fut pire encore quand on entreprit de décorner les bêtes destinées au marché, et de châtrer les taurillons, que Luke appelait des *mickies*. Elle serra les dents et fit ce qu'elle put pour aider les hommes. Quel que soit l'avenir de Burrinbilli, elle en était à moitié propriétaire et elle ferait face à ses responsabilités.

A la fin du jour, ils revinrent à cheval le long de la piste poussiéreuse. Vers l'occident, le ciel immense se teintait d'une extraordinaire couleur écarlate. Des *corellas* criards passèrent sur leurs têtes, ralliant leurs nids dans les *gums* blancs. Ivre de fatigue, Becka trottinait sur son poney entre Sarah et Luke.

Le profil de Luke se découpait sur le gris du crépuscule, serein et familier. Il tourna la tête vers elle et lui sourit, un sourire lent et lumineux qui la pénétra de sa chaleur. Un sourire qui résumait toute cette merveilleuse journée de labeur et de rire. Elle était moulue, complètement éreintée, mais Luke l'avait regardée, il lui avait souri, et son cœur chantait.

Vers la fin du dîner, le téléphone sonna. Bien entendu, Abby sauta sur ses pieds pour répondre.

— Sarah, c'est pour vous.

Surprise — sa mère l'appelait toujours sur son portable —, elle se leva pour prendre le combiné.

— Allô !

— B'soir, ici Karen. Nous nous sommes rencontrées au bal. J'espère que je ne vous ennuie pas, mais quand j'ai su que vous étiez une crack de l'informatique... J'ai des problèmes avec mon moteur de recherche.

— Vous ne m'ennuyez pas du tout ! s'écria-t-elle, ravie de pouvoir donner un coup de main. Attendez que je m'installe à l'ordinateur, ce sera plus simple pour vous guider.

S'excusant en quelques mots, elle s'éclipsa aussi vite que ses jambes raidies le lui permettaient.

— J'y suis, Karen, lança-t-elle en décrochant l'autre poste. Alors, quel est le problème ?

Il ne lui fallut que quelques minutes pour aider la jeune femme à reconfigurer son installation. Cette tâche terminée, elles discutèrent cordialement du bal.

— Donnez-moi votre adresse e-mail, finit par suggérer Sarah. Nous pourrons garder le contact. Et il faudra me dire si vous avez encore des problèmes.

— Merci, Sarah ! Passez prendre un café la prochaine fois que Luke fait un saut à Col'.

— Merci, sans faute !

Elle raccrocha... et retomba sur terre. Cessant de sourire, elle réalisa que la visite promise n'aurait jamais lieu. Le *muster* terminé, elle rentrerait chez elle. Elle releva ses mails et, comme par un fait exprès, y trouva un bref message de Ron lui demandant de revenir plus tôt que prévu : il avait besoin d'elle pour l'appel d'offres pour un gros projet. Elle posa les mains sur le clavier pour lui répondre, puis se ravisa et se déconnecta, remettant la décision à plus tard.

Lentement, elle quitta le bureau. Dans le living brillamment éclairé, Luke et Becka discutaient gaiement. Une part d'elle avait très envie de les rejoindre, mais elle resta dans l'ombre du couloir à les écouter quelques instants, avant de se diriger sans bruit vers sa chambre. Il lui fallait du temps pour tenter d'y voir clair. Sans allumer, elle se laissa tomber en travers du lit, se protégeant les yeux de son bras replié. Que faire ?

Luke… ce n'était plus seulement physique. Elle voulait aussi se rapprocher de lui sur le plan émotionnel.

Il ne cachait plus son attirance pour elle, mais cela ne signifiait pas obligatoirement qu'il veuille sauter le pas. Comment savoir ce qu'il ressentait réellement ? Au fond, il ne s'autorisait pas à ressentir grand-chose. Lassée par la futilité de ses pensées, elle prit son portable et appela sa mère.

— Maman ! Tu ne devineras jamais ce que j'ai fait aujourd'hui.

Elle alluma la lampe et, mollement étendue sur la courtepointe de coton blanc, elle lui raconta en détail sa journée de *muster*.

— Je suis contente, ma grande. Je faisais toujours le *muster* avec mon père et Robby. Seigneur, que c'est vieux, tout ça ! Comment est le temps, il ne fait pas trop chaud ?

— Je crois que je commence à m'y faire. Et chez toi ?

— Humide et frais, comme toujours à cette période de l'année. Comment t'entends-tu avec Luke ? Il a cédé ?

— Nous n'en avons guère reparlé depuis quelques jours.

En fait, plus elle apprenait à le connaître, moins elle se sentait autorisée à vouloir lui racheter Burrinbilli. Il était à sa place ici, bien davantage qu'elle. Indispensable au fonctionnement de la station, menant des études à long terme sur la flore et la faune locales… Beaucoup de gens en pâtiraient si elle le forçait à quitter la région.

— C'est un type remarquable, maman. Un biologiste autodidacte. On l'appelle du monde entier pour avoir des informations sur les différentes espèces locales, ou pour lui demander de prendre des échantillons. C'est une autorité sur les reptiles, on a même donné son nom à un lézard. Il a un rapport extraordinaire avec les animaux, à la fois tendre et un peu brut. Ils lui font confiance. Et il est littéralement infatigable. Je crois bien que c'est l'être le plus solide, mentalement et physiquement, que j'aie jamais rencontré.

— Ma grande, quelle perfection ! Vous vous… rapprochez tous les deux ?

Sarah roula sur le dos et se couvrit de nouveau le visage de son bras. Sa mère la connaissait trop bien !

— Oh, maman, je crois bien que je suis en train de tomber amoureuse !

— Sarah ! Tu penses que c'est une bonne idée ?

— Une idée ? Maman, je n'ai pas décidé ça ! La question serait plutôt de savoir comment m'en empêcher.

— Commence déjà par ne pas sauter à des conclusions hâtives. Si tu te glissais dans son lit ? Ce serait peut-être le meilleur moyen de l'oublier rapidement.

— Maman ! Tu n'es pas censée dire des choses pareilles. Je croyais que tu voulais que je trouve un garçon bien et que je reste avec lui pour la vie.

— Bien sûr… quand tu seras prête. Ne te précipite pas dans une situation que tu pourrais regretter !

— Je n'imagine pas de regretter quoi que ce soit, avec lui. Et Becka est une gamine fantastique, elle a juste besoin qu'on s'occupe d'elle pour s'épanouir. Ce serait bon pour elle si son père se remariait.

— Sarah. Tu n'envisages pas de te marier avec lui ?

Sarah éclata de rire.

— Je ne sais pas ! Consulte le tarot et tiens-moi au courant. Au fait, quand vas-tu te décider à venir me rejoindre ?

— Je dois y aller, ma grande. On se reparle bientôt !

A pas de loup, Abby s'éloigna de la porte close, glacée par ce qu'elle venait d'entendre. De retour dans la cuisine, elle mit un placard sens dessus dessous en cherchant les ustensiles pour la pâte des scones du petit déjeuner. Dans sa poitrine, la rage le disputait à la terreur ; des larmes lui piquaient les yeux. Sarah voulait épouser Luke et devenir la mère de Becka. C'était trop injuste — insupportable. Si Luke et Sarah se mariaient, on n'aurait plus du tout besoin d'elle. Elle ne demandait rien de plus, et faisait de tels efforts pour se rendre indispensable, abattant tout le travail de la maison pendant que Sarah se pavanait dans les pâturages...

Elle se redressa sur les genoux et trouva ce qu'elle cherchait sous son nez, déjà disposé sur le plan de travail.

— Où ai-je la tête ? gémit-elle en se relevant lourdement.

Sarah ne valait pas mieux que sa mère, elle repartirait un beau jour en brisant le cœur de Luke, mais avant de les planter tous là, elle lui aurait aussi volé le cœur de Becka. La petite l'aimait déjà, Abby le voyait bien. Sarah n'avait pas sa place ici, elle n'était pas du *bush*, elle n'était même pas australienne. Abby ne laisserait pas la fille d'Anne Hafford s'installer ici comme chez elle et gâcher leurs vies à tous.

10.

— Mais papa, si tante Abby ne peut pas m'emmener à Mount Isa, je n'aurai pas de robe neuve pour les courses de Winton ! se lamenta Becka.

— Tu restes à la station, répéta-t-il sèchement. Tu sais bien que nous sommes en plein *muster* ! Abby a du travail.

Il jeta un regard rapide à sa montre. Le taureau acheté sur Internet devait être livré ce matin, il n'avait pas de temps à perdre avec ces bêtises.

— Si tu l'avais autorisée à garder la robe de fête que j'avais achetée pour elle, nous n'aurions pas ce problème, fit observer Abby.

Ses mains possessives tripotaient les cheveux de la petite, les enroulant en boucles et les laissant retomber autour de son visage. Luke repoussa sa chaise, si brusquement qu'il arracha un grincement affreux au sol d'ardoise. Nom de nom ! Cette femme allait le rendre fou. Becka avait déjà un placard rempli de robes, et cette manie de se préoccuper de son apparence ne faisait que la dégoûter du reste. Ces derniers temps, il avait cru qu'elle commençait à se plaire à la station, et voilà que cette histoire venait tout remettre en cause.

— Et celle que tu portais l'autre jour, la bleue ? demanda-t-il à sa fille.

— Papaaaa… Elle est vieille ! Et je veux un tatouage.

— Un quoi ? rugit-il. Pas question !

— Je veux dire un collier qui ressemble à un tatouage, soupira-t-elle sur le ton de l'évidence. Toutes les filles en ont.

— Tu n'es pas un mouton, tu n'as pas à faire comme tout le monde.

Il se rassit, se versa une autre tasse de café.

— Bon, admit-il, la vérité, c'est que nous avons du retard dans nos factures. Tant que les bêtes ne seront pas parties au marché, il n'y aura d'argent que pour les achats indispensables.

— J'ai déjà proposé de payer moi-même la robe. J'ai ma retraite.

— Où est Sarah ? demanda subitement Luke, horrifié à l'idée qu'elle puisse entendre ces marchandages.

— A l'ordinateur, marmotta Becka.

— Oui, bien sûr.

Il oubliait qu'elle faisait des recherches ce matin sur un logiciel comptable pour la station. Elle les rejoindrait aux enclos après le déjeuner. Par chance, le bureau se trouvait de l'autre côté de la maison, les éclats de voix n'avaient pas dû lui parvenir. Que dire maintenant ? Becka fixait son assiette, le visage fermé.

— Je ne vois toujours pas pourquoi tu ne veux pas que tante Abby m'emmène à Mount Isa.

— C'est loin. Il faudrait y passer la nuit.

— Ce n'est pas un problème, intervint Abby. Mon amie Jenny est toujours contente de m'accueillir.

— Et les repas de l'équipe ? gronda-t-il. Tu es ici en tant que cuisinière.

Il en avait plein le dos ! Il ne savait pas comment elle s'y prenait mais face à Abby, il finissait toujours par avoir le mauvais rôle.

— Je préparerai une grande marmite de ragoût pour deux soirs, et je ferai des sandwichs en plus pour le déjeuner de demain. Sarah se chargera des petits plus, et les garçons donnent toujours un coup de main pour la vaisselle.

— Nous avions un accord, Abby ! De toute façon, il y a une alerte aux feux de brousse dans l'ouest du Queensland. La réponse est *non*. Point final.

D'un geste rageur, il plaqua son chapeau sur sa tête et tourna les talons pour sortir.

— Eh bien moi, je ne t'aiderai pas pour ton *muster* aujourd'hui. Point final ! cria Becka derrière lui.

Il devrait la punir pour son insolence, il le savait ; il se contenta de lâcher :

— Dans ce cas, tu peux passer la journée à rattraper ton travail en retard pour l'école.

Cette fois, il réussit sa sortie. Qu'elle reste à la maison ce matin si elle voulait ! Cela leur donnerait à tous deux le temps de se calmer. Le temps que Sarah vienne les rejoindre, elle aurait peut-être changé d'avis. Il siffla Wal qui sauta sur ses pattes et accourut au trot.

— Les gosses, marmotta Luke en tapotant l'échine de son meilleur copain. Rien que des soucis.

Précisément à l'heure dite, un *bullcatcher* entra dans la cour et Luke aida le chauffeur à décharger le taureau. Jamais il n'aurait imaginé qu'un tel achat puisse se négocier aussi vite, et avec aussi peu de dérangement. Il ne se voyait pas renoncer aux ventes de bétail de Longreach, qui étaient toujours de véritables fêtes, mais pour cette fois, l'achat en ligne l'avait sauvé. Grâce à Sarah.

Au moment de partir rejoindre Bazza et les autres, il se retourna sur sa selle pour contempler la maison. Abby sortait justement par la porte de derrière avec un seau d'épluchures pour le compost. Leurs regards se croisèrent, mais ni l'un

186

ni l'autre ne levèrent la main. Etait-il trop dur avec elle ? Prenait-il trop au sérieux de simples manies agaçantes ? Partant au trot, il ramena ses pensées vers la journée qui l'attendait, en repoussant le sentiment désagréable qu'il n'aurait pas dû laisser Becka à la maison.

Avant l'heure du déjeuner, d'autres soucis étaient venus remplacer Abby, Becka et la robe neuve dans son esprit. Ils travaillaient dans l'enclos le plus éloigné, le plus aride aussi avec son sol rocailleux semé de maigres buissons. Un vent sec et chaud soufflait du nord-ouest, soulevant des tourbillons de poussière. Nerveux, le bétail beuglait en montrant le blanc des yeux, se butait pour un rien et s'égaillait sans cesse.

Enfin, ils parvinrent à les rassembler dans les enclos temporaires et s'installèrent pour déjeuner à l'ombre peu fournie des *mulgas*. La vapeur qui se levait de la bouilloire noircie était sèchement rabattue par le vent. Accroupi près du feu, Luke se surprit à jeter de fréquents coups d'œil à la piste menant à la maison. Où était Sarah ? Prenait-il un risque en lui demandant de faire le trajet seule aujourd'hui ?

En fin de compte, Gus fut le premier à la voir. Un soupir de soulagement gonfla la poitrine de Luke. Engloutissant la fin de son sandwich, il se leva pour préparer un quart de thé comme elle l'aimait, avec beaucoup de sucre.

— Bravo pour le timing, dit-il en le lui tendant.

Du haut de sa selle, elle lui lança un sourire impudent.

— Que veux-tu ? Je suis bonne.

— Ça, je n'en doute pas, murmura-t-il sans réfléchir.

Ses joues rosirent mais elle ne releva pas le commentaire, à part pour lui jeter un regard de biais sous ses cils ; un regard qui lui serra la gorge. Elle glissa à terre, goûta son thé et demanda tout naturellement :

— Combien de temps durera encore le *muster* ?

Luke plissa les yeux pour évaluer le travail restant à accomplir avec le troupeau énervé qui piétinait dans l'enclos.

— Nous avons moins de cent têtes ici, nous devrions pouvoir les trier aujourd'hui. Pour les couper, les marquer et les décorner... disons encore trois jours. Ensuite, il faudra trier les veaux sevrés. Je dirais une semaine à dix jours, pourquoi ?

— Mon patron en est à son second e-mail. La boîte lance un nouveau projet et il me demande de rentrer.

— Tout de suite ?

Elle détourna la tête pour ne pas croiser son regard.

— C'est mon poste qui est en jeu. J'ai appelé une agence de voyage à Longreach, un vol part de Brisbane samedi.

Il avait eu beau savoir que ce moment arriverait...

— Dans quatre jours !

— Je suis désolée, Luke. Je m'en veux de partir avant la fin du *muster*.

— Ne t'en fais pas pour ça.

Pour le *muster*, ils se débrouilleraient mais... allait-il lui manquer ? D'une voix délibérément désinvolte, il reprit :

— Dommage que tu ne puisses pas rester après le *muster*. J'aurais pu te montrer le désert.

— Le désert ? répéta-t-elle avec un frisson. Non merci ! J'ai déjà assez de mal à affronter les Downs.

— Mais tu es venue jusqu'ici toute seule aujourd'hui.

Vidant son quart de thé, elle leva les yeux vers lui avec un sourire un peu ironique.

— J'apprends à cacher ce que je ressens. Ça doit être contagieux.

Il serra les dents un instant, puis articula :

— Il est temps de se remettre en selle. Il faut finir de trier les bêtes avant que ce vent ne les rende complètement

188

folles. Bazza ! Eteins bien le feu, c'est un temps à feux de brousse.

— Tu n'as pas tort, fit Bazza, laconique.

Il versa le fond de la bouilloire sur les braises, poussa un petit tas de poussière du bout de sa botte pour combler le trou du foyer. Les autres détachaient déjà les chevaux, resserraient les sangles. Sautant en selle, Luke raccourcit ses rênes. Le malaise qui le tourmentait depuis le matin revenait en force. La tête tournée vers la piste menant à la maison, il demanda :

— Becka n'a pas eu envie de venir ?

— Non, répondit Sarah. Elle veut sa robe neuve.

D'un mouvement impatient de l'épaule, il écarta à la fois la question de la robe et ses inquiétudes. C'était le temps ; tout le monde était sur les nerfs avec ce vent.

Une bourrasque subite leva un vol de *budgerigars* dans un battement furieux d'ailes vert acide. Dans l'enclos, le bétail s'égailla en roulant des yeux fous. Un *micky* poussé par la foule emboutit la barrière et la força à coups de cornes ; le reste du troupeau se déversa à l'extérieur derrière lui. Poussant un cri sauvage, Luke lança son cheval en avant, interceptant le premier animal. Sarah et les autres prirent immédiatement position, encerclant le troupeau, le repoussant dans l'enclos. En temps normal, Luke acceptait ces retards comme un aspect inévitable de son travail mais aujourd'hui, cela le mit hors de ses gonds. La météo était contre lui, le temps lui filait entre les doigts, Sarah allait partir. Et cette angoisse, chaque fois qu'il pensait à Becka…

Les heures passèrent et tout alla de mal en pis. Le cheval de Gus perdit un fer dans les cailloux, l'obligeant à retourner aux enclos principaux pour prendre une autre monture. Un *micky* rebelle coincé dans un petit ravin chargea tous ceux qui tentèrent de le dégager. Luke manqua se faire encorner avant de réussir à faire passer son cheval derrière l'animal et le pousser hors de son trou, meuglant de rage. Et pour couronner le tout, la pompe du forage de l'enclos tomba en panne. Le soleil était déjà bas dans le ciel mais ils ne purent partir avant de l'avoir réparée. Sans eau, le bétail périrait très vite !

Il faisait nuit quand ils approchèrent de la maison. Le soleil s'était couché sans apporter de fraîcheur, le vent chaud chargé de poussière irritait les yeux, le nez, et même la peau. Luke jeta un coup d'œil à Sarah. Elle avait bien travaillé aujourd'hui. Elle terminait la journée complètement éreintée mais elle ne s'était pas plainte une seule fois, un exploit pour quelqu'un qui n'était pas d'ici.

— Nous y sommes presque, lui dit-il pour l'encourager.

Il chercha des yeux la silhouette lointaine de la maison, pour se guider aux fenêtres éclairées de la cuisine. Bizarre : il ne voyait que la lumière de la véranda. Abby devait pourtant préparer le dîner comme elle le faisait chaque soir. L'angoisse qui le taraudait depuis le matin explosa en lui ; sans réfléchir, il força son hongre épuisé à prendre le grand trot.

— Luke ? lança Sarah, interdite, derrière lui.

Sans l'écouter, il fila vers cette ampoule unique qui brillait dans la nuit et sauta à bas de sa monture.

— Becka ! Abby !

Avant même de pousser la porte, il sut que la maison était vide. Abby était partie en emmenant Becka.

Dans une sorte de cauchemar, il courut le long du couloir, ses bottes crissant sur le plancher, ouvrant toutes les portes, criant le nom de sa fille. La cuisine était déserte, toutes les pièces sombres et vides. Une rage explosive le fit claquer la dernière porte, celle d'Abby. Quand il se retourna, Sarah se tenait à l'extrémité du couloir.

— Qu'y a-t-il ? Elles sont juste parties à Mount Isa.

Le choc lui arracha un juron.

— Tu étais au courant ? Et tu n'as rien dit de toute la journée ?

— Je pensais que tu le savais ! J'ai bien dit que Becka tenait à avoir sa robe, mais le bétail s'est échappé et ensuite, nous n'avons plus fait de pause. Abby ne s'était pas mise d'accord avec toi ?

— Je lui avais interdit d'emmener Becka.

Il arracha son chapeau, le fit claquer contre sa cuisse.

— Nom de… Je savais que quelque chose ne tournait pas rond ! Depuis des heures, j'ai l'impression que Becka a des ennuis.

Interdite, elle vint lui prendre la main.

— Je comprends que tu sois en colère mais il ne peut rien leur arriver, si ?

— Tu ne comprends pas.

Il se frotta brutalement le visage de ses paumes, demanda :

— Elle a laissé un numéro où on pourrait la joindre ?

— Je ne sais pas. Regardons près du téléphone.

Abby avait effectivement laissé un mot mais il ne les avança guère. De son écriture d'écolière sage, elle s'était contentée d'inscrire : « Le dîner est au frigo ». Suivaient des instructions détaillées sur la façon de le réchauffer et ce qu'il fallait servir avec le plat principal. Pas un mot sur leur destination, pas de numéro de téléphone : manifestement, cette femme infernale ne voulait pas qu'on puisse la joindre. Comment s'appelait son amie, déjà ? Marmottant un juron, il s'engouffra dans le couloir pour retourner dans la chambre de Becka.

La pièce lui sembla bizarrement nette et bien rangée. Pas de jouets sur le sol, pas de livres empilés sur la table de chevet. Sa poupée préférée, généralement adossée à son oreiller, manquait à l'appel. Luke ouvrit de grands yeux : l'oreiller lui-même était parti ! Brutalement, il ouvrit l'armoire. La penderie, habituellement pleine à craquer, lui sembla à moitié vide, et il manquait... au moins trois paires de chaussures. Il ne s'agissait pas d'une absence d'une nuit.

La tête vide, les oreilles bourdonnantes, il retourna dans la cuisine. Sur la véranda, Sarah mettait rapidement Bazza et les autres au courant. Il patienta. Bientôt, elle rentra et il put lui dire ce qu'il venait de découvrir.

— Les filles emportent toujours trop d'affaires, dit-elle d'un air de doute.

Elle sortit la grosse marmite du réfrigérateur, la posa sur la cuisinière.

— Ne t'en fais pas, Luke. Tout ira bien.

— Tu ne comprends pas, répéta-t-il en arpentant nerveusement la cuisine.

— C'est la deuxième fois que tu dis cela, réagit-elle en se plantant devant lui. Si tu m'expliquais ?

Il poussa un énorme soupir.

— Je crois bien qu'Abby... n'a pas toute sa tête.

Elle le fixa un long instant puis, se détournant, prit une cuillère en bois et se mit à remuer le ragoût.

— Cela aussi, tu l'as déjà dit. Elle a effectivement des côtés bizarres.

Il saisit sa main dans la sienne et s'y agrippa, fébrile.

— J'ai vu chez elle une photo de Becka bébé dans les bras de sa mère. Elle avait découpé le visage de Caroline et collé le sien à sa place. Quand j'ai explosé, elle a fait comme si cela n'avait rien de bizarre.

Les yeux de Sarah s'arrondirent.

— C'est étrange, oui !

— C'est plus qu'étrange. C'est terrifiant.

La lâchant, il reprit sa déambulation dans la pièce.

192

— Quand j'ai accepté de la prendre comme cuisinière, c'était à condition qu'elle n'emmène jamais Becka nulle part.

— Le jour où j'ai été mordue, dit lentement Sarah, elle m'a dit que si on voit un serpent, il faut partir en courant.

Il se retourna d'un bloc.

— Dans le *bush*, tout le monde sait que c'est le contraire. Pourquoi ne m'as-tu rien dit ?

— Je n'étais pas sûre. Je pensais que j'avais peut-être mal compris. Je sais qu'elle ne m'aime pas, à cause de ma mère. Et toi, pourquoi ne m'as-tu pas parlé de la photo, ou du fait que Becka ne devait pas quitter la station avec elle ? Si j'avais su, j'aurais pu les en empêcher.

Si elle savait quels reproches il se faisait à lui-même !

— Si jamais il arrive quelque chose à Becka, articula-t-il, je ne me le pardonnerai jamais.

— Oh, Luke…

Elle l'attira contre elle, le serra très fort. Obscurément réconforté, il s'abandonna l'espace d'un instant à son étreinte, mais la colère et l'inquiétude le forcèrent à se dégager. Prenant son chapeau, il lança :

— Je vais les chercher.

— Mais il fait nuit ! Abby avait parlé d'un raccourci.

Il se figea, horrifié.

— Un quoi ? Il y a des endroits très sauvages entre ici et Mount Isa. Si jamais elles tombent en panne…

— Elles ont sûrement pris le 4x4. Tu n'as jamais dit à Abby que la batterie était faible ?

— Ça ne s'est jamais présenté. Et toi ?

— Non. Elle conduit généralement sa propre voiture.

Ils se fixèrent mutuellement un long instant ; Sarah fut la première à détourner les yeux.

— Ne pense même pas des choses pareilles. Essaie de la contacter sur le radiotéléphone.

Il se précipita vers le transmetteur, abattit les interrupteurs, manipula des boutons.

— Burrinbilli appelle Redback, aboya-t-il. Redback, à vous.

Sa botte frappait un rythme précipité sur le sol d'ardoise. Il attendit, attendit encore…

— A vous, Redback… Nom de nom, Abby, réponds, que je sache au moins que vous n'avez rien ! A vous !

Aucune réponse. Il poussa un juron, arracha ses écouteurs.

— A quelle heure sont-elles parties ?

— Juste après 13 heures, je pense. C'est l'heure à laquelle j'ai quitté la maison pour vous rejoindre. Elle a passé la matinée à préparer cet énorme ragoût, elle répétait qu'elle ne voulait pas que nous ayons faim ce soir.

Il poussa une plainte sourde. Abby, si maternelle, toujours aux petits soins… un masque de plus que prenait sa folie.

— En partant ce matin, elles pouvaient encore atteindre Mount Isa avant la nuit mais à cette heure-là…

— Elles sont peut-être arrivées sans problème. Abby a bien dit qu'elle allait chez une amie ?

— Une vieille copine d'école, j'essaie depuis tout à l'heure de me souvenir de son nom. Ginny, ou Janey, ou…

— Jenny ! s'écria Sarah. Je l'ai entendue le dire à Becka.

— Jenny Ralston !

Il s'empara du téléphone, obtint le numéro par les Renseignements et le composa, le cœur battant d'espoir. Tout irait bien, en fin de compte. Becka serait là-bas, saine et sauve ; dans un instant, il entendrait sa voix. Et quand il l'aurait récupérée, quand il l'aurait embrassée tout son saoul, il enverrait Abby au diable et elle ne reverrait jamais la petite.

194

— Allô !

— Jenny ? Ici Luke Sampson, dit-il en luttant pour parler d'une voix égale. Je crois que vous attendez Abby et ma fille, Becka. Elles sont bien arrivées ?

Une voix de femme répondit longuement. Lentement, il raccrocha et se tourna vers Sarah.

— Elles auraient dû être là-bas depuis trois heures au moins. Elles ne sont pas arrivées. Jenny est très inquiète.

— O ! Seigneur, chuchota Sarah, horrifiée. Où peuvent-elles être ?

— C'est facile de s'égarer. Elles pourraient être à mi-chemin d'Alice Springs sans même s'en rendre compte. Abby n'a aucun sens de l'orientation, ni aucune notion des règles de survie dans le *bush*.

— Mais Becka, si ! répliqua-t-elle énergiquement — mais il vit qu'elle serrait les poings à s'en blanchir les jointures. Tu lui as appris beaucoup de choses.

— Ce n'est qu'une petite fille. Une petite fille qui m'a délibérément désobéi.

Lui tournant le dos, il composa le numéro de Bill Watts, l'unique policier de Murrum.

— Il ne faut pas lui en vouloir, suppliait Sarah derrière lui. Face à Abby, tu sais bien qu'elle ne fait pas le poids !

Bill n'était pas chez lui ; son répondeur annonça qu'il était parti combattre les incendies qui ravageaient les pâturages au nord-ouest de Burrinbilli. Il raccrocha en relayant l'information à Sarah.

— C'est la direction de Mount Isa...

Il avait les doigts engourdis et sentait bien que son visage était exsangue.

— Je prendrai la route demain, dès qu'il fera jour.

Cette fois, elle ne discuta pas. Sans un mot, elle se remit aux préparatifs du dîner. Mécaniquement, il coupa du pain, acheva de mettre le couvert ; ses pensées ne cessaient de lui présenter des scénarios catastrophe : Abby et Becka perdues dans un lieu isolé, manquant d'eau, piégées par un incendie...

Des pas résonnèrent sur la véranda, et Bazza et les autres entrèrent dans la cuisine, muets, empruntés. En quelques mots, il leur annonça que l'on ne marquerait pas le lendemain et leur expliqua pourquoi.

— Nous pouvons continuer sans toi, ou t'aider à les chercher, proposa Bazza.

— Pas encore, décida-t-il.

— Si Abby est partie avec ton 4x4, tu ferais bien de prendre mon *bullcatcher*.

Luke accepta d'un hochement de tête. Les autres véhicules dont il disposait seraient inutiles sur le genre de terrain qu'il risquait de rencontrer.

— Merci, vieux.

Dans la nuit noire avant l'aube, Sarah se réveilla en sursaut, le cœur empli d'une angoisse affreuse. Trouvant son portable à tâtons, elle composa le numéro de son patron.

— Allô, Ron ?

— Sarah ! Tu es de retour ? aboya-t-il.

En bruit de fond, elle entendait le crépitement fébrile de son clavier d'ordinateur. Elle fit une grimace en percevant la tension dans sa voix.

— Non, je suis toujours en Australie. Ecoute, il y a un problème ici, je ne peux pas revenir tout de suite. Laisse-moi encore un...

— Pas question. Plus de prolongations. Plus de congés, de jours de récupération ou de faveurs. Ramène-toi ici tout de suite ou tu es virée.

— Tu ne parles pas sérieusement !

196

Elle n'en était pas si sûre. Jamais elle ne l'avait entendu aussi stressé.

— Oh, que si ! Arrête de jouer les cow-girls, riposta-t-il en élevant la voix. Ce projet…

— Une enfant a disparu, interrompit Sarah. Elle est perdue dans l'*outback* et je dois absolument aider à la retrouver.

— Oh. Désolé de l'apprendre.

Sa voix était moins stridente, mais il semblait toujours aussi déterminé.

— Ecoute-moi bien : ce contrat est important. Laisse la petite aux équipes de secours, Sarah, ils connaissent leur boulot. Si tu ne reviens pas, je serai obligé de mettre quelqu'un d'autre à ta place.

— Alors tu ne me laisses pas le choix. Je démissionne.

Elle attendit qu'il batte en retraite. Il ne le fit pas. D'autres voix parlaient dans le bureau ; Ron se tut un instant, puis jeta brusquement :

— Je dois y aller, Sarah. Désolé qu'on se quitte comme ça.

Un grand bruit creux résonna à son oreille quand il laissa retomber le combiné sur son support. Médusée, elle fixa son portable. En l'espace de quelques instants, elle venait de perdre son poste. Eh bien, elle s'en fichait ! Ses priorités étaient claires, Becka était beaucoup plus importante que n'importe quel emploi.

Elle s'habilla, fourra sa brosse à dents, son portable et un change de vêtements dans un minisac à dos et se hâta vers la cuisine. Debout près du plan de travail, Luke se servait un café, la bouche pleine de pain grillé. Il avait les yeux cernés, le visage marqué. Voyant son sac, il aboya :

— Où crois-tu aller, toi ?

Elle leva le menton d'un air de défi. Elle n'avait pas sacrifié sa place pour rester à la maison en se rongeant les sangs !

— Je pars avec toi.

— Sûrement pas. J'ai besoin de quelqu'un ici pour répondre au téléphone s'il y a des nouvelles.

— Tu ne peux pas demander à un voisin ? supplia-t-elle. Je me sens si coupable. Si je ne les avais pas laissées partir...

Il posa sa tasse pour la saisir aux bras.

— Tu ne savais pas que tu devais les retenir et cela, c'est ma faute. Et la vraie coupable, c'est Abby, qui a enlevé Becka. J'ai écouté les infos à la radio ; avec ce vent, les incendies gagnent rapidement du terrain. Il n'est pas question de te mettre en danger, toi aussi.

— Je veux bien prendre le risque.

Le regard brûlant, il la secoua légèrement en articulant :

— Il faut passer par les Downs. Deux cents kilomètres ou davantage, Sarah ! Je ne peux pas prendre le temps de calmer une crise d'angoisse.

Elle sentit le sang se retirer de ses joues. De tout son être, elle refusait la perspective de s'aventurer dans la plaine sans fin. Elle avait fait des progrès, sa phobie était moins violente, mais comment supporterait-elle de rouler, heure après heure, dans le néant ? Avec un faible sourire qui ne les trompa ni l'un ni l'autre, elle murmura :

— Soit je deviens folle, soit je suis guérie.

— Sarah, pour la dernière fois, rien ne t'oblige à faire ça.

C'était peut-être ainsi qu'il voyait les choses, mais elle venait seulement de réaliser combien Becka comptait pour elle. Et combien c'était important pour elle que Luke ait sa chance de faire la paix avec sa fille.

— Si, dit-elle d'une voix basse mais ferme. Je suis obligée.

11.

Une heure plus tard, elle regrettait presque d'être venue. Pourquoi, se demandait-elle, pourquoi Warren s'était-il accroché à cette propriété du bout du monde ? Après le divorce, qu'est-ce qui pouvait bien encore le rattacher à cet endroit ?

Agrippée au tableau de bord, elle plissa les yeux sous le soleil éclatant et s'efforça de tenir bon. Malgré ses efforts, son regard s'échappa vers l'horizon... et son cœur s'emballa. Ses paumes devinrent moites, des frissons, puis des bouffées de chaleur la parcoururent. Sa bouche s'ouvrit démesurément, sa poitrine lutta pour trouver de l'oxygène. Non, non, scandait son esprit, pas maintenant ! La panique engendrant la panique, elle se replia instinctivement en position fœtale.

La voix de Luke lui parvint, étouffée par le grondement du sang qui battait à ses oreilles.

— Sarah ! Sarah, tout va bien ?

Non, c'était trop bête... trop humiliant, au moment où elle tenait tant à se rendre utile ! Se roulant plus étroitement encore sur elle-même, elle se mit à réciter le mantra de sa mère. Cela ne fonctionnait pas ! Oh, non, non, Dieu, non ! Elle grelottait violemment. Vaguement, elle sentit que Luke arrêtait le véhicule, qu'il la prenait dans ses bras. La bouche tout contre son oreille, il lui parla d'une voix basse et apaisante.

— Tout va bien, Sarah. Tu vas t'en sortir. Détends-toi. Respire.

Elle ne sut jamais combien de temps elle resta dans la forteresse de ses bras. Peu à peu, son cœur s'apaisa, et l'air pénétra de nouveau dans ses poumons.

— Je suis désolée, soupira-t-elle, sans forces.

Trop honteuse pour le regarder en face, elle pressa son visage contre sa poitrine.

— Ça va mieux ? demanda-t-il en caressant ses cheveux.

Elle hocha la tête, frottant sa joue contre sa chemise. Il fronça les sourcils, manifestement sceptique ; avant de la lâcher, il effleura ses lèvres des siennes. Ce fut ce baiser plus que tout le reste qui ramena la chaleur et la sensation dans ses membres.

— Je pensais que c'était réglé, dit-elle, penaude. Cela fait près d'une semaine que je n'avais plus fait de crise.

— Quelque chose doit les déclencher.

Elle leva les yeux vers l'horizon lointain, et la plaine infinie qui l'en séparait. « Les grands espaces vides du cœur », dit une voix en elle. Surprise, elle se redressa. Il s'agirait donc de son père, en fin de compte ? Ce poids d'angoisse, cette terreur… Secouant les épaules, elle se laissa glisser au fond de son siège.

— Nous perdons du temps, dit-elle.

Il remit le contact avec un regard de doute. De son côté, elle redressa son chapeau, arrangea ses vêtements et s'efforça de s'orienter. Ils coupaient au plus court à travers les pâturages, traversant les terres de la station voisine pour filer tout droit vers le nord-ouest. Un itinéraire plus que cahoteux, mais nettement plus court que celui qu'Abby avait dû prendre.

Sarah ne demanda pas comment il s'orientait, elle savait qu'elle pouvait se fier à lui. De loin en loin, il jetait un bref regard au soleil et corrigeait légèrement leur trajectoire. Très loin, à l'horizon, un trait de fumée grise restait suspendu au-dessus de la plaine. Les feux de brousse, sans doute. Luke obliqua un peu plus au nord en marmottant qu'il espérait bien que le vent ne tournerait pas.

Vers midi, ils s'arrêtèrent pour manger un morceau, assis à même le sol à l'ombre du *bullcatcher*, un léger véhicule tout terrain. Les mains et les vêtements de Sarah étaient barbouillées de poussière, les mouches bourdonnaient inlassablement autour de son visage en sueur. « Ce sera encore long ? » Elle faillit poser la question, réussit à se taire. Luke ne devait pas regretter de l'avoir emmenée.

— Ça va ? lui demanda-t-il en lui passant la gourde d'eau.

— Ça va.

Renversant la tête en arrière, elle but un peu du précieux liquide, fermant les yeux pour savourer sa fraîcheur dans sa gorge desséchée. Dans sa hâte, quelques gouttes s'échappèrent et glissèrent le long de sa gorge. En abaissant la gourde, elle surprit le regard de Luke rivé aux filets d'eau qui luisaient sur sa peau.

— Une robe neuve, c'est si important pour une femme ? demanda-t-il.

— Ça dépend de la femme, répondit-elle en refermant la gourde. Ça dépend de la robe.

— D'accord, c'était une question stupide, repartit-il avec un sourire terriblement vulnérable. J'aurais dû trouver un moyen de l'emmener moi-même à Mount Isa.

Consciente de ce que cela lui coûtait de le dire, elle choisit ses mots avec soin :

— C'est important de cautionner ce qu'elle ressent en

lui montrant que ce n'est pas mal de vouloir quelque chose — mais tu ne pourras pas acheter son amour. Elle a besoin de te respecter. Tu avais de bonnes raisons de dire non. Je crois que ton attitude était juste.

— Qu'est-ce qui te rend si sûre ?

Machinalement, elle prit un caillou et s'en servit pour tracer des lignes dans la terre sèche.

— De temps en temps, mon père cherchait à compenser son absence en m'offrant trop de cadeaux. Je pouvais demander n'importe quoi, il me l'achetait. Sur le moment, j'adorais mais ensuite, c'était comme si j'avais mangé trop de bonbons à Halloween. Je me sentais à la fois vide et un peu nauséeuse. Un contact au quotidien, de la tendresse et de la fermeté, voilà ce qui nourrit l'amour. Quand mon père repartait sur l'autre côte, il ne me restait rien de lui pour tenir jusqu'à sa prochaine visite.

Elle étendit les jambes devant elle. Une part de son esprit gardait assez de recul pour s'étonner de se retrouver dans une situation aussi invraisemblable, assise dans la poussière australienne à parler de ses chagrins d'enfance avec un homme qu'elle ne connaissait pas un mois plus tôt.

— J'essaie de ne rien lui reprocher, reprit-elle. Je pense qu'il a fait de son mieux, et personne ne peut faire davantage.

Et pourtant, sans raison et sans logique, des larmes lui emplirent la gorge, une douleur poignante gonfla sa poitrine. Se penchant vers elle, Luke essuya doucement ses joues.

— Quoi ? la taquina-t-il doucement. C'est ton sandwich ?

Elle lui sourit, émue par sa gentillesse, reconnaissante qu'il fasse si peu de cas de son émotivité.

— C'est cela, hoqueta-t-elle. C'est toujours le même… Je donnerais n'importe quoi pour un sandwich à l'avocat et au germe de blé, avec une chiffonnade de dinde fumée.

202

— Si tu voulais des avocats, tu n'avais qu'à le dire.

— Pourquoi, Len peut en commander ?

— Non, nous planterons un arbre. Et c'est facile de faire germer du blé sur l'appui de la fenêtre.

— Et la dinde ?

Il repoussa son chapeau en arrière pour se gratter le front.

— Je suppose qu'on pourrait en élever quelques-unes avec la poulaille. L'appentis où ton grand-père fumait la viande est encore debout. Tu vois, c'est tout simple.

— Tout est simple avec toi, dit-elle avec un rire un peu tremblant.

— Avec un peu de débrouillardise et beaucoup de détermination, on arrive à tout.

Il captura son regard, le retint plusieurs secondes. Le sourire de Sarah s'effaça et elle plissa les yeux, fouillant du regard l'horizon vide, tremblant de chaleur et blanchi par le soleil. Luke avait-il raison, tout était-il possible, du moment qu'on le voulait suffisamment ? Peut-être... mais elle ne savait plus ce qu'elle voulait.

— Viens, dit Luke en sautant sur ses pieds. Il faut repartir.

Elle emballa rapidement les restes de leur déjeuner et les rangea à l'arrière du *bullcatcher*, près des sacs de couchage et des deux gros bidons d'eau, matériel indispensable pour toute randonnée dans l'*outback*.

— Le seul problème avec ce *bullcatcher* est que le radiotéléphone est en panne, dit Luke. Je l'avais oublié quand Bazza m'a proposé de le prendre. Nous ne pouvons pas appeler la station, ou joindre Bill à Murrum.

— J'ai mon portable.

Il se retourna vers elle, son visage fatigué illuminé par

203

un merveilleux sourire. Prenant son visage à deux mains, il posa un baiser bien senti sur ses lèvres.

— Tu es parfaite !

— Je ne sais pas si je te le prête, le taquina-t-elle.

— Donne-moi ce téléphone, femme ! ordonna-t-il.

Ils ne rirent pas longtemps : ni Bazza ni Bill n'avaient de nouvelles des absentes. Le visage grave, Luke lui rendit son portable et elle le rangea avec un gros soupir.

Ils repartirent et les secousses incessantes reprirent, heure après heure. La lumière commençait à changer quand, enfin, le *bullcatcher* escalada un talus et s'abattit brutalement sur une petite route pavée à une voie. Sarah poussa un énorme soupir de soulagement. Que c'était confortable, en comparaison de ce qu'elle venait d'endurer !

Dépliant la carte, elle tenta de calculer où ils se trouvaient.

— Voyons… Nous devons être à peu près… ici.

Luke jeta un bref regard à la carte et secoua la tête.

— Plutôt ici, dit-il en posant le doigt plusieurs centimètres plus loin vers l'ouest.

— Donc, en suivant cette route, nous arriverons à Mount Isa.

— Oui, mais cela prendra des heures…

Il se tut subitement. Ils venaient d'arriver à un carrefour, une piste de terre bifurquait vers le nord, quittant la plaine pour se perdre dans une région rocheuse et tourmentée. Freinant brusquement, il sauta à terre et se pencha sur le sol.

— Regarde, ce sont les pneus du 4x4 ! Tu vois, là ? Le pneu arrière gauche n'a plus de relief à un endroit.

Levant les yeux, il contempla la piste et murmura :

— Si elle est partie par là, elle est folle.

Sarah se retint de répondre que la folie d'Abby était déjà établie. Pourquoi était-il si inquiet, ce chemin ne semblait

204

pas pire que ceux qu'ils suivaient depuis le matin… quand il leur arrivait de suivre un chemin. Voyant son regard interrogateur, il expliqua :

— Un peu plus loin, on entre dans une zone de petites collines rocheuses et de canyons. C'est quasiment infranchissable et cela, elle n'a pas pu le voir sur sa carte.

Remontant dans le *bullcatcher*, il fit rugir le moteur et s'engagea sur le chemin. Et les cahots reprirent.

La seule consolation, pensa Sarah au bout d'une vingtaine de minutes, c'était qu'au moins, ils avaient quitté les Downs. Le terrain était chaotique, des échines rocheuses émergeaient du sol entre les *ghost gums* et les buissons de *mulga*. Si elle ne redoutait plus la crise d'angoisse, elle avait très peur pour Abby et Becka. Le crépuscule tombait, et ils n'avaient toujours pas rattrapé le 4x4.

— Tu es absolument sûr qu'elles sont venues par ici ? demanda-t-elle en se cramponnant à sa portière tandis que le *bullcatcher* bondissait brutalement de roche en ornière. Elles auraient déjà dû retourner vers la route, ce n'est pas du tout carrossable.

— Dans le 4x4, c'est beaucoup plus confortable…

Sa phrase fut coupée net par une secousse latérale si violente que Sarah fut soulevée hors de son siège. Seule sa ceinture de sécurité lui évita d'être projetée hors du véhicule. Agrippé au volant de toutes ses forces, il lança :

— Ça va ?

— Ça va, hoqueta-t-elle. Tout va très… très bien !

Un kangourou jaillit du *bush* juste devant eux. Luke rabattit le volant ; le véhicule dérapa dans la poussière et s'arrêta net à quelques centimètres d'une profonde déclivité.

— Nous ferions mieux de nous arrêter pour la nuit, soupira-t-il. Les 'rous sortent au crépuscule Nous ne pouvons pas nous permettre d'emboutir le *bullcatcher*.

Sarah était trop secouée pour répondre autrement que par un hochement de tête. L'épreuve n'était pas tout à fait terminée : lentement, avec précaution, ils roulèrent le long de la pente abrupte. Les bras rigides de tension, Luke manœuvrait pour empêcher le *bullcatcher* de se retourner. A chaque instant, des kangourous bondissaient hors du faisceau des phares. Penchée en avant, Sarah s'efforçait d'aider Luke à les éviter. Elle se concentrait tant sur ces animaux qu'elle faillit ne pas voir le reflet métallique derrière un bosquet de *coolibahs*.

— Luke ! cria-t-elle. Le 4x4 !

Il freina brutalement, bondit à bas du *bullcatcher* et courut, le cœur battant, vers le véhicule garé au bord du lit asséché d'un cours d'eau. Les portières étaient ouvertes, le capot relevé. Il n'y avait personne.

— Becka ! Abby ! hurla-t-il.

Sa voix se perdit dans le silence du *bush*. Fou de frustration, il abattit son poing sur l'aile du 4x4. Une idée lui vint et il se glissa derrière le volant. La clef était sur le contact ; quand il la tourna, le démarreur n'émit qu'un faible chuintement. Redescendant, il alla se pencher sous le capot. Manifestement, Abby en savait assez pour gratter la corrosion autour des points de contact de la batterie, mais cela ne l'avait pas menée bien loin.

Sarah parut près de lui.

— Il n'y a pas de sacs ou de vêtements à l'arrière. On dirait qu'elles ont pris leurs affaires et qu'elles sont parties chercher des secours à pied.

Il la fixa, abasourdi qu'elle puisse proférer une telle énormité avec autant de calme. C'était un rappel brutal du fait que Sarah, plus encore qu'Abby, ne savait rien de la survie dans l'*outback*.

— Tu ne te souviens pas de ce que je t'ai dit ? articula-t-il férocement. Il ne faut jamais quitter son véhicule ! Si on s'en écarte, cela réduit radicalement les chances d'être retrouvé.

Elle se tut, le visage inexpressif tout à coup. Un instant plus tard, il la vit frissonner.

— Il fait froid dès que le soleil se couche, marmotta-t-elle. Je vais chercher un pull.

Elle retourna vers le *bullcatcher*, le laissant seul avec ses pensées. Abby avait offert un sac de couchage à Becka pour son septième anniversaire. Etait-il assez chaud ? Penseraient-elles à vérifier qu'il n'y avait pas de serpent à l'intérieur le soir, ou de scorpions dans leurs chaussures le matin ? Seraient-elles assez intelligentes pour ne pas errer dans le *bush* en pleine nuit ?

Il sillonna la clairière à la recherche d'indices, mais il faisait trop sombre et il ne trouva rien.

— Quitte à marcher, pourquoi ne pas retourner vers la route ? demanda-t-il tout haut.

— Je crois que je sais pourquoi, dit Sarah.

Son pull enfilé, elle étudiait la carte.

— Il y a une maison pas très loin. Seulement à trois ou quatre kilomètres d'ici, sur cette piste.

Il vint regarder par-dessus son épaule.

— C'est une vieille carte. La station des Lawrence est abandonnée depuis les années soixante-dix. Les feux de brousse l'ont entièrement brûlée il y a quelques années.

Elle leva un visage anxieux vers le sien.

— Abby est au courant ?

— Je n'en suis pas sûr. Elle ne cherche guère à connaître les familles des stations.

— Même si ce n'est qu'une ruine, nous les trouverons sans

doute là-bas demain. Tu ramasses un peu de bois pour faire du feu ? Je vais installer les sacs de couchage.

Perchée sur une branche morte de *coolibah*, Sarah sirota du thé chaud pendant que Luke téléphonait à Bazza à Burrinbilli. Elle écouta avec espoir mais comprit vite qu'il n'y avait toujours aucune nouvelle.

— La station de Fred Walker n'est pas très loin de nous, dit-il avant de raccrocher. Demande-lui de venir jusqu'ici demain matin dès l'aube, avec des chevaux. Le terrain est trop difficile pour le *bullcatcher*.

— Nous continuons à cheval ? demanda-t-elle.

La lumière des flammes fit danser des ombres sur le visage de Luke.

— Toi, tu rentres avec Fred, dit-il. D'après Bazza, les incendies gagnent du terrain. Ils ne sont plus qu'à cinquante kilomètres d'ici et si le vent forcit, ils nous rejoindront vite. Si nous ne retrouvons pas Becka et Abby demain…

Sautant brusquement sur ses pieds, il tira les sacs de couchage plus près du feu, celui de Sarah à l'endroit le mieux abrité. Elle retira ses bottes et s'y glissa tout habillée ; Luke l'imita. Le silence durait toujours. N'y tenant plus, elle roula sur le flanc et tendit la main pour la poser sur sa joue.

— Nous les retrouverons demain, assura-t-elle.

Il approuva de la tête sans répondre. Elle se mordit la lèvre. Comment atteindre le lieu verrouillé tout au fond de lui, où il se préservait de tout contact trop intime ! Le lieu où l'amour restait prisonnier…

— Tu étais très amoureux d'elle ? demanda-t-elle à mi-voix.

— De qui ? chuchota-t-il en se raidissant.

— La mère de Becka… Caroline.

208

— Pourquoi demandes-tu ça ?

Pourquoi ? Etait-elle jalouse d'une morte parce qu'elle avait eu l'amour de Luke des années auparavant ? Espérait-elle qu'en lisant dans son cœur, elle y trouverait une place préparée pour elle ?

— Je me demandais, voilà tout.

Le silence dura longtemps. Les flammes faiblirent, il n'y eut plus que le rougeoiement des braises. La nuit était très silencieuse, comme si la nature aussi attendait sa réponse. Enfin, d'une voix très basse, il dit :

— Oui, je l'aimais. C'est la première que j'aie aimée, et la seule avant...

Il s'interrompit, s'éclaircit la gorge et se tut. Sarah trouva sa main à tâtons dans le noir.

— Becka m'a dit qu'elle s'était noyée, murmura-t-elle.

Il soupira, mêla ses doigts aux siens.

— Nous avions laissé Becka avec Abby pour faire un voyage en Thaïlande. Becka n'avait que six mois. Je trouvais qu'elle était trop petite pour la laisser mais... Enfin... Nous avons pris le ferry du soir pour aller sur une île à touristes, pas très loin de la côte. La tempête s'est levée, le ferry a coulé. Il n'y avait pas de canots, pas assez de ceintures de sauvetage. Caroline s'est heurté la tête, elle était assommée...

Il prit une grande inspiration convulsive et, d'une voix parfaitement inexpressive, conclut :

— Je l'ai soutenue à la surface aussi longtemps que j'ai pu. Les vagues étaient énormes. C'était une confusion invraisemblable, un cauchemar. La nuit noire, la pluie et les vagues, les gens qui hurlaient, qui pleuraient... Quelqu'un s'est accroché à Caroline, il me l'a arrachée des mains et tirée au fond.

Sa voix tremblait maintenant, et ses mains serraient les siennes à lui faire mal.

— J'ai plongé mais je n'ai pas pu la retrouver. Il y avait des mains qui s'accrochaient à moi. Je… je l'ai *perdue*.

— Oh, Luke…

Elle caressa ses cheveux, son visage, s'efforçant d'effacer l'expression terrible de ses yeux élargis, sa bouche crispée.

— Le lendemain matin, des pêcheurs ont sauvé les survivants. Le corps de Caroline a été rejeté sur la grève quelques jours plus tard. Il y a eu une enquête, il a fallu s'expliquer avec les autorités locales, régler une foule de formalités. Tout était compliqué parce que nous n'étions pas mariés. Abby était sa parente la plus proche mais elle a refusé de venir en Thaïlande. Les courriers prenaient si longtemps… Je suis resté des mois à Bangkok et tout ce que je voulais, c'était retourner auprès de Becka.

Il se tut. Au loin, elle entendit le hurlement de l'un de ces chiens sauvages appelés *dingos*.

— Le temps que je revienne, Abby avait convaincu le tribunal du Queensland que Caroline voulait lui confier la tutelle de Becka si jamais il lui arrivait quelque chose.

— Elle avait des documents pour le prouver ?

— Non. J'ai fait appel et j'ai gagné, et elle m'en a toujours voulu. En fin de compte, nous avons trouvé un compromis. Elle a refusé tout net de vivre à Burrinbilli, mais elle a quitté Brisbane pour s'installer à Murrum. Nous avons décidé qu'elle élèverait Becka tant qu'elle serait petite. Cela ne me plaisait guère, mais c'était une solution réaliste. Becka devait revenir auprès de moi quand elle aurait neuf ans. Nous n'avions pas mesuré combien ce serait difficile pour nous tous.

Elle pressa un baiser sur sa paume.

— Je suis tellement désolée. Et désolée aussi que tu aies perdu Caroline.

Un gros soupir sortit de l'ombre.

— Nous étions si jeunes, j'avais de si beaux rêves. Caroline

210

ne voulait qu'une chose : partir loin de Murrum. Tout sauf pourrir à la station, comme elle disait.

Sarah pensa à sa mère qui avait tant eu envie de partir, elle aussi. Tout le monde n'était pas fait pour cette vie… mais les femmes rencontrées sur place aimaient le *bush*. En dépit de leur isolement, elles ne se sentaient pas seules et ne s'ennuyaient jamais.

— Et tes rêves ? demanda-t-elle. Tu n'as pas renoncé ?

— Non, mais ils sont toujours aussi loin de se réaliser.

Il se tut un instant, puis demanda :

— Et toi ? Tu as quelqu'un ?

— J'avais, mais quand j'y repense… Il me semble que c'était très superficiel.

Elle réfléchit un instant et ajouta, rêveuse :

— Comme le reste de ma vie. J'avais un poste responsable, mais ce n'est pas comme si j'étais responsable de quelque chose de… de grand.

Elle leva un bras vers les étoiles dans un geste qui englobait tout l'univers.

— Je ne me suis encore jamais retrouvée face à des enjeux réellement vitaux, une passion, un grand amour.

— Tu as de la chance, dit-il tout bas.

Elle allait le contredire quand elle se souvint que sa fille était à cet instant même perdue dans le *bush* et qu'il craignait pour sa vie. Quelque part, tout près, une brindille craqua.

— Qu'est-ce que c'est ? jeta-t-elle en sursautant.

Il ne souleva même pas la tête.

— Rien…

— C'était bien quelque chose, souffla-t-elle en tendant l'oreille.

— Ton problème, dit-il, c'est que tu considères le *bush* comme un environnement hostile.

— Et ce n'en est pas un ? Avec les serpents, les araignées, les incendies…

— Tout cela a sa place dans la nature. Le *bush* est neutre, c'est ton attitude qui est hostile.

Elle réfléchit un long instant à ce qu'il venait de dire. Peut-être n'avait-il pas tort… Puis une créature traversa les buissons à grand fracas et elle enfouit sa tête dans son sac de couchage avec un petit cri. Se soulevant sur un coude, il écarta l'étoffe de son visage.

— Ouvre les yeux, Sarah. Regarde la beauté de la nuit.

— Je suis obligée ?

Lentement, elle se redressa sur son séant et regarda autour d'elle avec méfiance. Le tronc du *coolibah* était argenté à la lumière de la lune ; un halo magique nimbait le lit asséché du cours d'eau. Une brise fraîche caressait son visage, chargée des parfums du *bush* : eucalyptus, poussière, d'autres fragrances mystérieuses et inconnues. Elle entendit un froissement dans l'arbre et vit une petite créature hirsute sauter de branche en branche.

— Un opossum, chuchota Luke. La nuit, le *bush* prend vie. Il fait si chaud le jour que la faune est surtout nocturne.

— Les opossums sont charmants, concéda-t-elle.

— Quand ils ne mettent pas ton verger à sac.

Se rallongeant, elle croisa les bras sous sa nuque et contempla les étoiles qui brillaient sur cette terre primitive. Luke avait raison, la nuit était pénétrée d'une beauté mystique. Elle pensa à sa mère qui lui racontait les mythes fondateurs du « temps du rêve » des aborigènes, et aussi à ses propres rêves d'enfance, quand elle croyait que l'amour était la loi de l'univers, et que les engagements duraient toute la vie. Lentement, doucement, elle s'endormit.

Des heures plus tard, elle fut réveillée par le hurlement d'un *dingo*. Elle frissonna de peur… et se sentit aussitôt envahie par un merveilleux sentiment de sécurité car elle était blottie dans les bras de Luke. Elle écouta son souffle profond et paisible et glissa de nouveau dans le sommeil en souriant.

Luke se réveilla lentement, paresseusement, bien au chaud dans son sac de couchage, Sarah pressée contre lui. Très détendu, il dériva vers la conscience, le nez enfoui dans ses cheveux, ses bras enserrant son corps abandonné. Respirant profondément, il s'emplit de son parfum et le désir le saisit.

Puis, comme on se heurte de plein fouet à un mur de briques, il retrouva le souvenir de la veille. Becka ! La terreur l'emplit d'un seul coup. Il inhala l'air du matin et sentit ses cheveux se hérisser sur sa nuque. Rejetant le sac de couchage, il tourna son visage vers le vent.

— Quoi ? marmotta Sarah, encore à moitié endormie.

— De la fumée !

Il bondit sur ses pieds, s'empara de ses bottes, les retourna et les heurta l'une contre l'autre.

— Le vent a tourné, expliqua-t-il rapidement. L'incendie se dirige vers nous.

Et quelque part dans la nature, il y avait Becka et Abby, qu'il devait atteindre avant que le feu ne les trouve. Le pied coincé dans sa botte, il sautilla sur place en jurant. Se dépêtrant du sac de couchage, Sarah se haussa vers lui et posa un baiser bref et ferme sur ses lèvres.

— Nous allons les trouver, dit-elle.

Elle n'avait pas la moindre notion de la gravité du danger. La chaleur affreuse, les braises volantes, la fumée qui vous fait suffoquer, vous brûle les yeux et la gorge. La façon dont l'incendie s'emballe quand le vent souffle, monstre hérissé de flammes plus rapide qu'une voiture, capable de sauter les coupe-feux, piégeant quiconque a la malchance de se trouver sur son chemin. Et ce ne serait pas lui qui lui expliquerait !

— Fred va venir avec les chevaux. Tu rentreras avec lui.

— Non, je reste avec toi.

Elle s'affairait, roulant les sacs de couchage, raflant les couverts restés sur place après leur dîner spartiate.

— Ce n'est pas négociable, Sarah.

— Je ne négocie pas, répliqua-t-elle avec calme. Je viens, c'est tout. Que feras-tu si l'une d'elles est blessée, incapable de tenir en selle ? Il te faudra de l'aide.

— Je peux me débrouiller.

Laissant choir le ballot qu'elle portait, elle fit un pas vers lui, les poings serrés, les yeux étincelants.

— Tu peux te débrouiller ? Qui es-tu, Dieu ? Dans ce cas, souffle cet incendie, fais apparaître Becka et Abby d'un claquement de doigts et nous pourrons tous rentrer à la maison. Mais tu ne peux pas, tu n'es qu'un homme. Un homme formidable, mais sans superpouvoirs !

Elle marcha droit sur lui, furieuse.

— Admets-le, Luke ! Tu as besoin de moi.

— Je ne veux pas te perdre, toi aussi.

Elle se tut, et il vit qu'il l'avait choquée. Pour la première fois, elle sembla mesurer le sérieux de la situation. Bien, pensa-t-il avec une satisfaction amère ; maintenant, elle serait obligée d'accepter sa décision.

— Nous perdons du temps à discuter, dit-elle enfin.

— Amen !

Ils avalèrent quelques bouchées de pain et de fromage en jetant leur matériel à l'arrière du *bullcatcher*. Puis Luke fixa des câbles entre les batteries des deux véhicules. Ce fut un réel soulagement d'entendre rugir le moteur du 4x4. Ils auraient peut-être besoin de fuir très vite, et ce serait bien plus facile dans ce véhicule que dans le *bullcatcher*.

Voilà, cela suffisait. Vite, il détacha les câbles. Dans les branches hautes des arbres, des oiseaux battaient des ailes, inquiets. La fumée, encore ténue, sentait le caoutchouc, le parfum de l'herbe spinifex qui brûle. A quelle distance ? C'était difficile à dire, mais ils n'avaient pas de temps à perdre.

— Nous laisserons le 4x4 ici, décida-t-il. Retournons vite à la route, Fred doit nous attendre.

Il fit rugir le moteur du *bullcatcher*, passa une vitesse et lança le véhicule dans la pente. Le chemin du retour sembla bref, malgré la violence des cahots ; bientôt, ils eurent la joie de voir la route… et le camion attelé à une remorque à chevaux qui patientait au carrefour.

Fred Walker sauta de la cabine et s'avança à leur rencontre. C'était un homme trapu d'une quarantaine d'années, avec une mâchoire que n'aurait pas reniée un bouledogue.

— B'jour, vieux, lança-t-il à Luke. On m'a fait savoir qu'il te fallait des chevaux.

— Becka et Abby sont dans les collines, dit Luke du ton neutre de rigueur. La piste est plutôt rude, j'aurai moins de mal à les retrouver à cheval.

Fred leva un regard torve vers le chaos de roches.

— L'incendie vient par ici, observa-t-il.

Luke approuva d'un hochement de tête.

— Il est loin ?

— Quarante, cinquante kilomètres. Vu la façon dont le vent se lève, ça changera vite.

— Pas grand-chose à brûler après cette longue sécheresse, suggéra Luke sans grande conviction.

— Il y a toujours suffisamment à brûler. On a battu le rappel des éleveurs, dès que nous aurons maîtrisé les feux de brousse, nous reviendrons t'aider à les chercher.

— Je les aurai retrouvées…

Ou il serait trop tard. Montrant Sarah d'un signe du menton, Luke reprit :

— Voici Sarah. Elle va rentrer avec toi.

Fred la salua d'un hochement de tête et se tourna de nouveau vers Luke.

— Je ne savais pas combien de chevaux il te fallait alors j'en ai amené quatre. Ils sont sellés, prêts à partir.

— Parfait, dit Sarah.

— Je t'en prends deux, dit Luke sans la regarder. J'en monterai un et je mènerai l'autre à la longe.

Se dirigeant vers l'arrière du van, Fred abattit la rampe et déchargea un grand rouan et un noir plus petit. Ensemble, ils resserrèrent les sangles.

— Il y a des provisions et une trousse de secours dans les fontes. J'ai aussi mis une réserve d'eau.

— J'apprécie, Fred.

— Pas de problème. Vous venez, Sarah ? Je vous ramène chez nous. Vous pourrez attendre Luke là-bas ou prendre une voiture pour rentrer à Burrinbilli.

Il remonta dans sa cabine et lança le moteur. Voyant Sarah prête à exploser, Luke tenta de l'apaiser :

— Je sais que tu veux venir, mais j'irai plus vite seul.

Il prit son visage entre ses mains, caressa sa joue, son cou.

— J'apprécie tout ce que tu as fait, murmura-t-il.

Elle repoussa sa main… un instant plus tard, elle s'y accrochait de toutes ses forces.

— Tu *sais* que tu as besoin de moi, souffla-t-elle.

Il réprima une grimace. Elle ne se doutait pas à quel point ! Il se hissa en selle et le grand rouan dansa sur place, impatient de partir.

216

— A bientôt. Si tu veux participer, tu peux aider la femme de Fred à faire des sandwichs pour les pompiers volontaires.

— Oh !

Elle serrait les poings, hors d'elle. Il raccourcit les rênes, empoigna la longe du noir et s'engagea au grand trot sur la piste. L'odeur de la fumée s'intensifiait ; le vent vif poussait des lambeaux de noirceur dans le ciel bleu.

12.

Il retourna à la clairière où ils avaient campé et sauta à terre, fouillant le sol du regard pour chercher les traces qui lui diraient dans quelle direction Abby et Becka s'étaient éloignées. En toute logique, elles auraient dû rester sur la piste, mais jusqu'ici, Abby n'avait manifesté aucun sens commun. S'écartant du 4x4, il se mit à décrire des cercles de plus en plus larges, cherchant des traces de pas dans la poussière.

Deux empreintes, une grande et une petite ! Elles ne suivaient pas la piste mais le lit à sec du cours d'eau. Donc, elles ne se dirigeaient pas vers la station en ruines. Cherchaient-elles de l'eau ? Il ne connaissait aucun trou d'eau permanent dans le secteur. L'on peut trouver de l'eau dans le *bush* si l'on sait la chercher... mais Abby ne savait pas.

Elles viendraient rapidement à bout de leur réserve d'eau. Elles n'étaient parties que la veille mais avec cette chaleur intense... Si l'incendie ne les tuait pas, elles pourraient mourir de soif. Sa gorge se serra brutalement ; au prix d'un violent effort, il repoussa les images qui s'engouffraient en lui. Il ne pourrait aider sa fille que s'il gardait la tête froide. Dieu merci, Sarah au moins était en sécurité.

C'est alors qu'il entendit un cheval trotter sur la piste. Nom de... Sarah !

218

Elle le rejoignit au grand trot, montée sur un cheval gris pommelé. Tirant sur les rênes, elle s'immobilisa devant lui et le regarda avec un sourire anxieux. Il sentit son cœur se gonfler de joie… et se força à prendre une expression d'autant plus menaçante.

— Comment as-tu convaincu Fred ? gronda-t-il.

L'air assez satisfait d'elle, elle tapota le petit sac fixé derrière sa selle.

— Je lui ai dit que c'est moi qui avais le téléphone.

Il marmotta un juron. Comment avait-il pu oublier de lui demander cet indispensable outil de survie !

— Fred a déjà repris la route, tu ne peux pas me renvoyer, lança-t-elle avec un regard de défi.

— Très bien, soupira-t-il. Tu viens avec moi. Arrange-toi seulement pour ne pas te faire mal. Ne te perds pas et ne me complique pas l'existence.

Il poussa son cheval en avant ; côte à côte, ils s'engagèrent dans le lit du cours d'eau. C'était tentant de forcer l'allure, mais Luke s'imposa de rester au petit trot, de peur de manquer une trace indiquant que les deux égarées auraient changé de cap. La poussière laissa la place à la roche, le lit se fit plus étroit et s'engagea entre des falaises basses ; le sol pierreux ne révélait plus rien. Il s'efforça de calculer depuis combien de temps Abby et Becka marchaient, et quelle distance elles avaient pu parcourir. Supposant qu'elles soient tombées en panne l'après-midi précédent, et qu'elles aient immédiatement continué à pied, elles pouvaient avoir parcouru cinq ou six kilomètres avant de s'arrêter pour la nuit. Avaient-elles trouvé un abri ? Si Abby comptait atteindre Mount Isa la veille, elles n'avaient sans doute guère de provisions. Rompant le lourd silence, il demanda à Sarah :

— Abby avait emporté de quoi manger ?

— Il me semble qu'elle a fait des sandwichs supplémentaires en préparant le déjeuner des hommes. Oui, je suis sûre qu'elle avait un pique-nique, et je me souviens que Becka a rempli un bidon d'eau.

— L'un des grands bidons ?

Elle lui jeta un regard piteux.

— Non, un petit. Parlant d'eau, je boirais bien un peu.

Elle se retourna à demi pour décrocher la gourde de sa selle. Il se pencha pour retenir sa main.

— Essayons de nous rationner au cas où...

Au cas où Becka et Abby en auraient besoin. Au cas où ils devraient passer plusieurs jours dans le *bush*.

— Ne t'inquiète pas, je nous trouverai de l'eau, promit-il.

Elle rangea la gourde.

La matinée passa. La chaleur s'amplifiait sans cesse, réverbérée par les parois de pierre. La sueur ruisselait sur le visage de Luke, il sentait des filets d'eau glisser dans ses reins. Peu à peu, le lit encaissé du cours d'eau s'élargit de nouveau ; puis il se sépara en deux.

A la saison des pluies, la région entière se couvrait d'un réseau de cours d'eau temporaires qui s'écoulaient vers le lac Eyre, au cœur assoiffé du continent. A cette période, seule une boue craquelée tapissait le lit de la rivière. Sur les berges, un maquis de *gidyea* et de *mulga* formait une végétation clairsemée, qui flamberait avec violence si l'incendie arrivait jusqu'ici.

Luke étudia le terrain. Un éboulis de grosses roches dévalait la berge ; sur l'une d'elles, il remarqua une pile régulière de pierres plus petites. Sautant à bas de son cheval, il escalada la rive, sachant que cette pyramide n'était pas arrivée là toute seule.

— Qu'est-ce que c'est ? demanda Sarah en le rejoignant, le visage rouge et tiré.

220

— Les aborigènes font cela pour marquer l'emplacement de leurs trous d'eau.

Se hissant sur les roches, il chercha autour de lui et repéra une grande pierre plate qu'il souleva, découvrant un trou d'une soixantaine de centimètres de profondeur. Un trou parfaitement sec. Derrière lui, il entendit Sarah soupirer, déçue. Il s'accroupit et se mit à creuser, sortant à deux mains des poignées de gravier sec. Le trou se fit plus profond, il dut se mettre sur le ventre. Il allait renoncer quand il sentit une humidité sous ses doigts. Creusant avec un entrain renouvelé, il retira encore quelques centimètres de gravier et vit l'eau sourdre au fond du trou.

La main en coupe, il en prit un peu, la goûta. Tiède et trouble, elle était pourtant si rafraîchissante ! Elle lui rendait la vie. Il s'écarta et fit signe à Sarah de boire à son tour.

— Cela ne remplacera jamais le Perrier, plaisanta-t-elle quand elle eut bien bu, en passant de l'eau sur ses joues brûlantes. Mais qu'est-ce que c'est bon quand on meurt de soif !

Il sentit son visage se figer.

— Ne parle pas de ça, même pour plaisanter.

Elle détourna les yeux, le visage crispé.

— Excuse-moi...

Reprenant les chevaux, ils s'engagèrent dans l'artère principale, avançant chacun le long d'une berge, fouillant le sol des yeux pour chercher des traces. Quelques minutes plus tard, Sarah s'exclama :

— Luke, regarde !

Elle se laissa glisser à bas de sa monture, ramassa un objet et le brandit, triomphante. Un trognon de pomme !

— Il y a des traces, là, reprit-elle en se penchant vers le sol.

A son tour, il inspecta les marques à demi effacées.

— C'est une piste de *wallaby*.

Puis, comme elle avait l'air déçue, il précisa :

— Le trognon de pomme signifie bien que quelqu'un est passé par ici.

Pourtant, pour une raison qu'il ne s'expliquait pas, il sentait que ce n'était pas Abby et Becka.

— Retournons jeter un coup d'œil à l'autre affluent, décida-t-il. Juste pour en avoir le cœur net.

Ils rebroussèrent chemin. Pourvu qu'Abby et Becka n'aient pas pris cette direction, qui filait droit vers les incendies ! Son regard parcourut le lit asséché et les deux berges, cherchant des branches brisées, des pierres déplacées, des traces dans la poussière. Il allait renoncer et retourner dans le lit principal quand un dessin formé par des cailloux, juste devant lui, accrocha son regard. C'était si gros qu'il avait failli ne pas le voir !

— Regarde ! lança-t-il à Sarah.

— Quoi donc ? Je ne vois rien.

Du bout de sa botte, il indiqua la rangée inégale de petites pierres, surmontée de deux diagonales. Une flèche désignant le cours d'eau secondaire !

— Tu crois que c'est elles ? demanda-t-elle d'un air de doute. Cela pourrait être là depuis très longtemps.

— Non, parce que…

Il lui montra une indentation dans la terre ; on en avait retiré un caillou et les rebords n'étaient pas encore effrités, ou piétinés par le passage des animaux.

La fumée qui assombrissait le ciel à l'ouest se faisait plus dense. Et aussi plus proche ! C'était peut-être son imagination, mais il lui sembla sentir la chaleur des flammes.

— Allons-y, jeta-t-il.

Il remonta en selle, tout de suite imité par Sarah. Rendue nerveuse par l'odeur de la fumée qui leur parvenait par bourrasques, la jument grise dansa sur place en soufflant des naseaux. Côte à côte, ils remontèrent le cours d'eau au trot, les fers de leurs chevaux sonnant sur les pierres. Le cheval non monté les suivait à contrecœur en tirant sur sa longe.

— Becka ! Abby ! criait Luke.

Il s'arrêtait souvent pour écouter mais il n'y avait pas de réponse.

— Nous sommes encore loin de l'incendie ? demanda Sarah.

— Un ou deux kilomètres. Peut-être moins.

— Mais on ne voit pas les pompiers volontaires.

Les lèvres crispées, il marmotta :

— Il y a beaucoup d'incendies.

— Becka ! Abby ! cria-t-elle à son tour.

Ils avançaient ainsi depuis une vingtaine de minutes quand il entendit — tout proche — le crépitement des flammes.

— Plus vite ! cria-t-il en éperonnant son cheval.

Coude à coude, ils se lancèrent au galop, débouchèrent d'un méandre du cours d'eau... un souffle de fournaise les frappa de plein fouet. Les chevaux firent un écart et piétinèrent, prêts à s'affoler. Le feu faisait rage à moins de cinquante mètres de la berge. Par-dessus le froissement des flammes et le pépiement effrayé des oiseaux, ils entendirent un cri.

— Becka ! rugit Luke.

Le cœur battant à l'étouffer, il tourna la tête de son cheval et le força à gravir la berge, glissant et dérapant dans les éboulis et piquant droit vers le feu. Sarah le suivit. Où étaient-elles ? L'air était trouble, une odeur âcre les prenait à la gorge. L'herbe sèche ondulait, dévorée par des flammes sournoises, presque invisibles dans la lumière éclatante du soleil. Les tiges noircissaient comme par magie, seules les coulées sombres qui avançaient avec les bourrasques révélaient la progression du feu. A leur approche, des marsupiaux de la taille d'un rat s'enfuirent à grands bonds. Un lézard, sa collerette gris-vert dressée, dévala la berge derrière eux.

Luke défit le foulard à son cou et le noua devant sa bouche, faisant signe à Sarah de l'imiter. La chaleur était palpable, la fumée lui brûlait la gorge, faisait ruisseler ses yeux. Sur une petite crête, un bouquet de *gums* s'embrasa ; la sève explosa, les braises jaillirent. Les flammes voraces roussirent les feuilles en un éclair et sautèrent plus loin, fouettées par le vent.

— Becka ! Abby ! cria-t-il d'une voix qui se brisait.

Encore des cris, plus proches cette fois. Enfin, il entrevit un éclair de violet et d'or. Le T-shirt Winnie l'Ourson de Becka ! Et juste à côté d'elle, la robe lilas d'Abby ! Vivantes, elles étaient vivantes !

Dès qu'il vit où elles se trouvaient, son exultation retomba et il bascula dans un abîme de terreur. Acculées dans un repli de terrain, blotties contre la paroi d'une petite falaise à demi éboulée, elles étaient presque encerclées par les flammes. Entre eux, l'herbe vibrait, une aile noire se recourbait au ras du sol. Pour l'instant, cette langue de feu était encore étroite mais il n'y aurait bientôt plus de passage. Bientôt, la fumée les asphyxieraient.

— Papa ! hurla Becka.

Les chevaux hennissaient, fous de peur ; Sarah avait fort à faire pour maîtriser sa jument. Sautant à bas de son hongre, il lui lança ses rênes.

— Cours, Becka ! cria-t-il. Cours vers nous.

Maladroit dans sa hâte, il prit sa gourde, détrempa son foulard. Becka s'élança vers lui... mais Abby la happa au passage et la retint de toutes ses forces.

— Non ! hurla-t-elle. Tu serais brûlée.

Fou de rage, Luke jura, et cria de nouveau :

— Cours, Becka ! Si tu vas assez vite, tu peux passer !

224

Les mains tremblantes, il fixa le foulard sur sa bouche. Becka se dégagea, se précipita vers son père. Puis, comprenant que sa tante ne la suivait pas, elle hésita, regarda Luke par-dessus son épaule... et fit volte-face pour retourner près d'Abby.

— Becka ! hurla Luke.

Il se précipita dans l'herbe brasillante. Abby était paralysée de terreur ; s'il ne la tirait pas de là de force, ils allaient tous mourir ici.

Il fonça, progressant par bonds entre les buissons, entre les braises volantes, s'efforçant de toucher terre le moins possible pour ne pas laisser ses vêtements au contact des flammes. Dès qu'il atteignit le cercle de maquis intact, Becka se jeta dans ses bras. Se laissant tomber sur un genou, il l'attrapa au vol — des larmes de joie apaisèrent un instant l'irritation de ses yeux tourmentés par la fumée.

— Viens, petit opossum, souffla-t-il. On rentre à la maison.

— Abby ne veut pas venir, se lamenta la petite.

— Abby ! cria-t-il d'une voix brusque. Viens ! Si tu restes ici, tu es fichue.

Elle secoua la tête, son visage figé dans un masque de terreur.

— Ne me dis pas ce que je dois faire, balbutia-t-elle. Nous ne sommes pas à la station.

La peur lui faisait perdre la tête. Renonçant à la convaincre, il l'empoigna par le bras et la traîna vers les flammes courtes qui couraient dans l'herbe, envahissaient les buissons. Becka le suivit en gémissant de frayeur. Plissant douloureusement les yeux, il chercha Sarah du regard et vit qu'elle avait emmené les chevaux de l'autre côté du cours d'eau ; de retour de ce côté, elle hésitait à s'engager à son tour dans les flammes.

Elle serrait contre elle la couverture de selle retirée à sa jument.

Abby s'arrêta net et cette fois, Luke ne réussit pas à l'ébranler.

— Nom de nom, Abby, ragea-t-il, il faut passer tout de suite. Ne m'oblige pas à revenir te chercher. C'est Becka que tu mets en danger !

Elle plaqua les mains sur son visage.

— Je ne peux pas. Je n'irai pas.

Une étincelle se colla à sa jambe nue. Elle cria, bondit en arrière. De nouvelles braises tombèrent autour d'eux, mettant le feu aux herbes. Le cercle magique, inexplicablement épargné jusqu'ici, était envahi à son tour. Il n'avait plus le choix. Soulevant Becka, il fonça. Tendue par-dessus son épaule, elle appelait sa tante à grands cris. Sans ménagement, il sauta au fond du cours d'eau, la hissa sur la berge opposée et, la laissant près des chevaux, repartit en sens inverse. Au tour d'Abby, maintenant.

Il courait dans les flammes basses quand une branche en feu portée par une rafale s'abattit sur elle. Le choc porta sur sa tête et son épaule. Elle hurla, battit des bras. Le coton lilas de sa robe noircit, puis rougit ; il vit des flammes dans ses cheveux. Derrière lui, Becka criait.

Puis, tout à coup, Sarah fut près d'Abby, l'enroulant dans la couverture, enveloppant entièrement sa tête, la traînant par le bras. Titubante, aveuglée, l'autre femme ne put faire autrement que de suivre le mouvement. Il se précipita pour aider Sarah et ensemble, ils tirèrent leur charge, sanglotant et se débattant, jusqu'à la sécurité des roches de la berge.

Une sécurité bien temporaire ! Sautant immédiatement en selle, Sarah tendit les bras pour aider Luke à hisser Abby derrière elle. Il déroula la couverture, la vit blêmir en découvrant la chair boursouflée et noircie de la blessée — puis elle serra les dents et il sut qu'elle ne faiblirait pas.

— Abby, tu vas pouvoir t'accrocher à Sarah ? articula-t-il.

Hagarde, elle hocha faiblement la tête, se laissa hisser derrière la jeune femme, noua les bras autour de sa taille. Becka grimpa comme un écureuil sur le petit cheval noir. Bondissant en selle, il s'empara de la longe, s'assura que la petite était bien cramponnée, et lança :

— Tiens bon, Becka ! lança-t-il. On va aller vite.

Maintenant qu'on ne les retenait plus, les chevaux dévalèrent le talus et se lancèrent à corps perdu le long du cours d'eau. Sur la berge, de nouveaux arbres explosèrent en flammes ; les chevaux affolés allongèrent encore leur foulée. Lentement mais sûrement, ils devançaient l'incendie ! Gagné, ils avaient gagné ! Luke prit une grande inspiration triomphante et, se penchant en avant, encouragea sa monture. Ils avaient trouvé Abby et Becka à temps, ils les ramenaient saines et sauves. Abby souffrirait de ses brûlures, mais elle survivrait. Ils atteignirent la jonction des deux cours d'eau et virèrent pour s'engouffrer dans le ravin principal. Maintenant, il suffisait de dévaler la gorge, d'atteindre le véhicule, de foncer vers la route…

— Luke !

Le cri affolé le fit se retourner sur sa selle. Nom de nom ! Tenant les rênes d'une main, Sarah s'efforçait de retenir Abby qui s'affaissait sur le côté. Il retint son cheval, le fit volter et fonça vers elles ; avant qu'il ne puisse les atteindre, Abby tomba lourdement à bas de la monture et s'affaissa sur le sol.

Sautant à terre en voltige, il s'accroupit près d'elle. Les brûlures étaient graves, elle était épuisée par sa marche forcée, déshydratée peut-être. Au fond, c'était surprenant qu'elle ait réussi à tenir aussi longtemps.

— Tante Abby ! cria Becka.

Elle se laissa glisser à terre à son tour. Il lutta contre la panique et l'impression hideuse que la situation lui échappait. Ils ne pouvaient pas rester là, il fallait repartir tout de suite ! Il lança un regard à Sarah qui comprit immédiatement et happa dans ses bras Becka qui sanglotait, à bout de nerfs. Doucement, elle la berça, lui cachant la blessée de son corps. De son côté, il s'efforçait de faire boire Abby mais ses lèvres fendues restaient inertes. Combien de temps avant que l'incendie ne les rejoigne ?

— Sarah, appelle les services d'urgence, au 000, ordonnat-il. Becka, donne-moi la trousse de secours, derrière ma selle.

La petite se précipita pour obéir. Le fait qu'il fasse appel à elle l'avait immédiatement aidée à se reprendre. Il n'avait pas eu un instant de répit pour la gronder ou lui dire combien il l'aimait. Fouillant dans sa poche, il sortit son couteau et découpa avec précaution la robe d'Abby autour de ses brûlures.

Sarah parlait à voix basse et rapide, expliquant leur situation. Et quelle situation ! Le feu continuait à faire rage sur l'autre rive ; combien de temps avant qu'il ne franchisse le ravin ? Et plus bas, là où la gorge était si étroite… il pouvait encore leur barrer la route, les prendre au piège !

Le pouls d'Abby était faible, elle reprenait conscience par instants. La douleur devait être affreuse. Déchirant le papier protégeant les compresses stériles, il les posa délicatement sur les brûlures.

— Où sommes-nous, exactement ? lança Sarah.

En route pour l'enfer…

— Quand nous atteindrons la route, nous serons au carrefour de la Piste Lawrence et de la Rodney's Road, à cent kilomètres à peu près au nord de la départementale. Dis-leur d'envoyer le Médecin Volant !

Les paupières d'Abby battirent, des larmes coulèrent sur ses joues, laissant des traînées pâles dans la suie qui marbrait sa peau.

— Becka ? Où est Becka ? coassa-t-elle.

— Becka va bien. Reste tranquille, nous nous occupons de toi.

A gestes rapides, il fixa les compresses avec de l'adhésif.

— Je suis là, tante Abby, dit bravement la gamine en posant sa petite main sur celle de sa tante. Ne t'en fais pas, Sarah appelle le Médecin Volant !

Les yeux d'Abby se refermèrent, elle marmotta quelques mots qu'il ne comprit pas. Tranchant le dernier morceau d'adhésif, il demanda à Becka de faire boire la blessée et cette fois, elle parvint à avaler une bonne ration d'eau.

— Papa ? demanda Becka en lui tirant la manche.

Il baissa les yeux vers elle et sentit son cœur se gonfler de tendresse. Ses cheveux blonds étaient emmêlés et noircis, elle avait des cendres sur le front…

— Quoi donc, petit opossum ?

— Je n'aurais pas dû partir avec Abby. Je savais que je ne devais pas.

Sa voix tremblait mais elle soutint bravement son regard. Emu, il lui saisit la main, y pressa ses lèvres.

— Quand j'ai trouvé le 4x4 et compris que vous étiez parties à pied…

La petite fondit en larmes.

— S'il te plaît, ne me déteste pas ! gémit-elle.

— Te détester, moi ? articula-t-il, abasourdi.

Il l'attira dans ses bras, la serra bien fort.

— Becka, je t'aime de tout mon cœur. J'ai eu si peur de te perdre !

Les bras de sa fille se nouèrent autour de son cou. L'émotion lui brûla les yeux, des larmes bienfaisantes emportèrent toutes les tensions, toutes les barrières entre eux. Pendant quelques instants précieux, ils s'accrochèrent l'un à l'autre. Becka se dégagea la première et un sourire très doux illumina son petit visage sale.

— Je t'aime, papa.

Une chaleur merveilleuse inonda le cœur de Luke. Ebloui, il lui sourit. Sa petite fille lui était rendue !

Le craquement sinistre d'un *gum* lui rappela leur situation. Sautant sur ses pieds, il rejoignit Sarah qui rangeait le portable. Elle lui effleura la joue, regarda sa main rougie et voulut reprendre la trousse de secours.

— Papa ! Sarah !

Au cri aigu de Becka, ils se retournèrent d'un bond ; la petite tendait le bras vers l'amont... où un groupe de *gydyeas* venait de se parer d'une couronne de flammes. Le feu avait franchi le ravin ! Sans bruit ou presque, comme s'il avait toujours été là, il s'étirait maintenant le long des deux berges. Une fois de plus, ils sentirent sa chaleur intense se plaquer sur leur visage, un vent de fournaise souleva des tourbillons de cendres et des braises sous l'impitoyable ciel blanc.

— Sarah ! aboya-t-il. Aide-moi à coucher Abby en travers de mon cheval. Becka, tu vas pouvoir monter toute seule ?

La petite hocha vigoureusement la tête.

— Alors allons-y !

Ce ne fut pas facile de soulever le lourd corps inerte et de le coucher sur l'encolure d'un cheval qui cherchait à se dérober, mais ils y parvinrent. Encolures tendues, naseaux dilatés, les chevaux reprirent le galop dans la plus terrible des courses contre la montre.

Parvenus à la gorge, ils durent les maîtriser pour les forcer à ralentir. A cette vitesse, ils se seraient brisé les jambes dans les rochers. Haletant, soufflant par les naseaux, la robe luisante de sueur et mouchetée d'écume, les courageux animaux franchirent le défilé, en émergeant à l'instant précis où le feu embrasait les arbres au sommet des petites falaises.

Dès qu'ils abordèrent le plat, ils reprirent le galop. Luke se retourna à demi vers sa fille, petite silhouette soudée à son cheval. Fermant la marche, Sarah était penchée en avant sur sa selle, ses cheveux flottant sous son chapeau à larges bords. Une fille de la ville, mais elle avait du cran. Il était fichtrement content de l'avoir auprès de lui.

Ils touchaient au but ! Voyant le 4x4, il fit sortir son cheval du ravin. Pour l'instant, le feu semblait s'attarder de l'autre côté du défilé, mais il redoutait trop ses pièges. Plutôt que de prendre le temps de transférer la blessée dans la voiture, il galopa tout droit le long de la piste chaotique et atteignit la route. Là, haletant, il fit glisser le corps inerte à terre et le coucha doucement dans l'herbe près du *bullcatcher* de Bazza. Un instant plus tard, Sarah et Becka mettaient pied à terre près de lui.

— Je vais retourner chercher le 4x4, décida-t-il. Attendez ici, le Médecin Volant ne tardera plus.

— Tu retournes là-bas ? souffla Sarah avec inquiétude.

Le petit visage de sa fille se levait vers lui, figé d'angoisse. Il se pencha vers elle et lui dit gravement :

— Ce serait mieux de récupérer le 4x4, mais je te promets que si le feu est trop près, je reviendrai tout de suite.

Elle hocha courageusement la tête et s'écarta pour le laisser passer. Derrière elle, Sarah hocha une fois la tête, comme s'ils venaient de passer un contrat. Elle aussi comptait sur lui pour tenir parole. Absurdement content, il repartit au grand trot, passa sans encombre et revint bientôt au volant du véhicule, son cheval trottant derrière lui. Et l'attente commença.

Minute après minute, ils scrutèrent le ciel sans se parler. Enfin, le petit avion parut. Planté au milieu de la route, Luke fit de grands signes et le petit appareil fondit du ciel, atterrissant dans une série de bonds légers, soulevant des nuages de poussière rouge dans son sillage. Puis, tout faraud, il vira de bord, revint vers eux et s'immobilisa à quelques mètres. Immédiatement, la portière s'ouvrit, une jolie infirmière dans un uniforme plus blanc que blanc descendit, suivie du médecin avec sa sacoche noire. De l'autre côté parut le pilote, avec sa casquette et sa chemise blanche à épaulettes. De vrais personnages de légende, des héros du *bush* ; Luke ne fut pas surpris quand Becka cria « Hourrah ! ».

Le médecin — une femme — s'agenouilla près d'Abby et l'examina rapidement, le visage grave. Derrière elle, l'infirmière préparait une perfusion.

— Elle va s'en tirer ? demanda-t-il.

— Elle s'en remettra, décréta le médecin en se remettant sur pied. Il y aura des cicatrices. Venez, emportons-la à bord.

Luke aida le pilote à charger le brancard dans l'appareil. En reculant, il sentit une petite main sur son bras. Le cou tendu pour ne pas perdre sa tante de vue, son petit visage crispé d'anxiété, Becka tirait sa manche. Comprenant ce qu'elle lui demandait, il sentit son cœur se serrer. Il ne voulait pas la perdre de vue, pas tout de suite, pas alors qu'ils venaient de passer à deux doigts de la tragédie. En même temps, Abby était la seule mère qu'elle ait connue…

— Tu voudrais l'accompagner et t'assurer qu'elle va bien ? lui demanda-t-il avec douceur.

Elle hocha plusieurs fois la tête et un pâle sourire illumina son petit visage épuisé.

— Merci, papa.

Elle monta à son tour, puis se retourna pour lui demander avec inquiétude :

— Tu viendras me chercher ?

— Compte sur moi, répondit-il en clignant des yeux pour ravaler ses larmes.

13.

Il était plus de minuit et Sarah hésitait devant la porte de la chambre de Luke. Deux jours s'étaient écoulés depuis le sauvetage. Abby était toujours à l'hôpital mais son état se stabilisait ; Becka, qui n'avait que quelques bleus, dormait profondément après que son père lui eut lu une histoire. Tout allait pour le mieux à Burrinbilli.

Pourtant, elle ne parvenait pas à dormir. Les feux de brousse maîtrisés, un autre incendie brûlait en elle et Luke était le seul à pouvoir l'éteindre.

Deux jours auparavant, après avoir ramené Becka à la maison, il n'avait pris que le temps d'avaler un repas rapide avant de partir rejoindre ceux qui luttaient contre les incendies. La victoire remportée, il était rentré, s'était abattu dans son lit et avait dormi quatorze heures d'affilée.

Pour un homme comme lui, c'était largement suffisant pour se remettre d'aplomb ! Maintenant, elle voulait savoir si l'intimité naissante entre eux était bien réelle, et elle ne patienterait pas un instant de plus pour le découvrir. Etendue dans son lit, incapable de trouver le sommeil, elle avait attendu en espérant qu'il viendrait la rejoindre. En vain. Eh bien, ce serait à elle de faire le premier pas.

Elle levait la main pour frapper quand la porte s'ouvrit. Il sortait de la douche, ses cheveux mouillés rabattus en arrière, uniquement vêtu d'un court pantalon de coton indigo comme on en trouve en Thaïlande. Le halo de la lampe de chevet dorait le contour de ses épaules musclées.

Le regard intense de ses yeux bleus, la courbe de sa bouche... Il était absolument irrésistible et elle le désirait de tout son être, mais plus encore que cela, elle voulait qu'il se perde en elle et qu'il en émerge différent, comme elle-même avait été changée par lui.

— Luke... ?

Son regard la balaya de la tête aux pieds, la faisant frémir sous sa mince chemise de coton.

— Entre, dit-il à voix basse.

Elle s'avança dans la pièce, les yeux rivés aux siens. Une grande joie se levait en elle. Enfin ! Vite, se toucher avant de se brûler par la seule force de leurs regards !

Il la saisit à la taille ; elle plaqua ses paumes sur sa poitrine nue et ferma les yeux en sentant un frémissement profond parcourir ses muscles. Un parfum de bois de santal montait de sa peau brûlante ; elle la caressa en savourant ce contact tant attendu et sentit ses grandes mains descendre le long de ses hanches et remonter... sous sa chemise.

— Sarah, dit-il tout bas.

Il l'embrassa. Ses lèvres étaient tièdes, tendres, délicieusement fermes. Ivre de désir, elle devina à la délicatesse avec laquelle il la touchait qu'il faisait un effort immense pour se contrôler. Ne savait-il pas encore que cette étape-là était dépassée depuis longtemps ?

— Touche-moi, souffla-t-elle.

Il réprima une plainte, promena ses mains sur elle avec tendresse. Une faiblesse s'emparait d'elle, elle se sentait fondre à la chaleur qui émanait de lui. Il murmurait des mots tendres et sexy à son oreille. Ses seins se gonflaient, presque douloureux sous ses caresses, et il la taquinait avec des baisers avides qui attisaient encore son désir. Il allait la rendre folle !

Elle déposa des baisers sur sa poitrine, dans son cou. Le cordon qui retenait son pantalon céda, le vêtement glissa, elle fit glisser ses lèvres à sa suite. Avec un hoquet sourd, il l'attira de nouveau dans ses bras.

— Continue comme cela et je n'arriverai même pas jusqu'à Redfern, murmura-t-il.

— Nous avons changé d'itinéraire, repartit-elle en exhibant une petite boîte. J'ai fait un saut à la pharmacie.

— Une femme entreprenante ! s'écria-t-il, le souffle court. Tu n'as croisé personne ?

— Personne, jubila-t-elle. Parce que j'y suis allée à l'heure de la réunion de l'Association des Femmes.

— Bien vu, pour une fille de la ville. J'ai une sacrée chance.

S'emparant de l'ourlet de sa chemise, il la fit passer par-dessus sa tête. Ses seins jaillirent, mouchetés de taches de rousseur presque imperceptibles, nimbés de lumière en contraste avec la peau beaucoup plus sombre de Luke. Elle se tendit vers sa bouche et reçut un baiser si long, si intense que ses genoux ployèrent comme ceux d'un agneau nouveau-né. Quand elle s'affaissa contre lui, il l'enleva dans ses bras et l'emporta vers le lit.

— Donne-moi juste une seconde, souffla-t-il en lui prenant le paquet. Voilà.

Il s'allongea sur elle et elle gémit en sentant son corps nu peser sur le sien.

— J'ai envie de toi, haleta-t-il d'une voix rauque en la caressant des lèvres, des mains, de tout son corps.

— Moi, c'est bien plus qu'une envie, souffla-t-elle, je perds la tête.

Ecartant ses jambes du genou, il l'emplit lentement. Avec

236

un gémissement, elle se pressa contre lui pour l'attirer plus profondément en elle. Le regard rivé au sien, il entama un lent va-et-vient, un balancement souple qui s'accordait au rythme de leurs cœurs.

Elle bascula au fond de son regard bleu. Le temps sembla s'arrêter, son cœur même ne battait plus, tout semblait suspendu pour lui permettre de vivre pleinement cette fusion. Cela dura un temps infini ou seulement quelques secondes, puis il pencha la tête et prit l'un de ses mamelons dans sa bouche ; un élan la souleva, ses mouvements se firent désordonnés. La saisissant aux hanches, il la ramena dans le rythme, plus vite, plus vite encore. Lui-même était au bord du gouffre, le corps rigide de tension, mais il se contrôlait encore… pour lui donner du plaisir. Elle souleva la tête pour contempler leurs corps joints luisant à la lumière de la lampe. Un gémissement profond lui échappa, le plaisir se ramassa en elle, pression impossible à contenir.

— Viens avec moi, Sarah, haleta-t-il douloureusement.
— Oui. Oh, Luke, oui !

Il se précipitait en elle en longs élans passionnés. Elle se précipita à sa rencontre, tendue vers le sommet, prête pour le saut à corps perdu dans l'inconnu. Le cri de Luke se mêla au sien. Une expansion de lumière, une sensation indicible, une clarté hallucinatoire. Puis elle bascula dans le chaos, sourde, éblouie, corps et cœur saturés d'amour. Luke, Luke, Luke.

Lorsque Luke se réveilla, bien des heures plus tard, la lampe de chevet brillait toujours et sa tête reposait sur la poitrine de Sarah. Sans bouger, il contempla avec un plaisir très doux l'étendue de peau pâle semée de taches de rousseur qui s'éloignait en courbe douce devant son visage. Le désir s'éveilla de nouveau en lui et il se haussa un peu pour déposer des baisers ici et là sur ses épaules et sur ses seins.

— Que fais-tu ? chuchota-t-elle, tout engourdie de sommeil.

— J'ai décidé d'embrasser chacune de tes taches de rousseur. Je me dis que si je commence maintenant, je pourrai terminer vers la fin de la saison des pluies.

— Et ensuite ? demanda-t-elle avec un sourire embrumé.

— Ensuite, reprit-il sans cesser d'aligner ses baisers, je recommencerai.

Se retournant entre ses bras, elle le regarda bien en face.

— Je ne serai pas là à la fin de la saison des pluies. Ni même au commencement.

Elle parlait d'un ton léger mais ses yeux graves l'interrogeaient. Il soutint son regard avec le même sérieux. Le moment était venu de dire tout ce qu'il avait sur le cœur. De lui dire qu'il aimait tout en elle, sa franchise, son naturel, sa générosité dans l'amour comme dans le rire, son courage et sa détermination. De lui dire qu'il sentait combien elle désirait que sa vie ait un sens. Il partageait ce désir et il voulait, oui, il voulait tellement faire le voyage avec elle. Il avait besoin qu'elle sache qu'il la trouvait forte et belle, et qu'il n'avait jamais connu une femme comme elle. Depuis son arrivée à Burrinbilli, il réapprenait à ressentir et maintenant, son cœur était si plein d'amour qu'il allait éclater comme un bourgeon au printemps. Il serait si fier, et si profondément heureux d'être son homme.

Oui, c'était le moment de dire tout cela et davantage encore, pensa-t-il en se perdant dans son regard si franc. Le moment était venu de lui demander de rester. De l'épouser !

238

Il avala sa salive, ouvrit la bouche... et quelque chose se bloqua dans sa gorge.

Car c'était de Sarah qu'il s'agissait ! Pour elle, il aurait voulu soulever des montagnes, et même surmonter cette réserve si bien ancrée en lui. Mais comment exprimer les émotions si intenses mais si peu familières qui se heurtaient en lui ? Il avait si désespérément peur de ne pas savoir s'y prendre. S'il disait un mot de travers... Trop de questions entre eux ne pouvaient être gommées par un simple « je t'aime ». S'il parlait maintenant, sans réfléchir à ce qu'il voulait dire, sa maladresse pouvait tout gâcher.

Mieux valait ne rien dire du tout. Il murmura :

— Dans ce cas, ne perdons pas de temps.

Il l'attira dans ses bras, soulagé de l'entendre rire, de sentir ses bras se nouer autour de son cou. Avec toute sa tendresse, toute sa passion, il lui fit de nouveau l'amour. Puis il recommença encore une fois.

Plus tard, tandis qu'elle dormait, sa chevelure auburn déployée sur l'oreiller, il s'efforça de regarder l'avenir en face. Burrinbilli appartenait à Sarah de plein droit. Oh, il avait également sa place ici, dans un sens, mais à la lumière des valeurs qui comptaient pour lui, elle avait la priorité. Même si elle ne réalisait pas encore combien Burrinbilli comptait pour elle — pour elle et non pas pour sa mère — elle le saurait un jour. Il ne la couperait pas de ses racines, il ne lui prendrait pas son patrimoine. Elle cherchait son destin et plus que tout au monde, il voulait que sa vie prenne tout son sens.

Parce qu'il l'aimait, il renoncerait à Burrinbilli.

L'équation se dressa devant lui, imparable dans sa terrible logique : dans ce cas, il allait aussi devoir renoncer à elle. Car une fois qu'il lui aurait vendu sa part, il n'aurait plus rien à lui offrir. Un homme qui ne peut ni donner un foyer à une femme ni la faire vivre, n'a pas à lui demander de l'épouser.

Dans ces conditions, on ne demande pas à une femme de tout quitter pour vous confier son destin.

Maintenant, il savait ce qu'il avait à faire. Incapable de tenir en place, il repoussa le drap, enfila son pantalon et se mit à parcourir la maison sombre et silencieuse, passant les doigts sur les portes en bois massif, contemplant les pièces familières, déjà rempli du chagrin du départ. Dans la cuisine, Wal leva la tête de son coin près de la cuisinière et gémit un salut surpris. Il semblait dire : « Il est trop tôt, patron, même pour toi. »

— Crois-tu que je suis bêtement rétrograde de vouloir faire vivre ma famille ? lui demanda Luke en se versant de l'eau froide à la carafe du réfrigérateur.

Le chien lécha son pied nu. S'accroupissant pour gratter ses oreilles, il soupira :

— Tu sais quoi, Wal ? On dit que le moyen le plus rapide d'avoir sa propre station est d'épouser la fille du propriétaire. Ou dans ce cas, la propriétaire en personne. Mais je ne suis pas comme ça.

Empoignant le museau de la brave bête, il lui demanda, les yeux dans les yeux.

— Tu me comprends, toi, vieux ?

Et Sarah, comprendrait-elle ? En femme du nouveau millénaire, elle se fichait probablement de savoir lequel des deux générait les revenus dans un couple. Mais voilà, il avait sa fierté et si elle l'aimait ne serait-ce qu'un peu, elle devait aimer aussi cet aspect de lui. Il ne pouvait qu'espérer que le lien entre eux résisterait à l'épreuve du temps, qu'il se renouvellerait quand elle rendrait visite à sa mère. Tôt ou tard, il parviendrait à acheter une station, et il lui demanderait de l'épouser.

Si d'ici là elle n'avait pas épousé quelqu'un d'autre.

Sarah s'éveilla dans une chambre inconnue baignée de la pâle lumière de l'aube. Le souvenir de la nuit précédente se glissa en elle et l'emplit tout entière. Derrière la maison, les oiseaux chantaient et son cœur chantait avec eux. Elle roula sur elle-même pour toucher Luke… et trouva le lit vide.

Un instant transpercée par la déception, elle se secoua bien vite. Il s'était sans doute levé un instant, il reviendrait bientôt. Elle somnola et rêva à toutes les activités délicieuses auxquelles ils pourraient se livrer dès son retour. Quand elle ouvrit les yeux pour la seconde fois, la lumière du soleil inondait la pièce, et elle était toujours seule. Zut ! Elle l'avait manqué. Il était au moins 10 heures, il était parti travailler et elle ne le verrait qu'au déjeuner.

10 heures ! Becka était sûrement levée. Ils lui diraient sûrement très bientôt qu'ils s'aimaient, mais Luke ne voudrait pas que la petite la trouve dans son lit sans l'y avoir préparée. Elle se leva, entrouvrit la porte pour voir si la voie était libre et courut sans bruit jusque dans sa chambre.

Quelques minutes plus tard, elle chantait à tue-tête sous la douche. Un homme, un vrai, réclamait-elle juste avant de quitter Seattle ! En disant cela, elle ne croyait pas réellement à l'existence de cet être mythique. Eh bien, elle se trompait ! Luke était tout ce qu'elle aurait pu désirer et davantage encore. Fort et pourtant vulnérable, tendre et passionné, doué d'un grand courage moral et physique, il était un homme dans tous les sens du terme.

Emergeant de la douche, elle se pencha vers le miroir en essuyant la buée pour scruter son reflet. Une chose l'inquiétait un peu. Elle avait parlé de l'avenir, il avait éludé la question… Se secouant, elle repoussa ce souci. C'était de Luke qu'il s'agissait ! S'il lui fallait un peu de temps pour s'habituer au fait d'être amoureux, elle saurait être patiente.

Retrouvant son sourire, elle sortit de la salle de bains

enroulée dans un grand drap de bain blanc, une serviette en turban autour de la tête. Becka sortait justement de sa chambre.

— B'jour, Beck', ça va pour toi ? lança-t-elle en prenant l'accent australien — autant s'exercer tout de suite !

— Euh, oui, répondit la petite, décontenancée. Et toi ?

— Pourrait pas être mieux, et c'est pas un mensonge.

Avec un large sourire, elle s'éclipsa dans sa chambre pour s'habiller. Elle avait une faim de loup ! Un peu plus tard, tout en étalant avec gourmandise de la confiture sur une tranche de pain aux noix de macadamia, elle demanda joyeusement à Becka :

— Où est ton papa ?

— Il est allé à Longreach.

— Longreach ! Pourquoi faire ?

— Je ne sais pas.

Sarah mangea sa tartine, pensive. Luke aurait entrepris ce long trajet sans lui en parler ? C'était surprenant, et aussi un peu vexant. Car il devait bien avoir une raison importante de manquer une journée de travail ! Eh bien, il lui expliquerait cela à son retour.

— Dans ce cas, proposa-t-elle, nous n'avons qu'à aller rendre visite à Abby.

Les yeux de la petite s'illuminèrent.

— On peut ? La pauvre, elle ne cherchait pas à faire des ennuis.

Sarah se mordit la langue pour ne pas répondre. Elle ne voulait pas ternir l'amour de Becka pour sa grand-tante, mais si jamais quelqu'un cherchait les ennuis… Abby avait de réels problèmes et elle allait devoir les aborder de face.

Elles cueillirent donc un gros bouquet dans le jardin et prirent la route de Murrum dans le petit camion de la station.

242

— Ça ne te dérange plus de rouler sur les Downs ? demanda Becka après un long silence.

Sarah émergea d'un rêve éveillé rempli de la présence de Luke. Sur ces routes désertes et parfaitement droites, elle avait pris l'habitude de fixer son regard à une centaine de mètres devant le capot. Tant qu'elle restait attentive au passage des trains routiers, cela semblait fonctionner : elle n'avait plus fait de crise d'angoisse depuis qu'ils s'étaient lancés à la poursuite d'Abby et Becka.

— Je ne me laisse plus impressionner. Même si cela revenait, il me semble que je pourrais vivre avec. Comment es-tu au courant ?

— Papa m'a expliqué, quand j'ai demandé pourquoi tu ne pouvais pas m'emmener faire des courses.

Fronçant ses sourcils blonds d'un air inquiet, elle précisa :

— Il ne voulait pas me dire ton secret, mais il ne voulait pas non plus que je t'en veuille.

— Pas de problème, ma grande. Je me sens un peu gênée d'en parler mais je veux bien que tu le saches, toi.

— Merci, souffla la petite avec un sourire.

— Ton papa est quelqu'un de formidable, tu sais ? Il t'aime très fort. Je n'ai jamais vu un homme aussi inquiet que lui quand il ne savait plus où te trouver.

Becka poussa un gros soupir.

— Et moi, je n'ai jamais été aussi contente que quand il est venu nous sortir du feu.

— Tu as été très courageuse, et très intelligente.

— Intelligente comment ?

— Tu as laissé la flèche de cailloux qui nous a menés droit sur vous. C'est ton père qui t'a appris ça ?

— Il m'a appris beaucoup de choses sur le *bush*.

— Parce qu'il veut que tu te sentes à ta place ici. Il serait très triste si tu ne voulais pas vivre à la station avec lui.

La petite baissa la tête, pensive.

— Je veux habiter avec lui. Mais je veux aussi tante Abby.

— Abby viendra peut-être vivre avec vous ?

La perspective n'était pas plaisante, mais au besoin, elle se plierait à cette nécessité... Becka secoua la tête avec certitude.

— Elle ne voudra pas.

— Elle n'aime pas être si loin de tout ?

Il n'y a pas si longtemps, elle aurait parfaitement compris ce point de vue !

— Ce n'est pas ça. Elle veut être maîtresse chez elle, pas un poids chez quelqu'un d'autre.

Décidément, c'était une vertu très courue dans le secteur ! Tiens, cela lui donnait une idée...

Elles trouvèrent Abby assise dans son lit d'hôpital, le côté droit emmailloté de pansements. En voyant Becka, ses yeux s'emplirent de larmes et elle accueillit les fleurs avec gratitude. Sarah resta un peu en retrait, luttant contre un résidu de colère. Cette femme avait failli tuer Becka.

La malade et la petite fille parlaient ensemble, tendres et volubiles. Au bout de quelques minutes, Abby envoya la petite demander un vase à l'infirmière.

— J'espère que vos brûlures vont mieux, dit Sarah en s'approchant un peu. Comment vous sentez-vous ?

Abby leva vers elle un regard méfiant.

— Pas trop mal...

— Becka aurait été bouleversée s'il vous était arrivé quelque chose.

Les yeux dépareillés de la blessée se mouillèrent de nouveau.

— Vous allez me prendre ma petite chérie ?

— Mais de quoi parlez-vous !

— Vous allez épouser Luke, vous serez la mère de Becka, gémit-elle en se tamponnant les yeux. Et moi, je ne serai plus rien pour personne.

— Pas du tout ! protesta Sarah, sans trop savoir ce qu'elle niait.

Voulait-elle épouser Luke ? Oui ! Lui demanderait-il de l'épouser ? Elle ne le savait pas. Elle dit :

— Becka vous aime.

— Vous ne serez pas bonne pour Luke, répliqua l'autre femme avec rancune. Il lui faut une femme qui peut l'aider, pas un poids mort. Votre mère était australienne, mais pas vous. Vous n'êtes pas du *bush* et vous ne le serez jamais.

Sarah resta muette. Le saisissement… et aussi le souvenir subit des rêves de Luke. Se suffire à soi-même ! C'était dur à admettre, mais Abby avait raison. Si l'*outback* faisait désormais partie du monde moderne, l'informatique ne la mènerait pas loin quand il s'agirait de traire les vaches ou de faire des conserves de légumes.

— Vous gâcherez sa vie, et vous me prendrez Becka, accusa Abby.

— Non, dit Sarah fermement. Mais vous, vous allez devoir apprendre à partager Becka, et à respecter l'autorité de Luke.

La blessée détourna la tête dans un mouvement de refus. Un instant plus tard, son visage se plissa.

— Je ne partirai plus avec elle, se lamenta-t-elle. Jamais, c'est juré. Je ne ferai pas de mal à mon bébé !

Son expression était si tragique qu'un subit élan de compassion vint balayer l'antipathie de Sarah.

— Pas délibérément, dit-elle avec douceur. N'empêche,

cela a bien failli mal tourner. Trouvez l'aide dont vous avez besoin et tout ira bien, vous verrez.

L'autre femme respira profondément et parut se ressaisir. Elle la surprit en soufflant :

— Je... je suis désolée, pour le serpent. Je ne pensais pas que vous alliez vraiment en rencontrer un. C'est beaucoup plus rare que ne le pensent les étrangers.

— Dites-le à l'Office du tourisme, soupira Sarah avec un brin d'ironie. Enfin, vous avez sans doute raison... mais ne m'en voulez pas si à l'avenir, je préfère vérifier vos tuyaux de survie dans le *bush*.

Abby lui offrit un pâle sourire.

— De toute façon, je n'en ai guère...

En traversant Murrum sur le chemin du retour, Sarah se surprit à regarder ses rues larges et ses bâtiments bariolés avec affection. Elle agita la main pour saluer Len, qui balayait devant la porte de son magasin, ralentit pour laisser un mouton traverser la rue, s'arrêta quelques minutes pour bavarder avec une jeune femme rencontrée au bal. En très peu de temps, elle s'était fait une place ici. Et pas seulement parce qu'elle était une Hafford, les habitants de la région semblaient également l'accepter pour elle-même.

Pourtant, les paroles d'Abby venaient de faire lever une graine de doute dans son esprit. Même avec la meilleure volonté du monde, saurait-elle devenir la femme dont Luke avait besoin ? Elle aurait beau s'appliquer, la liste de ses tâches serait sans fin ! Cuisinière, infirmière, enseignante, comptable, vachère... Tiendrait-elle la distance, ou abandonnerait-elle dès qu'ils seraient coupés du monde par les inondations ? Supporterait-elle la chaleur, la poussière, l'isolement ? Son ancienne vie à Seattle lui manquerait-elle ? Voulait-elle vraiment renoncer à sa carrière ?

Et si elle n'était pas certaine de pouvoir relever le défi,

était-ce juste vis-à-vis de Luke de rester ? A quoi ressemble-rait son engagement ? « Mon amour, je veux bien tenter le coup, mais je ne peux pas te garantir d'être encore là l'année prochaine. » Et que ressentirait Becka ? Essuyant ses mains en sueur sur sa jupe courte, elle empoigna de nouveau le volant. Elle ne voulait même pas penser à la peine de Becka si la petite s'attachait à elle… pour la voir repartir aussitôt.

De retour à la station, elle installa Becka devant l'ordi-nateur et se retira dans sa chambre pour terminer la lecture du journal intime. Appuyée sur un coude, elle feuilleta le cahier et retrouva la page où elle s'était arrêtée.

5 décembre 1971. Nous avons fait l'amour, Warren et moi ! Près du trou d'eau, au milieu des gums rouges. C'était merveilleux. Je l'aime tellement que je marche sur l'air. Le seul mauvais moment était juste après, quand j'ai vu Abby partir en se cachant dans les buissons. Elle est horrible, elle nous espionnait. Elle pensait récupérer Len pour elle quand j'ai rompu avec lui mais il est parti à Sydney et personne ne sait quand il reviendra. Surtout depuis que sa mère a été obligée de vendre la station et d'aller travailler au magasin à Murrum.

8 avril 1972. Je suis enceinte. Warren et moi, nous allons nous marier et nous installer à Seattle. Jamais, jamais de toute ma vie je n'ai été aussi heureuse. J'ai tant rêvé de partir et cette fois, c'est pour de vrai. Maman et papa me manqueront terri-blement, et Burrinbilli aussi, mais je tiens ma chance. J'adore Warren, et je vais adorer avoir son bébé. Je regrette seulement pour Len. Ce serait terrible de penser que j'ai gâché sa vie, comme le dit Abby. En même temps, j'ai l'impression que ma vie à moi commence enfin.

Sarah referma le journal et roula sur le dos pour contempler le plafond. Le sortilège du *bush* refluait, la nostalgie de Seattle la prenait à la gorge. Elle voulait retrouver son travail, ses amis, sa mère. Elle voulait sa ville, les magasins, la circulation, les voix qui parlaient avec le même accent qu'elle. Elle regrettait avec une violence absurde la petite pluie douce, les feuillages vert sombre, le bleu du Puget Sound sous le soleil.

Elle voulait rentrer à la maison.

Vite, son portable ! Et sa mère, pour une discussion à cœur ouvert.

Anne répondit à la seconde sonnerie. Le son de sa voix chaleureuse aggrava encore la nostalgie de Sarah.

— Bonjour, ma grande. Tout est calme là-bas ?

— Les incendies sont maîtrisés, Becka va bien, Abby est en convalescence à l'hôpital.

— Bien ! Abby ira voir quelqu'un pour ses problèmes ?

— Oui. Nous avons parlé au Dr Murchison et il a contacté un psychiatre à Longreach. D'ailleurs, son plus gros problème tient au fait d'être incapable de demander de l'aide.

Elle connaissait quelqu'un d'autre dans le même cas !

— Bien ! Quand rentres-tu, alors ? Tu vas bientôt devoir reprendre le travail, non ?

— Je n'ai plus de travail. J'ai demandé à prolonger mon absence une fois de trop, pour aider à retrouver Becka.

— Tu as fait ce que tu devais faire. Ne t'inquiète pas, tu trouveras un autre poste, aussi intéressant que celui-là.

— Oh, ce n'est pas ce qui m'inquiète. Si je le prends par les sentiments, je réussirai peut-être même à convaincre Ron de me rendre ma place.

Elle roula sur elle-même et contempla la beauté des *gums* par la fenêtre ouverte.

— J'ai terminé ton journal, maman. Que vous est-il arrivé, à toi et Warren ? Tu semblais si amoureuse.

— Je ne sais pas, ma grande, soupira Anne. Je croyais l'aimer mais au fond, j'étais surtout amoureuse de tout ce qu'il représentait. Un monde tout neuf à explorer. Il était mon billet de passage dans un autre univers.

— Et qu'a-t-il ressenti quand il l'a compris ?

— C'est là qu'il a demandé le divorce.

Il y eut un long silence. Sarah s'efforçait de s'habituer à cette nouvelle version des faits concernant le bref mariage de ses parents.

— Oh, Sarah, je suis désolée, murmura sa mère à son oreille. Je sais qu'il n'a pas été un père très présent, et c'était en partie ma faute. Il faut tout de même lui rendre justice : il a racheté Burrinbilli et il s'y est accroché toutes ces années, rien que pour toi.

— Pour moi ? Je croyais que c'était un investissement.

— Une station de bétail délabrée n'était pas un investissement rentable dans les années soixante-dix. Le prix du bœuf était au plus bas. Non, il l'a achetée parce qu'il savait qu'autrement, je vendrais à quelqu'un d'autre et tu ne connaîtrais jamais tes racines australiennes. Il ne pouvait pas te donner grand-chose, mais il a fait cela.

Sarah sentit les larmes rouler sur ses joues.

— J'aurais aimé le savoir plus tôt. J'ai toujours cru qu'il ne m'aimait pas. J'aurais voulu le remercier avant sa mort.

— Oh, si tu savais comme je regrette. Pardonne-moi, balbutia Anne qui pleurait aussi. Il n'a plus jamais parlé de la station pendant toutes ces années, j'ai pensé qu'il l'avait vendue. Je ne voulais pas te donner d'espoir si tu devais ensuite être déçue.

— Je ne t'en veux pas, maman. C'était à lui de me le dire.

S'essuyant les yeux du dos de la main, elle soupira :

— Je ne sais toujours pas ce que je dois faire de la station. Maintenant qu'il est temps de rentrer, il me semble…

— Quoi donc, ma grande ?

249

— Je... Rien.

— C'est Luke ? devina sa mère. C'est une bonne vie, dans
l'*outback*, tu sais ? On ne rend de comptes à personne, l'air
est sain, la course des rats à des milliers de kilomètres. C'est
un endroit extraordinaire pour élever des enfants.

— Il y a quelques semaines, tu ne cessais de me répéter que
c'était un trou poussiéreux perdu au milieu de nulle part.

Entre-temps, c'était devenu le centre de l'univers.

— Mais si tu l'aimes...

Sarah sauta sur ses pieds et se mit à arpenter la pièce.

— Il ne m'a pas proposé de rester. Ce qu'il veut, ce dont il
a besoin, c'est une vraie partenaire. Je me suis énormément
amusée au *muster* mais... si je me lasse de la nouveauté ?

— Alors il faudra espérer que ce que tu ressens pour lui
est bien réel.

— Est-ce que tu veux la station, maman ?

— Je sais que tu voulais me faire un grand cadeau, répondit
lentement sa mère. Je suis très touchée mais... ce n'est pas la
vie qui me convient. J'espère que tu le comprends.

A sa grande surprise, Sarah ne ressentit rien d'autre qu'un
grand soulagement.

— Je comprends, maman. Je te pose la question parce que
si tu ne veux pas venir ici, je vais vendre à Luke.

— Oh, Sarah, tu es bien sûre ? s'écria Anne, atterrée. Une
fois la maison vendue, tu ne pourras jamais la récupérer.

Sarah sentit des larmes salées dans sa gorge. Pour Luke,
pour Burrinbilli... pour tout ce qu'elle perdrait en partant.

— « Celui qui cherche, et ne prend pas quand enfin c'est
offert, ne retrouvera pas son désir », cita Anne.

— Qui a dit ça ? chevrota Sarah en s'essuyant de nouveau
les yeux.

— Shakespeare, bien sûr. Franchement, ma grande, tu
devrais lire davantage. Il n'y a pas que les ordinateurs dans

la vie ! Il me semble que tu as fait un grand voyage pour trouver quelque chose et maintenant que tu le tiens presque, tu bats en retraite. Cela ne te ressemble pas.

— Je veux être juste envers Luke. Il doit réaliser son rêve.

— Eh bien, s'il te demande de rester, tu sauras que tu fais partie de son rêve.

Le « si » était de taille ! Elle redoutait de mettre Luke à l'épreuve mais tout au fond d'elle, elle chérissait un espoir secret. Elle lui laisserait encore un peu de temps… peut-être lui demanderait-il vraiment de rester auprès de lui.

14.

Ayant dit au revoir à sa mère, Sarah passait dans la cuisine pour préparer une carafe de thé glacé quand elle vit le 4x4 entrer dans la cour. Son cœur s'emballa. Becka était toujours à l'ordinateur. C'était le moment rêvé pour parler à Luke.

Quand il franchit la porte, elle se tourna vers lui, sûre qu'il allait la prendre dans ses bras ; il se contenta de lui lancer un regard opaque, sans s'approcher d'elle. Elle sentit quelque chose se figer en elle. L'avait-elle déjà perdu ? En silence, elle servit deux verres de thé glacé et les apporta à la table.

— Il faut qu'on parle, dirent-ils en même temps.

— Toi d'abord, ajouta-t-elle avec un petit rire nerveux.

— Honneur aux dames.

— Bon. D'accord. Eh bien, j'ai... pris une décision. Je te vends ma part de la station.

Refusant de relever son expression incrédule, elle goûta son thé glacé et continua très vite :

— J'ai parlé à ma mère. Elle ne reviendra pas s'installer ici, ce n'est pas une vie pour elle. Et je t'en prie, ne me dis pas « je te l'avais bien dit. »

— Est-ce que j'ai dit ça ? demanda-t-il avec un bref sourire.

— Non, mais tu le pensais.

— Bon, dit-il lentement. Mais toi, est-ce que c'est une vie pour toi ?

Ses yeux bleus n'exprimaient rien, elle ne devinait rien de ses pensées. Il n'y avait qu'un choix possible : lui répondre avec une franchise absolue.

— Je ne sais pas, dit-elle. C'est pour cela que je rentre à Seattle.

Il y eut un long silence.

— Tu as déjà pris ta décision, constata-t-il.

— J'ai toujours ma réservation d'avion. Je viens de m'apercevoir que je dois partir aujourd'hui si je veux être à Brisbane à temps.

— Et la nuit dernière ? Cela ne signifie rien pour toi ?

— C'était merveilleux. Je ne l'oublierai jamais. Je ne t'oublierai jamais, toi.

Sentant qu'elle ne parviendrait pas à contrôler son émotion bien longtemps, elle baissa les yeux et marmotta :

— Si tu veux bien t'occuper de faire évaluer la propriété, nous pourrons convenir des termes par mail...

Il sortit un papier plié de la poche de sa chemise et le posa sur la table devant elle.

— Je suis allé voir une agence spécialisée dans les propriétés rurales à Longreach. Le gérant connaît Burrinbilli. Voilà son estimation officielle de sa valeur, bétail compris.

Elle fixa le papier, abasourdie.

— Mais...

— Je te vends ma part de la station, expliqua-t-il d'une voix parfaitement neutre. Burrinbilli est à toi, à ta famille. La terre, ce n'est pas une chose à quoi on puisse renoncer à la légère. Garde-la... pour tes enfants, si ce n'est pas pour toi.

Ses enfants, avait-il dit. Pas *leurs* enfants.

— A mon avis, beaucoup de gens dans la région seront déçus de ne pas pouvoir faire appel à une informaticienne locale, ajouta-t-il. Jacqui, à l'Ecole de l'Air — enfin, il faut dire l'Education à distance, maintenant —, m'a demandé si tu envisagerais d'enseigner l'informatique en ligne aux enfants. Je lui ai dit que tu avais ton travail à Seattle, et que tu ne resterais peut-être pas.

Elle secoua les épaules, sans se donner la peine de préciser qu'elle n'avait plus de travail. Elle aurait adoré enseigner l'informatique par radio ou en ligne, mais si Luke se fichait qu'elle parte ou qu'elle reste...

— Je te trouverai un autre contremaître, dit-il encore.

— Je ne veux pas acheter, coupa-t-elle. Je veux vendre.

— Tu ne peux pas vendre si je refuse d'acheter.

— Si tu n'achètes pas, je trouverai quelqu'un d'autre.

Comme sa mère... Non, bien sûr, c'était tout à fait différent — ou du moins elle l'espérait.

— Oublie que j'ai dit ça, reprit-elle plus bas. Je ne sais plus ce que je dis.

Des émotions contradictoires luttaient dans sa poitrine, elle voulait épouser Luke, elle voulait rentrer à Seattle... Repoussant son thé glacé, elle se remit sur pied.

— Mon offre tient toujours. Pour cela au moins, je ne changerai pas d'avis.

Il se leva à son tour.

— Tu vas vraiment retourner là-bas ?

— Il y a quelque chose pour me retenir ?

Elle le regarda droit dans les yeux, le mettant au défi d'ouvrir son cœur.... et s'en voulant de n'avoir pas le courage qu'elle exigeait de lui. Au bout d'un long instant, il baissa les yeux et secoua la tête, indiquant qu'il ne pouvait pas ou ne voulait pas répondre. Puis il alla prendre son chapeau et l'enfonça sur sa tête.

— Je resterai le temps de te trouver un autre contremaître,

ou le temps de trouver une autre station, selon ce qui se présentera en premier.

Elle dut se mordre les lèvres pour les empêcher de trembler. Un élan de révolte la souleva. Que s'était-il passé entre hier et ce matin pour le métamorphoser à ce point ? Qu'était devenue la connivence entre eux, cette connivence si durement gagnée ? S'était-il réveillé ce matin en découvrant qu'en fin de compte, il ne voulait pas davantage qu'une seule nuit, se sentait-il envahi, avait-il peur d'elle ? Peur d'une femme qui pouvait rire avec lui et partager son lit, mais pas ses rêves... Que cela faisait mal de le voir faire écho à ses propres inquiétudes !

— Si tu veux une station, achète celle-ci, dit-elle d'une voix glaciale qu'elle ne se connaissait pas.

S'il voulait renier tout ce qui s'était passé entre eux, elle serait aussi implacable que lui. Elle reprit :

— Garde-la pour Becka.

Il esquissa un mouvement pour sortir, s'immobilisa sur le seuil et lança :

— Il y a bien une solution évidente à notre dilemme.

— Laquelle ?

Elle attendit la suite, devinant ce qu'il allait proposer, espérant qu'il le ferait sans réellement y croire.

— Nous pourrions nous marier. Rester des associés à part égale.

Oui ! Elle attendit encore, espérant un mot de tendresse. Rien ne vint. Elle détourna la tête pour ne pas montrer l'immensité de sa déception.

— Je ne me marierai pas pour une raison pareille, soufflat-elle. Seulement par amour.

Il resta silencieux un long instant, finit par hocher la tête. La porte qui s'entrouvrait entre eux se referma. Tendue à hurler, elle resta parfaitement impassible.

— Mes bagages seront vite faits. Tu veux bien m'emmener à Murrum ?

— Je t'emmènerai jusqu'à la gare, à Longreach.

— Ce n'est pas nécessaire puisque le car passe à Murrum.

— Inutile de prendre le car, je te déposerai au train.

— Je préfère le car.

Allait-elle devoir être encore plus claire ? Même ce car hideux valait mieux que de rester un instant de plus en compagnie d'un homme qui pouvait lui faire l'amour comme il l'avait fait cette nuit et au matin, la traiter comme une étrangère. Il se détournait de nouveau pour sortir.

— Luke ? lança-t-elle.

Il pivota très vite. Un instant, elle crut que son visage s'était éclairé mais l'illusion se dissipa aussitôt.

— J'ai peut-être une solution, pour Abby.

— Ah...

Il fronça les sourcils, réprima un mouvement d'impatience.

— Becka me dit que ce n'est pas la ville qu'elle refuse de quitter, mais sa maison.

— Et alors ? demanda-t-il en secouant les épaules.

— Alors, pourquoi ne pas déplacer la maison sur tes terres ? Quelque part entre ici et la route ?

Tête basse, mains sur les hanches, il soupesa l'idée.

— Cela réglerait un certain nombre de problèmes, convint-il. Je vais réfléchir, et en parler à Becka et Abby.

Enfonçant son chapeau sur sa tête, il sortit et elle l'entendit siffler Wal. Restée seule dans le silence de la grande cuisine, elle contempla les dessins de Becka fixés par des aimants à la porte du réfrigérateur, le calendrier de la sellerie accroché près de la fenêtre, l'affiche pour la course annuelle de Winton. Ces œillets roses et jaunes, Becka les avait cueillis hier. A côté, il y avait le gros appareil pataud du radiotéléphone, avec le petit transistor portable posé dessus. La grosse théière brune, les photos encadrées de tissu de Luke et Becka à cheval… tous ces objets lui étaient chers et aucun ne lui appartenait.

L'horloge du living sonna. Son aventure dans l'*outback* touchait à sa fin. D'un mouvement las, elle se leva, prit son chapeau au clou et traversa la fournaise de la cour pour entrer dans l'écurie. Le moment était venu pour Dorothy de retourner parmi les siens.

— Viens, marmotta-t-elle. Tu n'as rien à faire en captivité, et je n'ai rien à faire à Oz.

La petite bête, effrayée par les mains qui se tendaient vers elle, tapa deux fois du pied et fit le tour de sa cage en un éclair. Sarah la saisit au vol et la serra fermement au creux de son bras, apaisant son corps tremblant d'une caresse.

— Là, là. N'aie pas peur, tout va bien.

Becka passa la tête par la porte ouverte.

— Tu prends Dorothy ? Où est-ce que tu l'emmènes ?

— Je la remets où je l'ai trouvée. Elle est tout à fait guérie, elle sera contente de rentrer chez elle.

— Bazza ne va plus tirer sur elle ?

— Je pense qu'elle saura faire attention. Tu… tu veux venir avec moi ?

— Merci, mais papa dit que je peux faire la tournée des forages avec lui ce matin.

Sarah fondit dans un sourire. La petite était devenue l'ombre inséparable de son père.

— Pas de problème. Je te reverrai avant de partir.

Voyant le regard perplexe de Becka, elle demanda :

— Ton papa ne t'a pas dit ? Je… je rentre à Seattle.

Les yeux de la gamine s'arrondirent, elle se mordilla la lèvre.

— Quand ?

— Aujourd'hui. Après le déjeuner.

D'un seul coup, la réalité de ce départ s'abattit sur elle. Happant la petite fille dans ses bras, elle la serra très fort.

— Oh, Becka, tu vas me manquer !

Les bras de la gamine se nouèrent autour de sa taille, son chapeau tomba sur le sol jonché de paille.

— Tu es obligée de partir ? demanda-t-elle d'une petite voix étouffée.

— Oui, malheureusement.

Levant les yeux, elle vit Luke qui les regardait, planté au centre de la cour. Croisant son regard, il leur tourna le dos et s'éloigna. Comment pouvait-il rester aussi stoïque ? Son départ ne signifiait donc rien pour lui ? Elle caressa les cheveux de Becka en s'efforçant de ravaler ses larmes.

— Regarde. Ton papa t'attend.

Quand Becka fila au galop, ses tresses blondes flottant derrière elle, Sarah crut que son cœur allait se briser.

— Allons-y, Dorothy, murmura-t-elle en frottant sa joue contre le pelage si doux de la petite bête.

Elle marcha le long du lit du cours d'eau jusqu'à l'endroit où Dorothy s'était prise au piège de Bazza. S'asseyant au pied d'un *gum*, elle posa le lapin sur le sol.

— Vas-y. Tu es libre.

Se dressant sur ses pattes de derrière, Dorothy huma l'air un long instant. Brusquement, sans un regard en arrière, elle fila dans les hautes herbes et son pelage brun se fondit dans les couleurs des Downs. Sarah sentit le grand silence de l'été australien se glisser en elle, accompagné d'une grande tristesse. Elle ne verrait jamais cette terre desséchée s'épanouir pendant la saison des pluies. Allongée dans l'herbe fauve, elle contempla les grosses branches lisses du *gum* et ses minces feuilles en forme de faucille qui tremblaient au moindre souffle, argentées d'un côté, vertes de l'autre. Elle respira leur parfum mentholé et les écouta chuchoter.

Sans qu'elle sache comment, cette ample terre brune s'était fait une place dans son cœur. Peut-être l'avait-elle toujours portée en elle sans le savoir. Elle se sentait désormais un lien si profond avec elle qu'il lui semblait être modelée dans cet argile antique couleur de rouille. L'heure du départ approchait à grands pas, insupportable et pourtant nécessaire. Au prix d'un effort immense, elle parvint à secouer sa léthargie et à reprendre le chemin de la maison.

Les pièces étaient fraîches et accueillantes après la chaleur de midi. Les pales des ventilateurs fixés aux plafonds battaient tranquillement. Elle découpa de la viande froide, prépara une salade puis, rapidement, elle fit ses bagages, prit une douche et enfila pour le voyage l'ensemble de lin qu'elle portait à l'arrivée. Posant ses valises dans l'entrée, elle attendit le retour de Luke et Becka.

Ils rentrèrent, et elle comprit vite que si elle ne mettait pas un peu d'ambiance, leur dernier repas à trois serait muet. Plutôt que de se laisser aller aux regrets ou même aux larmes comme elle avait tellement envie de le faire, elle s'obligea à bavarder gaiement. Les brefs commentaires de Luke, les soupirs lugubres de Becka ne l'aidaient guère, mais elle persévéra. Jusqu'à épuisement.

Ils atteignirent Murrum avec un quart d'heure d'avance. Elle profita de ce répit pour entrer dans le magasin de Len. Bazza s'y trouvait également. Ce fut plus difficile qu'elle ne l'aurait cru de leur dire adieu. Quand elle annonça son départ, Len sortit de derrière son comptoir pour venir serrer sa main entre les siennes.

— Qu'est-ce que je vais faire de cinquante kilos de café en grains ? se plaignit-il.

— Ouvrez un stand de café à emporter ! Ce sera le premier

259

de tout le Queensland occidental, lança-t-elle en riant, les larmes aux yeux

Renonçant à toute réserve, elle se jeta dans ses bras.

— Merci pour tout, Len. Et toi, Bazza, je t'interdis de tirer sur Dorothy.

— Je crois bien que je vais renoncer à la chasse aux lapins pour l'instant. Reviens nous voir.

Quand elle voulut l'embrasser à son tour, il rougit et recula en lui tendant une main calleuse.

— Salut !

Elle éclata de rire, secoua vigoureusement sa main.

— Envoie-moi ton dossier de presse ! Je connais quelqu'un qui connaît quelqu'un qui connaît un agent. Ne m'oublie pas quand tu seras une grande star à Hollywood.

Elle entendit le grondement du car, puis le long soupir de ses freins quand il s'immobilisa de l'autre côté de la rue. Son regard s'attarda un instant sur les épaules tombantes de Len, le petit air faraud de Bazza, et les larmes l'aveuglèrent.

— Je ferais bien d'y aller...

Luke et Becka l'attendaient à l'ombre d'un *gum*. Pendant que le premier aidait le chauffeur à charger ses valises, Sarah serra la seconde contre elle.

— Tu promets de m'envoyer des mails ?

— Je promets.

— Je suis contente. Dis à ton papa que s'il veut survivre dans le cyberespace, il devra te laisser lui montrer les bases.

Becka pouffa, puis s'accrocha à elle, suppliante.

— Tu reviendras nous voir ?

Sarah sentit son sourire s'effacer.

— Je ne sais pas, ma grande. Mais une chose est sûre : je ne t'oublierai jamais. Jamais.

Becka se replia sur le banc de bois de l'abri, les bras noués autour du cou de Wal, le visage enfoui dans son pelage hirsute. Sarah recula en s'essuyant les yeux et se tourna vers la haute silhouette qui s'avançait vers elle. Luke. Comment dit-on adieu à l'homme que l'on aime ?

Il lui ouvrit les bras et elle s'appuya contre lui, pressant sa joue contre sa mâchoire râpeuse, respirant son arôme de cuir et de poussière et le parfum de sa peau.

— Au revoir, Sarah.

Sa voix se brisa sur son nom.

— Oh, Luke…

Elle le serra très fort, pressa ses lèvres sur les siennes dans un baiser trop bref, le repoussa quand il voulut l'embrasser à son tour. Fouillant dans son sac, elle se mit à lui tendre des cartes de visite.

— Voilà mon adresse et mon numéro personnel, et voilà mon portable. Celle-ci, c'est un café où je vais souvent après le travail. Voilà le numéro personnel de ma mère, et celui de son magasin. J'écris son numéro de portable au dos ?

Il secoua la tête.

— C'est largement suffisant. Je pourrai te trouver si…

Si quoi ? se demanda-t-elle, fébrile. Si tu avais besoin de moi ? Si tu décidais de me revoir ?

— Je n'ai pas droit à une carte professionnelle ?

Elle eut un sourire assez amer.

— Disons que ce n'est plus d'actualité. Pour tout te dire, je viens de me faire virer, pour avoir demandé une prolongation de trop.

— Pour Becka, devina-t-il. Sarah… je te remercie.

Elle se força à sourire ; c'était cela ou éclater en sanglots.

— Oh, pas de problème. Je trouverai autre chose.

Le chauffeur du car lança un bref coup de klaxon. Doucement, douloureusement, elle recula, tourna les talons et monta à bord.

— Sarah ? lança Luke.

— Oui ?

Consciente d'avoir répondu trop vite, avec trop d'espoir, elle se pencha hors de la portière, tendue pour ne pas perdre un mot dans le vacarme du gros moteur. Luke secoua la tête.

— Rien. Profite bien de ton appartement en terrasse.

Elle approuva de la tête, muette de déception ; la portière se ferma dans un gros soupir, elle agita la main à travers la vitre. Luke tenait Becka aux épaules, elle avait noué les bras autour de sa taille. La petite s'essuya les yeux, agita furieusement le bras. Sarah fit de même, les yeux brouillés de larmes.

Le gros car s'écarta lentement du trottoir. Len et Bazza se tenaient sur le trottoir couvert ; le front pressé contre la vitre, elle s'efforça de leur sourire. Un peu plus loin, des consommateurs émergèrent du pub pour agiter la main à leur tour. Le pharmacien lui-même, en blouse blanche, parut sur le seuil de son magasin. Quand l'énorme véhicule laissa les dernières maisons derrière lui, elle sanglotait sans retenue. Le chauffeur, le même que le jour de son arrivée, lui jeta un regard de sympathie dans son rétroviseur.

— Il y a des gens qui ne supportent pas l'*outback* et d'autres qui ont la poussière rouge dans le sang. Moi, je suis venu ici pour trois semaines et c'était il y a vingt-cinq ans. Vous reviendrez !

— Je ne crois pas, lâcha-t-elle dans un profond soupir.

— C'est bon de te revoir ! s'exclama Anne en ouvrant les bras à sa fille dans le brouhaha du hall des Arrivées. Pour l'amour du ciel, tu es bronzée comme une aborigène !

Sarah se jeta dans ses bras avec emportement.

262

— Tu ressembles à une vraie *jilleroo* dans cette tenue, reprit Anne, enchantée. Très, très *outback* !

— Mon chapeau me protégera de la pluie aussi bien que du soleil.

Il pleuvait, bien entendu. En émergeant du terminal, Anne déploya un grand parapluie bleu pour les abriter toutes deux.

— Bienvenue au pays des Pluies perpétuelles.

— Burrinbilli nous prendrait bien un peu de cette humidité. On se lance ?

Elles se précipitèrent sous le déluge, firent signe à un taxi et lui donnèrent l'adresse de Sarah. Une fois arrivées chez elle, Sarah raconta son voyage dans le moindre détail, s'abreuvant de café dans lequel elle trempait des biscuits à la noisette.

— Tu dois avoir hâte de retrouver la civilisation ! s'écria Anne. Voir un film, prendre un café à emporter, aller dans une boîte de jazz avec tes amis. Seattle a tellement plus à offrir que Murrum !

— Oh, maman, tu n'es pas juste, protesta Sarah. Seattle et Murrum, c'est comme une pomme et une orange, cela ne se compare pas. Personne n'irait dire que Murrum offre les mêmes distractions que Seattle, mais l'*outback* propose tout de même d'autres valeurs !

Mimant la perplexité, Anne interrogea le plafond :

— Ce n'était pas ma fille qui avait une sainte horreur des grands espaces il y a quelques semaines ?

— Bon, oublie les grands espaces, ils continuent à me donner le frisson, concéda Sarah. Mais là-bas, on peut être son propre patron, prendre ses propres décisions. Et il y a tant d'oiseaux, de créatures de toutes sortes. Les couchers de soleil sont stupéfiants. Et les étoiles… !

— J'ai grandi là-bas, n'oublie pas, murmura Anne.

— Et c'est un endroit fabuleux pour élever des enfants, enchaîna sa fille sans l'écouter. Ils sont beaucoup plus mûrs, responsables et autonomes. Becka n'a que neuf ans mais Luke lui apprend déjà à conduire les engins agricoles.

Anne éclata de rire.

— Bon, d'accord, l'*outback* t'a plu. La question que je me pose maintenant, c'est… pourquoi diable es-tu revenue ?

Pourquoi ? Bonne question, pensa Sarah en fin de semaine, en rentrant d'une journée d'entretiens d'embauche. Plusieurs d'entre eux s'étaient avérés prometteurs, et un employeur lui avait même proposé un poste sur-le-champ. Elle avait demandé deux jours de réflexion — tout en sentant qu'elle cherchait uniquement comment formuler son refus. Pourquoi ne voulait-elle pas ce job ? Pourquoi cette réticence à reprendre le fil de sa vie ?

Les essuie-glaces chuintaient sous une lourde averse. Son fax de bord sonna, puis déroula une feuille. Elle y jeta un bref coup d'œil — ce n'était qu'un message d'un ancien client qui ignorait encore son départ de l'entreprise. Quand son portable sonna à son tour, elle n'eut pas envie de répondre.

Il était temps de se secouer et pour cela, il lui fallait un café, décida-t-elle en repérant l'un de ses chers stands de café à emporter. Elle mit son clignotant pour signaler son intention de passer dans la voie de droite ; une BMW rouge vif donna un coup de klaxon et accéléra pour lui barrer le passage.

— Oh, non, pas question !

Enfonçant l'accélérateur, elle se faufila habilement devant la BMW. Avec le brio avec lequel elle séparait un taurillon du troupeau, pensa-t-elle avec un sourire. Un instant plus tard, ce petit triomphe la dégoûta. Etait-ce là toute son ambition, décrocher la première place dans une file d'attente, battre un chauffard à son propre jeu ? Non, c'était absurde, il y avait du sens et de vraies satisfactions dans une vie de citadine. Elle pouvait aider les plus mal lotis qu'elle, militer pour l'environnement… Le vrai problème était ailleurs, décida-t-elle en se glissant de nouveau dans la circulation, armée d'un grand *mokaccino*. Depuis son retour, elle se sentait enfermée. Claustrophobe ! Entre ces grands immeubles et ces nuages bas, elle ne respirait pas librement. La barrière des montagnes lui donnait le sentiment d'être en cage.

C'était tout de même invraisemblable ! Voilà qu'elle avait la nostalgie des grands espaces qui l'avaient tant terrorisée. Le lien qu'elle faisait désormais entre les Downs et le vide laissé par la mort de Warren suffirait-il à apaiser ses angoisses ? Elle ne le saurait peut-être jamais. Elle savait seulement que son père avait pensé à elle, gardé Burrinbilli pour elle. C'était un premier pas pour combler le vide.

En revanche, le vide auquel elle croyait échapper l'avait suivie jusqu'ici. La veille au soir, elle était sortie avec des amis dans une boîte de jazz… et passé une soirée désolante à écouter des gens dont elle avait toujours admiré le style et le bon goût cancaner sur des sujets futiles. Assise parmi eux, muette, isolée, elle n'avait cessé de penser : « Quelle bande de *galahs*. »

Le meilleur moment de sa journée était celui où elle relevait ses mails. Le plus souvent, elle trouvait un message de Becka, parfois un autre de Luke. Ces derniers n'étaient que de simples rapports sur le fonctionnement de la station. Une ration bien maigre quand elle désirait tellement plus !

Se penchant sur son volant, elle tendit le cou pour apercevoir l'appartement en terrasse tant convoité. Une banderole déchirée claquait sur le toit, portant le mot « Vendu ». Comment avait-elle jamais pu désirer vivre là-haut, coupée du monde, loin des arbres et des oiseaux ? Au cinquantième étage, les seuls volatiles seraient des mouettes à la recherche

265

de déchets, ou des pigeons boiteux titubant sur les corniches tels des candidats au suicide.

Elle avait eu raison au moins sur un point, en pressentant que ses montagnes russes émotionnelles se stabiliseraient après son retour à Seattle. Le problème, c'était qu'elle ne ressentait plus rien. Ni joie ni souffrance, plus rien que du vide.

Subitement, les larmes qu'elle retenait depuis son retour brouillèrent sa vision. Elle se rangea en hâte contre le trottoir, le corps secoué de sanglots. Son portable sonna de nouveau ; à tâtons, elle enfonça le bouton pour l'éteindre. Son café refroidissait, oublié dans le porte-verre. Enfin, elle regardait la vérité en face. Elle aimait Luke. Elle aimait Becka, et Burrinbilli. Au diable la géographie, l'amour est toujours un autre pays. Même en en ayant lu tous les guides touristiques, il faut un acte de foi pour franchir cette frontière. Cette fois, elle était prête à faire le voyage.

— On ne s'amuse plus maintenant que Sarah est partie, se plaignit Becka en poussant tristement la nourriture sur son assiette.

— Elle est mieux là où elle est, répliqua Abby d'une voix acide.

Luke s'interdit d'intervenir. Une semaine s'était écoulée depuis le départ de Sarah et il attendait encore que la douleur s'apaise. Il attendrait sans doute encore longtemps !

— Elle trouvait que j'avais du talent, dit Bazza. Vous croyez qu'elle pensera à envoyer mon dossier à un agent ?

Secouant sa torpeur, Luke se redressa brusquement.

— Bazza ! Tu ne lui as pas demandé de te trouver un agent ? Seattle est à mille cinq cents kilomètres de Hollywood !

— C'est elle qui a proposé, marmotta le jeune homme.

266

Piquant un morceau de viande dans son assiette, il ajouta d'un air de défi :

— Elle me manque. Et son petit lapin aussi.

Luke ne s'était jamais senti aussi abattu, même quand le bétail mourait de soif pendant la sécheresse de quatre ans. En revanche, il n'avait pas l'intention de se vautrer dans le pathétique. Il devait donner l'exemple à Becka.

— Oui, c'est dur sans elle, mais nous pouvons nous débrouiller tout seuls.

La petite lui jeta un regard sceptique. Logique : ses paroles sonnaient creux, même à ses propres oreilles. Un gros soupir souleva sa poitrine. Se débrouiller et être heureux, ce n'était pas la même chose !

— Mais pourquoi est-ce qu'on doit se débrouiller seuls ? demanda Becka. Puisqu'elle voulait rester avec nous !

— Elle a *dit* qu'elle voulait rester ? demanda Luke.

La petite se tortilla sur sa chaise et finit par secouer la tête.

— Et toi, tu lui as bien dit que tu l'aimais ? s'enquit Bazza.

Ce fut au tour de Luke de se sentir mal à l'aise.

— On mange ou on parle pour ne rien dire ? grogna-t-il.

— Nom de… Enfin, vieux, éclata Bazza, je ne sais pas grand-chose sur les femmes, mais je sais tout de même ça ! C'est la seule chose qu'elles veuillent entendre, ça et « veux-tu m'épouser ? ».

— Voyons, Bazza, intervint Abby. Je suis sûre qu'une jeune femme moderne comme Sarah n'a aucune envie de se marier. Ou si elle le voulait, elle préférerait quelqu'un comme elle.

Lassé de cette discussion futile, le cœur gros d'être sans cesse ramené au souvenir de Sarah, Luke repoussa sa chaise et sortit sans un mot. Wal se redressa d'un bond, ses griffes cliquetant sur le plancher de bois. Ensemble, ils sautèrent à bas de la véranda et s'éloignèrent des bâtiments.

— Je crois bien que j'ai tout fait de travers, Wal, confiat-il au seul être qui ne le jugeait jamais. J'ai voulu être fort et je ne vois plus qu'un avenir tout vide. Et si je suis si fort, pourquoi est-ce que je n'ai pas pu lui dire que je l'aimais ?

Le chien gémit, puis poussa un petit jappement.

— Tu as raison, vieux, convint Luke. Je suis un lâche.

Grimpant sur la petite butte derrière l'atelier, il s'accouda à une barrière pour regarder le ciel se teinter de rouge sang. *Burrinbilli*. Tout cela pouvait encore être à lui mais voilà, le rêve s'était terni. Tout ici lui rappellerait Sarah désormais. Cela ferait mal, comme sa jambe lui faisait mal pendant la saison des pluies depuis sa mauvaise chute de cheval, dix ans auparavant. Certaines douleurs ne guérissaient jamais.

Nom de nom, pourquoi ne lui avait-il pas dit qu'il l'aimait ?

Quand toutes ses larmes se furent taries, Sarah se sentait le cœur si lourd qu'il lui sembla qu'elle ne retrouverait jamais la joie de vivre. Prudemment, elle reprit son chemin et rentra chez elle. Dire qu'elle appréciait tant son appartement... avant de connaître Burrinbilli.

Elle s'engagea dans le parking en sous-sol mais, au lieu de prendre l'ascenseur jusqu'à son quatorzième étage, gravit au pas de course les marches menant au hall d'entrée. Impossible d'affronter son appartement vide pour l'instant, elle irait au café installé en façade.

En la voyant entrer, le serveur cessa de polir son comptoir d'acajou pour lui sourire.

— Comme d'habitude, Sarah ?

— Oui, Sam, merci.

Sa table préférée était libre ; elle s'installa le dos à la vitrine. C'était l'heure de la sortie des bureaux et la salle se remplissait d'hommes et de femmes en complets et tailleurs sombres. Comment pouvait-on se sentir si solitaire en étant entourée de tant de monde ? Eh bien, c'était évident : Luke n'était pas là.

Sam lui apporta son café.

— Tu es bronzée ! D'où reviens-tu ?

— De mon ranch en Australie, dit-elle négligemment.

Sa stupéfaction fut gratifiante. Elle se lança dans de grandes explications et s'aperçut au bout de quelques minutes que son besoin de parler de Burrinbilli n'était rien d'autre qu'une envie de parler de Luke. Un besoin de prononcer son nom…

— La prochaine fois, rapporte-moi un boomerang ! conclut Sam.

Y aurait-il une prochaine fois ? Le serveur parti, elle déplia un exemplaire du *Seattle Post Intelligencer*. Au besoin, elle le lirait de la première à la dernière page, rien que pour repousser le moment de remonter chez elle ! Elle parcourut les nouvelles nationales, passa bien vite aux informations du monde, parcourant les colonnes à la recherche d'une mention de l'Australie. Rien pour aujourd'hui. Les grands journaux de Sydney et Melbourne étaient en ligne mais ce qu'elle voulait vraiment, c'étaient des nouvelles du bébé de Sandy Ronstad. Savoir si Bazza avait eu des nouvelles de son agent, si Becka avait fini par avoir sa robe neuve et surtout… comment le maître de Burrinbilli se débrouillait sans elle.

Une bouffée d'air frais s'engouffra par la porte ouverte, il y eut une pause brève mais palpable dans le brouhaha des conversations. Machinalement, elle leva les yeux… et resta bouche bée en voyant l'homme qui se tenait devant le comptoir. Un homme grand, un chapeau à larges bords à la

main, avec des mèches de toutes les nuances du blond paille
à l'or cuivré.

— Luke !

Il ne l'avait pas encore vue. Elle se leva, si brusquement
que le journal glissa sur le sol. Il se retourna enfin et se fraya
un chemin entre les tables pour la rejoindre.

— Tu ne réponds jamais à ton portable ? J'ai essayé de te
joindre toute la journée.

Elle se serait volontiers jetée dans ses bras, mais un
dernier lambeau d'orgueil l'immobilisa à quelques centimètres de lui.

— Que fais-tu de ce côté de la planète ? demanda-
t-elle.

— Je veux que tu reviennes à Burrinbilli.

Son premier mouvement fut de bondir à son cou en criant
« Oui ! », mais elle se contint encore une fois.

— Pourquoi ? demanda-t-elle prudemment.

La dégaine de Luke, sa voix grave et son accent australien
semblaient fasciner les consommateurs de ce café branché.
Il jeta un coup d'œil aux visages levés vers eux et rougit,
mal à l'aise.

— Nom de nom, femme, fulmina-t-il à voix basse, j'ai laissé
le troupeau à Bazza, j'ai parcouru dix-huit mille kilomètres
rien que pour te ramener à la maison, et je dois encore crier
pourquoi devant tous ces gens ?

— Absolument.

— Du cran, cow-boy ! cria gaiement quelqu'un.

Il ferma les yeux sous l'effet d'une intense douleur. Quand
il les rouvrit, ses iris semblaient encore plus bleus. Il prit les
mains de Sarah dans les siennes ; elle les lui abandonna en
retenant son souffle.

— Je t'aime, dit-il à haute et intelligible voix. Je veux
t'épouser et avoir tes enfants.

270

La salle entière explosa de rire. Le visage rouge brique, il corrigea :

— Je veux que tu sois la mère de mes enfants. De nos enfants, ajouta-t-il avec tendresse.

Sarah sentit la joie éclater en elle… mais elle se souvenait aussi de ce qui l'avait poussée à rentrer à Seattle. S'accrochant à ses mains, elle bredouilla :

— Je ne sais pas faire tout ce que ta femme devra faire pour que la station soit vraiment autonome. Et… et je ne suis pas sûre de vouloir y passer tout mon temps et toute mon énergie. Je suis une informaticienne, pas une pionnière des temps modernes comme toi.

— J'ai besoin de *toi*, Sarah, pas d'une bonne ou d'une machine à traire. Je veux ton sourire et tes petites manies et ta chaleur dans la maison.

Il prit une profonde inspiration et conclut :

— Si tu dois faire des compromis pour que nous puissions être ensemble, il est normal que j'en fasse autant.

Il avait dû répéter son petit discours pendant tout le trajet en avion ; pour Sarah, il n'en était que plus attendrissant.

— Alors tu t'en fiches que je ne sache pas faire des conserves de tomates, ou traire les vaches ?

— Disons que je t'apprendrai à traire les vaches, et tu m'apprendras à surfer sur Internet. Nous nous ferons une vie qui nous conviendra à tous les deux, en utilisant au mieux nos compétences et nos talents respectifs.

A bout, il l'attira dans ses bras et éclata :

— Qu'est-ce que tu en dis, la belle ? On tente le coup ?

Elle hocha la tête si violemment que les larmes roulèrent sur ses joues.

— Alors ? exigea-t-il en la serrant contre lui d'une poigne de fer. Tu n'as pas quelque chose à me dire en retour ?

— Je t'aime… vieux.

— Et ? l'encouragea la foule qui les entourait.

— Oui, Luke, je veux bien t'épouser.

Le visage bronzé de Luke s'illumina de son large sourire. Penchant la tête, il s'empara de sa bouche dans un baiser qui fit chavirer son cœur. La salle entière les acclama.

15.

— Si j'avais su qu'il suffisait d'un mariage pour te ramener à Burrinbilli, je me serais fiancée tout de suite, plaisanta Sarah au volant du 4x4 qui ramenait Anne à sa maison d'enfance.

Sarah était allée chercher sa mère à la gare de Longreach et pendant tout le trajet, celle-ci n'avait cessé de s'exclamer, émerveillée de retrouver des lieux chers à son cœur, atterrée devant les changements survenus depuis sa dernière visite.

— Chut, ma grande. Si je me souviens bien, c'est juste après ce dernier petit repli de terrain.

Elle attendit, perchée sur le rebord de son siège. Le 4x4 gravit la petite côte et le domaine parut. Le soleil de l'après-midi dorait le toit métallique, illuminant les plantes grimpantes aux fleurs violettes lovées autour des minces piliers de la véranda. Les yeux d'Anne se remplirent de larmes et Sarah elle-même eut la gorge serrée. Sa mère revenait enfin vers ses racines, vers cette maison qui était désormais son propre foyer.

— Regarde comme les bougainvillées ont grandi, s'exclama Anne. Et les palmiers que ma grand-mère a plantés. Grand-père disait qu'ils ne pourraient jamais s'acclimater. Oh, et la maison…

Elle essuya ses yeux du revers de la main, pestant avec un rire étranglé :

— C'est trop bête, je n'y vois rien…

— Ton ancienne chambre est prête, dit Sarah en arrêtant la voiture devant la maison. J'ai repeint les murs et Abby a cousu les rideaux.

Anne l'attira contre elle et la serra sur son cœur.

— Merci, ma grande. Je suis heureuse, si tu savais ! Je pensais ne jamais revenir ici.

Sarah lui rendit son étreinte avec un soupir de bonheur. Un espoir secret se glissait en elle : maintenant qu'elle avait fait le long chemin du retour, Anne accepterait-elle de rester ?

Une semaine plus tard, tous les préparatifs du mariage furent achevés. Abby, Sarah et les femmes des stations voisines s'étaient chargées de la cuisine. Abby en particulier avait travaillé comme un galérien — en s'assurant bien que tout le monde le saurait.

La tension était montée d'un cran avec l'arrivée d'Anne. Après l'avoir accueillie avec effusion, Abby n'avait cessé de se démener dans toute la maison — sa façon à elle de défendre son territoire. Le matin même du mariage, voyant qu'elles étaient prêtes à mettre leurs pâtisseries au four au même moment, elle proposa avec une politesse exagérée :

— A toi, fais cuire tes brownies en premier, mes scones peuvent attendre.

— Mais non, protesta gaiement Anne en reposant sa plaque de cuisson sur le plan de travail. Vas-y, toi.

— Non, non, toi, insista Abby d'une voix de martyre. Tu es Anne Hafford, Burrinbilli est ta maison.

Elle se tourna vers Becka, qui léchait innocemment la cuillère enduite de pâte au chocolat, la lui prit des mains et lui tendit à la place le fouet couvert de crème de ses scones.

— Tiens, Becka, dit-elle à la gamine qui la regardait, interdite. Je sais que tu adores la crème fouettée.

Sarah se cachait lâchement dans la réserve, préparant une jatte de vinaigrette et suivant cet échange de loin. Elle ne fut pas surprise quand Anne vint la rejoindre.

— Cette femme va me rendre folle, fulmina-t-elle à voix basse. Je fais des efforts héroïques pour m'entendre avec elle mais elle trouve toujours le mot pour m'énerver.

— Elle est comme ça, compatit sa fille. Je crois qu'elle se sent menacée par ta présence. Attends, je vais voir ce que je peux faire.

Jetant un coup d'œil à sa montre, elle conclut :

— Et ensuite, il faudra penser à nous préparer.

S'essuyant les mains sur un torchon, elle passa dans la cuisine et trouva Abby penchée sur le four en train de changer le réglage de la température.

— Abby ?

— Oui ? répliqua celle-ci d'une voix distante.

Depuis le retour de Sarah, elle la traitait avec une politesse glaciale. De son point de vue, toutes ses inquiétudes se justifiaient, le pire scénario possible était en train de se réaliser. Sarah décida qu'elle avait suffisamment repoussé la confrontation.

— Abby, c'est moi la maîtresse de Burrinbilli.

L'autre femme se redressa comme un ressort, bouche bée... et Sarah faillit tout gâcher en éclatant de rire. Cela ressemblait tant à un dialogue de ces vieux romans pour jeunes filles dont elle se délectait autrefois !

— Vous, vous êtes la cuisinière de la station. C'est vous qui êtes responsable des préparatifs de ce déjeuner de mariage. C'est à vous de décider ce qui passe au four en premier.

Abby resta muette, ses yeux vairons écarquillés. Sarah eut un instant d'inquiétude. Etait-elle allée trop loin ?

— C'est… d'accord ? demanda-t-elle.

— Eh bien…, bougonna Abby en lissant son tablier. Si vous le prenez comme cela…

Anne reparut, prête à entendre ce que la cuisinière en chef aurait à lui dire.

— Voyons, reprit Abby, très affairée en consultant sa montre. Les scones cuisent plus rapidement mais… Anne, je suppose que tu vas aider Sarah à s'habiller, alors, mets tes brownies à cuire tout de suite et règle le minuteur. Je les sortirai du four et je ferai cuire les scones. De toute façon, ils sont meilleurs quand ils sortent tout juste du four.

Docile, Anne glissa ses brownies au four. Abby reprit son tourbillon habituel, nettoyant les plans de travail, empilant les ustensiles sales dans l'évier. Son attitude entière s'était métamorphosée.

— Que faites-vous encore dans la réserve, Sarah ? gronda-t-elle. Vous vous mariez ce matin ! Allez, courez vite vous préparer, filez toutes les deux !

Elle chassa Sarah et Anne devant elle jusqu'à la porte.

— Et moi, qu'est-ce que je fais ? demanda Becka.

— Tu m'aides à tout ranger et ensuite, tu iras aussi t'habiller.

Un instant, Sarah et Anne s'immobilisèrent dans le couloir, guettant les sons dans la cuisine, écoutant Abby faire couler de l'eau en fredonnant son éternelle petite chanson sans timbre. Elle semblait tout à fait rassérénée. Saisies d'un fou rire, elles s'enfuirent vers la chambre de Sarah.

— Tu as été formidable ! jubila Anne.

— Si elle a besoin d'un coup de main de dernière minute, elle demandera à Karen et Jacqui.

Le gros du travail était fait, un demi-bœuf rôtissait à la broche depuis l'aube, remplissant la maison de son arôme délicieux. Sarah avait été très émue par les offres d'aide qui ne cessaient de leur parvenir de toute la région. Les éleveurs et leurs femmes tenaient tous à proposer ce qu'ils pouvaient, vaisselle, nappes, gâteaux avec ou sans glaçage… Si c'était ainsi que l'on se serrait les coudes dans le *bush*, elle était fière et heureuse d'être admise dans la confrérie ! Quelqu'un avait même proposé de lui coudre sa robe de mariée, mais sa robe de rêve était déjà trouvée, dans une petite boutique de Seattle. Un coton blanc glacé, des manches courtes, un décolleté rond, un bustier bien ajusté et une jupe ample à mi-mollet qui tourbillonnait autour de ses jambes bronzées. Parfaite pour la chaleur de l'été australien, aussi féminine qu'un long tutu de ballerine. Après une douche rapide, elle l'enfila avec l'aide de sa mère et contempla son reflet dans le grand miroir à bascule.

— Tu es absolument superbe, ma grande, dit Anne en fermant le dernier des petits boutons de nacre. Pour l'amour du ciel ! Il ne me restera plus de larmes pour la cérémonie !

Pressant la main sur son estomac que la nervosité crispait, Sarah souffla :

— C'est réellement réel. Je n'arrive pas à le croire.

— Ne me dis pas que tu es en train de changer d'avis ?

— Pas pour ce qui est d'épouser Luke, je n'ai jamais été aussi sûre de toute ma vie. C'est juste l'excitation.

— Luke est un homme adorable et Becka une merveille. Ne bouge plus. Je vais chercher le voile.

Sarah fit volte-face dans un grand envol de coton glacé.

— Le voile ? Maman, nous sommes au XXIe siècle, je ne vais pas mettre un voile !

Franchement ! Malgré son côté baba cool et sa passion pour le mysticisme New Age, Anne avait parfois des réflexes d'un traditionnel ! A cet instant, les premiers accords d'orgue résonnèrent dans le jardin. Affolée, Sarah s'écria :

— Il n'y a pas le temps…

Sa voix s'éteignit. Anne venait de se retourner, les bras remplis d'une sorte de nuage blanc parsemé de minuscules boutons de rose de satin.

— Je me doutais bien que tu ferais des histoires, confia-t-elle. C'est pour cela que je l'ai gardé pour la toute dernière minute. C'était celui de ma mère. Je l'ai porté à mon mariage.

— Il est si beau…, soupira Sarah, toute protestation oubliée.

Un peu intimidée, elle inclina la tête et Anne se haussa sur la pointe des pieds pour poser le voile sur ses cheveux relevés. La porte s'ouvrit et Becka passa la tête à l'intérieur.

— Ça y est, c'est à toi ! piailla-t-elle, très excitée.

Puis elle ouvrit de grands yeux et s'écria, émerveillée :

— Oh, Sarah, tu es comme une princesse !

— Toi aussi, ma jolie. Entre, fais-nous voir.

Toute contente, la petite tourbillonna sur elle-même pour mettre en valeur la robe achetée par Abby lors d'une expédition de shopping… autorisée par Luke ! Dentelle rose sur satin rose, c'était une robe comme la grand-tante de Becka les aimait et pour une fois, ses rubans et fanfreluches n'avaient rien de déplacé.

— Venez ! répéta Becka en brandissant son petit bouquet rose et blanc. Vite, avant que nos fleurs ne fanent !

Sarah prit au vol son propre bouquet, mélange de roses blanches et de gardénias, et s'envola à sa suite. A mi-chemin du couloir, Becka s'arrêta net et leva vers elle un petit visage grave.

— Je devrai t'appeler Sarah ou maman ?

Touchée en plein cœur, Sarah répondit doucement :

— Je serais contente si tu m'appelais maman, mais il faut que tu aies envie de le dire.

— Maman, alors, décida la petite.

Elle repartit en gambadant de joie comme un agneau.

— J'ai une maman !

Sarah suivit la petite silhouette aux cheveux lumineux. Becka était un trésor, une merveille, et Luke un mari de rêve.

Le spectacle qu'elle découvrit de la porte d'entrée lui coupa le souffle. Les invités, installés sur des rangées de chaises pliantes sous un grand abri de toile blanche et bleu argenté. La mélodie grave et douce de l'harmonium, jouée par une femme d'une station voisine. Les visages souriants tournés vers elle, certains familiers, d'autres inconnus, mais tous chaleureux et accueillants. Le grand moment était arrivé ! Ses genoux tremblèrent, ses paumes devinrent moites. Sa mère, qui l'avait rejointe, arrangea son voile, posa un baiser sur sa joue et lui prit fermement le bras. Clouée sur place un instant plus tôt, elle parvint grâce à sa présence à faire le premier pas vers sa nouvelle vie.

— J'aimerais que Dennis soit là, souffla-t-elle.

— Moi aussi, murmura Anne dont les yeux se mouillaient.

— Et j'aimerais que mon premier père…

— Je sais, ma grande. Je sais.

Comme ni l'un ni l'autre de ses pères n'étaient là pour la mener à l'autel, elle avança le long de la travée herbeuse au bras de sa mère, remerciant en silence l'homme qui, sans le savoir, lui avait préparé la voie. « C'est le plus beau cadeau de tous, papa… »

Elle leva les yeux vers le bel homme blond qui l'attendait près de l'autel. Planté près de Luke, elle vit Bazza, tout raide, méconnaissable dans son habit noir de location. Fièrement assis aux pieds de son maître, Wal souriait, langue pendante, comme pour dire qu'il était, autant que Bazza, le témoin du marié. Mais elle ne voyait plus rien d'autre que l'homme qu'elle aimait.

— Mes bien chers frères…

En écoutant le pasteur prononcer les paroles familières, la nervosité de Sarah s'apaisa. Le parfum enivrant des gardénias, le chant frais des oiseaux dans les *gums*, la chaleur et le dôme bleu du ciel — tous ces éléments se cristallisèrent dans un instant de pur bonheur. Elle se tourna à demi vers Luke, qui écoutait le pasteur avec concentration. Sentant son regard, il lui offrit un sourire rassurant. L'engagement intérieur qu'ils avaient conclu depuis des semaines culmina dans un regard d'âme à âme — un regard inoubliable. Elle lui rendit son sourire et lui fit la même promesse en retour : « Je suis à toi, maintenant et pour toujours. »

— Voulez-vous, Sarah Jane Templestowe…, demanda la voix vibrante du pasteur.

— Oui, répondit-elle d'une voix claire.

— Voulez-vous, Luke Nicholas Sampson…

— Oui, je le veux, répondit son amour d'une voix un peu étouffée.

Il souleva son voile et posa ses lèvres sur les siennes. Leur premier baiser d'époux se prolongea… encore… et encore. Des murmures s'élevèrent, quelques commentaires fusèrent. Quand les invités réjouis se mirent à applaudir, ils se séparèrent en riant. La musique s'éleva, triomphante, les invités se levèrent en masse et une pluie de pétales de rose les suivit tandis qu'ils revenaient le long de la travée. Tout autour d'eux, l'on riait et s'embrassait.

Bazza retira sa cravate et son veston ; quelques bières plus tard, il se débarrassa aussi de sa chemise. Le temps que tous les convives soient installés sous les auvents de toile vert sauge qui abritaient du soleil les tables joliment décorées de pivoines roses, il lançait un toast bruyant et assez grivois qui donna à Sarah un fou rire mémorable. Lorsque les rires s'apaisèrent, Len se leva en demandant l'autorisation de dire quelques mots. S'éclaircissant la gorge, il commença par souhaiter la bienvenue à Sarah, « officiellement, en tant que maire de Murrumburrumgurrandah ».

— Elle n'est pas ici depuis longtemps, mais elle a déjà offert à la commune son amitié et le bénéfice de ses talents. Nous l'aimons beaucoup et nous sommes très contents qu'elle ait choisi de s'installer ici.

Il se tut un instant et ajouta, très pince-sans-rire :

— Et nous sommes drôlement contents qu'elle ait épousé Luke et entrepris de le garder dans le droit chemin.

Il y eut un tonnerre d'applaudissements. Rougissante, Sarah se leva et fit une révérence pour rire.

— J'aimerais aussi souhaiter la bienvenue à une vieille amie, Anne Hafford, reprit Len.

Sa voix s'était adoucie, il cherchait du regard la mère de la mariée.

— Elle nous a quittée, jeune mariée, il y a près de trente ans. C'est un juste retour des choses que sa fille revienne, jeune mariée, à Burrinbilli où les Hafford ont vécu depuis quatre générations.

Il y avait dans ces paroles une générosité qui transcendait le passage des années et les anciens chagrins ; dans l'expression d'Anne, Sarah lut de l'affection, de la gratitude... et peut-être davantage ?

Anne se leva et fit à son tour une petite révérence.

— Len, je te remercie. C'est merveilleux d'être ici, de revoir de vieux amis et de rencontrer vos fils et vos filles.

Son regard se posa sur Sarah et elle reprit avec émotion :

— Je suis contente que ma fille ait trouvé son bonheur parmi vous. Je ne pourrais pas demander un meilleur gendre. Luke... prends soin de mon bébé.

Sautant sur ses pieds, Luke s'écria :

— Je ferai de mon mieux. Et vous serez toujours chez vous à Burrinbilli.

Promenant son regard sur les visages souriants levés vers lui, il lança :

— Je vous remercie tous d'être venus pour prendre part à ce grand jour. C'est dans ces moments qu'un homme sait ce qui compte vraiment dans sa vie.

Penché vers Sarah, il ajouta :

— Je veux aussi remercier Sarah d'avoir refusé de me vendre Burrinbilli quand je le lui ai demandé, de ne pas avoir renoncé dans les moments difficiles, et d'avoir pris un éleveur solitaire et sa fille sous son aile pour faire de nous une famille.

Une fois de plus, Sarah sentit les larmes lui monter aux yeux. A tâtons, elle chercha sa main, posa un baiser sur sa paume. Elle aurait voulu lui faire la réponse qu'il méritait mais elle ne trouvait pas les mots.

Lisant sans doute ses pensées, Luke murmura :

— Tu n'es pas obligée de dire quoi que ce soit. Tu as quitté ton ancienne vie pour en entamer une nouvelle avec Becka et moi. C'est plus éloquent que tous les discours.

Levant son verre, il lança :

— A Sarah ! Mon amour, ma vie, ma femme !

Épilogue

— Nous y sommes presque, dit Sarah au chiot *blue heeler* perché près d'elle sur la banquette de la camionnette.

Devant ses roues, le long ruban de bitume s'étirait jusqu'à l'horizon dans la plaine rouge. Elle contempla librement ce moutonnement à perte de vue et ne ressentit rien d'autre que de l'affection, et une impression grisante de liberté. Ce n'était plus uniquement le pays de sa mère, c'était son pays.

L'année touchait à sa fin, le ciel si bleu se couvrait de lourds nuages, l'air se chargeait d'humidité. D'un jour à l'autre, la saison des pluies commencerait. Elle avait hâte de voir les Downs verdir et se gonfler de sève, se couvrir de fleurs et se peupler des petites grenouilles dont lui avait parlé Luke.

Elle fredonna la chanson *country* qui passait à la radio et prit mentalement note de commander le nouveau logiciel pour Karen dès son retour. Toutes les commandes devaient être passées avant les pluies — s'ils avaient une saison des pluies correcte cette année, comme ne manquait jamais d'ajouter Luke. Quant à elle, elle avait confiance. Elle était certaine que cette année, la sécheresse prendrait fin.

Parvenue à la boîte aux lettres, elle quitta la route pour la piste menant à Burrinbilli. Cent mètres après le carrefour, elle ralentit en voyant Abby au travail dans le jardin de sa maison transplantée. Luke avait planté des arbrisseaux autour du périmètre ; bientôt, ce serait comme si la petite maison de bois s'était toujours dressée ici.

Entendant le moteur de la camionnette, Becka sortit de la maison en courant. Chaque jour, le car scolaire la déposait à la boîte aux lettres, et elle passait un moment avec sa tante avant de rentrer à la maison principale pour le dîner.

— Sarah ! cria la petite en courant vers la voiture. Regarde ! Lucy m'a donné un collier d'amitié.

Elle le tendit à Sarah par la vitre ouverte ; c'était un demi-cœur suspendu à une chaînette.

— C'est elle qui a l'autre moitié. C'est cool, non ?

— Génial, opina Sarah avec conviction.

Puis, tirant affectueusement sa tresse blonde, elle demanda :

— Tu rentres à la maison avec moi ?

— Je la ramène dans une heure, si tu es d'accord, proposa Abby en s'essuyant le front de sa main couturée de cicatrices.

— Très bien, répondit cordialement Sarah.

Elle savait qu'Abby ne mettrait pas en péril sa position privilégiée en manquant à sa parole. La grand-tante de Becka avait encore de sérieux problèmes à résoudre, mais la thérapie et les médicaments avaient déjà apporté une nette amélioration dans son comportement.

— J'y pense, annonça Sarah. J'ai téléphoné à ma mère ce matin, elle viendra passer Noël avec nous.

Les lèvres minces d'Abby se crispèrent.

— Je l'avais bien dit. Elle recommence à courir après Len.

Sarah se contenta de rire. L'on pouvait parfaitement côtoyer Abby sans tensions, du moment qu'on ne prenait pas ses lubies au sérieux.

— En fait, répondit-elle, elle envisage de prendre sa retraite

284

sur la Côte Dorée. Elle compte visiter des appartements pendant son séjour.

Elle ne précisa pas que Len prenait justement des vacances sur la Côte Dorée à la même période. Anne répétait qu'ils n'étaient que des amis et effectivement, ils ne seraient peut-être jamais davantage, mais mieux valait ne pas inquiéter Abby. C'était déjà assez difficile pour elle de se préparer à partager Becka avec sa nouvelle grand-mère.

— Même si Anne s'installe en Australie, elle sera à mille cinq cents kilomètres de nous, la consola Sarah. C'est agréable pour Becka que tu sois sur place.

Abby ne put s'empêcher de sourire. Sarah reprit la route, attendant avec impatience le moment de voir Burrinbilli, niché entre les *ghost gums* et illuminé par le couchant. A cette heure, Luke l'attendrait sans doute sur la véranda.

Elle se garait devant la maison quand les premières gouttes grasses s'écrasèrent sur le sol. Descendant en voltige, elle courut se jeter dans les bras de son mari. Quelques instants plus tard, l'averse était si drue qu'un flot continu se déversait de l'avancée du toit, et ils ne voyaient plus les dépendances.

Luke l'attira contre lui pour l'embrasser de nouveau.

— La danse que tu as faite pour moi la nuit dernière devait être une danse de pluie.

Elle rougit, lui lança un sourire impudent et se blottit plus étroitement contre lui. Pendant quelques minutes, ils contemplèrent le déluge en silence, puis elle soupira :

— Enfin, nos ennuis sont terminés.

Il éclata d'un grand rire.

— Terminés ? Ils ne font que commencer ! Il va y avoir des inondations, les ponts seront emportés et nous serons coupés du monde. Le bétail s'embourbera, certaines bêtes seront perdues, mais nous continuerons, comme nous l'avons toujours fait.

Se penchant, il scruta longuement son visage et demanda :

— Il t'arrive de regretter d'avoir quitté Seattle ?

— Jamais, dit-elle avec une conviction absolue.

JANICE KAY JOHNSON

Un amour coupable

é**MOTIONS**

—————

*éditions*Harlequin

Cet ouvrage a été publié en langue anglaise
sous le titre :
HIS FRIEND'S WIFE

Traduction française de
LAURE TERILLI

Ce roman a déjà été publié dans la collection
AMOURS D'AUJOURD'HUI N° 547
en octobre 1996

1.

Claire Talbot était veuve depuis plus d'un an. Le jour, elle songeait rarement à l'incendie qui lui avait ravi son mari, mais la nuit, l'horreur de cet effroyable accident ne cessait de la hanter. Et quand Jake Radovitch resurgit dans sa vie, ses cauchemars redevinrent réalité.

Ce matin-là, ayant fait visiter une maison située au sud de l'île, elle regagna vers 11 heures l'agence immobilière située dans la pittoresque rue principale, tout près de l'embarcadère du ferry et du Puget Sound. Des flèches d'or dansaient sur l'eau bleue miroitante, et la tiédeur du soleil promettait une autre belle journée de cet inhabituel été indien.

Se regardant dans le rétroviseur, Claire se brossa rapidement les cheveux avant de les natter. Puis, son attaché-case à la main, elle traversa d'un pas vif le trottoir de bois.

— Claire ! appela une voix de femme derrière elle.

Elle se retourna et aperçut Sharon Rogers, la bibliothécaire du lycée, qui s'avançait vers elle avec une autre femme.

— Viendrez-vous au pique-nique de l'association

des parents d'élèves ? Je n'ai pas vu votre nom sur la liste.

Claire sourit. Menue, le visage encadré de boucles brunes, Sharon était la personne qui se rapprochait le plus de ce qu'on pouvait appeler une amie, depuis l'installation de Claire dans cette communauté où elle serait à jamais considérée comme une étrangère.

— J'ai l'intention de venir, mais je ne sais pas quoi apporter.

— Nous avons déjà un nombre astronomique de salades, répondit Sharon. Mais, excusez-moi... Vous connaissez Alison Pierce ?

— Oui, nous nous sommes déjà croisées, dit Claire en regardant la grande femme à la belle chevelure auburn et au calme regard brun qui se tenait un peu en retrait.

Alison inclina la tête.

— Comment en serait-il autrement ? Après tout, nous avons un point commun.

Manifestement interdite par le ton légèrement sarcastique de Claire, Sharon l'interrogea du regard.

— Mon mari, expliqua-t-elle. Alison et mon mari sont allés ensemble au lycée.

— Oh ! fit Sharon.

Alison secoua la tête.

— Mais c'est de l'histoire ancienne. En général, Claire et moi, nous nous rencontrons au plus une fois par semaine.

— C'est vrai, dit Claire qui sourit tout en se demandant pourquoi la présence d'Alison la mettait aussi mal à l'aise.

On ne pouvait pourtant lui reprocher son manque de courtoisie. Néanmoins, la lueur glaciale qui habitait son regard trahissait un détachement ou une curieuse

290

indifférence, comme si aucun sentiment ne l'animait. Or, elle devait bien en ressentir puisque, autrefois, elle avait été follement éprise de Don.

Claire fut presque soulagée de voir arriver Mike, son beau-fils. L'adolescent arrêta son V.T.T. à sa hauteur, en dérapant sur le gravier de la chaussée, qui gicla contre le trottoir de bois.

— J'ai essayé d'appeler, lança-t-il d'un ton bourru sans se soucier des deux autres jeunes femmes. Où étais-tu ?

— Je faisais visiter une maison, répondit-elle avec un regard gêné à Sharon et Alison afin d'excuser l'impolitesse du jeune garçon. Que se passe-t-il ?

— Grand-mère n'est pas chez elle non plus. Je vais chez Geoffrey. Tu voulais que je te le dise.

— Non, je veux que tu me demandes la permission, corrigea Claire. Enfin, je t'autorise à aller chez Geoffrey, ajouta-t-elle, consciente de se donner en spectacle devant Sharon et Alison. Mais si tu vas autre part, préviens-moi, et rentre à la maison à 5 heures. D'accord ?

Le haussement d'épaules du jeune garçon brun indiqua que c'était à contrecœur qu'il se résignait à cette exigence.

— O.K., marmonna-t-il.

Sans un mot de plus, il s'éloigna à toute vitesse.

Les sourcils froncés, Claire le suivit des yeux. Très vite, elle s'aperçut qu'Alison Pierce l'observait également, et quand il disparut à l'angle de la rue, celle-ci se tourna vers elle, le teint livide.

— Est-ce le fils de Don ? s'enquit-elle.

— Oui, il ne lui ressemble guère, n'est-ce pas ?

— Mike ? C'est bien son nom ?

— Mais oui.

Il y eut un silence embarrassé.

— Voilà le ferry qui arrive, dit enfin Sharon. Si

nous ne voulons pas être bloquées dans la circulation, nous ferions mieux de partir maintenant. Dois-je vous inscrire sur la liste du pique-nique?

— Bien sûr. Que pensez-vous d'un ragoût? Je l'apporterai chaud.

— Ce sera parfait. A bientôt.

Le regard de Claire croisa celui d'Alison où s'était de nouveau figée cette singulière expression de détachement. Un frisson la parcourut. Comme cette femme était étrange! A moins qu'elle-même réagisse ainsi parce que Don avait été son amant... Mais Don était mort. Il n'y avait donc pas à s'inquiéter d'une éventuelle rivale. Et le passé n'appartenait-il pas au passé?

Dans son bureau, elle ne se mit pas tout de suite au travail, et laissa son regard errer par la fenêtre sur l'eau bleu vif du Puget Sound et le flot de voitures débarquant du gros ferry vert et blanc. En été, celui-ci amenait les touristes de Seattle ou de Colombie britannique, et il constituait toute l'année l'unique liaison avec le monde extérieur pour les habitants de Dorset. L'humeur de Claire n'avait rien à voir avec Alison Pierce, sinon que cette dernière lui avait rappelé ses années de mariage. Pourtant, un an s'était écoulé depuis la mort de Don et sa vie avait changé.

Claire se détourna de la fenêtre, et ouvrit son attaché-case. Ne ferait-elle pas mieux de se réjouir de la vente qu'elle avait conclue ce matin, et de cette magnifique journée ensoleillée qui avait apporté, en plein mois d'octobre, une dernière poignée de touristes jusqu'à cette petite île des San Juan? Il lui fallait oublier à jamais le terrible incendie dans lequel avait péri son mari, oublier la folie qui l'avait gagné...

La sonnerie de l'Interphone retentit.

— Pouvez-vous recevoir un client ? demanda la secrétaire.

— Bien sûr. J'arrive.

Dans le hall de réception, l'homme regardait les photos des propriétés disponibles affichées au mur. Il lui tournait le dos. Claire ne vit d'abord de lui que des cheveux noirs, un jean délavé, et une chemise noire sur de larges épaules.

— Bonjour, je suis Claire Talbot. Avez-vous vu quelque chose qui vous intéresse ?

Il se retourna si lentement que, l'espace d'une seconde, elle crut qu'il ne l'avait pas entendue. A moins qu'elle n'ait ralenti sa perception du temps afin d'amortir le choc qui la frappa.

Ses cheveux raides effleuraient toujours le col de sa chemise, son visage mince sculpté de pommettes hautes, sa bouche sensuelle, son regard gris, à la fois circonspect et scrutateur, n'avaient pas changé. Claire lutta contre la sensation de cauchemar et de culpabilité que sa présence faisait resurgir. L'élan de joie qui l'envahit fut presque aussi stupéfiant.

— Jake, dit-elle dans un murmure à peine audible. J'ai du mal à croire que c'est toi.

Il ne sourit pas.

— C'est donc un tel choc ?

— Non, bien sûr que non, je suis contente de te revoir, mais...

— Tu te demandes quel bon vent m'amène.

Il haussa les épaules.

— Je reviens vivre à Dorset.

Même sa voix demeurait semblable à celle d'autrefois, basse, bien timbrée et impénétrable. Un calme à toute épreuve qu'elle avait d'ailleurs souvent déploré.

Elle ferma les yeux, les rouvrit.

— Mais... tu savais que nous avions emménagé ici ?

La brève hésitation de Jake n'échappa pas à Claire.

— Oui, je le savais.

Elle se sentit soudain comme écorchée vive, comme si ses blessures, encore mal cicatrisées malgré une année consacrée à les soigner, venaient de se rouvrir. Ne devinait-il pas le mal que sa présence lui causait ? Il avait tout représenté pour elle, son salut, son équilibre, sa tentation. La dernière fois qu'ils s'étaient vus, il l'avait tenue dans ses bras tandis que l'incendie détruisait sa vie entière. S'attendait-il qu'elle l'accueille comme une simple connaissance ?

— Pourquoi ai-je l'impression que tu préférerais ne pas me voir ?

— Tu te trompes, Jake. Il m'est arrivé de penser à toi.

En réalité, elle avait désespérément essayé de l'oublier.

— Mais pendant un instant, te revoir, là, m'a tout rappelé...

Il se rembrunit.

— Je n'ai jamais rien eu à voir avec les problèmes de Don, dit-il. Notre amitié n'a jamais rien eu à voir avec lui.

Une chappe de désespoir se referma sur la jeune femme et elle se détourna à moitié, les poings serrés, un sourire amer aux lèvres.

— Voyons, Jake, cela avait tout à voir avec lui. Tu le sais.

— Ah bon ?

Surprise, elle se retourna. Les lèvres pincées, il semblait en colère.

— Tu ne préfères pas que nous parlions dans ton bureau ?

Comme toujours, il avait raison. Claire ne tenait pas à ce que sa secrétaire soit le témoin de leur conversation. Au sein de la petite ville de Dorset, tout le monde savait à la suite de quelle tragédie elle avait emménagé ici, tout en ignorant combien elle avait été blessée et combien elle l'était encore.

Mais Jake Radovitch avait tout vu, tout entendu. Et cela l'effrayait de penser aux sentiments secrets qu'elle lui avait confiés, aux larmes qu'elle avait répandues sur son épaule. Il avait su ses angoisses les plus dissimulées. Parfois, consciente qu'il la connaissait jusqu'au plus profond de l'âme, elle s'était demandé si la sollicitude de Jake n'avait été motivée que par son amitié pour Don. Une question qu'elle n'avait jamais eu le courage de lui poser.

— Allons-y, fit-elle en se dirigeant vers son bureau d'un pas décidé.

Inutile de se retourner pour s'assurer que Jake lui emboîtait le pas. Elle avait toujours perçu sa présence avec une surprenante acuité, ainsi que son regard énigmatique sur elle. N'avait-il ressenti pour elle que de la pitié ? N'avait-il jamais deviné le secret honteux qu'elle osait à peine s'avouer ?

Il referma la porte et se dirigea vers la fenêtre tandis qu'elle restait près du seuil, désireuse de garder ses distances. Elle n'avait jamais su expliquer l'effet qu'il produisait sur elle. Il ne possédait pourtant ni une carrure d'athlète ni des pectoraux de culturiste... Néanmoins, il la bouleversait, éveillait en elle des sentiments qu'elle n'avait pas le droit d'éprouver.

— Pourquoi ? interrogea-t-elle. Pourquoi désires-tu t'installer à Dorset ? Tu n'es pas venu ici depuis des années.

Avec un soupir, il lui fit face.

— Supposerais-tu que mes raisons sont liées à toi ?

— Bien sûr que non ! Je ne t'accuse pas de... me harceler. Mais te revoir ravive des souvenirs que je préférerais oublier. Ne peux-tu le comprendre ?

— Je le comprends trop bien.

— Alors ?

— Peut-être est-il temps de tourner la page.

— Je l'ai tournée ! Je parle à Mike de son père, et je me suis fait une nouvelle vie. Mais c'est plus facile s'il n'y a personne autour de moi qui m'a vue au plus bas.

— Au plus bas ?

— J'ai l'impression parfois de n'avoir fait que pleurer.

La soudaine lueur de compassion qui apparut dans les yeux de Jake mina les défenses de Claire. Toutefois, ce fut sa réflexion qui acheva de la désarçonner.

— Tu n'as jamais été faible, Claire. Jamais. Pensais-tu l'être ?

— Bien sûr, répondit-elle, l'estomac noué. Si j'avais mieux réagi, ce drame n'aurait pas eu lieu.

Jake s'avança vers elle, et le bureau parut soudain plus petit. C'était comme si une ombre s'interposait entre elle et la lumière du jour, lui donnant l'impression d'étouffer. Elle se plaqua contre la porte et il s'immobilisa brusquement, les sourcils froncés.

— Aurais-tu peur de moi ?

Si seulement c'était aussi simple !

— Ne sois pas ridicule, dit-elle, s'obligeant à détendre ses muscles contractés. Tu m'as toujours fait cet effet. Si tu ne t'habillais pas en noir et si tu souriais un peu, tu serais moins intimidant. Avec toi, je me sens sur le qui-vive.

Il sourit, et la nervosité de Claire redoubla.

— Et tu ignores pourquoi je t'intimide ?

Naturellement, elle le savait, mais pour rien au monde elle ne l'aurait avoué.

— Inutile de faire ton cinéma, Jake Radovitch, répliqua-t-elle. Dis-moi ce que tu veux.

— Je ne te crois pas prête à l'apprendre.

— Essaie toujours !

— Voilà que tu me tentes.

La jeune femme avait du mal à respirer, tendue devant le danger qu'elle avait si longtemps fui. Peut-être étaient-ce sa solitude et le sentiment de sécurité qu'elle éprouvait depuis un an qui l'amenèrent à défier Jake.

— De toute évidence, cela ne suffit pas.

Jake s'avança de sa démarche souple et rapide à la fois qui la déconcertait tant. Il la saisit par le menton. Ses yeux s'étaient assombris pour devenir presque noirs.

— Si je cède, je le regretterai, maugréa-t-il.

Claire resta paralysée par la surprise, et l'intensité de son désir lui arracha presque un cri. Elle s'écarta vivement.

— Un jour, murmura-t-il si doucement qu'elle l'entendit à peine, un jour, tout sera différent.

— N'y compte pas, Jake, répondit-elle, gagnée par un sentiment de culpabilité qui la rongeait comme une pluie acide. Si tu es venu pour ça...

— T'embrasser ne fait pas partie de mes projets d'aujourd'hui. Je n'ai jamais été du genre à m'imposer. Tu veux bien me vendre une maison ou dois-je m'adresser à un autre agent immobilier ?

Claire hésita. Si la présence de Jake réveillait des souvenirs douloureux, ne méritait-elle pas une compensation ? Ne pouvait-elle tirer avantage de son arrivée impromptue ?

— J'accepte de te vendre une maison. Après tout, c'est mon métier.

— Parfait, dit-il en enfonçant les mains dans ses poches. Mais pas aujourd'hui. D'ici à demain, ma présence ici ne te gênera plus.

— Jamais je ne m'y habituerai.

Les traits de Jake se durcirent.

— Je ne pouvais rien faire, Claire. Tu le sais. Tu sais ce que Don ressentait à mon égard.

Don avait été violemment jaloux du monde entier, et en particulier de Jake, son ami le plus proche.

— Je ne t'ai jamais rien reproché.

— Non ? dit-il d'un ton légèrement moqueur.

— Mais tu aurais pu essayer... Tu étais son ami...

Cela la libérait de se montrer insensée.

— Comment ? Tu aurais voulu que je confirme ses soupçons à ton égard ?

— Non, mais tu aurais pu le convaincre que...

— Mais c'était vrai, l'interrompit Jake avec un sourire déplaisant. Et tu le savais, n'est-ce pas ?

— Non !

Elle lui avait fait confiance, à défaut d'avoir confiance en elle.

— Si j'avais su, je n'aurais jamais... jamais...

Elle se tut, incapable d'achever.

— Recouru à moi ? acheva-t-il, cynique. Pleuré sur mon épaule ? Tu avais besoin de quelqu'un, Claire, mais les sentiments qui nous animaient t'effrayaient, avoue-le.

— Tu ne m'as jamais dit... Non, c'est faux.

— C'est la vérité.

Il fit un pas en avant, et continua à voix basse :

— Mais peu importe, Claire. Don n'est plus entre nous.

298

— Ce n'est pas si simple, répliqua-t-elle, incapable de le regarder en face.

— Je sais.

En proie à une vive confusion, Claire se sentait anéantie par la force qui émanait de Jake. Au cours de l'année écoulée, elle avait presque réussi à l'oublier, sauf dans ses rêves. Elle ne s'était jamais attendue à le revoir, ni ne l'avait souhaité. Il appartenait à un cauchemar auquel elle n'avait pas entièrement échappé. Et maintenant qu'il se trouvait dans son bureau, rien en lui ne paraissait fidèle au souvenir qui l'avait hantée. Son sourire était différent, ainsi que sa silhouette qui, telle une ombre menaçante au seuil de sa mémoire, l'avait effrayée. Or, la chemise noire qu'il portait avec un jean délavé parfaitement ordinaire était douce et confortable. Il serait passé inaperçu dans une foule, et cela la surprenait.

Avec la légèreté d'une plume, les doigts de Jake s'attardèrent sur sa joue. Elle frissonna. Quand leurs regards se croisèrent, il lui sourit avec tendresse.

— A demain, dit-il doucement. Tout finira par s'arranger.

Avant qu'elle ait bougé, il était parti de son pas silencieux. Elle demeura immobile, pétrifiée par le poids des souvenirs et la conscience affolante du sentiment qui la liait à lui, le meilleur ami de son mari.

Tout en remuant la sauce tomate aromatisée qui frémissait sur le feu, Claire regarda l'heure à la pendule. 17 h 05, et Mike n'était pas encore rentré. Ce n'était pas un retard suffisant pour lui faire une scène, mais ce soir, elle avait les nerfs à vif.

Comment réagirait-il quand elle lui apprendrait

l'arrivée de Jake ? Le retard de Mike ne la surprenait pas. Ne saisissait-il pas la moindre occasion pour mettre à l'épreuve son autorité ? S'il lui obéissait, il ne manquait jamais de pousser sa patience à bout, comme pour lui rappeler sourdement qu'elle n'avait aucun pouvoir sur lui, qu'il n'était pas son fils et ne le serait jamais.

Pourtant, il l'acceptait en tant que belle-mère. Au cours de la tragédie qui les avait frappés, ils avaient été alliés. Ce n'était qu'à la mort de son père, comprenant que sa grand-mère ne pouvait l'héberger et que Claire était tout ce qui lui restait, que l'adolescent s'était mis à la harceler. Elle avait été patiente, peut-être trop. Mais un an s'était écoulé et sans doute savait-il désormais qu'elle ne l'abandonnerait jamais, que pour le meilleur et le pire elle resterait à ses côtés jusqu'à ce qu'il devienne adulte. A moins qu'il craigne encore qu'elle ne le rejette dès l'instant où il la gênerait ?

A 5 h 30, Claire composa le numéro de Geoffrey Erickson.

— Geoffrey ? Ici, Mme Talbot. Mike est encore chez toi ?

— Non, il est parti il y a peut-être dix minutes.

— Merci.

Elle raccrocha, remua la sauce, mit une casserole d'eau à bouillir pour les pâtes. Où était Mike ?

Lorsque enfin, elle entendit ses pas sous le porche de bois délabré, elle s'efforça de masquer son agacement, mais jamais il ne lui avait été aussi difficile de se contraindre au calme.

— Ah ! des spaghettis, dit-il en entrant dans la cuisine.

— C'est bientôt prêt, répondit-elle sans le regarder. Va te laver les mains.

300

Le dîner servi, ils s'assirent à la vieille table en pin dissimulée par une nappe. Mais rien ne pouvait cacher le linoléum en piteux état, ni les antiques éléments de la cuisine.

— Je t'avais demandé de rentrer à 5 heures, dit-elle.

— Quelle différence ça fait? Le dîner n'était pas prêt.

Claire posa sa fourchette.

— Tu aurais pu m'aider.

— Il reste du pain à l'ail?

— Non. C'était le travail que je te réservais.

Il haussa les épaules, et Claire leva les yeux au ciel. Même les gestes de Mike étaient calculés pour lui déplaire.

— Demain, tu n'iras pas chez Geoffrey. Ainsi, à l'avenir, peut-être n'oublieras-tu pas l'heure.

— Mais avec les copains, on va à la pêche aux clams! Le père de Ryan nous emmène à la plage de Tillicume

— Tant pis pour toi. Quand je te demande d'être à une certaine heure à la maison, je ne plaisante pas.

— Ce n'est pas juste.

— Tu ne cesses de me défier, et ça non plus, ce n'est pas juste, dit-elle d'un ton las. Je ne peux pas m'occuper de la maison seule. J'ai besoin que tu coopères un peu. Je ne te demande rien de plus.

— Mais je t'aide! J'ai tondu la pelouse, ce matin.

Claire se rendit compte non sans honte qu'elle ne s'en était pas aperçue.

— Merci.

— Est-ce que je peux...?

— Non.

L'espace d'un instant, elle crut qu'il quitterait la

table rageusement, mais de toute évidence, son appétit fut le plus fort. Mike continua de manger dans un silence boudeur.

— Jake Radovitch est venu me voir à mon bureau aujourd'hui, annonça-t-elle.

La fourchette de Mike retomba bruyamment sur son assiette, et son expression maussade se transforma en colère.

— Qu'est-ce qu'il veut, celui-là ? Que fait-il ici ?

Claire s'était attendue que cette nouvelle déplaise à Mike, mais la violence de cette réaction l'étonna.

— Il emménage sur l'île. J'ignore pourquoi.

Mike se leva d'un bond.

— Il n'a pas le droit de s'installer ici ! Il faut qu'il s'en aille. Tu ne le lui as pas dit ?

Claire choisit ses mots avec soin.

— Plus ou moins, mais Jake a grandi à Dorset. Nous ne pouvons l'en empêcher.

— C'est parce que tu veux qu'il vienne.

— Pas du tout. A cause de lui, poursuivit-elle d'une voix sourde, j'ai repensé à... C'était la première fois depuis...

Ils se turent un moment.

Claire sentait la chaleur du feu, entendait le grondement de l'incendie, voyait les couleurs si étonnamment vives. Le regard de Jake, la force de son étreinte la dernière fois qu'elle l'avait vu lui revenaient également à la mémoire.

Elle était restée dans l'Oregon jusqu'à l'enterrement de Don, où Jake n'était pas venu. Elle s'était demandé pourquoi, et se le demandait toujours. S'était-il senti coupable d'avoir convoité la femme de son ami, de se réjouir de la disparition de Don en dépit de la peine

302

qu'il éprouvait de l'avoir perdu ? Et pourquoi n'avait-elle pas compris plus tôt qu'il la désirait ? Avait-elle été aveuglée par la douleur et la colère de Don, par son propre désir secret ?

Elle regarda son beau-fils, si jeune, si vulnérable. Il ne semblait plus en colère. Elle avait donc dit les mots qu'il fallait. Il croisa son regard, et haussa les épaules d'un air gêné.

— Quand je pense à papa, je me souviens toujours des bons moments. J'oublie le reste. Mais tout est la faute de Jake. C'est lui qui a persuadé papa de déménager, et papa était malheureux. Si on n'était pas partis...

— Tu te trompes, interrompit Claire.

Si l'arrivée inattendue de Jake l'avait bouleversée, elle ne pouvait laisser Mike lui attribuer des responsabilités qu'il n'avait jamais eues.

— Jake n'est pour rien dans notre décision de déménager. Ton père et moi souhaitions ce changement. Don avait besoin de calme et de sérénité. Le calme, nous l'avons trouvé, mais la paix...

La tristesse sur le visage de Mike lui serra le cœur. Il y eut un long silence avant qu'il reprenne sa fourchette.

— Papa et toi, vous n'avez jamais pensé revenir à Dorset au lieu d'aller dans l'Oregon ? dit soudain Mike. C'est tranquille ici, et il y a grand-mère.

— Nous l'avons envisagé, avoua Claire, mais ton père redoutait de revenir vivre dans sa ville natale. Et puis, ta grand-mère a le cœur fragile. Nous avons donc préféré aller dans un endroit où personne ne nous connaîtrait. Jake a suggéré l'Oregon et a parlé de la maison voisine de la sienne... Cela nous a semblé parfait.

— On était loin de tout, dit Mike à mi-voix, et ça faisait peur.

— Je sais, dit-elle en posant une main sur le bras de l'enfant.

— Je regrette d'avoir été en retard, bredouilla soudain Mike, le visage écarlate, le regard fuyant. Je m'excuse. Je veux dire... Parfois, j'aimerais que tu sois ma vraie mère.

Emue, Claire le serra quelques secondes dans ses bras. Il ne répondit pas à son étreinte, mais ne tenta pas non plus de s'en dégager.

— Nous sommes ensemble, c'est l'essentiel, non ?

Il hocha la tête. Et un peu plus tard, Claire alla se coucher pleine d'espoir. Mike s'était plus ouvert à elle en l'espace de quelques minutes qu'en plusieurs mois. Peut-être que l'arrivée de Jake sur l'île ne comportait pas que des inconvénients...

Ses rêves furent étranges et troublants. Avec Mike, elle fuyait, terrorisée, devant un homme — s'agissait-il de Don, de Jake ? — avec la certitude toutefois de se diriger vers Jake. Il se tenait devant elle, mystérieux et solitaire dans ses vêtements noirs, le visage dans l'ombre. Puis, il disparaissait et réapparaissait tour à tour devant et derrière elle. Elle trébuchait et s'immobilisait, serrant Mike dans ses bras. De la fumée s'élevait, tourbillonnait, épaisse et légère, lui brûlait les yeux, lui piquait la gorge. Elle se mit à tousser, ressentit une chaleur intense. Elle comprit alors ce qui se passait derrière eux. Le rugissement du feu lui arracha un cri d'effroi.

Pendant un instant, frissonnant dans l'obscurité de la chambre, Claire se raccrocha à son rêve. Une odeur de fumée lui chatouillait les narines cependant. Elle se redressa brusquement dans le lit. La fumée n'était pas dans son rêve. Et ne devinait-elle pas comme un rougeoiement par la fenêtre ?

Elle courut à la chambre de Mike tout en enfilant son peignoir. Il dormait, mais elle ouvrit les rideaux et distingua, derrière le rempart sombre des arbres, la clarté rouge-orange d'un incendie. Ce n'était pas la maison des voisins les plus proches qui brûlait, mais une habitation plus lointaine.

Elle écoutait le chuchotement confus par en'........
se rapprocher. A travers...... elle......... les formes et
bientôt d'entrer le .... contre des arbres, le
gémir des........ d'un .... en ...... se ... en ..... Peu à
peu .... de sa .... les et de la prairie qui ...... à
une habitation plus lointaine.

2.

Réveillé, Mike s'assit dans son lit et leva un visage inquiet vers sa belle-mère.

— Il faut appeler les pompiers, dit Claire. Je vais téléphoner et j'irai sur place ensuite. Si je peux être de quelque utilité...

— Je t'accompagne, dit Mike en se levant.

La jeune femme ne tenta pas de l'en dissuader. Elle courut dans le salon, et composa d'une main tremblante le numéro des pompiers. On lui apprit qu'une équipe était déjà sur les lieux du sinistre.

Elle s'habilla à la hâte. Mike l'attendait au pied de l'escalier.

Ils se dirigèrent rapidement vers la plage afin de suivre le rivage, ce qui était plus rapide que d'emprunter la route. Dans l'eau qui clapotait doucement, ils virent bientôt le reflet des lueurs rougeoyantes de l'incendie. Le hurlement des sirènes déchirait par intermittence le silence de la nuit. Claire sentit la chaleur du feu bien avant qu'ils aient contourné la crique. Elle trébucha contre une pierre à demi enfouie dans le sable, et malgré la douleur, poursuivit son chemin.

« Pourvu que ce ne soit pas la maison des Petersen, songea-t-elle. La chambre à coucher des enfants est au grenier. Pourvu que ce ne soit pas non plus celle de la vieille Mme Brewer... »

— C'est peut-être la villa des Kirk, dit-elle. Sont-ils venus cette semaine ?

— Je ne crois pas, répondit Mike. Leur portail était fermé.

— Mon Dieu ! murmura Claire.

— C'est chez les Kirk, annonça Mike quelques instants plus tard.

Claire grimpa en silence l'escalier escarpé qui s'élevait de la plage jusqu'en haut de la falaise.

Quand elle atteignit le sommet, une vision de cauchemar l'attendait. Le petit cottage de bois avait déjà brûlé, et les flammes s'attaquaient voracement au garage et aux vieux pommiers du verger. Des pompiers couraient avec leurs lances, des gerbes d'eau jaillissaient en arcs lumineux qui étincelaient comme un feu d'artifice.

Claire jeta un coup d'œil à Mike, et vit sur son visage une étrange expression. Il semblait hypnotisé, fasciné par les couleurs incandescentes. Elle lui toucha le bras.

— Mike... Mike ! répéta-t-elle plus fort comme il ne réagissait pas.

Il sursauta.

— Allons voir si nous pouvons nous rendre utiles.

Dans l'allée, à côté des camions jaunes des pompiers, des badauds s'étaient attroupés. Claire reconnut Bart Petersen, son voisin le plus proche, George Brewer, le fils de la vieille Mme Brewer, qui toutes les deux ou trois semaines, venait de Seattle voir sa mère, et Suzette Fowler qui tenait la petite librairie de la ville. Il y avait également Tony et Phyllis Carlson — ils cultivaient la vieille ferme Dwyer et vivaient en autarcie, convaincus que la civilisation touchait à sa fin —, ainsi que Linda Michaels, qui tenait un gîte. Alison Pierce contemplait l'incendie avec la même épouvante que les autres. Tous habitaient le long de la même route, à la sortie de la ville.

Derrière Linda, Claire aperçut soudain Jake, la seule personne du groupe qui semblait ne pas s'être habillée en toute hâte. Il portait une chemise et un jean noirs, comme dans la journée. Ses yeux restaient dans l'ombre, mais Claire sentait qu'il la regardait. Un vertige soudain la gagna. Jake était-il son allié ou son ennemi, celui qui la poursuivait ou qui la protégeait ? Elle avait menti en affirmant qu'il ne la hantait pas.

— Heureusement que les Kirk ne sont pas là, dit quelqu'un tout près, et un murmure d'approbation parcourut l'assistance.

Claire prit conscience que demain, il ne resterait plus rien de la propriété, sinon des décombres noircis. Mais la maison pourrait être reconstruite.

Elle songea qu'elle avait cédé trop vite à la panique. Etait-ce à cause de Jake qui, en resurgissant dans sa vie, avait réveillé de pénibles souvenirs ? Un brusque accès de colère l'emplit. De quel droit revenait-il la tourmenter ? Lorsqu'elle regarda de nouveau dans sa direction, il était parti. Derrière Linda, il n'y avait plus que le rempart noir des arbres. Avait-elle imaginé sa silhouette puisque, dans son esprit, il était invariablement associé à tout incendie ? Cette pensée la glaça.

— Rentrons, dit-elle à Mike.

Jake gara sa Porsche noire dans la rue, coupa le moteur, et resta au volant. Il était 10 heures, et déjà, les touristes flânaient sur le trottoir devant les vitrines.

Dorset avait beaucoup changé depuis qu'il en était parti dix-huit ans auparavant, et la petite ville présentait désormais un curieux mélange. Le supermarché, la bibliothèque, la station-service et le magasin de vaisselle étaient pour les habitants de l'île, les magasins d'antiquités, la galerie d'art et la boulangerie-café pour les visiteurs. Se déployant à flanc de colline, Dorset avait un aspect franchement Nouvelle-Angleterre avec ses maisons de bois peintes en blanc ou en rouge au toit dissymétrique et aux fenêtres à petits carreaux. Des rosiers grimpants recouvraient les barrières de bois blanc. La marina, hérissée de mâts, se nichait au fond d'une crique rocheuse.

Jake hésitait. Fallait-il accorder encore un jour de réflexion à Claire afin qu'elle s'habitue à sa présence ? Quelle malchance qu'il y ait eu un incendie dans la nuit ! Cet incident n'avait pu que réveiller les anciens traumatismes de la jeune femme, qui déjà l'avait accueilli avec réticence.

Lorsqu'elle l'avait reconnu, il avait lu sur son visage le choc, la douleur, le désir, le refus. Il n'aurait jamais cru qu'elle le tiendrait pour responsable des émotions contradictoires qui l'assaillaient. Il avait pensé que, même sans souffrir autant que lui de leur séparation au cours de l'année qui venait de s'écouler, elle se serait accrochée à leur amitié. Peut-être n'aurait-il pas dû la laisser partir ? Mais il n'avait pas su accepter ses sentiments alors, et elle avait eu besoin de temps pour pleurer la disparition de Don. Ni l'un ni l'autre n'étaient alors prêts à commencer une nouvelle vie.

Peut-être était-ce toujours le cas pour Claire. Peut-être se leurrait-il en s'imaginant que tout était possible entre eux. Etait-il vraiment sûr de ce qu'il ressentait ? Ne se conduisait-il pas en égoïste en cherchant à clarifier ses sentiments sans se soucier du bien-être de Claire ? N'était-il pas à jamais lié à Don dans l'esprit de la jeune femme ?

Mais que Claire prétende ne jamais avoir compris leur attirance mutuelle, cela le dépassait. Même si cela l'embarrassait, elle n'avait pu que s'en rendre compte.

Petite et mince, Claire avait la grâce d'une danseuse. Ses pommettes hautes et sa mâchoire carrée trahissaient une nature volontaire. Elle nattait ses longs cheveux châtains, ou les relevait en un chignon souple. Non, elle n'était pas sophistiquée. Même ses yeux, d'un bleu foncé, n'étaient pas ceux d'une poupée de porcelaine. Mais Jake l'avait toujours désirée. Dans ses rêves, il l'avait touchée et sentie trembler quand il se perdait en elle.

Il détendit ses doigts crispés sur le volant. Fallait-il sortir de la vie de Claire une deuxième fois, oublier le passé, et chercher la paix ailleurs ?

Sans tergiverser davantage, il descendit de voiture. Il était temps que Claire comprenne qu'elle n'était pas responsable de la mort de Don. Tant qu'elle refuserait cette évidence, elle resterait infirme. Et après tout, ne pouvait-il être le bouc émissaire dont elle risquait d'avoir besoin ?

« Quel bon Samaritain je fais », songea-t-il avec ironie.

En réalité, depuis qu'il avait revu Claire et entendu le timbre chaud et rauque de sa voix, il était incapable de renoncer à elle.

Peinte en gris pâle et blanc, avec ses fenêtres garnies de géraniums rouges et son rosier qui grimpait au treillis du porche, l'agence immobilière était en parfaite harmonie avec le reste de la petite ville — le décor idéal pour appâter le touriste qui rêvait d'acquérir une maison sur une île.

Jake poussa la porte. Apparemment surprise de le revoir, la secrétaire lança un coup d'œil vers le bureau de Claire avant de se tourner vers lui. Il afficha son sourire le plus désarmant.

— Pourriez-vous dire à Claire que je suis ici ? Elle m'attend.

— Un instant, je vous prie.

Faisant semblant de s'intéresser aux photographies des maisons et au nombre d'hectares qu'elles possédaient en front de mer, il entendit la secrétaire chuchoter. Puis, un bruit de pas.

— Bonjour, Jake, dit Claire.

Lentement, il se retourna. Et en la voyant, l'émotion le submergea. Elle avait pourtant changé d'une façon qu'il ne saurait peut-être jamais élucider. Trop de temps s'était écoulé. Aujourd'hui, son expression était contrôlée. Il aurait pu être un inconnu.

Un instant plus tard, il la suivait dans son bureau. Il perçut une tension dans sa nuque et ses épaules. Elle n'était donc pas aussi indifférente qu'elle le prétendait. En était-il heureux ou effrayé ? Il l'ignorait. Bien que de tempérament réservé, il avait envie de la toucher, pour se rassurer plutôt que pour la posséder, et il s'en voulait de son impatience.

Ils entrèrent dans le bureau. Claire referma la porte, décrivit un large cercle afin de le contourner, et s'assit avec raideur derrière son bureau. Il s'installa dans un fauteuil. Elle se mit à jouer nerveusement avec un stylo.

— As-tu réellement l'intention d'acheter une maison ?

— Bien sûr. Mais avant de discuter affaires, j'aimerais que nous parlions d'hier soir.

— Non, s'écria-t-elle, il n'y a pas eu de blessés. Il n'y a rien à dire.

Il inclina la tête en signe d'assentiment, mais son regard s'attarda sur les cernes qui soulignaient les yeux de la jeune femme.

Claire saisit son classeur, l'ouvrit, jeta un coup d'œil à une note agrafée en première page. Cette entrevue s'annonçait plus difficile que prévu. Dommage que Jake ait cette arrogance si masculine qui lui permettait avec une parfaite décontraction de la scruter de son regard énigmatique, tandis que ses lèvres sensuelles lui donnaient une curieuse sensation de vertige...

— Que désires-tu exactement ?

Il eut un léger rictus, et se ressaisit.

— Quelque chose de moderne, de grand, d'aéré. Des fenêtres, une vue et du terrain, bien sûr. Je ne veux pas de voisins immédiats.

— Les voisins sont parfois dérangeants en effet.

— En effet, confirma-t-il, soudain plus pâle. Même si je préfère ce qui dérange à ce qui est prévisible.

— Tu ignores que la vie devient un enfer, quand plus rien n'est prévisible ?

Il y eut un silence vibrant de tension au souvenir de la corde raide sur laquelle Claire avait marché pendant trois ans, quand les médecins avaient déclaré que son mari souffrait de schizophrénie. Des scènes passaient souvent devant les yeux de la jeune femme : Don, le visage déformé par une douleur et une rage intolérables, enfouissant la tête sous l'oreiller afin de se protéger d'un monde qui l'agressait, ou allant et venant, les poings fermés, et répondant en hurlant aux voix qui le tourmentaient...

— Excuse-moi de ce manque de tact, murmura Jake.

— Je ne devrais pas être aussi sensible, dit-elle, la bouche sèche et d'une voix qui semblait ne pas lui appartenir.

— La sensibilité est une qualité rare, Claire. Ne cherche pas à te durcir.

Ils se regardèrent jusqu'à ce que la jeune femme ait l'impression de ne plus pouvoir respirer. Elle s'obligea alors à baisser les yeux sur son bureau, s'agita sur son siège qui grinça. Le désir lancinant qui l'assaillait n'était bien sûr que le fruit de son imagination. Ni l'un ni l'autre n'éprouvaient un sentiment aussi intense.

— Nous avons deux maisons susceptibles de t'intéresser, dit-elle enfin. L'île n'est pas très grande... Enfin, ça, tu le sais. Excuse-moi mais je n'arrive pas à imaginer que tu es originaire de Dorset. C'est facile d'oublier que Don et toi... Bref, quelle que soit la saison, il y a peu de propriétés à vendre. L'agence s'en sort l'été avec les locations pour le week-end, mais les cottages sont petits.

— J'aimerais trois chambres, quatre de préférence.

Claire lui adressa un coup d'œil circonspect. Une fois de plus, l'expression de Jake était indéchiffrable.

— Voyons, il y a... cette maison-ci...

Elle montra une photographie.

— Peut-être l'as-tu aperçue depuis le ferry... Elle donne sur les voies de navigation, à mi-hauteur de la falaise, avec un voisinage peut-être un peu plus proche que ce que tu aimerais, mais de là, la vue est magnifique. Il y a aussi une véranda, et un Jacuzzi.

Jake se redressa à peine pour jeter un coup d'œil négligent au cliché. Il secoua la tête.

— Je ne veux pas de voisins immédiats.

— Les terrains en bord de mer sont souvent étroits, tu le sais. Il y a une clôture, comme tu peux le voir, et au moins cinq cents mètres qui te séparent de la maison voisine.

— Non.

314

— Bon. Il y a aussi la propriété Boyer. Sans être moderne, elle possède un charme indéniable, et il est possible de réaménager l'intérieur en abattant des cloisons. Il y a une grange et le terrain est clôturé.

— Je connais la propriété Boyer. Ce n'est pas pour moi.

Quelque peu exaspérée par l'assurance de Jake, Claire eut un sourire crispé.

— Mais tu ne l'as pas vue depuis des années ! N'aimerais-tu pas visiter ces maisons ? Elles sont toutes deux agréables, et...

— Tu n'as rien d'autre à me proposer ?

— Naturellement, nous avons des propriétés sur les autres îles. Tu tiens absolument à habiter Dorset ? Si les îles plus grandes ne t'attirent pas, peut-être Shaw ou Lopez...

Il se contenta de la regarder et attendit qu'elle ait fini de parler. Elle s'efforça de réprimer son envie de meubler le silence. Ne l'avait-elle pas trop fait autrefois, au cours de leurs nombreux tête-à-tête ? Elle croisa les jambes, tira sur sa jupe, tenta de lisser ses cheveux de la main. Puis, s'apercevant de son agitation, elle redressa le dos, et le foudroya du regard.

— C'est parce que tu sais que cette villa est à vendre que tu es venu, n'est-ce pas ?

Dans le sourire que Jake esquissait si rarement, elle décela une pointe d'amusement.

— De quelle villa parles-tu ?

— Celle qui est dans mon quartier.

Sans cesser de sourire, il l'observa un instant.

— Laisse donc tes cheveux tranquilles. Tu ressembles à un chat en colère.

— Si tu t'imagines qu'on peut s'en sortir aussi facilement ! fit-elle en posant la main sur le bureau.

— J'ignore tout de cette maison. Je ne sais même pas où tu habites. Mais maintenant que tu viens de... vendre la mèche, pour ainsi dire...

Claire tourna les feuillets de son classeur avec la sensation que les poches de plastique lui brûlaient les doigts. Et sans un mot, elle le poussa vers Jake. Il s'en empara, étudia la photographie et parcourut les quelques lignes en caractères d'imprimerie.

Pendant qu'il lisait, Claire l'observa. Il portait un jean noir fatigué, et une chemise grise en velours côtelé aux manches retroussées. Ne perdrait-il donc jamais cette allure mystérieuse ? Elle lui aurait volontiers acheté une chemise rouge afin de juger de l'effet. A moins qu'un costume classique d'homme d'affaires ait suffi à le transformer en homme ordinaire ?

Comment diable s'habillait-il pour assister aux mondanités auxquelles tout écrivain devait participer quand il n'était pas assis devant l'écran de son ordinateur ? Curieusement, elle ignorait ce qu'il écrivait. Il travaillait en *free lance*, lui avait-il confié autrefois, et elle était alors si préoccupée qu'elle ne lui avait pas posé de questions.

— J'aimerais la visiter, dit-il.

Peut-être détesterait-il cette maison des Mueller, semblable à une folie des temps modernes... Peut-être ne pourrait-il se l'offrir. Pourtant, en voyant le prix, il n'avait pas bronché.

— Qu'est-ce que tu écris, Jake ? demanda-t-elle tout à coup.

Elle crut voir son regard se troubler tandis qu'il reposait le classeur sur le bureau avec un petit sourire.

— Quelle importance ?

— Mon travail consiste à m'assurer que tu remplis les conditions requises pour un emprunt, avant de déranger les Mueller.

316

— Souhaites-tu parler à mon banquier ? Désires-tu consulter mon dernier avis d'imposition ?

— Je t'ai posé une question simple. Si tu préfères ne pas y répondre, il te suffit de le dire.

Il garda un instant le silence, avant de hausser les épaules et de murmurer d'un ton résigné :

— J'écris des romans policiers.

— C'est pour ça que tu t'habilles toujours en noir ?

Cette fois, il éclata de rire.

— Mon Dieu ! non. J'aime cette couleur, tout simplement. Qu'y a-t-il de mal à cela ?

Le menton dans les mains, elle s'efforça d'examiner cette nouvelle facette d'une personnalité déjà complexe.

— Pourquoi n'ai-je jamais entendu parler de toi ?

— Tu lis des romans policiers ?

— Non, mais si tu jouissais de la célébrité d'un Elmore Leonard, j'aurais au moins vu ton nom dans les vitrines des librairies.

— Qui te dit que je suis célèbre ?

— Tu dois l'être, pour avoir les moyens d'acheter la maison des Mueller.

Pour la première fois depuis qu'ils se connaissaient, il parut mal à l'aise.

— Je n'écris pas sous mon vrai nom. Je préfère la richesse sans les inconvénients de la notoriété.

Cet aveu ne surprit guère la jeune femme, qui d'une certaine façon ne parvenait pas à l'imaginer dans des émissions de télévision ou interviewé dans des magazines comme *Us* ou *People*. Jake était plutôt du genre ermite. Le sachant, Claire s'étonnait qu'il veuille quitter son magnifique perchoir sur la côte de l'Oregon pour emménager dans sa ville natale où il retrouverait les ragots et l'existence morne caractéristique d'une

317

petite ville isolée sur une île. Des liens, des souvenirs particuliers le rappelaient-ils à Dorset?

— Tu as vendu ta maison de l'Oregon? interrogea-t-elle.

Jake fut soulagé qu'elle change de sujet.

— Je l'ai mise en vente, et je pense avoir trouvé un acquéreur.

— L'achat de ta future maison dépend donc de la vente de ta propriété de l'Oregon?

— J'ai aussi des actions que je peux vendre.

— Voilà qui facilitera les choses. Sous quel nom écris-tu? demanda-t-elle avec un sourire.

Signe d'une tension soudaine, les mains de Jake se crispèrent sur les accoudoirs du fauteuil.

— Aurais-tu l'intention de lire mes œuvres complètes?

— Ça pourrait être intéressant.

— J'en doute. Si tu n'aimes pas les romans policiers...

— Tu ne me fais pas confiance?

Il baissa sur elle son regard énigmatique.

— Bien sûr que si, répliqua-t-il d'un ton léger, se frappant le cœur de la main. Mon pseudonyme est Jacob Stanek.

Elle le dévisagea, stupéfaite. Tout le monde connaissait Jacob Stanek, dont les livres figuraient tous sans exception sur la liste des best-sellers. Claire en avait lu un, un ouvrage qui dépassait largement le cadre du roman policier. Il possédait de multiples aspects que la force des émotions et la mise à nu des personnages rendaient fascinants. Le crime à proprement parler n'existait qu'en tant que symbole, un acte simple commis par des gens ordinaires. Troublée par cette vision du monde insolite et cynique à la fois,

Claire s'était interrogée sur son auteur qui restait une énigme. Pas de photo sur le rabat de la quatrième page de couverture, mais simplement le rappel des titres déjà publiés.

— Tu es Jacob Stanek? Je ne comprends pas... Pourquoi me l'avoir tu? J'ai lu un de tes romans.

Gêné, il bougea sur son fauteuil.

— Je ne voulais pas que tu réagisses comme la plupart des gens qui se sentent mal à l'aise en ma présence, dès qu'ils savent que j'écris. Ils s'imaginent que je les épie afin de les utiliser pour mes histoires, où ils croient se retrouver... peut-être à juste titre. N'avons-nous pas tous nos faiblesses?

— Toi aussi?

Il ne répondit pas tout de suite, et ils s'observèrent en silence un moment.

— Oui, j'ai mes faiblesses, avoua-t-il finalement.

En faisait-elle partie? Instinctivement, Claire rejeta cette idée. Malgré ses sous-entendus, Jake n'aurait pu cacher ses sentiments pour elle. Or, il ne l'avait jamais touchée, sauf pour la prendre dans ses bras quand elle pleurait, ou pour l'aider à mettre une bûche dans la cheminée. N'avait-il pas témoigné de la patience presque impersonnelle de celui qui écoute sans jamais porter de jugement, et qui n'attend rien en échange de sa sollicitude? A moins qu'elle se soit trompée. A cette idée, la panique l'envahit.

Evitant son regard, elle se leva.

— Pourquoi ne pas aller voir la maison des Mueller?

— Ne faut-il pas prendre rendez-vous avec eux?

— Ils sont à Seattle pour la semaine.

— Ainsi, nous ne les dérangerons pas inutilement.

Claire rougit.

— Je suis désolée, mais je suis censée avoir une idée de ta situation financière avant de te montrer une maison, et bien que je te connaisse...

Elle n'acheva pas sa phrase. Il venait de se lever, et se tenait tout près d'elle. Elle perçut la chaleur de ce grand corps masculin, vit les rides autour des yeux, la barbe sur les joues émaciées, la légère dilatation des narines comme il respirait son parfum. Si elle avait été plus grande, peut-être ne se serait-elle pas toujours sentie sur la défensive devant lui.

— Tu voulais savoir, dit Jake à sa place avec un sourire nonchalant terriblement sensuel.

Hypnotisée par la lueur de tendresse qui réchauffait son regard gris habituellement glacial, elle demeura un instant immobile.

— On y va ? dit-elle enfin.

— Après toi, répondit-il avec un geste de la main.

Jake sur les talons, Claire se sentait comme un animal pris au piège. Dommage qu'elle n'ait pas un terrier où disparaître.

— Joanne, dit-elle à la secrétaire, je fais visiter la maison des Mueller. Je serai de retour dans une heure ou deux.

— Dois-je prévenir Alan ? s'enquit la réceptionniste avec un regard méfiant à Jake.

Alan n'était autre qu'Alan Beckwith, son employeur. Amusée, Claire se détendit soudain. La pauvre Joanne était terrorisée par Jake. Sans doute s'imaginait-elle qu'il la prenait en otage !

— C'est inutile, sauf s'il a besoin de moi. Jake est un vieil ami, ajouta-t-elle du ton le plus naturel possible.

Joanne eut un drôle de petit signe de tête, et son air interdit rappela à Claire la stupeur avec laquelle les habitants de Dorset avaient assisté à l'incendie de la nuit dernière. Néanmoins, cela la rassurait de ne pas être la seule femme à être intimidée par la présence ténébreuse de Jake.

— Prenons ma voiture, dit-il lorsqu'ils furent dehors.

Elle se figea un instant sur place. La perspective que ce soit lui qui tienne le volant, comme si c'était là une façon de se rendre maître de la situation, la dérangeait. Que redoutait-elle ?

La Porsche noire de Jake lui était familière bien qu'elle n'y soit encore jamais montée.

Le siège de cuir était confortable, le vrombissement du moteur puissant. Comme Jake la frôlait d'une épaule et que sa cuisse moulée dans le jean semblait trop proche, elle baissa le regard sur la main qui saisissait le levier de vitesse, entre eux. Il avait de longs doigts, des poignets forts et souples. Claire se souvint du contact de ces doigts sur sa joue, sur son menton. Un frisson la parcourut, et elle tourna la tête vers la vitre.

— Tu m'indiques le chemin ?

— Oh ! pardon... Il faut prendre à gauche, bredouilla-t-elle. Ce n'est pas loin de l'ancienne maison de Don, et de celle qui a brûlé cette nuit. Je suppose que tu es descendu à l'hôtel ?

— Tu te plais, ici ? interrogea-t-il sans répondre à la question de la jeune femme.

— Il m'a fallu du temps pour m'y habituer. Tout le monde à Dorset sait ce qui nous est arrivé, à Mike et à moi. Des gens qui nous sont totalement étrangers sont au courant de la marque de céréales que nous achetons. La postière raconte tout à son mari, le propriétaire de la station-service. Un des professeurs de Mike a grandi avec Don, la libraire qui est ma voisine a une liaison avec le principal du lycée. Personne ne s'insurge contre cette liaison puisque aucun des deux protagonistes n'est marié. Sinon...

D'un doigt, elle fit mine de se trancher la gorge.

— Je vois que les habitants de Dorset sont toujours aussi conservateurs.

Le regard oblique qu'il lui adressa ne manquait pas d'humour.

— Pas forcément sur le plan politique. Mais si l'un d'entre nous s'autorise une liaison extraconjugale, nous connaissons tous la personne en question, ce qui pose un problème délicat. Par conséquent, si tu es en quête d'intimité, en venant habiter ici...

— Mieux vaut faire une croix dessus, conclut-il.

— Mieux vaut aller ailleurs, corrigea-t-elle.

— Je ne suis pas en quête d'intimité.

Un mouvement de panique s'empara de la jeune femme. Que voulait-il d'elle? Pourquoi réapparaissait-il dans sa vie? Il n'était pas à ses côtés quand elle avait eu besoin de lui, à la mort de Don. S'il tenait à elle, pourquoi avait-il disparu alors?

Ils dépassèrent le Bed & Breakfast, une bâtisse restaurée de style victorien, entourée d'une pelouse qui descendait en pente douce jusqu'à la falaise. Claire n'eut pas à lui dire où tourner. Jake emprunta automatiquement le chemin plein de fondrières après les boîtes aux lettres, prouvant une fois de plus que ce lieu lui était familier.

Claire imaginait sans effort Jake enfant. Dans sa jeunesse, à la place de la propriété des Mueller, se trouvaient sans doute des bois où il jouait avec Don. Avait-il encore de la famille sur l'île? Don avait peu parlé de lui, en dehors de leurs escapades épiques.

Elle veilla à ne pas regarder les décombres calcinés de ce qui avait été la villa des Kirk, ni sa propre maison, vieille et délabrée. Venait ensuite le cottage de sa belle-mère, entretenu avec un soin méticuleux et entouré d'une roseraie qu'Anne Talbot chérissait. Enfin, le chemin se rétrécissait pour s'enfoncer dans les bois. Cèdres aux troncs épais couverts de mousse et épineux masquaient la lumière du soleil, tandis que les fougères poussaient à profusion. Ils atteignirent la clairière que dominait la maison des Mueller, construite en verre et en bois, au-dessus du Sound.

Jake arrêta la voiture.

— Laquelle était ta maison ? s'enquit-il après un silence.

L'hésitation de Claire fut de courte durée.

— La plus délabrée.

— Tu en es propriétaire ?

— Non, je la loue à ma belle-mère.

— Tu manques d'argent ?

— Oui, répondit-elle sans détour.

Il fronça les sourcils.

— Je l'ignorais.

— Je ne vois pas quelle différence cela aurait fait si tu l'avais su, dit-elle en regardant droit devant elle.

Elle sentit qu'il l'observait. Mais il garda le silence. Il descendit de voiture et elle l'imita.

A un angle de la villa, s'élevait le porche de cèdre qui donnait sur une terrasse en longueur. Jake s'éloigna de quelques pas tandis que Claire ouvrait la porte ouvragée. Quand elle le rejoignit, accoudé à la balustrade, il regardait la mer d'un air pensif.

Au loin, on distinguait une autre île qui, d'ici, semblait inhabitée. Des falaises d'un vert sombre plongeaient en à-pic dans les eaux du Puget Sound hérissées de récifs. Une bouée orange vif flottait au large, secouée par la houle.

— J'avais oublié à quoi ça ressemblait, dit Jake. Mais les rouleaux de l'océan me manqueront.

— Cela m'a manqué quelque temps, avoua Claire.

En particulier la nuit, quand elle ressassait ses erreurs, elle aurait aimé entendre le bruit régulier et apaisant des vagues. Mais elle s'était habituée au Puget Sound enfermé dans les terres, plus calme mais tout aussi naturel.

— Bon, dit-il en se redressant. On fait le tour de la maison ?

Claire le conduisit dans l'immense salon. Une magnifique cheminée de pierre couronnée d'un épais plateau d'érable disputait l'attention à la grande baie vitrée donnant sur la mer. Une moquette blanche partait du seuil du hall dallé, jusqu'à la salle à manger, et le mobilier moderne affichait des teintes neutres. Les seules touches de couleur apparaissaient dans les quelques tableaux accrochés aux murs. Jake avança en silence dans la pièce, et, debout devant les immenses fenêtres, il jeta un coup d'œil par une porte ouverte.

Claire tenta de se souvenir de la maison qu'il habitait dans l'Oregon. L'effet de nudité qui s'en dégageait tenait davantage au manque de désordre qu'à l'absence de couleurs.

— La moquette devra partir, dit Jake. A quoi rime une moquette blanche si près de la plage ?

— A mon avis, les Mueller ne se sont guère aventurés plus loin que la terrasse. Ils ne passent ici que la moitié de l'année. La plupart du temps, cette maison leur sert à recevoir des clients de Seattle. Je suis à peu près convaincue que c'est un décorateur qui s'est chargé du décor et de l'ameublement.

— Ça se voit.

Aux yeux de Claire, la cuisine, avec ses éléments en érable incrustés d'étroites bandes d'acajou, ses plans de travail de granit et son parquet de chêne blond aussi chatoyant que du satin, respirait le luxe. Le coin déjeuner, séparé du reste de la cuisine par une paroi de verre, était plus grand que la cuisine. Les stores et les sets de table étaient de mêmes couleurs pêche et bleu ciel.

— Aucun goût, déclara Jake.

— Ce n'est pas une décoration très personnelle.

— Je crois que je pourrais rendre cet endroit confortable.

— Vraiment? fit-elle, en songeant à sa propre maison avec le linoléum déchiré, les plafonds tachés et la vieille cuisinière.

— Même si je me sens un peu perdu dans cet espace.

— Pourquoi veux-tu trois chambres?

— Pour l'avenir, dit-il sans la regarder. On monte à l'étage?

Il n'attendit pas que la jeune femme lui montre le chemin. A contrecœur, elle le suivit dans l'escalier éclairé par la lumière du jour. Il y avait quelque chose de trop intime à visiter des chambres en compagnie de Jake. Comment ne pas l'imaginer se prélassant dans le Jacuzzi de la chambre principale, son corps musclé enveloppé de vapeur d'eau...

Elle s'arrêta sur le palier. Il y avait quatre chambres, et elle ignorait dans laquelle il avait disparu. Elle jeta un coup d'œil dans chaque pièce.

— Cela ressemble plus à une salle de bal qu'à une chambre à coucher, dit-il quand il l'aperçut sur le seuil.

Elle eut un petit sourire crispé.

Il inspecta la vaste salle de bains avec la baignoire encastrée, la vue panoramique sur le Sound, et la douche séparée. Il avançait à pas feutrés, comme une panthère qui s'aventure en territoire inconnu. Elle l'attendit, de plus en plus tendue. Comment avait-elle pu autrefois trouver le courage de se confier à lui ?

Quand enfin il la rejoignit, un vague sourire se dessina sur ses lèvres comme s'il percevait sa nervosité. Le coup d'œil inquiet qu'elle avait jeté sur le lit ne lui avait sans doute pas échappé. Il disparut dans la chambre voisine.

« C'est le silence qui me met mal à l'aise », pensa-t-elle.

L'immense demeure évoquait un mausolée. La moquette étouffait le bruit des pas. Une sensation d'isolement la gagna. Elle avait besoin de gens, du bruit de la circulation...

— Alors, qu'en penses-tu ? interrogea-t-elle d'une voix qui résonna fort dans le calme de la maison.

Jake apparut sur le seuil. Il s'appuya contre le montant de la porte, les mains dans les poches. La toile usée de son jean soulignait les muscles de ses jambes.

— Je la prends.

— Tu la prends ? Tu veux l'acheter ?

— La vue me plaît.

— Mais... ne fais-tu pas une offre de prix ?

— Si, bien sûr.

Et il mentionna un chiffre de vingt mille dollars en dessous de la somme demandée.

— Ça devrait convenir, conclut-il.

Claire n'en doutait pas. Néanmoins, l'assurance qu'il affichait l'irritait. Lorsqu'elle avait eu besoin de lui, elle avait apprécié son impassibilité, mais aujourd'hui, elle aurait été ravie de le voir sortir de ses gonds. C'était pénible de penser que les Mueller, désespérés de vendre, accepteraient son offre.

— Très bien, dit-elle en soupirant. Nous partons ?

Il ne bougea pas.

— Mike est à la maison ?

La jeune femme aurait aimé pouvoir mentir, mais à quoi bon ? Ils finiraient bien par se rencontrer.

— Je suppose que oui. Il faut que je te prévienne. Il est fâché contre toi.

— Fâché ? Mais pourquoi ?

— Je ne sais pas. Il est à un âge difficile.

— Vous vous entendez bien ?

— Oh ! nous nous débrouillons, dit-elle en manifestant un certain désarroi. Mais ce serait plus facile si j'étais vraiment sa mère.

— Pourquoi ?

— Il croit que je m'occupe de lui par pitié. Je n'arrive pas à le convaincre que je l'aime.

— Pauvre gosse, dit Jake après un silence.

— Mais nous nous débrouillons, répéta-t-elle.

— As-tu le temps de t'arrêter chez toi ?

— Si tu veux.

— Que ne ferais-je pas pour toi !

Il semblait se moquer de lui-même, et elle ne savait comment réagir. Jake lui adressa alors un sourire de connivence, comme s'il lisait dans ses pensées. Puis, il tira doucement sur sa natte.

— Toujours raisonnable, n'est-ce pas ? ajouta-t-il.

— Si un jour je perdais la tête, dit-elle, je serais du genre obsessionnel, à me laver sans cesse les mains au lieu de m'égarer dans des cauchemars. Je n'ai jamais eu beaucoup d'imagination.

— Les délires de Don t'ont suffisamment impressionnée.

Ebranlée par cette vérité, elle ne répondit rien. Pourquoi s'était-elle une fois de plus confiée à lui ?

Ils remontèrent en voiture.

Par comparaison avec le domaine des Mueller, Claire trouva sa maison encore plus misérable, et la Porsche étincelante ne semblait pas avoir sa place dans l'allée de terre.

Un chat gris se prélassait dans les asters. Jake le prit dans ses bras et suivit la jeune femme en le caressant. Après un sursaut de surprise, l'animal se détendit et se mit à ronronner.

— C'est Misty, lança Claire par-dessus son épaule, en se dirigeant vers la cuisine.

Debout devant la cuisinière, Mike se retourna en les entendant entrer.

— Claire ! Que... ? Jake ! dit-il avec une hostilité non déguisée.

Jake lui tendit la main, mais l'adolescent ne la serra pas.

— Quel plaisir de te revoir, Mike. Tu as changé.

— Pas toi.

La bouche de Jake se pinça comme il laissait retomber sa main.

— Tu as sans doute raison. Vous m'avez manqué, Claire et toi, ajouta-t-il, feignant d'ignorer la tension qui régnait entre eux. Ton père aussi.

— Oui.

Claire fit un pas en avant.

— Mike...

Mais l'adolescent ne quittait pas Jake du regard.

— C'est vrai que tu vas habiter ici ?

— J'espérais que cela te plairait.

— On ne veut pas de toi ! s'écria le jeune garçon. Tu vas tout détruire. On était tranquilles jusqu'à ce que...

Il s'interrompit brusquement, et se tourna vers Claire.

— Oh! j'oubliais! Tu sais quoi?

— Quoi? interrogea la jeune femme, saisie d'appréhension.

— M. Petersen a appelé. Ce matin, les flics lui ont parlé de l'incendie de cette nuit. Il paraît que c'est un acte criminel. Quelqu'un a mis le feu à la maison des Kirk.

A ces mots, Claire frissonna. C'était comme dans son rêve. Le rugissement du dragon, et l'impression que quelqu'un se tenait derrière elle. Quelqu'un qui l'effrayait. Jake Radovitch? Même dans son rêve, elle l'ignorait.

3.

Les rumeurs circulaient vite à Dorset, et tout le monde savait déjà qui avait parlé à la police et ce qui s'était dit précisément. Claire voulut d'abord passer sans s'arrêter devant le petit groupe rassemblé sur le trottoir. Elle se ravisa. Cet incendie la tracassait, elle aussi. Un voisin avait perdu sa maison, et tous les habitants de l'île se sentaient menacés. Si on ne mettait pas la main sur le pyromane, il frapperait de nouveau.

Elle s'approcha de Linda Michaels, la propriétaire de l'hôtel.

— Bonjour, Claire, dit celle-ci, auriez-vous eu des nouvelles des Kirk à l'agence? Je me demande s'ils vont reconstruire ou vendre.

— Nous n'en savons rien, répondit-elle. Le sinistre ne date que de deux jours. Sans doute sont-ils encore sous le choc.

— Sans doute, acquiesça Linda, manifestement déçue. Pourtant, j'ai entendu dire que...

Comme un touriste passait, elle baissa la voix.

— Il paraît qu'Ed Kirk a failli perdre son emploi à Data Ware, et que s'ils le gardent, ce sera à un poste moins important. Pourquoi? Personne n'en sait rien.

Mais ses revenus vont s'en ressentir, et l'assurance de la maison vient à point nommé...

— Ed aurait mis le feu à sa villa? fit quelqu'un. J'ai du mal à imaginer...

— Non, non, s'empressa de dire Linda. Je suis simplement contente que cela se soit produit à un moment où l'assurance permettra aux Kirk de sortir d'une mauvaise passe.

— D'ailleurs, comment aurait-il fait? renchérit Reed Sargent, le boulanger. Il n'était pas ici. On l'aurait vu descendre du ferry.

— Il aurait pu louer un bateau, suggéra quelqu'un d'autre.

Sally, l'épouse de Bart Petersen, formula la pensée de Claire.

— Je préfère ne pas imaginer que le pyromane se trouve parmi nous. Les touristes sont si nombreux sur l'île... Regardez, ajouta-t-elle avec un geste de la main, l'auberge est pleine. Votre Bed & Breakfast l'est également, Linda, non?

— Oui, jusqu'à dimanche. La saison va bientôt se terminer.

— Personnellement, reprit Reed, je me demande si ce ne sont pas des adolescents qui auraient mis le feu pour s'amuser, et qui auraient été dépassés par la situation. A moins qu'ils ne se soient introduits dans la maison pour voler des jeux vidéo, par exemple, et l'incendie aurait servi à effacer toute trace de l'effraction.

— Ed avait de l'essence pour la tondeuse dans son garage, ajouta le propriétaire de la galerie de tableaux.

— Ça semble plausible, fit Linda.

Là-dessus, ils se séparèrent pour retourner à leur travail ou continuer de faire leurs courses.

332

— C'est plutôt effrayant, commenta Sally en s'attardant un instant avec Claire. J'ai du mal à imaginer que nos enfants puissent être les coupables.

— Peut-être que par jeu...

Une raison qui n'en était pas une, mais Claire refusait d'envisager d'autres solutions. Elle ne voulait pas penser au feu.

Elle avait essayé de cacher sa frayeur au capitaine des pompiers, la veille, quand il avait frappé à sa porte. Comme il venait de Friday Harbor, il ignorait dans quelles circonstances Don avait péri et elle ne le lui avait pas appris. Allant à l'essentiel, elle avait expliqué qu'elle et Mike n'avaient rien vu ni rien entendu jusqu'à ce que l'odeur de fumée la réveille.

— Pouvez-vous affirmer que votre fils était à la maison ?

— Naturellement ! avait-elle répliqué, offusquée que l'on puisse imaginer l'adolescent — qui avait vu mourir son père dans les flammes et qui rêvait régulièrement qu'il arrivait trop tard pour le sauver — comme capable de déclencher un incendie.

Impassible, le capitaine avait écrit quelques mots sur son carnet.

— Vous avez appelé les pompiers, et vous vous êtes rendue sur les lieux du sinistre afin de voir si vous pouviez être d'une aide quelconque...

— C'est exact.

— Y avait-il d'autres voisins ?

— Oui.

— Qui ?

Elle avait mentionné Linda Michaels, Alison Pierce, Bart Petersen, les Carlson, George Brewer, citant aussi à contrecœur le nom de Jake. Sans doute le capitaine, déjà au courant, ne lui demandait-il que de confirmer les faits dans l'espoir qu'elle ait aperçu quelqu'un d'autre.

— Jake Radovitch a l'intention d'acheter une maison dans le quartier, avait-elle conclu.

— Il paraît qu'il a grandi ici.

— Oui, il paraît.

Le capitaine était parti, apparemment satisfait, et la laissant s'interroger sur son premier mouvement à l'égard de Jake. Elle avait failli taire sa présence sur les lieux du sinistre, comme pour le protéger d'une éventuelle accusation. C'était pourtant Don qui avait mis le feu à la maison afin de se suicider. Jake ne pouvait être soupçonné d'être l'auteur de ce tragique incendie. Mais c'était à cause de son rêve terrifiant qu'elle n'osait associer Jake à l'incendie. A cause de son rêve, et du souvenir de ses bras autour d'elle.

S'efforçant de chasser les ragots de son esprit, elle passa la matinée à visiter les villas vides que sa compagnie gérait, des locations et des résidences d'été où il fallait couper l'eau avant l'hiver. A la suite de l'incendie du cottage des Kirk, son patron, Alan Beckwith, avait donné de nouvelles consignes.

« Je ne tiens pas à annoncer à un client que sa maison a brûlé, avait-il dit. Il faut donc s'assurer que tout est en ordre : pas de serrure forcée ou autre signe d'effraction, pas de bonbonnes de gaz entreposées. »

Installée dans la véranda de l'une des maisons vides, le regard tourné vers la mer et la masse verte que formait l'île de San Juan, Claire déjeuna d'un sandwich. Un bateau de pêche passa dans l'étroit chenal bordé de récifs, un phoque sortit la tête de l'eau. La tranquillité de cette scène correspondait exactement à ce dont elle avait besoin.

Quand elle aperçut la Porsche noire de Jake garée

devant l'agence immobilière, un sombre pressentiment l'envahit. Elle tenait pourtant à effectuer la vente de la villa qu'il convoitait. Il était rare qu'elle ait la chance de faire visiter une maison et de la vendre. Et la commission qui lui reviendrait avec cette transaction serait la bienvenue.

Elle trouva Jake dans son bureau, assis au bord de sa table, tenant à la main une photo encadrée où elle posait en compagnie de Don et de Mike plus jeune. Un portrait de studio, mais où ils avaient l'air heureux. Elle possédait peu de photos qui ne trahissaient pas les difficultés provoquées par la maladie de Don. Celle-ci datait d'avant la maladie de Don et leur installation dans l'Oregon. On y voyait Don, à demi tourné vers l'appareil, qui regardait avec tendresse sa nouvelle épouse ainsi que son fils âgé de huit ans. C'était un homme de haute taille, à l'air doux et affectueux.

Jake n'entendit pas Claire entrer. Continuant de scruter la photographie, il ferma soudain les yeux et baissa la tête.

— Quelle folie! murmura-t-il.

Si Claire avait pu s'en aller à l'insu de Jake, elle l'aurait fait, mais d'un moment à l'autre, il lèverait la tête et la verrait. En fait, elle ne se rappelait pas l'avoir déjà épié. De nouveau, elle se demanda à quel point elle avait oublié ou déformé les souvenirs de leur amitié.

— Qui traites-tu de fou? Don ou moi? s'enquit-elle.

Il leva brusquement la tête pour la regarder avec une sorte de rage, l'espace d'un instant. Puis, il recouvra son expression énigmatique, et reposa le cadre sur le bureau.

— Moi, bien sûr, répondit-il, ironique.

Un sentiment de culpabilité gagna la jeune femme.

— Arrête! lança-t-elle en s'avançant vers son bureau.

— De mauvaise humeur aujourd'hui?

— Pas du tout. Tu as changé d'avis pour la maison?

— Quand j'ai pris une décision, je m'y tiens.

— Les Mueller ont répondu à ton offre.

D'une main preste, elle saisit une lettre parmi les papiers qui encombraient son bureau, et la tendit à Jake qui y jeta un rapide coup d'œil.

— Bien.

— Sans doute accepteront-ils de baisser encore un peu leur prix, dit-elle.

— Je ne tiens pas à marchander.

Il fit quelques pas vers la fenêtre.

— D'ailleurs, j'aimerais louer en attendant de conclure l'affaire.

Claire se sentit brusquement suffoquer. Elle s'était attendue à quelques semaines de répit avant qu'il emménage sur l'île, avant de voir sa voiture passer tous les jours devant sa porte, avant de le croiser à la plage, à la poste ou à l'épicerie...

— Ne dois-tu pas t'occuper de ton autre maison?

Il tourna la tête de côté, lui montrant son profil austère.

— On essaie de se débarrasser de moi?

— Pourquoi prends-tu tout de façon personnelle? Ne t'est-il jamais venu à l'idée que je me fichais éperdument de ce que tu pouvais faire?

Sa tension avait besoin d'un exutoire, et elle referma le tiroir où elle venait de ranger son attaché-case avec une violence inutile.

Il y eut un silence gêné.

— Je m'excuse, dit-il enfin d'une voix dénuée d'émotion. Ce sont mes appréhensions qui reviennent.

336

Elle n'aurait jamais cru qu'il en avait, mais depuis leur première entrevue, ce sentiment, comme d'autres, s'érodait. N'avait-il pas déjà avoué avoir des faiblesses ? Voilà que, de nouveau, il insinuait qu'elle en faisait partie.

Refusant de penser à leur passé commun, à sa culpabilité, à la jalousie de Don, elle feuilleta son calepin.

— Je téléphone aux Mueller.

Elle appela M. Mueller à son travail pour lui apprendre que son offre était acceptée, et que l'acheteur souhaitait louer la maison en attendant de signer le contrat de vente. M. Mueller fut si heureux d'avoir un acquéreur qui ne dût pas se soumettre à l'approbation de sa banque qu'il proposa d'envoyer sans délai des déménageurs afin de vider la maison.

— Nous n'avons pas de dépôt fiduciaire à Dorset, dit-elle à Jake après avoir raccroché. Nous utilisons celui de Friday Harbor. Tu devras t'y rendre pour la signature.

— Bien sûr. Je repasserai vendredi prendre les clés.

Jake se dirigea vers la porte.

— Entendu, répondit-elle d'un ton sec.

Il avait déjà disparu dans le couloir.

Elle se demanda si elle l'avait blessé. Cette perspective la déroutait, tout en lui donnant un sentiment de satisfaction qu'elle préférait ne pas analyser.

Avec un gémissement, elle passa une main dans ses cheveux. Pourquoi Jake était-il revenu ?

« Je ne suis qu'un sombre idiot », songea Jake.

La mère de Don n'en laisserait probablement rien paraître, mais elle ne verrait pas son retour d'un bon œil. Tout comme Claire, Mike et son propre père. En dépit de cette certitude, il ne rebroussa pas chemin. Il avait fui autrefois, et où cela l'avait-il mené ? Il y avait ici des gens, des souvenirs qu'il devait affronter.

La maison d'enfance de Don avait changé. Jadis, Mme Talbot, qui élevait son fils seule, avait été trop occupée pour entretenir le jardin couvert alors d'une herbe rase et piétinée. Les enfants l'utilisaient comme terrain de football, tandis que l'allée faisait office de terrain de basket. Quand le ballon de foot tombait dans les buissons de mûres qui séparaient le cottage du bord de la falaise, il leur fallait dominer leur peur et s'égratigner le visage et les mains pour le récupérer.

Cela avait-il été le bon temps ? Jake était incapable de le dire car trop souvent, il avait contenu sa fureur. Mais il s'était senti en sécurité chez Mme Talbot. Il ignorait si à l'époque cette dernière savait que son père le brutalisait, mais elle l'accueillait toujours avec gentillesse, lui assurant que la maison de Don était la sienne.

— A quoi penses-tu ?

Jake se retourna, et vit Mme Talbot qui approchait. Il eut un choc en constatant qu'elle avait beaucoup vieilli. En effet, presque vingt ans s'étaient écoulés depuis la dernière fois qu'il l'avait vue.

— Quand on jouait au foot, je mourais de peur quand il fallait récupérer le ballon de l'autre côté de la haie.

Elle rit, en enlevant ses gants de jardinage.

— L'autre jour, en cueillant des mûres, j'en ai trouvé un tout dégonflé. Ça m'a rappelé le temps passé.

— Mike utilise le terrain de basket ? interrogea-t-il avec un signe de tête vers le panier fixé au-dessus de la porte du garage.

338

— Bien sûr. Avec ses amis, c'est aux roses qu'ils doivent faire attention.

Emu, Jake serra la main qu'elle lui tendait.

— Vous devez être heureuse de l'avoir auprès de vous.

— Oh! oui! Tu entres un moment? proposa-t-elle, préférant de toute évidence changer de sujet.

— Avec plaisir, répondit-il avec un sourire. Je m'étonne que vous m'ayez reconnu.

— Claire m'a dit que tu étais ici, expliqua-t-elle en ouvrant la porte d'entrée peinte en rouge vif. Je t'attendais.

— J'aurais dû venir il y a des années.

Il s'arrêta dans le petit hall.

— Non, Jacob. Il fallait attendre d'être prêt.

Jake avait écrit régulièrement à Mme Talbot afin d'entretenir cette précieuse amitié. Claire connaissait-elle l'existence de cette correspondance? Mme Talbot savait-elle qu'il n'avait pas assisté à l'enterrement de Don?

La cuisine n'avait pas changé. Le vieux buffet aux portes vitrées était toujours peint en blanc. Et la table de bois d'érable, toute rayée et usée par le temps, se trouvait dans le renfoncement de la fenêtre qui formait un coin salle à manger.

Mme Talbot servit de la citronnade, et ils s'assirent à la table où il travaillé en compagnie de Don à d'innombrables devoirs d'école. Jake s'attendait à tout moment que Don surgisse. Pas l'adulte amaigri, aux mouvements incertains et au regard rendu vitreux par les médicaments, mais le jeune garçon qui avec un sourire éclatant se serait écrié en le voyant : « Mince alors, encore toi ! »

— As-tu vu ton père ?

La question de Mme Talbot rappela Jake à la réalité.

— Non.

— Il ne peut plus te faire de mal maintenant.

— Alors, vous saviez...

— Je n'en ai jamais été sûre, expliqua la vieille dame en détournant le regard. Je me demandais s'il fallait que j'intervienne. Je regrette de n'avoir rien fait.

— Vous étiez là, et pour moi, c'était l'essentiel.

Comme s'il s'agissait de la chose la plus naturelle au monde, Jake couvrit la main de Mme Talbot de la sienne, et, lui qui ne se livrait pas aisément, il n'eut aucune peine à faire ce geste.

— Grâce à Don et à vous, je savais que j'avais des amis.

À cette idée, il se sentit plein de confusion. N'avait-il pas toujours été redevable envers Don ? Et comment l'avait-il payé de son amitié ? En s'éprenant de sa femme, et en l'amenant au suicide...

— Tu n'es plus en colère, constata Mme Talbot.

En effet, la culpabilité avait remplacé sa rage d'adolescent.

— Bienvenue à la maison, Jacob, ajouta-t-elle.

— Merci.

Après avoir promis de venir dîner un soir avec elle, il roula jusqu'à sa future maison bien trop grande pour une seule personne. Cet achat représentait un véritable défi, une sorte de coup de poker. Jake préférait ne pas se remémorer sa dernière entrevue avec Claire, quand elle lui avait signifié son indifférence. Le souvenir de la jeune femme le hantait depuis trop longtemps.

Où qu'il aille, quoi qu'il fasse, il pensait à elle. Il la revoyait le jour où, assise sur une bûche, elle avait sangloté dans ses bras, l'une des rares fois où elle s'était suffisamment laissé aller pour qu'il puisse l'étreindre.

Il se souvenait des livres qu'elle lui empruntait. Lorsque les bécasseaux voguaient sur les flots, il songeait qu'elle aimait ce spectacle. Et quand le brouillard recouvrait l'océan, une épaisse brume grise qui semblait aussi inexorable que la maladie de Don, il se demandait ce qu'elle devenait.

Au fil des mois, il s'était convaincu qu'elle aussi pensait à lui, et qu'elle l'attendait, certaine qu'il reviendrait.

— Quelle arrogance, marmonna-t-il en frappant le volant des mains.

Un instant plus tard, il s'arrêtait pourtant chez Claire.

Il ne vit pas sa voiture, mais un V.T.T. appuyé contre le mur délabré du garage. Celui de Mike, ou celui d'un de ses amis, ce qui signifiait que le jeune garçon était à la maison. Curieux de comprendre pourquoi l'adolescent lui était hostile, il gravit les marches affaissées du perron, qui tremblèrent sous son poids. A moins que Claire ne le menace d'appeler la police la prochaine fois qu'il mettrait les pieds chez elle, il se promit de venir les réparer.

Jake frappa à la porte, et entendit un bruit de pas qui se rapprochaient.

Mike ouvrit la porte.

— Qu'est-ce que tu veux ? demanda-t-il.

— Ta mère est là ?

De toute évidence, il avait posé la mauvaise question. Dans le regard soupçonneux de l'enfant, il lut une vive animosité.

— Et alors ?

— En fait, c'est à toi que je voudrais parler.

— Je t'écoute.

— Puis-je entrer un instant ?

Le visage de Mike trahissait une bataille intérieure :
politesse contre méfiance. Peut-être y avait-il également
un brin de curiosité. Finalement, il recula d'un
pas.

— Bon, d'accord, fit-il. Maman ne va pas tarder.

Jake le précéda dans le petit salon. Là, il contempla
les meubles d'occasion miteux, avec quelques belles
pièces de brocante, comme les étagères de pin au-
dessus du canapé recouvert d'un plaid rouge et bleu.
Un tapis recouvrait une partie du plancher, qui avait
besoin d'être décapé. Le chat gris qu'il avait vu à sa
première visite était confortablement installé dans un
fauteuil bleu affaissé. Jake ouvrait la bouche pour
demander s'il pouvait s'asseoir, quand il entendit un
bruit de moteur. Une voiture arrivait.

Une sensation bizarre l'envahit — anticipation,
appréhension... — et lui fit perdre ses moyens. Une
portière claqua, et il se retourna pour voir Claire se
hâter vers le perron.

Quand elle entra dans le salon, son regard se posa
tout de suite sur lui.

— Salut, fit-elle d'un ton circonspect.

— Salut.

— Tu partais ?

— Je viens d'arriver.

— Oh ! fit-elle, les lèvres pincées. Que puis-je pour
toi ?

— J'ai rendu visite à Mme Talbot, et comme je pas-
sais par ici...

Sachant son explication maladroite, il leva les mains
et les laissa retomber sans grande conviction. Hier,
Claire l'avait rabroué. Comment justifier son envie
irrésistible de la voir, son refus de croire qu'elle
n'éprouvait pas ce qu'il voulait qu'elle éprouve ?

Absorbé dans ses pensées, Jake en avait oublié la présence de Mike.

— Pourquoi êtes-vous allé chez grand-mère ? demanda ce dernier d'un ton belliqueux.

Il se tourna vers l'adolescent.

— Ton père et moi étions les meilleurs amis du monde. J'étais toujours chez lui. J'y ai sans doute pris plus de repas que toi.

Mike rumina ces paroles un instant. De toute évidence, cette idée lui déplaisait, et Jake ne pouvait l'en blâmer. Ayant perdu ses deux parents, il y avait peu de chose qu'il pouvait revendiquer comme bien à lui. Normal qu'il n'ait pas envie de partager le peu qui lui restait.

Jake se détesta soudain pour ses paroles, et il se demanda de nouveau ce qu'il faisait ici puisqu'on ne voulait pas de lui. Sur quel ton fallait-il qu'on le lui dise pour qu'il se rende enfin à l'évidence ? Néanmoins, la certitude qu'il avait depuis si longtemps se heurtait à la raison. Il ne pouvait avoir imaginé le désir qu'il avait surpris dans les yeux de la jeune femme.

— Elle t'a parlé de l'angioplastie qu'elle a subie l'année dernière ? interrogea Claire. Elle a bien meilleure mine depuis.

— Elle m'a paru en bonne forme, dit Jake, en se demandant s'ils allaient ensuite parler de la pluie et du beau temps.

— Tu ne devais pas aller chez Geoffrey, Mike ?

— Non, maugréa l'enfant d'un ton boudeur.

— Je croyais...

Devant la mine maussade de l'adolescent, Claire s'interrompit.

— Si vous veniez tous les deux dans la cuisine avec moi ? reprit-elle. Il faut que je prépare le dîner.

343

La cuisine, d'une propreté impeccable en dépit des vieux éléments et du linoléum jaune déchiré, donnait une agréable impression de confort. Claire se dirigea vers le réfrigérateur.

— Assieds-toi, Jake, lança-t-elle par-dessus son épaule tandis qu'elle examinait le contenu du réfrigérateur. Tu es allé jusqu'à ta nouvelle maison ? Les déménageurs sont venus ?

— J'y suis allé, mais je suis resté dans la voiture.

Elle lui lança un regard intrigué.

— Je n'en suis pas encore le propriétaire, expliqua-t-il.

— Officiellement certes, mais...

— Je peux attendre vendredi. En fait, je préférerais samedi, si tu n'y vois pas d'inconvénient. Demain, je prends l'avion pour l'Oregon. J'ai des affaires à régler là-bas.

Les gestes rapides et précis, le dos bien droit, Claire se mit à laver des légumes dans l'évier. La masse volumineuse de ses cheveux soulignait la fragilité de son cou.

— Samedi me convient, dit-elle d'un ton plus aimable. Pourquoi ne t'arrêterais-tu pas ici pour prendre les clés ? Si je m'absente, je les laisserai dans une enveloppe, sous le paillasson.

— D'accord.

Il s'appuya contre l'extrémité du comptoir, conscient que Mike l'observait d'un regard soupçonneux. Il se tourna vers lui.

— Tu joues au basket chez ta grand-mère ? Ton père faisait des paniers avec une habileté inouïe. Un jour, il a tordu le panier. On l'a redressé comme on a pu, mais je me suis aperçu que ça se voit encore aujourd'hui.

344

— Papa savait smasher ?

Tout à coup, Mike oublia visiblement sa méfiance.

— S'il savait smasher ? répéta Jake avec un sourire amusé. Il bondissait à un mètre cinquante, et envoyait le ballon dans le panier à tous les coups. Don était un sacré joueur.

— Pourquoi n'est-il pas entré dans une équipe de l'université ?

— Il a gagné de l'argent avec la pêche en Alaska, et il a rencontré ta maman. Il n'avait pas besoin de diplômes pour trouver un emploi. Il disait toujours que s'il n'était pas assez bon pour entrer dans le N.B.A., il préférait changer d'orientation. C'était sa philosophie : tout ou rien.

Encore une fois, Jake regretta ses paroles. Ne pouvait-on leur trouver un double sens ? Mais Claire continua de lui tourner le dos, et Mike ne parut pas offusqué. Il tira une chaise et s'assit, face au dossier.

— J'aimerais bien savoir smasher.

— Tu y arriveras. Moi, je n'ai jamais été assez grand.

— Tu as sûrement connu la maman de Mike ? demanda soudain Claire.

— Je l'ai vue quelquefois. Tu te souviens d'elle, Mike ? demanda-t-il à l'adolescent, curieux de sa réaction.

De toute évidence, ce dernier ne se rappelait que de sa propre hostilité envers Jake. Maussade, il haussa les épaules.

— Un peu.

— Tu lui ressembles.

— Elle au moins n'était pas cinglée.

— Mike ! s'écria Claire, visiblement choquée.

Elle se retourna, le couteau dans une main, une

branche de céleri dans l'autre. Des gouttes d'eau tombèrent à ses pieds sans qu'elle y prête attention.

— Papa était fou, répéta Mike, la défiant du regard. Pourquoi refuses-tu de le reconnaître ?

Pendant une longue minute, Mike et Claire s'affrontèrent du regard en silence. Mal à l'aise, Jake aurait voulu disparaître sous terre. Mais il admira le sang-froid de la jeune femme, lorsqu'elle répliqua :

— Ton père souffrait d'une maladie mentale. Je ne l'ai jamais caché.

— Ah bon ? Pourtant, quand papa a eu ses crises, tu as voulu aller dans l'Oregon plutôt qu'à Dorset. Et inutile de prétendre que c'est parce qu'on avait un ami. Lui... ce n'est pas un ami ! conclut Mike en désignant Jake du menton.

Claire tressaillit, et Jake ne dit rien.

— Nous parlerons de cela plus tard, dit-elle avec fermeté, mais sans élever la voix. Maintenant, va dans ta chambre. Je ne tolère pas la grossièreté.

Mike ricana.

— Tu te débarrasses de moi pour être seule avec lui ?

Décidément, il tenait à provoquer la jeune femme.

— Dans ta chambre, et tout de suite ! s'écria-t-elle.

Mike s'attarda juste assez pour montrer qu'on ne pouvait rien lui imposer.

— On n'a pas besoin de toi ici, fit-il avec un regard mauvais à Jake.

Et il quitta la pièce.

Claire demeura immobile, tendue. Et quand elle entendit le claquement d'une porte, ses épaules se voûtèrent légèrement.

— Je n'aurais pas dû venir, dit Jake.

— Ce n'est pas ta faute.

346

Elle posa le céleri et le couteau, une lueur de défaite au fond de ses yeux bleus.

— Il devient tellement... difficile. Nous nous disputons beaucoup. C'est en partie à cause de son âge. Sans doute est-il normal qu'il me mette à l'épreuve. Mais je crois qu'il cherche à rejeter la responsabilité de la maladie de Don sur quelqu'un.

— Peut-être éprouve-t-il lui-même un sentiment de culpabilité, suggéra Jake.

Claire baissa la tête, et une minuscule ride se forma entre ses sourcils, tandis qu'elle envisageait cette éventualité.

— C'est possible. J'en ai souvent voulu à Don, moi aussi, pour me sentir aussitôt terriblement coupable de ma colère, puisqu'il n'était pas responsable de ce qui lui arrivait, et qu'il avait surtout besoin de compassion.

— Quand on est adulte, on sait qu'il est normal d'éprouver ce genre de sentiments, que cela ne signifie pas qu'on est méchant. Mike est peut-être encore trop jeune pour le comprendre.

— Sans doute, dit-elle en s'efforçant de sourire. Tu sais si bien réconforter. Je l'avais oublié. N'aurais-tu pas été psychothérapeute avant d'être écrivain ?

— Non, dit-il en répondant avec gravité à cette question posée d'un ton légèrement moqueur.

En effet, il avait su la réconforter. Et avec quelle aisance s'était-il convaincu que c'était ce que Don voulait qu'il fasse. Mais peu à peu, il s'était rendu compte que sa sollicitude cachait le désir de séduire la jeune femme, de l'apprivoiser. Il aurait alors tellement voulu qu'elle vienne se blottir dans ses bras...

— J'ai oublié trop de choses, tu ne crois pas ? murmura-t-elle.

Il se redressa.

— Je dois m'en aller.

— Pourquoi ne pas dîner avec nous ?

— Non. Tu ne veux tout de même pas donner à Mike de nouvelles munitions...

— Bien sûr que non, mais je n'aime pas lui céder quand il se conduit mal.

— De toute façon, je ne peux pas rester. Je prends le ferry ce soir.

Un prétexte qu'il venait d'inventer, mais auquel il décida de se conformer. On ne pourrait ainsi l'accuser de mentir.

— Dans ce cas, je te raccompagne jusqu'à ta voiture.

Les quelques pas effectués à côté de Claire réveillèrent en Jake le souvenir d'un plaisir douloureux. Au cours de leurs fréquentes et longues promenades sur la plage, elle avait souvent marché comme maintenant, les yeux baissés, comme si elle cherchait quelque chose sur le sol. De temps à autre, elle se baissait avec un cri de plaisir pour ramasser un coquillage. Une fois, elle avait trouvé un oursin violet et spongieux, et persuadée qu'il vivait encore, elle l'avait jeté à la mer car elle ne supportait pas qu'il soit condamné à mourir.

Jake secoua la tête, essayant de chasser ce flot incessant de souvenirs. Il s'aperçut qu'il venait de s'arrêter devant la portière, et que Claire l'observait d'un air inquisiteur.

— A samedi, dit-il.

— D'accord. Bon voyage, Jake.

La voix de la jeune femme était tendue, mais elle sourit et l'espace d'un instant, son regard fut limpide et lumineux. Elle lui avait rarement souri depuis son arrivée, et il en fut bouleversé. Très vite, il ouvrit la portière.

348

— Jake..., commença-t-elle en hésitant.

Il attendit, les épaules raides.

— Larry Forbes a-t-il reconstruit la maison ?

— Oui.

Lorsque, six semaines après l'enterrement de Don, il s'était promené dans l'ancienne propriété louée par ses amis, des ouvriers creusaient de nouvelles fondations.

— Une architecture différente, moderne, ajouta-t-il. Un seul étage. Un couple la loue. Il peint. Elle fait son internat à l'hôpital.

— Des gens sympathiques ?

— Je suppose que oui.

Il avait salué l'homme d'un signe de tête, sans chercher à faire connaissance. C'était Claire qu'il voulait comme voisine, pas ces étrangers.

— Ta maison ne te manquera pas ? L'océan non plus ?

Il ne pouvait continuer de tourner le dos à la jeune femme.

— Je m'y sentais trop seul, avoua-t-il en lui faisant face.

Avec un sérieux inattendu, elle scruta son visage.

— Autrefois, cela te plaisait.

« Jusqu'à ce que je te rencontre », songea-t-il.

Il ouvrit la bouche pour faire une réponse facile, expliquer qu'il tenait à sa solitude, mais n'était-il pas venu à Dorset afin de se débarrasser de la carapace qui le protégeait depuis des années ? Il décida de dire la vérité.

— Vous étiez là, Don, Mike et toi. Grâce à vous, je me suis rendu compte que j'étais devenu complètement asocial.

Claire eut un rire grave et dépourvu d'humour.

— De notre côté, nous nous cachions du reste du

349

monde. Quelle ironie que ce soit nous qui t'y ayons renvoyé.

— Peut-être cela prouve-t-il que nous ne pouvons le fuir.

— Sans doute, admit-elle avec tristesse. Eh bien, à samedi.

Il vit dans le rétroviseur qu'elle suivait la voiture des yeux, au lieu de rentrer tout de suite dans la maison et de retrouver l'adolescent rebelle qu'elle aimait comme son fils.

Une fois de plus, il songea que le mariage de Claire s'était révélé une bien rude épreuve : un ou deux ans de bonheur, et la descente en enfer de Don. Plus jeune que son mari de six ou sept ans, Claire avait dû tout assumer : gagner leur vie, veiller sur Don et élever son fils. Bien des femmes ne seraient pas restées auprès d'un mari aussi malade. Mais Claire ne s'était souciée que de lui et de l'enfant, dont elle était devenue la mère sans hésiter.

Jake tourna, et la jeune femme disparut. « C'est peut-être ce dévouement qui m'a séduit ? » se dit-il.

Tout au long de la maladie de Don, l'amour et la loyauté de Claire n'avaient jamais faibli, et Jake s'était imaginé qu'elle lui offrirait cet amour fidèle pour la simple raison qu'elle s'était tournée vers lui dans les moments de crise. N'avait-il pas été le seul à se porter à son secours à chaque appel désespéré ? Et maintenant qu'elle n'avait plus besoin d'aide, elle ne tolérait pas qu'on lui rappelle ses faiblesses.

Ce qui ne signifiait pas qu'il ne lui deviendrait pas de nouveau indispensable. Il suffisait de trouver un moyen d'y parvenir...

350

4.

Cette journée d'octobre chaude et ensoleillée était idéale pour le pique-nique de l'association des parents d'élèves. Il avait lieu dans le parc du comté, qui possédait sa plage de gravier, des courts de tennis et un terrain de volley-ball. Mais les habitants de Dorset n'avaient qu'une envie : se raconter les derniers potins. Se dirigeant vers le buffet afin d'y déposer son plat, Claire entendit une enseignante, près des barbecues, affirmer que les Kirk avaient l'intention de reconstruire. « Nous avons passé des étés formidables à Dorset, avait dit Jeanne Kirk, et nous avons bien l'intention de continuer. »

Une autre retourna un steak.

— Moi qui croyais qu'ils avaient besoin de l'argent de l'assurance ! Apparemment, je me trompais.

Claire dépassa le groupe de commères, et posa le poulet en sauce sur la table, à côté des autres plats. Puis, elle fit quelques pas dans le parc. Près du terrain de volley, Bart Petersen, un grand gaillard aux cheveux blond paille, encouragea un garçon qui se jetait sur le ballon, avant de répondre à la réflexion de son voisin, réflexion que Claire ne saisit pas.

— Moi, je ne suis pas sûr que ce sont des adolescents qui ont fait le coup. C'est bien la première fois que ce genre d'accident se produit. Les Kirk jurent qu'il n'y avait aucun objet de valeur dans leur villa. Il n'y avait même pas de téléviseur.

— Mais il suffit de lire les journaux, dit un troisième, que Claire ne connaissait pas. Il existe une forte criminalité dans les villes, et elle se propage partout. L'épidémie gagne notre île.

— Tu as raison, dit celui qui semblait avoir commencé la conversation.

Il se tourna, et Claire reconnut Roger Mullin, le père d'un camarade de classe de Mike.

— Si on n'a pas encore de gangs, continua-t-il, on peut dire qu'on a des gosses à problèmes. On pourrait tous en nommer quelques-uns. A mon avis, les flics feraient bien de s'en occuper avant qu'un autre incendie ne se déclare.

— A qui penses-tu ? s'enquit Bart. Moi, je ne vois personne capable de mettre le feu à une maison.

Les trois hommes reculèrent d'un bond pour éviter le ballon qui venait de quitter le terrain, mais Claire ne s'éloigna pas assez vite et Roger lui marcha sur le pied.

— Claire ! s'écria-t-il en la saisissant par le bras. Toutes mes excuses. Je ne vous ai pas fait mal, j'espère ?

Elle remua ses doigts de pied emprisonnés dans des ballerines de toile.

— Je pourrai encore danser, assura-t-elle. Voilà comment on est puni quand on surprend des conversations qui ne nous regardent pas, ajouta-t-elle.

— Heureusement que je n'en ai pas dit davantage, répliqua-t-il avec un sourire qui parut quelque peu forcé à la jeune femme. Si vous voulez bien m'excuser. Je vais voir mon fils.

Déconcertée, Claire le suivit des yeux tandis qu'il s'éloignait rapidement. Avait-elle dit quelque chose de déplacé ?

— Ecoutez, Claire, intervint Bart, je l'ai dit à Mike également. N'hésitez pas à nous téléphoner si vous entendez un bruit suspect la nuit. Je ne veux pas vous vexer, mais vous vivez sans homme. Cet incendie qui a pris dans notre quartier ne me dit rien qui vaille. Il faut se serrer les coudes.

— Merci, Bart. Si je comprends bien, la police est loin d'avoir trouvé le coupable.

— C'est ce que m'a dit Tom, mon frère aîné, qui est pompier volontaire. Le criminel a versé de l'essence sous le porche de la cuisine, et il a suffi qu'il craque une allumette... Avec la sécheresse de la campagne, on a failli avoir une jolie explosion.

— Ce n'était donc pas un cambriolage ? murmura-t-elle, atterrée.

— Apparemment non, fit Bart en posant un bras sur l'épaule de sa femme, Sally, qui venait de les rejoindre. Le pyromane a pris le risque d'être vu tout près de la route.

— Pas vraiment, protesta Sally. La nuit était noire, et bien avancée. Il était minuit, 1 heure du matin. Il n'y avait personne dehors pour le voir.

— Les Kirk ont des projecteurs sensibles aux mouvements, dit Bart. Si j'étais passé dans le coin et si j'avais vu de la lumière, j'aurais jeté un coup d'œil à la villa. J'aurais peut-être fait plus puisque je les savais absents.

Claire songea qu'en effet, à minuit, tous les habitants du quartier n'étaient pas forcément couchés. De plus, Mme Brewer vivait tout près. Il lui suffisait de s'approcher de sa fenêtre pour déceler un mouvement suspect. Néanmoins, si le pyromane était de Dorset, il savait que la vieille dame se couchait tôt et que les Kirk étaient absents. D'ailleurs, sans doute était-ce pour cette dernière raison qu'il avait choisi leur villa.

— C'est effrayant, dit-elle avec un frisson.

— Bart et moi, on s'interroge sur les Carlson, reprit Sally à voix basse. Il faut reconnaître que ce sont des gens bizarres.

Bart hocha la tête en signe d'assentiment.

— Avec leur baratin sur le jugement dernier et la fin du monde ! Ils sont peut-être pressés d'y arriver, ou ils veulent faire peur aux gens d'ici afin de mettre la main sur leurs propriétés.

— Le terrain des Kirk ne fait que trente mètres sur soixante-cinq, précisa Claire. Ce n'est pas très grand.

— Il y a un verger, et il est juste en face de la ferme des Carlson, ce qui leur donnerait un accès à la plage.

Claire n'était pas d'accord.

— Phyllis m'a apporté de la soupe et du pain un jour où j'étais malade, et Tony a fait démarrer ma voiture cet hiver, quand la batterie était à plat. Un pyromane ne se comporte pas en bon voisin.

— Combien de pyromanes connaissez-vous ? s'enquit Bart.

Sally lui donna un coup de coude dans les côtes, et il rougit violemment.

— Excusez-moi, Claire. Je suis un incorrigible gaffeur. Je ne voulais pas...

Claire sentit la brûlure de larmes qui ne coulaient pas, mais sa voix ne trembla pas quand elle parla.

— Ce n'est rien. Vous avez raison, je n'en ai connu qu'un.

Sally lui tendit une main, que la jeune femme serra.

— Regardez la queue qui se forme pour le déjeuner, ajouta Claire. Nous ferions mieux de rejoindre les autres. Je suis affamée !

Un moment plus tard, munie d'une assiette en carton et de couverts, elle attendait derrière deux mères de famille qu'elle ne connaissait que de vue, qui bavardaient à bâtons rompus des enseignants, du nouveau programme de mathématiques, et des interrogations qui avaient eu lieu sur toute une semaine.

Claire parvint à éviter les Petersen pendant le reste de l'après-midi, mais pas les conversations au sujet de l'incendie. La plupart des habitants de Dorset étaient là, même ceux qui n'avaient pas d'enfants. Il y avait entre autres Suzette Fowler et le principal du lycée, ainsi qu'Alison Pierce avec un homme qui ressemblait à Bart Petersen mais en plus grand et plus lourd. Sans doute s'agissait-il de Tom, son frère aîné.

Ayant grandi dans une petite ville, Claire aimait ce genre de festivité. Mais elle détestait les ragots. Et elle serait volontiers partie plus tôt si elle n'avait préféré rentrer le plus tard possible chez elle, où Jake devait passer prendre ses clés.

Savoir qu'il était probablement de retour sur l'île la rendait nerveuse. Ces deux derniers jours, elle s'était presque sentie abandonnée par lui. Mais son absence lui avait également permis de réfléchir à leur relation. Il avait été un véritable ami pour elle et pour Don, malgré la jalousie maladive de ce dernier. Pourtant, si Jake se sentait attiré par elle, il n'en avait rien montré du vivant de Don. Quant à Claire, la culpabilité la rongeait encore parce qu'un autre homme que son mari lui plaisait. Mais il ne s'était rien passé, et il ne se passerait rien. Elle se montrerait donc amicale envers Jake, et s'en tiendrait là.

Bien que Mike ait été interdit de sortie pendant toute la semaine, elle l'avait autorisé à participer au pique-nique. En outre, il valait mieux qu'il ne soit pas à la maison quand Jake arriverait.

Enfin, elle se décida à partir.

— Si tu me promets de rentrer sans t'attarder en route, tu peux rester encore un peu, dit-elle à Mike.

— Tu veux voir Jake sans moi, c'est ça ? rétorqua-t-il avec insolence.

— Qu'est-ce que tu racontes ?

— La vérité !

— Eh bien, viens avec moi.

En tournant les talons, elle découvrit qu'en plus des amis de Mike, les frères Petersen, Suzette et Alison venaient d'être témoins de cette scène. Tout le monde à Dorset saurait désormais que Mike détestait Jake Radovitch — et bien entendu, parce que sa belle-mère trouvait ce dernier un peu trop à son goût.

— Ah ! les adolescents..., fit-elle avec une petite moue.

Et elle s'éloigna, suivie de Mike.

Dans la voiture, ils se turent un long moment. Mais depuis la scène de Mike en présence de Jake, ils n'avaient pas eu de conversation normale.

— Tous les copains parlaient de l'incendie, dit finalement Mike.

— Les adultes aussi.

— A ton avis, comment le feu a-t-il pris ?

— Je n'en ai aucune idée, avoua-t-elle en ralentissant pour tourner. Tout le monde y va de sa théorie, mais aucune ne me semble convenir. Et toi, qu'en penses-tu ?

— Je ne sais pas, répondit-il, les sourcils froncés, en regardant droit devant lui. D'après le père de Ian, des adolescents auraient mis le feu à la maison, mais ça me paraît impossible. D'ailleurs, personne n'en parle au lycée. D'habitude, on se vante de ce qu'on a fait. A quoi ça sert de mettre le feu à une maison si personne ne sait que c'est toi ?

— C'est vrai que, en général, le but d'un comportement destructeur est de monopoliser l'attention, admit Claire.

Il y eut de nouveau un long silence.

— Tu crois que papa a réellement voulu se tuer ? interrogea soudain Mike tandis qu'ils passaient devant le Bed & Breakfast. Il a peut-être simplement voulu attirer l'attention sur lui...

— A mon avis, ce n'est ni l'un ni l'autre, répondit-elle. Oh ! zut ! ajouta-t-elle à l'instant où son beau-fils s'écriait :

— Il est là !

— Il devait passer prendre ses clés, mais je ne pensais pas qu'il nous attendrait...

La Porsche de Jake était garée sur le chemin de terre, sur le côté afin de ne pas gêner le passage.

Claire freina devant la maison et trouva Jake en train de réparer les marches du perron. A l'aide d'une scie circulaire, il découpait une planche posée sur deux tréteaux sous lesquels apparaissait un tas de sciure.

— Tu lui as demandé de réparer le perron ?

Elle coupa le moteur.

— Non, pas du tout.

— Mais alors, pourquoi le fait-il ? interrogea Mike, visiblement déconcerté.

— Parce que nous étions amis autrefois... Ou parce qu'il se sent coupable de nous avoir abandonnés.

— De nous avoir abandonnés ? Mais que veux-tu dire ?

— Nous ne l'avons plus jamais revu après... ce jour-là.

La douleur et la stupeur de Claire étaient aussi vives qu'un an auparavant, quand il n'avait pas répondu à ses appels téléphoniques ni assisté à l'enterrement de Don. Elle s'efforça de dissimuler son ressentiment.

— Tu ne t'es jamais demandé ce qu'il était devenu ?

— Pas vraiment.

— Moi, si.

Tant pis si elle donnait l'impression d'être amère. Et plutôt que de le laisser sur ces paroles, elle ajouta :

— Tu sais, Mike, je ne pense pas que ton père ait cherché à attirer l'attention sur lui, ni qu'il ait voulu se tuer. Je crois plutôt qu'il a essayé de se soigner.

— Comment ?

— Il entendait des voix, il s'imaginait que quelqu'un l'épiait. A mon avis, il a voulu se débarrasser de la personne qui le tourmentait. Peut-être a-t-il cru qu'il échapperait au feu, et qu'il en sortirait purifié... Parfois, il ne raisonnait plus très bien.

— Oh.

Il réfléchit, et elle l'observa un instant. Peu de temps après l'incendie, ils avaient parlé de la mort de Don, et elle lui avait déjà tenu le même raisonnement, mais encore sous le choc de cette tragédie, Mike n'avait pas compris.

Elle descendit de voiture.

— Tu avais peur de te rompre les os à ta prochaine visite ? lança-t-elle à Jake qui continuait de travailler comme s'il ne s'était pas aperçu de leur arrivée.

Il se redressa, croisa le regard de la jeune femme.

— Ces marches ont besoin d'être réparées.

— Pourquoi ne bricoles-tu pas dans ta nouvelle maison ?

Mike sur les talons, elle s'arrêta à sa hauteur.

— Il n'y a rien à faire là-bas, répondit-il avec cette expression lointaine qui masquait toute émotion. Les déménageurs ne viendront pas avant mardi. Je m'ennuyais.

Il s'ennuyait et de toute évidence venait ici pour se distraire. Et Claire ne pouvait le prier de trouver un autre amusement et de la laisser tranquille...

— C'est très gentil de ta part, dit-elle, polie.

Un muscle tressaillit sur la joue de Jake, et elle comprit qu'il n'était guère plus à l'aise qu'elle.

— Tu me donnes un coup de main ? demanda-t-il à Mike.

Une fois de plus, l'adolescent étonna Claire.

— Je veux bien, répondit-il d'un ton boudeur qui laissait cependant transparaître une note de joie enfantine. Je n'ai rien d'autre à faire.

— Eh bien, je vous laisse ! dit-elle gaiement.

Et comme elle grimpait les marches du perron, elle entendit Jake qui commençait à expliquer à Mike comment utiliser une scie circulaire. Ce qui réveilla en elle le sentiment de ne pas apporter à Mike tout ce dont il avait besoin. Ainsi espérait-elle qu'il apprendrait le bricolage et la mécanique grâce au père d'un ami. Et que Jake joue ce rôle la déroutait, même s'il s'était souvent occupé de Mike autrefois.

Tout en nettoyant le plat à ragoût, elle revit Mike à onze ans, avec Jake, en train de chercher des clams à marée basse. La veille, ils avaient passé une merveilleuse soirée ensemble, et Don avait presque été comme avant. Elle se souvenait de son espoir, de sa joie en songeant qu'ils avaient pris la bonne décision.

Oui, le bonheur avait parfois été au rendez-vous. Jake accompagnait Mike à ses matchs de basket.

359

Ensemble, ils avaient construit un abri à oiseaux avec un toit de zinc et une tête de chat à l'entrée. Lorsque, avec Mike, elle avait fouillé les ruines de leur maison détruite par le feu, ils l'avaient retrouvé. Mike avait parlé de la repeindre. Qu'en avait-il fait depuis ? Se souvenait-il de l'avoir fabriqué avec Jake ?

En fait, l'adolescent avait commencé à rejeter Jake l'année où tout s'était compliqué, quand Don s'était mis à détester Claire, et à ne plus prendre ses médicaments.

Absorbée par ses propres difficultés, elle avait trouvé normal que Jake remplace Don au moment où Mike avait besoin d'une figure paternelle. A tel point qu'elle ne s'était pas rendu compte que Jake passait autant de temps avec l'enfant qu'avec elle. Et le jour où ils avaient visité la propriété des Mueller, n'avait-il pas demandé si Mike était rentré de l'école ? Peut-être était-il venu à Dorset pour Mike, et non pour elle... Après tout, Jake et Don avaient été les meilleurs amis du monde. Et Jake assurait qu'il lui devait beaucoup. Peut-être voulait-il aujourd'hui payer sa dette. Peut-être ne jouait-elle aucun rôle dans sa décision de s'installer ici.

Dehors, avant le repas, Mike avait paru moins hostile envers Jake. Maintenant, en présence de Claire, il retrouvait son insolence. Il ne voulait visiblement pas de rapprochement entre sa mère et Jake. Et celui-ci regrettait d'être resté pour dîner.

Il aurait dû refuser. Mais il attendait d'être auprès d'elle depuis si longtemps que le courage lui avait manqué. De sa place, il aurait pu lui prendre la main quand elle posa la soupière sur la table — une main délicate, menue, et cependant forte. Il ferma les yeux sous le coup de poignard d'un pur élan de sensualité. Quand il les rouvrit, Mike l'observait d'un regard plein de haine, et Claire les dévisageait tour à tour, interdite.

— J'avais oublié le goût de tes lasagnes, marmonna Jake.

Les yeux de Mike, bruns comme ceux de son père, semblaient deux meurtrières.

— Aujourd'hui, je me suis souvenue de ta soupe aux palourdes, avoua-t-elle. Un délice. Tu as accompagné Mike à la pêche aux clams une ou deux fois.

Ainsi, elle se penchait sur le passé. A moins que, pour une raison inconnue, elle n'ait décidé de plaider sa cause vis-à-vis de son beau-fils.

— Je devais aller pêcher des clams avec Geoffrey, se plaignit Mike. Et tu n'as pas voulu !

— Comme je suis méchante !

Jake souffrait de la voir aussi tendue. Elle avait à peine mangé tant elle veillait à remplir leurs assiettes, et à éviter toute étincelle entre eux. En la voyant, avec son maintien parfait, son petit sourire tremblant, ses doigts tripotant sa serviette, Jake en voulut au destin qui lui imposait de vivre dans une incertitude permanente.

Il se répéta les paroles de la jeune femme, qui affirmait que la vie tournait au cauchemar quand plus rien n'était prévisible. Il avait cru qu'elle faisait allusion aux années passées avec Don, mais maintenant il n'en était plus aussi sûr. Mike lui donnait du souci, et elle manquait d'argent. Et dire que, ces derniers mois, il imaginait qu'elle recouvrait sa sérénité intérieure !

Oui, il avait voulu croire qu'elle irait mieux sans lui. Hanté par le souvenir de Don, il avait renoncé à voler à son secours au moment où elle avait le plus besoin d'aide.

A la fin du dîner, il se leva.

— Merci pour cet excellent repas, dit-il. Je dois vous quitter.

Claire parut soulagée.

— Déjà? s'écria-t-elle pourtant. Je te raccompagne jusqu'à ta voiture. Je veux voir ces marches toutes neuves.

A ces mots, Mike bondit sur ses pieds. En chaperon zélé, il les suivit jusqu'au perron.

Claire admira le travail, sans oublier de féliciter son beau-fils, qui répondit d'un ricanement insolent. Toutefois, il ne les accompagna pas plus loin, et se contenta de les surveiller depuis la porte. Arrivé à sa voiture, Jake s'arrêta.

— Mike est toujours comme ça? s'enquit-il.

— Non, Dieu merci, dit-elle. Nous avons nos difficultés, mais cela ne nous empêche pas d'être amis. Nos rapports sont souvent en dents de scie. Je ne sais jamais si, en rentrant à la maison, je vais trouver le gentil garçon ou l'adolescent rebelle.

Elle baissa les yeux, évitant le regard de Jake.

— A vrai dire, il se conduit plus mal depuis ton arrivée. Je me demande pourquoi.

Jake ne sut que penser de tant de naïveté. Claire était-elle sincère? Ne voyait-elle vraiment pas que Mike percevait l'attirance qui les poussait l'un vers l'autre? Pour sa part, il n'avait aucune difficulté à décrypter le comportement de l'adolescent.

Pour vérifier sa théorie, il la prit par le menton, la forçant à lever le visage vers lui. Sa peau était si douce qu'il en oublia la présence du garçon, à quelques pas. Fasciné par les grands yeux bleus de Claire, par ses lèvres tremblantes, il se pencha sur elle. Eperdu, il fixa cette bouche frémissante. Comment se

362

libérer de ce désir qui le tenaillait depuis l'instant où il avait rencontré cette femme, celle de son meilleur ami ?

Soudain, il aperçut Mike qui, incarnant à fond son rôle de censeur outragé, descendait rapidement les marches du perron, et se précipitait vers eux.

— Je crois que ton beau-fils s'apprête à t'arracher à la tentation, murmura-t-il.

Aussitôt, Claire recula. Haletante, elle lutta pour recouvrer ses esprits. Son regard traqué se dirigea vers Mike, qui s'immobilisa.

— Au revoir, Jake, dit-elle, glaciale.

Et lui tournant le dos, elle se dirigea vers la maison.

Mike lança à Jake un dernier regard noir, avant de suivre la jeune femme.

Jake attendit d'être assis au volant pour jurer tout bas. S'il était possible maintenant d'exorciser le fantôme de Don, son fils se révélait un obstacle bien plus insurmontable encore.

Dans la nuit, Claire entendit la longue plainte lancinante d'une sirène. Elle se leva, s'approcha de la fenêtre et scruta la nuit noire, mystérieuse. Rien ne bougeait, pas un bruit, pas d'odeur de fumée, ni de lueur orange au loin.

Elle se dirigea vers la porte, l'ouvrit, fit un pas sur le palier et vit la chambre de Mike obscure et silencieuse. Il dormait.

Frissonnante malgré la douceur de l'air, Claire se recoucha, et se recroquevilla sur le côté comme pour se rassurer. Elle n'entendait plus la sirène. On avait dû appeler les pompiers pour une urgence médicale, une crise cardiaque, ou un accident de voiture. Pas pour un incendie. Elle eut pourtant du mal à se rendormir. Il lui suffisait de fermer les paupières pour revoir la maison des Kirk en flammes, les gerbes d'eau impuissantes à éteindre les flammes. A moins que ce ne soit pas la maison des Kirk...

Pour la première fois depuis des mois, Claire laissa les souvenirs lui revenir à la mémoire...

Le trait fin d'une fumée sombre s'élevait au-dessus des arbres, soulignant le bleu du ciel. Claire n'y prêta guère attention tandis qu'elle revenait de la ville avec les provisions. En cette saison, il n'était pas interdit de faire un feu dehors. Remarquant le noir huileux de la fumée, elle songea qu'il s'en dégageait probablement une mauvaise odeur, mais que, avec un peu de chance, si le feu se situait sous le vent, on ne la sentirait pas de leur maison.

Elle ralentit pour quitter l'autoroute, et comme toujours quand elle approchait de chez elle, elle eut un pincement au cœur et sa sensation de liberté disparut. Elle avait fredonné en roulant, ce qui ne s'était pas produit depuis si longtemps que le contraste fut douloureux. Ces minutes d'insouciance rendaient son appréhension plus aiguë.

De hauts sapins ombrageaient l'étroite route de campagne sur laquelle elle s'engagea, et à partir de laquelle des chemins coupaient à travers bois jusqu'à des villas perchées sur les hauteurs.

Après un virage, l'odeur de la fumée l'assaillit. Presque au même moment, elle sortit du couvert des arbres et aperçut au-dessus de sa tête une épaisse fumée noire qui tourbillonnait en un nuage furieux, assombrissant le ciel. Malgré les vitres relevées, l'odeur devint plus forte encore. Ça sentait le bois brûlé et l'essence.

Saisie d'une crainte nouvelle, elle accéléra, parvint au sommet de la dernière colline. De là, elle voyait l'océan, ainsi que la pointe rocheuse. Elle conduisait trop vite, habitée par une horrible certitude. Elle dépassa le premier chemin qui plongeait dans les bois, puis le second.

L'alarme avait-elle été donnée ? Elle devait continuer. La fumée était de plus en plus épaisse. Quand elle s'engagea sur l'étroit sentier qui menait à la villa qu'ils louaient, aucun doute ne subsista. Elle émergea des arbres, freina brutalement. La maison aux bardeaux de cèdre et aux baies vitrées n'était qu'une torche embrasée. A travers les flammes, elle aperçut la charpente dévorée.

Elle descendit de voiture, vacillant dans la chaleur. Tout craquait et rugissait comme si une multitude de dragons et de démons se livraient à de meurtriers assauts. C'était à peine si elle sentait les larmes couler sur ses joues. Elle hurla :

— Don ! Mike !

Elle se mit à courir, non pas en direction de la maison car il était impossible de s'en approcher, mais du côté de la plage avec l'espoir que son mari et son beau-fils s'y étaient réfugiés en attendant du secours.

Des braises incandescentes voltigeaient sur la pelouse, et Claire sentit sur la joue comme une piqûre d'insecte qu'elle chassa de la main tout en trébuchant et en appelant :

— Don ! Mike !

Elle eut un accès de toux. Et elle parcourut d'un regard fiévreux la plage déserte. Si Don avait décidé de mettre un terme à sa vie, il n'avait pu entraîner son fils dans une mort aussi atroce...

Malgré la chaleur qui lui brûlait le visage, la fumée qui lui piquait les poumons, Claire gardait maintenant les yeux rivés sur la maison. Un mur s'effondra dans un craquement, emportant une partie du toit. Les couleurs — l'orange, le bleu, le rouge — ressortaient avec une rare intensité sur le noir de la fumée.

Soudain, une sirène retentit au loin. Sans doute voyait-on la fumée de la ville. Un autre mur tomba, et l'immense frisson qui secouait la maison se répercuta dans le corps de la jeune femme. Sous le choc, elle devina une silhouette mobile derrière les arbres, et ne tourna pas tout de suite la tête. A quoi bon ? Si Don ou Mike avaient appelé les pompiers de chez un voisin, ils seraient déjà revenus. Pourtant, lorsqu'elle regarda...

— Mike ? chuchota-t-elle, la voix enrouée.

Le jeune garçon venait vers elle, fixant les flammes.

— Que se passe-t-il ? demanda-t-il en la rejoignant.

— Mais, Mike... Notre maison..., bredouilla-t-elle, incrédule, avant de se taire, la gorge nouée.

Fasciné par le spectacle de l'incendie, Mike éleva la voix pour dominer le crépitement du feu.

— Elle n'était pas à nous, de toute façon. C'est affreux mais les couleurs sont superbes. Dommage que je n'aie pas mon appareil photo. Où est papa ? Il est allé chercher les pompiers ?

Elle n'osa répondre. Quand les pompiers arriveraient, il serait trop tard. Une expression d'effroi assombrit soudain le visage de l'adolescent.

— Où est papa ? répéta-t-il avec colère. Pourquoi n'est-il pas avec toi ?

Elle secoua la tête.

— Claire..., supplia-t-il.

Devant le mutisme de la jeune femme, il recula.

— Il m'a dit qu'il allait faire les courses avec toi.

366

— Non, il n'est pas venu...

Un gémissement échappa à l'adolescent, et comme il s'élançait vers la maison qui brûlait, Claire le saisit par le bras pour l'empêcher d'aller plus loin. Il se débattit.

— Laisse-moi, il faut que je retrouve papa! Laisse-moi!

Ce ne fut que lorsque des bras plus solides maîtrisèrent Mike qu'elle le lâcha. Retenant l'enfant sans effort, Jake Radovitch venait de surgir près d'eux comme par magie.

— Claire, où est Don? demanda-t-il.

Le regard de la jeune femme se dirigea vers les flammes. Derrière un écran de fumée, elle vit les pompiers orienter les jets d'eau non sur ce qui avait été leur maison, mais sur les arbres environnants et le garage. Lorsqu'elle se tourna de nouveau vers Jake, elle surprit dans ses yeux gris, pour la première fois en un an et demi, une violente émotion. De la pitié et de la douleur pour elle, et peut-être, en dépit de tout, davantage encore pour Don. En le constatant, elle se blottit contre lui. Elle serrait dans ses bras Mike qui s'accrochait à elle, tandis que le mystérieux ami de Don les étreignait tous les deux avec une force qui suffisait presque à chasser la vision d'horreur qu'ils avaient sous les yeux.

Claire se réveilla en sursaut, sa chemise de nuit entortillée autour de la taille, et le drap autour des jambes. Avec un soupir douloureux, elle se laissa retomber sur l'oreiller.

Souvenirs et rêves étaient aussi chaotiques que ce lit. Il y avait la mort de Don, bien sûr, mais aussi ce cauchemar troublant où Jake apparaissait — comme son sauveur ou son ennemi, elle n'aurait su le dire. Quant aux sirènes qui avaient hurlé dans son sommeil, elle se rappela brusquement les avoir bel et bien entendues au cœur de la nuit.

Malgré l'heure matinale, elle se leva et prit une douche. En se regardant dans le miroir de la salle de bains, elle fut effrayée par son teint blême et les cernes violets sous ses yeux.

L'incendie de la maison des Kirk, le retour de Jake, l'hostilité de Mike finissaient par avoir raison d'elle. Pourtant, l'incendie ne la concernait pas, Mike ne faisait que traverser une passe difficile, et Jake la laissait indifférente, même si elle l'avait invité à dîner hier soir.

Elle descendit dans la cuisine, et prépara le café qu'elle but en grignotant un toast. On était dimanche, et ils iraient à la messe en fin de matinée afin que Mike puisse dormir. Elle avait tout le temps de faire une promenade sur la plage.

Les mouettes se disputaient des débris sur l'eau piquetée de rochers dégagés par la marée basse. Claire respira l'odeur de la mer et des algues. En atteignant la maison des Mueller, désormais celle de Jake, elle se rendit compte de la direction qu'elle avait prise. Fallait-il rebrousser chemin ? Son entêtement naturel l'en empêcha. Pourquoi laisser la présence de Jake modeler sa vie ? Elle ne marchait pas sur une plage privée.

La masse brune de la villa aux baies étincelantes au soleil apparut. Une voiture de police était garée devant l'entrée.

Intriguée, elle gravit l'escalier escarpé qui reliait la plage à la propriété. Frapperait-elle à la porte pour demander à Jake ce qui se passait, ou jetterait-elle un coup d'œil par une fenêtre ? Au moment où elle arrivait au sommet des marches, Jake et un officier de police sortaient de la maison. Ils l'aperçurent aussitôt, et elle n'eut d'autre choix que de les rejoindre.

— Que se passe-t-il ? demanda-t-elle.

Jake garda le silence, mais elle vit à son expression fermée qu'il était en colère. Le policier les observa tour à tour.

— Puis-je savoir qui vous êtes ? demanda-t-il à la jeune femme.

— Claire Talbot, une voisine.

— Ah ! madame Talbot, fit-il d'un ton qui sous-entendait qu'il savait bien des choses à son sujet. Il y a eu un nouvel incendie cette nuit. La librairie a brûlé.

— La librairie ? Mais alors... pourquoi... ?

— Pourquoi la police est-elle ici ? dit Jake, une pointe de sarcasme dans la voix.

— Excuse-moi, cela ne me regarde pas, murmura-t-elle avec le sentiment de se montrer beaucoup trop curieuse.

— Bah, la nouvelle ne va pas tarder à faire le tour de la ville, répliqua Jake. Le pyromane a mis le feu avec une pile de mon dernier bouquin. Voilà une critique intéressante. Qu'en penses-tu ?

5.

Le ruban jaune de sécurité de la police bloquait l'entrée de la librairie. Claire descendit de voiture, et s'approcha du magasin dont l'intérieur était calciné et trempé. L'eau semblait avoir fait plus de dégâts que le feu. L'une des vitrines avait explosé sous l'effet de la chaleur, à moins qu'elle n'ait été brisée par les pompiers. Et un petit salon se résumait à un hémicycle noirci autour d'un tas de livres ouverts, suffisamment épais pour s'être consumés lentement. Sur l'un d'eux, à peine roussi, apparaissait le nom de Jacob Stanek.

Suzette Fowler, deux hommes en civil et un pompier examinaient les décombres. La libraire secouait vigoureusement la tête, tout en agitant une main vers le tas de livres, tandis que les hommes en civil, sans doute des inspecteurs, l'observaient, impassibles.

Claire songea que si Suzette possédait une bonne assurance, elle constituait, comme les Kirk, le suspect numéro un pour la police. La jeune femme ne l'avait jamais entendue se plaindre d'un mauvais chiffre d'affaires, mais cela ne signifiait pas pour autant qu'elle ne connaissait pas de difficultés financières. Après tout, ce n'était pas son genre de se plaindre. Mais tout Dorset n'hésiterait pas à la soupçonner d'avoir eu besoin d'argent. Il ne fallait pas non plus oublier que, si elle avait presque toujours vécu sur l'île, ses concitoyens lui en voulaient de son naturel indépendant, et qu'elle les fréquentait peu. Exception faite du principal du lycée, avec qui elle avait une liaison torride, à en croire la rumeur — la voiture du principal avait été remarquée devant la maison de Suzette, un jour au petit matin.

Claire s'éloigna en frissonnant. Jusqu'à présent, les ragots n'avaient eu pour cible que des sujets inoffensifs, inhérents à la vie d'une petite ville. Désormais, ils avaient le pouvoir de briser une vie. Suzette devinait-elle ce que l'on chuchotait déjà sur son compte ?

A l'heure du déjeuner, Claire retourna à la librairie. Le ruban jaune avait disparu et une pancarte suspendue à la poignée de la porte indiquait que la boutique était fermée. Claire n'eut qu'à pousser la porte pour entrer.

— Il y a quelqu'un ? appela-t-elle.

— Le magasin n'est pas ouvert, répondit une voie féminine depuis le couloir qui menait à l'arrière-boutique.

Claire s'y dirigea. Les mains gantées, la libraire jetait des papiers dans une poubelle.

Tout comme Bart Petersen, Alison Pierce et Jake, Suzette avait été une camarade de classe de Don au lycée. Agée d'environ trente-cinq ans, petite et ronde, elle fixait ceux qui lui parlaient d'un regard si intense que Claire avait toujours l'impression de l'ennuyer.

— Je viens voir si vous avez besoin d'un coup de main.

La libraire se retourna en sursautant.

— Claire ! s'écria-t-elle. Vous m'avez fait peur ! C'est vrai, vous avez du temps libre ?

— De toute la matinée, il n'y a pas eu âme qui vive dans mon bureau.

— J'ai une paire de gants supplémentaire, dit Suzette. Les livres mouillés vont à la poubelle, les autres de ce côté-ci.

Claire regarda avec tristesse les étagères de livres pour enfants.

— Vous les jetez tous ? Quel gâchis !

— Vous pouvez le dire ! répondit Suzette. Je ne sais si je suis plus en colère contre le pyromane ou contre les pompiers. S'ils avaient utilisé leur matière grise, j'aurais pu en sauver davantage.

— Votre assurance vous remboursera-t-elle ?

— Plus ou moins.

Suzette cligna rapidement des yeux, et Claire s'aperçut qu'elle luttait contre les larmes.

— Ça me dépasse ! Pourquoi s'être attaqué à moi ? Pourquoi pas la quincaillerie ou votre agence immobilière ?

Elle sécha ses joues mouillées du revers de sa main gantée.

— Ne croyez pas que je souhaite à un autre autant de malchance !

— Pourquoi parler de malchance ? Ce n'est pas la main de Dieu qui a frappé. La police a-t-elle une idée de... ?

— Bien sûr que non, mais il est évident que l'incendie est d'origine criminelle. Le pyromane est passé par une fenêtre de l'arrière-boutique, il a jeté sur le sol plusieurs piles de livres et y a mis le feu. L'allumette qu'il a utilisée est encore sur le sol. Mais comme la boutique est pourvue d'une alarme antifumée, le feu n'a pas eu le temps de se propager. Le pyromane est parti bien avant l'arrivée des pompiers.

— Il n'a pas utilisé de l'essence comme chez les Kirk ?

Suzette Fowler ne pleurait plus.

— Non. Sans doute a-t-il cru que les livres s'embraseraient vite. Ou alors, il n'a pas prémédité son coup. Et puis, il y avait du gaz dans le garage des Kirk. Ici, je n'ai aucune raison d'en stocker. Je vais vous chercher ces gants, ajouta-t-elle avec un soupir.

Les deux jeunes femmes travaillèrent en silence. De temps à autre, Claire, qui cochait chaque titre sur la liste de l'inventaire avant de jeter les volumes, demandait à Suzette ce qu'il fallait faire d'un livre précis.

Plus elle y réfléchissait, plus il lui semblait improbable que la libraire ait mis le feu à son magasin pour recevoir l'argent de l'assurance. Toutefois, que fallait-il penser de sa colère à l'égard des pompiers ? Leur en voulait-elle d'être intervenus trop vite, et bien avant que le feu n'ait tout détruit ? Et si ce n'était pas elle, qui donc commettait ces actes criminels ?

Revenant d'un voyage à la poubelle, Claire entendit Suzette bavarder dans le magasin. Elle reconnut la voix profonde et calme de Jake avant de voir sa silhouette sombre contre le carré lumineux de la vitrine cassée.

— A mon avis, c'est moi qu'on vise à travers cet incendie, pas toi, dit-il à la libraire comme Claire s'avançait.

Suzette donna un petit coup de pied dans la pile de livres.

— Tu n'étais pas le seul auteur exposé.

— Où étaient rangés mes romans ?

— Ici... Là, il y avait le dernier paru, répondit la libraire avec un geste vers la vitrine où quelques volumes détrempés gisaient au milieu des débris de verre. J'avais placé les autres dans la section Fiction.

— Il ne t'en reste pas un seul exemplaire, observa

Claire qui avait déjà examiné les étagères en question.

Jake et Suzette se tournèrent vivement vers la jeune femme.

— Claire ! fit Jake tandis que Suzette la dévisageait avec stupeur.

— Vous saviez que Jake est Jacob Stanek ?

— Oui, mais j'ignorais que vous étiez au courant.

— Nous sommes des amis de longue date.

Claire toisa Jake, la tête haute.

— Suis-je donc la seule à ne m'être aperçue de rien ?

— Tu avais des raisons.

— De me montrer égocentrique ?

Elle se tourna vers Suzette.

— En tout cas, il ne reste plus un seul livre de Jake dans la section Fiction.

— J'avais réuni deux exemplaires des quatre ou cinq derniers titres, expliqua Suzette, le visage soudain plus ridé, ce qui la fit paraître plus âgée. Je n'ai pas pensé à vérifier ce matin. Pourtant, la police s'est étonnée de voir le livre de Jake sur le dessus de la pile. Claire... Vous en êtes sûre ?

Et sans attendre de réponse, Suzette gagna le fond du magasin et disparut derrière des étagères.

— Que fais-tu ici ? demanda Jake à Claire d'un ton peu amène.

— J'ai pensé que Suzette avait besoin d'un coup de main, répliqua-t-elle. Je sais ce que c'est que de se retrouver au milieu d'un tas de décombres calcinés !

— Tu n'as pas dû trouver grand-chose après l'incendie de ta maison. J'ai fouillé moi aussi.

— Ah bon ? Je ne t'ai pourtant pas vu.

— Moi, si.

Claire le dévisagea, incrédule.

— Tu me regardais ? Mais alors pourquoi... ?

Le retour de Suzette l'empêcha de poursuivre.

— Vous avez raison, dit la libraire. Ils ont tous été brûlés.

— Bon sang ! maugréa Jake en se frottant la nuque. Combien de gens savent que j'écris, Suzette ?

— Très peu, et ils gardent le secret. Même moi, je me tais. Pourtant, ça me rapporterait gros si je parlais !

— Mais si c'est à toi qu'en veut l'incendiaire, Jake, pourquoi ne s'attaque-t-il pas à ta maison ? interrogea Claire.

— Peut-être ignore-t-il que je viens d'en acheter une ou que j'y ai emménagé aussi vite.

— Tu n'as rien en commun avec les Kirk, insista Claire.

— Peut-être que notre pyromane local n'apprécie pas ta prose et qu'il faut voir dans cet incendie une sorte de critique ? suggéra Suzette.

Jake eut un rire sarcastique.

— Il ne peut rien exister de pire que le dernier article que m'a consacré le *L.A. Times*.

Les sourcils froncés, Claire considéra la couverture cartonnée de son dernier livre.

— C'est peut-être le sujet d'un de tes livres qui a déclenché tout ça.

— Il n'y a pas d'incendie criminel dans ce roman, répondit-il, pensif. Mais il est possible que quelqu'un se soit reconnu dans l'un de mes livres, et que ce portrait lui ait déplu.

— Suzette, il paraît...

L'homme qui entrait dans la boutique s'interrompit en voyant Jake et Claire, et il parcourut rapidement les lieux du regard.

— Mon Dieu ! c'est donc vrai, murmura-t-il, anéanti.

Suzette s'approcha de lui, et il la serra dans ses bras.

— Stephen, dit-elle, je te présente Claire Talbot et Jake Radovitch.

— J'ai déjà rencontré Claire, déclara le principal du lycée.

Il fit un sourire à la jeune femme, qui le lui rendit.

Les deux hommes se serrèrent la main, et Claire ne put s'empêcher de remarquer le contraste qu'ils formaient. Blond et plus petit que Jake, Stephen Hadfield avait la sveltesse du coureur qu'il était et un visage ouvert. A côté de lui, Jake en imposait par son air sombre et réservé au point de paraître glacial.

— Faisons une expérience, proposa Jake. Que savez-vous de cet auteur, Stephen ?

Il désigna son livre de la main. Hadfield y jeta un coup d'œil.

— Il est originaire de Dorset, et... Vous êtes Jacob Stanek ? interrogea-t-il, stupéfait.

Jake se tourna vers Suzette qui secouait la tête.

— Je ne lui ai rien dit. Ecoute, ajouta-t-elle avec une urgence dans la voix, je n'en ai pas parlé à la police non plus. J'ignore comment ils ont su que c'était ton pseudonyme.

— Bart Petersen ? suggéra Jake, l'air préoccupé.

— Possible. A la réflexion, c'est même sûr. Son frère est pompier. Il a dû le dire aux autres. Ton retour au pays natal est l'événement le plus excitant qui soit arrivé ici depuis des lustres !

Jake fronça les sourcils.

— Je t'assure que..., reprit Suzette.

— Je te crois, l'interrompit-il de ce ton bourru qu'il affectait avec les gens en qui il avait confiance. Excuse-moi, reprit-il avec un mouvement des épaules comme pour se débarrasser d'une tension insupportable. Il va de soi que je me charge de payer la facture.

— Ne sois pas ridicule, Jake, gronda gentiment la libraire. Mon assurance me dédommagera. D'ailleurs, nous n'en sommes qu'à des suppositions. Mais si tu es bel et bien la cible de cet incendie...

— Je ne vais pas tarder à avoir des nouvelles de notre pyromane, conclut-il, et je l'attends de pied ferme. Maintenant, nous ferions mieux de finir de nettoyer tout ça...

— Vous saviez que Jake écrivait? demanda Claire à sa belle-mère.

La vieille dame lavait des légumes dans l'évier. Elle se retourna.

— Bien sûr. Nous avons toujours correspondu. C'est vraiment un gentil garçon.

« Gentil » n'était pas l'adjectif que Claire aurait associé à l'homme sombre et secret qu'elle connaissait. Mais ce ne fut pas là ce qui l'alarma.

— Vous vous écriviez? Même au cours de l'année qui vient de s'écouler?

Mme Talbot porta les tomates et le céleri jusqu'à la planche à découper.

— J'ai eu de ses nouvelles à peu près tous les deux mois.

S'il écrivait à sa belle-mère, pourquoi n'avait-il pu lui dire au revoir à elle? Claire eut une bouffée de colère. Ou de jalousie.

— Il n'a pas assisté à l'enterrement de Don, annonça-t-elle d'un ton vengeur.

Elle regretta aussitôt ses paroles. Trop tard. Les mains de Mme Talbot s'immobilisèrent, et elle plissa le front.

— Que voulez-vous dire? Je croyais que vous étiez restés amis.

— J'aurais dû me taire.

— Etait-il en voyage?

Le moins que Claire puisse faire, c'était de mentir.

— Je l'ignore. Son absence m'a beaucoup peinée, mais je ne lui en ai pas demandé la raison.

— Et il ne s'en est pas excusé?

— Nous... nous n'en avons jamais parlé.

— Si j'avais pu venir!

Le remords de Claire redoubla. La gorge serrée, elle posa la cuillère qui lui servait à tourner la soupe, et éteignit le feu sous la casserole. Peut-être aurait-elle dû passer un bras autour des épaules de la vieille dame afin de la consoler, mais il n'y avait jamais de gestes d'affection entre elles.

— C'est moi qui ai voulu que l'enterrement ait lieu le plus vite possible, expliqua-t-elle malgré son embarras. J'ai cru que ce serait plus facile pour Mike, mais je n'ai pas été juste envers vous. J'aurais dû attendre votre sortie de l'hôpital.

— Mais c'est pour vous que j'aurais voulu être présente, Claire. Quelle importance pour Don qu'on le pleure à un moment ou à un autre?

— Je... je n'avais besoin de personne.

Désemparée par ce nouveau mensonge, Claire se demanda si elle avait jamais dit la vérité à quelqu'un. Pourquoi tenait-elle à ce qu'on la croie capable d'affronter les épreuves les plus terribles? Pourquoi vouloir cacher sa vulnérabilité?

Elle connaissait la réponse à ces questions. Tant qu'elle feignait d'être forte, elle faisait illusion vis-à-vis des autres et surtout d'elle-même. Sa réalité devenait celle du faux-semblant. Après la mort de Don, cela lui avait permis de faire face au lendemain, puis au surlendemain et ainsi de suite.

C'est pourquoi Jake représentait une menace. Il savait qu'elle avait peur depuis le début. Si elle avait été plus forte, n'aurait-elle pas persuadé Don de revoir un médecin avant que sa tentative de se soigner ne se termine aussi tragiquement ?

— Enfin, ce qui est fait est fait, murmura Mme Talbot en se levant péniblement. Vous savez combien j'admire votre force de caractère.

Claire s'effraya de la soudaine faiblesse physique de la vieille dame. Que deviendrait-elle sans sa belle-mère ? De nouveau, son égoïsme lui fit honte.

— Restez assise pendant que je finis de préparer le repas.

— Non, je n'aime pas me tourner les pouces.

C'était vrai, et Don, qui avait toujours recherché la difficulté, ressemblait beaucoup à sa mère. Comme il s'était inquiété quand, après son infarctus, Mme Talbot se démenait dans son jardin pour planter les rosiers dont elle avait toujours rêvé !

« Je t'accorde que le jardinage n'est pas un travail de tout repos, avait-elle rétorqué, mais ça me détend. Et puis, si je ne le fais pas maintenant, qui sait si j'en aurai la force plus tard ? »

Sans doute aurait-il été plus judicieux d'emménager à Dorset quand la maladie de Don s'était déclarée, environ deux ans après leur mariage, alors qu'ils vivaient à Seattle. Il avait d'abord souffert d'insomnies et de pertes de mémoire, avant d'avoir des soupçons absurdes et de violentes colères. Don s'imaginait que les autres pêcheurs cherchaient à le ruiner. A 3 heures du matin, il partait vérifier l'état de son bateau, et revenait convaincu qu'on l'avait saboté. Dans ces accès de rage qui terrifiaient Claire et Mike, il hurlait, donnait des coups de pied dans le mobilier, jetait tout ce qui était à portée de sa main.

380

Il lui faisait encore confiance à cette époque, et elle l'avait convaincu de consulter un médecin. Malgré un traitement, il n'avait pu partir pour l'Alaska pour la saison de la pêche. Et ils avaient vendu le bateau, pour s'installer dans l'Oregon. Don n'avait pas voulu retourner à Dorset, et Claire connaissait peu Mme Talbot. Aujourd'hui, elle remettait en question la sagesse de leur décision, car même avec son cœur fragile, sa belle-mère était une femme forte.

Qu'avait pensé Mme Talbot de leur déménagement ? Leur ayant proposé de s'installer à Dorset, elle ne leur avait jamais reproché leur départ pour l'Oregon. Croyait-elle que Claire avait refusé de venir sur l'île ? Quelle ironie ce serait, puisque, à la mort de Don, cette dernière y était accourue. Et quel dommage qu'elles soient incapables de parler de tout cela...

Elles restèrent silencieuses un moment.

— Les parents de Jake vivent-ils encore ? demanda soudain Claire.

— Son père, oui, mais sa mère est morte d'une crise cardiaque il y a quelques années.

Claire versa la soupe dans la soupière.

— Savez-vous si son père habite encore ici ? Je serais curieuse de savoir pourquoi Jake a décidé de revenir à Dorset.

Mme Talbot posa la salade sur la table.

— Pourquoi ne le lui demandez-vous pas ? répliqua-t-elle gentiment. Ne vous froissez pas, ma chère, mais c'est un homme si secret que je n'aime pas parler de lui dans son dos.

Les joues de Claire s'empourprèrent. Voilà qu'elle se transformait en commère ! Elle qui avait toujours eu horreur des potins, si souvent cruels.

— Je vais dire à Mike de descendre dîner, balbutia-t-elle, soulagée d'avoir une excuse pour disparaître un moment.

Jake se fichait éperdument d'alimenter les rumeurs de Dorset. Enfant, il en avait pourtant beaucoup souffert. Et il n'oubliait pas son humiliation et sa rage impuissante d'alors. Il lui suffisait d'arriver à l'arrêt de bus avec un œil poché, une joue meurtrie ou le dos raide à cause des coups de ceinture qu'il avait reçus pour que les autres enfants se moquent de lui. En réponse à ces ricanements qui le poursuivaient jusqu'à l'école, il se battait. Il se jetait sur l'insolent afin de recouvrer un amour-propre piétiné par un père violent. Il avait mis des années à comprendre qu'il ne retirait aucun bénéfice de ces bagarres, même s'il parvenait à terrasser ses adversaires.

Ce qui lui avait toujours échappé, c'était la raison pour laquelle Don Talbot était devenu son ami. Jake se souvenait du début de leur amitié. Un groupe d'adolescents plus âgés l'avait encerclé tout en se moquant de lui. Il s'était jeté sur ses bourreaux, qui n'avaient fait que resserrer l'étau autour de lui. Un coup de pied dans les reins, et il était tombé à genoux. Don était alors venu à son secours. Sans vaincre les attaquants, ils avaient su les impressionner et forcer leur respect. A partir de ce jour, un lien solide l'avait uni à Don jusqu'à ce qu'il commette la plus terrible des trahisons : s'éprendre de sa femme.

Lorsqu'il arriva devant la maison où il avait grandi, contre toute attente, Jake sentit sa gorge se nouer. La façade de bois blanc écaillée, la pelouse jaunie, et devant la fenêtre du salon, l'énorme pommier au tronc noueux réveillèrent en lui le souvenir de son enfance

382

douloureuse. Tenté de remettre à plus tard cette entrevue avec son père, il se ravisa. N'avait-il pas déjà fui une fois ?

Il remonta l'allée de ciment, s'étonnant que ses pieds se souviennent de chaque centimètre, que, au lieu de tirer la sonnette, sa main soit tentée de pousser la porte au grillage bosselé. Le timbre retentit.

— Une minute ! cria une voix caverneuse.

Presque aussitôt, Jake aperçut la silhouette massive de son père, mais il vit à peine son visage tant les larmes lui brouillaient la vue. Adam Radovitch ne fit pas le geste d'ouvrir.

— Ah ! te voilà.

— J'ai pensé que tu me savais de retour.

— Exact.

— Je peux entrer ?

Son père haussa les épaules.

— Pourquoi pas ?

Et il s'éloigna. Jake y vit une invitation. Il poussa la porte grillagée, suivit son père dans la cuisine.

Bien qu'ayant été changé, le linoléum restait miteux, et les vieux placards de bois, autrefois verts et désormais repeints en jaune, étaient toujours maculés de taches de graisse. Dans un coin de la pièce, deux sacs en papier brun étaient remplis de cannettes de bière écrasées. Un nouveau pack de bières était posé sur le comptoir.

Son père s'assit avec raideur sur une chaise. Jake ne l'avait pas vu depuis presque vingt ans, et il le trouva vieilli. Avec ses cheveux gris et ses joues flasques couvertes d'une barbe de deux jours, Adam Radovitch faisait plus que ses soixante-cinq ans. Il semblait plus petit également. Son corps imposant était amaigri, ses grosses mains, désormais noueuses, portaient les marques des soudures de carrosseries qu'il effectuait dans son garage.

— Plutôt chouette, ta bagnole, observa-t-il, bourru.

Jake s'assit.

— J'en ai les moyens.

— Ta mère a toujours dit que tu deviendrais quelqu'un. Je ne l'ai jamais cru.

— C'est vrai. De quoi avais-tu peur ? De moi ? fit Jake, étonné par la profondeur de sa rancune.

— Je n'ai jamais eu peur d'un gringalet de ton espèce.

— Alors pourquoi me battais-tu ? Par plaisir ?

Leurs regards se croisèrent, et Jake décela dans les yeux de son père une lueur fugitive d'émotion. Etait-ce pure complaisance de sa part de s'imaginer qu'un vague remords le tenaillait ?

Adam Radovitch saisit une tasse maculée de marc de café.

— Si c'est ce que tu crois, je te conseille de t'en aller.

— D'accord. Je tâcherai de t'éviter à l'avenir, dit Jake en se levant.

— C'était pour ton bien. Tu as toujours une grande gueule. Tu n'as jamais voulu apprendre à la fermer.

— Alors que maman, elle, ne disait jamais rien, n'est-ce pas ?

— Elle était plus intelligente que toi.

— Et surtout plus faible, corrigea Jake avant de tourner les talons.

Et il quitta rapidement la maison.

Curieusement, il se sentait comme vidé de toute émotion après cette dispute avec son père. Pourtant, il désirait voir Claire. Luttant contre cette tentation, il passa devant chez elle sans s'arrêter. Mais Mike, qui se

384

trouvait à côté, chez sa grand-mère, faisait des paniers dans le cercle de métal fixé sur la porte du garage.

Jake hésita avant de se garer dans l'allée. Mike continuait de jouer, dribblant, rattrapant le ballon après un rebond et le lançant de nouveau avec l'intensité mécanique d'un adolescent qui noie ses tourments dans l'action.

Se rappelant s'être défoulé de la même façon, Jake descendit de voiture, s'approcha — si Mike l'avait vu, il faisait semblant de l'ignorer —, attendit que le ballon rebondisse sur le cercle de fer. Quand l'occasion se présenta, il le saisit au vol, prit son élan et l'envoya. Il manqua le panier de trente centimètres.

— Zut ! maugréa-t-il. J'avais oublié que l'allée est en pente.

— Bonne excuse ! dit l'adolescent en ricanant.

— Donne-moi dix minutes pour m'échauffer.

— C'est dix ans qu'il te faudrait ! Allez, vas-y !

L'adresse de Jake revint. Le basket, c'était comme le vélo, ça ne vous quittait jamais. Cette allée, ce panier, il les connaissait aussi bien que son propre visage.

Le jeu ne tarda pas à se transformer en tournoi. Mike cessa de rire quand Jake manquait un point, se mit à le pousser de l'épaule quand il montait au panier, et, s'il s'apprêtait à marquer, il interceptait le ballon avec un sourire mauvais. En l'espace d'un an, il avait grandi d'au moins trente centimètres, et il était plus rapide qu'autrefois. De plus, il voulait vaincre et il jouait avec acharnement. Jake fut tenté de lui laisser la victoire, mais il se dit que l'adolescent ne le lui pardonnerait jamais.

A la tombée de la nuit, Jake s'essuya le front avec le bas de son T-shirt tout en dribblant hors des limites imaginaires du terrain. Mike attendait, genoux pliés, prêt à bondir. Le score était de huit à six pour Jake.

Ce fut à ce moment-là que Claire apparut sur le perron, et se pencha pour y voir dans la pénombre. La devinant toute proche, Jake tourna la tête vers elle. Il vit sa silhouette moulée dans un jean serré, et sa lourde chevelure qui s'échappait d'un chignon.

— Allez ! cria Mike avec impatience.

Jake reporta en partie seulement son attention sur le jeu, mais ce qu'il perdit en justesse de tir, il le gagna en détermination. Il n'était pas question de se laisser battre devant Claire par un gamin de quatorze ans.

Claire distinguait mal les deux joueurs, elle voyait seulement leurs mouvements s'amplifier. Ils étaient engagés dans une sorte de danse. C'était à peine si elle entendait le tap-tap du ballon de basket sur le ciment, alors qu'ils gémissaient de fatigue, de joie ou d'exaspération.

Claire savait que Jake l'avait vue, mais dans la pénombre, à l'abri du porche, elle se sentait invisible. Ils jouaient avec une opiniâtreté incroyable. L'un sautait en l'air et, comme au ralenti, le ballon s'élançait vers le ciel pendant que l'autre se retournait. Et tous deux, la tête levée, surveillaient du regard le ballon qui restait un instant suspendu, indécis et léger, au-dessus du cercle de métal, avant de rebondir sur l'anneau ou de tomber, docile, à l'intérieur. Alors, l'homme ou le garçon s'emparait du ballon hors des limites imaginaires du terrain, et tout recommençait.

Elle sut que le jeu était terminé quand Jake lança le ballon de loin, et qu'ils se figèrent sur place. L'obscurité croissant, Claire eut du mal à suivre le long arc de cercle que décrivit le ballon, mais elle vit le poing de Jake se lever en signe de triomphe. Enfin, leurs voix lui parvinrent.

— La prochaine fois, je t'aurai, dit Mike.

— N'y compte pas trop, répondit Jake en lui tapotant l'épaule. Mais si tu veux essayer, tu es le bienvenu.

— Maintenant ?

Jake leva la main vers Claire, qui attendait.

— Oh ! non..., gémit Mike.

— Au travail ! rappela-t-elle. La vaisselle et les devoirs.

— A bientôt, lança Mike à Jake avant de traverser la pelouse au pas de course, le ballon sous le bras.

Il passa devant Claire, et laissa retomber la porte grillagée. Pendant quelques secondes, elle crut que Jake partirait sans lui parler. Que faire ? Il fallait se montrer courtoise, mais elle ne tenait pas à heurter une fois de plus son beau-fils en invitant Jake à dîner. Indécise, elle ne bougea pas. Il s'approcha.

— Tu jouais souvent au basket avec Mike, dit-elle, surprise par ses propres paroles.

Il s'arrêta au bas des marches.

— C'était plus facile de le battre à l'époque.

— Il a tellement grandi en un an... Je me demande comment il fait pour ne pas trébucher quand il court, avec des pieds aussi gigantesques !

Jake ne dit rien. Très vite, la tension devint insupportable.

— Tu as parlé au capitaine des pompiers ? reprit-elle. Pense-t-il que c'est toi qui étais visé par l'incendie ?

— Cette idée lui est venue à l'esprit, répondit Jake, mais à mon avis, il n'en est pas convaincu. Il semble que Tom Petersen ait révélé mon pseudonyme à tout le monde. Il s'imagine que Dorset possédant une... « célébrité locale », comme il dit, il n'y a rien de surprenant à ce que l'incendiaire ait utilisé mes livres. Il envisage cependant de faire passer ses hommes au détecteur de mensonge, au cas où l'un d'eux s'amuserait à créer un peu de divertissement.

— Quelle horreur !

— Il n'y a pas beaucoup d'autres solutions...

Le regard de Claire se posa sur la lune, au-dessus de la masse sombre des arbres.

— S'il pouvait pleuvoir, dit-elle.

— Oui, cette sécheresse est dangereuse.

Claire regrettait de ne pas avoir allumé la lumière du porche, ou au moins celle du hall, pour mieux voir Jake. Il lui semblait grand, sombre, impénétrable, plus proche de l'inconnu qui hantait ses cauchemars que de l'ami qui avouait ses faiblesses.

— Tu ne penses pas que ces incendies ont un lien avec toi ? demanda-t-il soudain.

— Bien sûr que non !

Mentait-elle de nouveau ?

— Mais cela ne m'empêche pas de me sentir menacée. Tout habitant de Dorset est une cible en puissance.

Claire détesta la note d'hystérie dans sa voix.

Jake s'avança. Elle recula, croisa les bras.

— Tu as vraiment peur ? interrogea-t-il.

— Peur ? Je me sens mal à l'aise. J'ai l'impression de revivre le pire de mes cauchemars. Peut-on me le reprocher ?

— As-tu un revolver ?

— Oh ! non ! Je serais capable de tirer sur le chat ou sur Mike. Je n'en ai pas besoin, Jake. Bart est notre plus proche voisin. Il m'a dit de le prévenir si j'entendais un bruit suspect. Et puis, il y a Mike. Je ne suis pas toute seule.

— Tu as confiance en Bart ?

La première réaction de la jeune femme fut d'éclater de rire, mais elle pensa que Bart avait été lui aussi pompier volontaire, et son sentiment de sécurité s'effrita un peu plus.

— Je ne devrais pas ? s'enquit-elle, un peu anxieuse.

— Je n'en sais rien. Quand on était au lycée, il y a eu plusieurs feux. Bart était là.

— Toi aussi.

De nouveau, il y eut un silence.

— C'est vrai, dit Jake. A toi de décider en qui placer ta confiance.

— J'ai confiance en toi.

— Bien. Claire...

Jake s'était exprimé d'une voix plus grave et profonde. Et soudain, il la saisit par le menton. Paralysée, Claire eut un frisson d'excitation. Elle n'eut pas le temps de s'indigner. Il l'embrassait déjà, et elle ne songeait pas à fuir. Elle avait su qu'il vibrerait de passion, mais elle l'aurait cru du genre à revendiquer sans pitié ce qu'il désirait. Elle s'était trompée.

Il lui posa une main sur la nuque, et son baiser devint très tendre. Peut-être parce que tout était si inattendu, Claire sentit quelque chose fondre en elle. Elle avait envie de se détendre, d'entrouvrir les lèvres, de s'abandonner à la douceur enivrante de ce moment. Elle n'en eut pas l'occasion.

Une exclamation étouffée les fit sursauter. Jake releva la tête, et Claire se retourna vivement. La lumière du hall les inondait. Et Mike se tenait sur le seuil.

— Papa avait raison ! s'écria-t-il avec fureur.

Et il disparut dans la maison.

6.

Le front contre la porte de la chambre de Mike, Claire fit une nouvelle tentative.

— Mike...

— Je ne veux pas en parler !

— Mais ce n'est pas ce que tu crois.

— Je m'en fiche ! Laisse-moi tranquille !

Désemparée, elle se résigna à lui obéir.

Sans doute aurait-elle dû comprendre que l'hostilité de l'adolescent à l'égard de Jake était liée au comportement qu'avait eu son père. Combien de fois Don lui avait-il reproché l'amitié qu'elle témoignait à Jake ? Combien de fois avait-il épié ce dernier, le suivant de fenêtre en fenêtre avec des jumelles ? Rien d'étonnant à ce que Mike reprenne à son compte les soupçons de son père.

Accablée, Claire descendit dans la cuisine et se prépara du thé.

Les accusations absurdes de Don avaient été le fruit de sa maladie mentale et non de la raison, et Mike, capable comme elle de contenir sa colère, avait été l'allié de sa belle-mère. Pourquoi la traitait-il soudain en ennemie ? Parce que la phobie de Don n'avait en réalité rien d'insensé ?

391

En proie à une vive agitation, Claire alla à la fenêtre. De l'autre côté de l'étendue sombre du Sound, Orcas apparaissait dans un ruissellement de lumières. Honteuse de ses sentiments, elle avait fait en sorte que personne ne devine combien l'ami de son mari l'attirait. Sans doute cela ne se serait-il jamais produit sans la maladie de Don. Mais au moment de sa rencontre avec Jake, elle avait l'impression de s'occuper de deux enfants au lieu d'un mari et d'un beau-fils. Don se tournait vers elle avec un tel désarroi qu'elle ne pouvait que le bercer dans ses bras, s'efforçant de faire comme s'il n'était pas malade, ni effrayé ni perdu. Etait-il surprenant que la gentillesse et la ténébreuse beauté de Jake aient éveillé en elle une sensualité oubliée ?

Bien sûr, elle pouvait se pardonner cette faiblesse, mais jusqu'à un certain point seulement, car n'avait-elle pas trahi, dans le secret de son cœur, les liens du mariage qui l'unissaient à Don ? Et si ces sentiments interdits avaient été transparents pour Don, Jake et Mike, n'était-ce pas, plutôt que le fruit du délire de Don, qu'elle les avait éprouvés ?

— L'autre jour, Jake a mentionné des incendies qui ont eu lieu à l'époque où vous étiez tous au lycée. Vous vous en souvenez ? demanda Claire avant de mordre dans un sandwich.

Elle aidait Suzette Fowler à ranger sa librairie. Les deux jeunes femmes déjeunaient sur le pouce après avoir passé la matinée à déplacer les étagères de l'arrière-boutique afin d'enlever la moquette qui devait être changée.

— Quelle coïncidence, dit Suzette en lustrant une

392

pomme contre son T-shirt. Pas plus tard qu'hier soir, j'y pensais, moi aussi.

— Jake ne m'a pas dit grand-chose à ce sujet.

— La plupart de ces feux se sont limités à un peu de papier enflammé dans des corbeilles. Le seul qui ait eu des conséquences plus graves, c'est celui qui a pris dans le laboratoire de chimie, à côté d'une table où se déroulait une expérience. Un produit a explosé dans un tube, et l'appariteur a eu les mains brûlées. Il me semble que, après cet accident, les feux ont cessé, ou alors, nous avons quitté le lycée.

— Et l'auteur de ces incendies n'a jamais été découvert?

— Non, mais ça a fait jaser, dit Suzette tout en lançant et rattrapant la pomme. On racontait que Jake... Enfin, Jake n'était guère aimé.

— On a soupçonné Jake d'être l'incendiaire? fit Claire, d'autant plus stupéfaite que, dans ses rêves, un point d'interrogation planait sur cette éventualité.

— Oh! son nom a été avancé parmi d'autres, corrigea Suzette. Il se peut que le mien aussi ait été mentionné. A mon avis, il n'existe aucun lien entre ces feux et les deux incendies qui viennent de frapper Dorset. Savez-vous combien d'années se sont écoulées depuis que nous avons quitté le lycée? Beaucoup trop, dit-elle, répondant à sa propre question. La plupart d'entre nous ont vécu en différents points du globe. Quant à ceux qui sont restés à Dorset... Si vraiment j'étais pyromane, pourquoi aurais-je attendu tant de temps pour m'adonner à mon hobby?

— A moins qu'un événement particulier n'ait déclenché de nouveau ce processus, fit observer Claire après une courte hésitation, ou bien, si vous aviez quitté Dorset, que vous ayez provoqué des incendies là où vous habitiez et que, de retour sur l'île...

— Comme Jake ?

Claire se détourna, horrifiée par le doute qui s'insinuait dans son esprit.

— Je ne sais pas ! s'écria-t-elle avec une véhémence soudaine. Lui ou quelqu'un d'autre.

— Alison, dit Suzette contre toute attente. Elle est revenue depuis peu.

— La police ne va-t-elle pas enquêter sur ceux qui ont quitté Dorset et chercher à savoir s'il y a eu des incendies inexpliqués là où ils ont vécu ?

— Encore faudrait-il qu'elle soit au courant des feux qui ont eu lieu au lycée. Les policiers ne peuvent passer au crible tous les habitants de l'île.

Claire n'avait plus faim.

— Vous croyez que nous devrions leur en parler ?

— J'avoue que je préférerais qu'ils n'en sachent rien. Il ne faut pas oublier que c'est mon magasin qui vient de brûler. On me soupçonne déjà d'être l'incendiaire.

Au souvenir de la froideur avec laquelle les inspecteurs avaient écouté la libraire, Claire ne protesta pas.

— Mais pourquoi auriez-vous incendié la maison des Kirk ? demanda-t-elle.

— Pour faire diversion et détourner les soupçons, répondit promptement la libraire. Et s'il n'existait aucun lien entre ces deux incendies, on peut supposer que celui des Kirk m'aurait donné l'idée de mettre le feu à ma boutique afin de toucher l'argent de l'assurance. Il est fréquent qu'un crime serve de modèle, vous savez.

— Sans doute avez-vous raison.

Claire baissa les yeux sur son sandwich. La conversation devenait de plus en plus malaisée et troublante, car elle ne connaissait pas assez bien Suzette pour

394

écarter d'emblée tout soupçon à son sujet. Peut-être qu'en effet cet incendie permettrait à la libraire de combler un important déficit financier.

— Je connais mal Alison, reprit-elle, désireuse de parler d'autre chose. Elle est revenue à Dorset à la suite du décès de son père et a hérité de sa propriété, n'est-ce pas? Où était-elle auparavant?

— Aucune idée. Il paraît qu'elle est fiancée à Tom Petersen. Un homme que je vois peu. Il n'achète pas de livres.

— Il est plus âgé que Bart, non?

— De deux ans. Il s'est engagé dans l'aviation, et a combattu au Viêt Nam. Aujourd'hui, il pilote de petits avions et effectue des vols touristiques.

Mais discuter de Tom et de Bart Petersen importait peu à Claire. C'était Alison qui l'intriguait, sa froideur et sa réserve. Avait-elle beaucoup changé depuis le lycée? Etait-elle aimée par ses camarades, à l'époque? Il n'y avait aucune raison d'établir un lien entre Alison et les incendies criminels, mais Claire tenait là l'occasion de se renseigner sur le type de relation que Don avait eue avec son ancienne petite amie.

— Don et Alison étaient-ils très épris l'un de l'autre?

— Ne vous a-t-il rien raconté?

— Il m'a beaucoup plus parlé de Sheila.

Claire avait éprouvé de la sympathie pour la mère de Mike, tout en souffrant de l'habituelle jalousie de la deuxième épouse. Mais comment en aurait-il été autrement quand le souvenir de Sheila se rappelait constamment à elle? Pour le bien de Mike, elle écoutait sans broncher les anecdotes que Don évoquait à tout propos, et elle avait laissé les photos de la mère de Mike sur les murs et les meubles. Elle avait d'ailleurs fini par penser à Sheila comme à une ancienne amie, et ne manquait jamais de rappeler à Mike un trait ou un intérêt qu'il partageait avec sa mère. N'avaient-elles pas toutes deux occupé la même place au sein de la famille Talbot ?

Alison aussi avait occupé la même place qu'elle. Néanmoins, elle ignorait tout à son sujet.

Suzette mordit dans la pomme, comme si ce changement de sujet lui permettait de se détendre elle aussi.

— Oui, leur relation était sérieuse, dit-elle. Elle a duré environ deux ans. Don était notre star du football, et Alison, la plus acharnée de ses fans. Mais je crois que pour lui il ne s'agissait que d'un béguin de lycéen, alors qu'elle visait le mariage. Don était l'homme de sa vie. Après le bac, il a passé l'été en Alaska. C'est là qu'il a rencontré Sheila. Très vite, on a appris qu'il s'était marié, et quelques semaines plus tard, il revenait avec sa jeune épouse. Alison était blessée, même si elle ne l'a pas montré. Qui aurait pu le lui reprocher ?

Les jours suivants, Claire pensa beaucoup à cette histoire. Don lui en avait peu parlé. Et elle apprenait qu'il s'était comporté avec cruauté à l'égard d'Alison. A moins qu'il n'ait rompu avec la jeune fille avant son départ pour l'Alaska, et qu'Alison n'en ait rien dit, convaincue qu'ils renoueraient à son retour ? Mais Don n'avait rien raconté de tel à Claire.

Elle le revoyait, appuyé au comptoir de la cuisine tandis qu'elle s'affairait aux fourneaux. Un homme solide, massif, sauvage, fait pour hisser les filets dans le violent roulis du bateau et le déluge d'eau salée qui lui brûlait le visage. Le teint hâlé, il sentait le grand air et l'océan. Sa force, son assurance, sa franchise l'avaient séduite, même si parfois il affichait une arrogance purement masculine, comme ce jour-là, bien qu'elle ne soit pas sûre de l'avoir remarqué alors. Sans doute lui avait-elle posé une question sur sa première femme, parce qu'il avait souri d'un air crâneur.

« J'avais une petite amie qui m'attendait à Dorset, mais je l'ai oubliée dès que j'ai vu Sheila. Elle était ravissante, mais pas plus que toi, avait-il eu la bonne grâce d'ajouter. Elle était... Je ne sais pas, douce, gentille, adorable. J'aime que mes femmes soient féminines », avait-il conclu avec un grand sourire.

Or, Alison ne semblait pas douce et gentille... Mais peut-être l'avait-elle été autrefois. Après tout, une femme rejetée par l'homme de sa vie ne pouvait que s'endurcir. Et puis, Claire n'ignorait pas que qualifier quelqu'un de « gentil » revenait souvent à le taxer de faiblesse.

Toujours est-il qu'elle n'aurait jamais cru parler d'Alison avec Jake. Après le baiser qu'ils avaient échangé, plusieurs jours s'étaient écoulés sans qu'elle le revoie, jusqu'à une fin d'après-midi où, en rentrant du travail, elle le trouva assis sous le porche, sa vieille caisse à outils posée à côté de lui.

— J'ai entendu l'eau goutter sous l'évier l'autre soir, expliqua-t-il. J'aimerais y jeter un coup d'œil. Ce sera vite fait.

Elle aurait dû le remercier, et raconter que le plombier allait venir, mais on ne colmatait pas une fuite d'eau avec de la fierté. Elle ouvrit donc la porte, et le fit entrer, en espérant que Mike ne rentrerait pas avant une heure ou deux, ou même qu'il serait carrément en retard.

Et elle commença à préparer le dîner, pendant que Jake se couchait sur le sol, la tête et les épaules sous l'évier. Son jean usé moulait les muscles de ses jambes. De temps à autre, ses longs doigts nerveux cherchaient à tâtons une clé ou la lampe de poche. Le désir coupait alors le souffle de Claire. Comment lutter contre la terrible attirance qui la rongeait alors qu'elle avait juré à Don que Jake ne lui plaisait pas ? Elle avait toujours cru que son isolement était à l'origine de sa fixation sur Jake. Mais dans ce cas, pourquoi l'attirait-il toujours autant ?

— Tu connaissais bien Alison Pierce ? s'enquit-elle.

— Alison ? Non.

Jake tapa sur les tuyaux, tandis qu'elle hachait du céleri.

— Elle a l'air si distante.

— Oui, je me suis toujours demandé..., commença-t-il. Ah ! il faut changer cette tuyauterie.

— Sans oublier l'isolation, les planchers et l'installation électrique.

Jake se redressa pour la regarder.

— L'installation électrique ?

— Je n'en sais rien, s'empressa-t-elle de dire en voyant son air inquiet. La maison est vieille. Elle a besoin de réparations.

— Je vérifierai tout ça un de ces jours.

Et il disparut de nouveau sous l'évier.

— Qu'est-ce qui t'intriguait en Alison Pierce ? reprit-elle.

— Je me demandais à quoi ressemblait sa vie de famille. Elle me faisait penser à moi.

— Que veux-tu dire ?

Au long silence qui suivit, la jeune femme songea que Jake regrettait sa confidence.

— Elle semblait toujours sur ses gardes.

— Elle a pourtant dû sortir de sa réserve avec Don.

— En tout cas, c'était uniquement avec lui. Elle avait peu d'amis et, à mon avis, elle n'aimait pas qu'il en ait beaucoup.

398

— Don est parti pour l'Alaska afin de rompre avec elle ?

— Je pense que oui, mais il ne l'a jamais avoué.

Jake sortit de sous l'évier.

— Ta tuyauterie est dans un sale état, mais la fuite provient du broyeur d'ordures. Il faut le changer.

— Je suppose qu'Anne ne refusera pas de participer à cette dépense, dit Claire avec un désarroi manifeste, mais je préférerais me passer de son aide.

— Anne ? Oh ! j'oubliais que la mère de Don était ta propriétaire. Pourquoi n'a-t-elle pas remis à neuf cette maison avant ton emménagement ?

— Parce qu'elle n'en a pas les moyens. A l'origine, ce cottage ne se louait que l'été, il n'a pas été conçu pour être habité tout au long de l'année. Il était à vendre à la mort de Don. Mon emménagement est censé être provisoire.

— Tu ne gagnes pas assez bien ta vie ?

Jake se mit debout, et ramassa ses outils sans la regarder, ce qui aida Claire à lui parler en toute franchise.

— Disons que la vente de la villa des Mueller m'apporte une aide considérable. J'étais tellement fauchée, à mon arrivée à Dorset, que je n'ai pas encore réussi à me redresser financièrement. L'année de la mort de Don, j'ai peu travaillé. C'est même un miracle qu'on m'ait gardée à Coastal Realty. Pendant tout le temps où nous avons vécu dans l'Oregon, je n'ai vendu qu'un duplex. Don ne supportait pas que je m'absente.

A ces souvenirs douloureux, elle s'interrompit un instant.

— L'assurance ne nous a versé aucune indemnité puisque c'est Don qui a mis le feu à la maison, reprit-elle. Nous avons tout perdu, alors que nous vivions déjà sur nos économies. Don n'avait pas contracté d'assurance sur la vie et quand il est tombé malade, il n'était plus possible de le faire. Mon père est remarié, et dans une situation qui ne lui permet pas de m'aider. Mike et moi, nous sommes arrivés à Dorset dans le dénuement le plus complet. Nous n'avions que la voiture.

Depuis un instant, Jake la regardait avec une véritable stupeur.

— Mais enfin, Claire, pourquoi ne m'as-tu rien dit ? Ne serait-ce que pour Mike !

Et d'un geste rageur, il repoussa du pied sa boîte à outils.

Voilà qu'il était furieux parce qu'elle ne l'avait pas appelé au secours ! C'était presque comique, du moins ça l'aurait été si elle ne s'était retrouvée seule avec Mike à l'enterrement de Don.

— Pourquoi me serais-je tournée vers toi ? Parce que tu étais un ami de Don ?

— J'aurais fait n'importe quoi pour lui.

— Sauf d'assister à son enterrement.

— Tu sais très bien ce que je ressentais, maugréa-t-il.

— Non, je ne le sais pas. Tu n'étais pas là pour me le dire, et tu n'as pas pris la peine de t'assurer que Mike et moi n'avions besoin de rien !

Soudain, elle vit Mike sur le seuil de la cuisine. Il venait d'entendre les derniers mots prononcés par Claire. Mais au lieu d'être furieux, il semblait choqué et même effrayé. Elle s'interrogea alors sur l'intensité de ce désespoir qui assombrissait le visage du jeune garçon.

Jake suivit le regard de Claire. Et ils se figèrent tous les trois.

Combien de fois Claire s'était-elle juré de ne jamais

révéler à Jake que sa conduite l'avait blessée, tant elle tenait d'abord à préserver sa propre fierté ?

Mike tourna brusquement les talons, et disparut dans le couloir. La porte d'entrée claqua. Un long soupir échappa à Claire.

— Et voilà.

— Claire...

— J'aurais dû me taire. De toute façon, je n'aurais pas accepté d'argent de ta part. J'ai été peinée de ne pas te voir à l'enterrement de Don, mais tu ne me devais rien. Tu étais l'ami de Don. Et tu t'es montré bon envers moi. Sans doute n'ai-je pas supporté de me retrouver seule. Je me sentais perdue.

— Perdue ?

— J'étais très jeune quand j'ai épousé Don.

— Tu étais si patiente, si forte, si aimante. Tu t'occupais de lui avec un tel dévouement... Ça me rendait malade, avoua-t-il à mi-voix.

Claire cessa presque de respirer en voyant une lueur de désir traverser les yeux de Jake.

— Je lui avais promis de rester auprès de lui pour le meilleur et pour le pire, dit-elle simplement.

— Il avait de la chance, et moi, je suis un salaud.

Sur ces mots, il quitta la pièce.

— Jake ! appela-t-elle.

La porte d'entrée claqua de nouveau, et une vive culpabilité assaillit la jeune femme. Pourquoi avoir reproché à Jake de l'avoir laissé tomber, alors qu'il avait tant fait pour eux ? Parce qu'il l'avait exclue de sa vie après la mort de Don ? Peut-être aurait-elle dû essayer de le comprendre...

**

Un feu brûlant et orange. Simple silhouette noire qui se détachait sur le rempart des flammes, Jake l'observait, de suffisamment loin pour qu'elle ne puisse l'appeler ou l'entendre. Pourquoi vivait-il encore? La peur nouait la gorge de la jeune femme, mais elle ignorait si elle avait peur pour Jake ou à cause de lui. Néanmoins, il l'attirait irrésistiblement...

Le lendemain matin, Claire avala les dernières gorgées de son café tout en réfléchissant à son cauchemar. Avait-elle réellement rêvé de Jake, ou représentait-il une sorte de doublure de Don? Fallait-il voir dans ce rêve une façon d'entretenir, nuit après nuit, son indécision et par conséquent sa souffrance, comme elle l'avait fait, jour après jour, au cours de son mariage? La question obsédante: « Dois-je faire hospitaliser Don? » était-elle devenue: « Ai-je confiance en Jake ou non? »

Quel que soit le message à déchiffrer, cela devenait éprouvant. Et pourquoi son inconscient avait-il gardé le silence pendant tout le temps où Jake était resté en dehors de sa vie?

— Je te dépose au lycée, Mike?

— Oui, je veux bien.

Il apparut, son sac à dos sur l'épaule. Depuis qu'il avait surpris sa colère à l'égard de Jake, il gardait ses distances. Il avait repoussé la tentative de la jeune femme de s'en expliquer, ce dont elle lui était reconnaissante car Dieu sait ce qu'elle aurait dit. Et leurs relations avaient repris le tour poli qui la décourageait avant l'arrivée de Jake.

— J'ai un acheteur éventuel pour la marina, dit-elle sur le chemin du lycée. Je vais le chercher au ferry de 8 heures, et je l'emmène visiter la maison. Croise les doigts pour que ça marche.

402

— Ça te rapporterait beaucoup d'argent ?

— Ce serait la vente la plus importante que j'aie jamais faite. Peut-être que nous pourrons déménager.

— Pourquoi tiens-tu tellement à déménager ?

— Parce que je n'aime pas profiter de la générosité des gens, même s'il s'agit de ta grand-mère. Et puis, ce serait bien d'habiter dans un endroit plus joli, non ?

— J'aime bien être à côté de grand-mère.

— C'est pratique, en effet, avoua-t-elle en freinant devant le lycée. Nous verrons. Enfin, souhaite-moi bonne chance quand même.

— Oui. Et le broyeur d'ordures que tu as acheté ? fit-il avant de descendre de voiture, la portière entrouverte. Tu crois qu'on va réussir à l'installer nous-mêmes ?

Mike s'exprimait d'un ton si anodin qu'il était difficile d'interpréter sa question. Espérait-il que l'affaire se passe en famille pour faire quelque chose avec elle, ou dans le but de ne rien demander à Jake ? A moins que ce soit une façon indirecte de lui demander si elle avait revu ce dernier...

— Je ne connais rien à la plomberie, avoua-t-elle. D'ailleurs, ce ne serait pas un mal si au lycée on vous apprenait aussi le bricolage. J'appellerai un plombier si Jake ne nous propose pas son aide, et à sa place, après ce que je lui ai dit, je n'offrirais pas mes services. Voilà pourquoi il ne nous reste plus qu'à espérer que mon client achète la marina un million de dollars.

Avec un hochement de tête, Mike descendit de voiture. Claire se demanda si sa curiosité était satisfaite.

L'acheteur éventuel parut vivement intéressé par l'affaire qu'on lui proposait. Il posa une foule de questions, et étudia avec soin les chiffres que Claire avançait. C'était un avocat qui souhaitait quitter un poste trop stressant dans un bureau juridique de Seattle. Il possédait déjà un bateau, d'ailleurs à quai dans le port de l'île.

Pleine d'espoir, Claire le raccompagna au ferry qui le ramenait à Seattle.

— Je dois réfléchir, dit-il. Je vous tiendrai au courant.

D'habitude, elle ne rêvait jamais de mener à terme une vente aussi mirobolante. Mais les chiffres en dollars dansaient encore dans sa tête en fin d'après-midi, tandis qu'elle plaçait des panneaux « à vendre » sur une maison du bord de mer à la valeur surestimée. De là, elle se rendit au supermarché.

Elle venait de prendre sa place dans la file d'attente devant une caisse, quand elle aperçut Jake devant elle. Claire s'étonna presque de le voir occupé à une besogne aussi triviale que de faire des provisions. En tendant le cou, elle vit qu'il achetait du pain, des tomates, une laitue et des hors-d'œuvre tout préparés. Soudain, un homme s'arrêta près de lui, et grommela d'un ton bougon :

— En voilà une surprise...

Jake se retourna. En voyant les deux hommes face à face, Claire remarqua aussitôt leur ressemblance. Les traits plus épais, la silhouette plus massive, le père de Jake avait dû être bel homme une vingtaine d'années auparavant. Il portait un T-shirt qui révélait des bras musclés, mais son ventre rebondissait par-dessus son jean, et à ses yeux injectés de sang, à son nez couperosé, on voyait qu'il buvait.

— Je t'ai pourtant dit de ne pas te trouver sur mon chemin, maugréa-t-il suffisamment fort pour être entendu à la ronde.

— A l'avenir, je prendrai note de ton emploi du temps, lança Jake.

404

— Tu n'as rien de mieux à faire que de parader dans ta voiture de luxe? On ne me parle que de ça. Tu me ridiculises.

— Tu te trompes, tu ne m'intéresses pas, répliqua Jake en cherchant à pousser son chariot.

— Ne me tourne pas le dos, sale gosse.

Adam Radovitch saisit son fils par l'épaule.

— Tu te donnes en spectacle, fit Jake. Rentre chez toi.

Furieux, le père de Jake le lâcha.

— Il n'y a pas de place pour toi ici, lança-t-il avant de se diriger vers la sortie.

Jake ne suivit pas son père des yeux. Il sortit son portefeuille de sa poche, et tendit les billets à la caissière qui le regardait, les yeux écarquillés.

Le plus discrètement possible, Claire s'éloigna. Jake n'aurait pas aimé qu'elle assiste à cette scène. C'était un homme trop fier. Mais ce qui la troubla, ce fut de s'apercevoir que quelqu'un à Dorset le haïssait. Son propre père le détestait-il au point de mettre le feu à la librairie qui vendait ses livres?

— Tu veux bien ouvrir, Mike? demanda Claire comme on frappait à la porte après le dîner.

C'était Mme Talbot.

— Bonsoir, Claire, je ne reste pas longtemps. Oh! je ne savais pas que vous aviez des problèmes avec le broyeur d'ordures, dit la vieille dame en remarquant le carton posé sur le sol.

— Jake m'a dit qu'il fuyait. J'ai acheté celui-ci hier.

— Je vais vous le rembourser. Je retourne à la maison pour vous faire un chèque.

— Non, vous en avez assez fait pour nous.

405

— Mais vous me payez un loyer, dit Mme Talbot, les sourcils légèrement froncés. C'est à moi d'entretenir cette maison.

— Le loyer est ridiculement bas. Le moins que je puisse faire, c'est de prendre en charge ce genre de réparations.

— Mais j'aime aider, dit gentiment Mme Talbot en posant sur la table l'assiette de cookies qu'elle apportait.

Claire aurait dû s'incliner, mais sa fierté l'en empêchait.

— Je préfère m'acquitter de ces frais, déclara-t-elle d'un ton sec.

— Très bien. Je ne vous dérangerai pas davantage. Bonsoir.

Aussitôt, Claire eut honte de sa conduite.

— Non, je vous en prie, restez. Voulez-vous une tasse de café?

La sonnerie du téléphone retentit avant que sa belle-mère ait eu le temps de refuser.

— Un instant, je vous prie, dit-elle en décrochant.

— Je peux prendre un cookie? demanda Mike à sa grand-mère.

— Bien sûr, mon chéri. Je rentre chez moi. Je vois que ta mère est occupée.

Phyllis Carlson expliquait à Claire que Jeanne Kirk lui avait proposé de cueillir les pommes de leur petit verger.

— Voulez-vous me retrouver dimanche après la messe? J'ai pensé faire des conserves de compote. Il y en a assez pour nous deux.

— Un instant, s'il vous plaît.

Couvrant le récepteur de la main, Claire rappela Mme Talbot qui se tenait déjà sur le seuil de la cuisine.

— Anne, je vous en supplie, prenez une tasse de café avec nous. Vous nous ferez tellement plaisir !

— Mme Talbot est chez vous ? dit Phyllis. Invitez-la à se joindre à nous.

— Phyllis Carlson nous propose de faire des conserves de pommes, dimanche, expliqua Claire à sa belle-mère.

— Je suis sûre que vous passerez une bien meilleure journée sans une vieille dame comme moi, répondit celle-ci de façon prévisible.

— Vous savez que c'est un gros travail.

— Dans ce cas...

Mme Talbot promit d'apporter sa gaule, des pots vides et un chaudron, et partit.

— Merci de cette invitation, dit Claire à Phyllis toujours au téléphone. A dimanche !

Depuis l'incendie de la librairie, elle n'avait plus entendu de médisances au sujet des Carlson, qui vivaient en autarcie, mais n'hésitaient jamais à partager leurs surplus.

— Pourquoi ne veux-tu pas que grand-mère paie le broyeur d'ordures ? interrogea Mike quand elle eut raccroché.

— Parce que comme je te l'ai dit, je n'aime pas...

— Vivre de charité. D'accord, mais tu l'as vexée.

— Je sais.

Elle poussa un profond soupir. Pourquoi ne supportait-elle pas de compter sur les autres ?

— Je suppose que c'est égoïste de ma part, conclut-elle.

— Enfin, si on en a les moyens et qu'elle le sait.

— Ta grand-mère ignore combien je gagne.

— A ta place, je le lui dirais. Je peux boire un verre de lait avec mes cookies ?

— Bien sûr.

Mike avait raison. Il était temps qu'elle ait une vraie conversation avec Anne. Elles s'entendaient bien, mais n'abordaient jamais de sujets personnels. Claire ignorait même si sa belle-mère l'aimait. A cause de Mike, elles avaient besoin l'une de l'autre. Mais ce genre de nécessité n'amenait-elle pas à cultiver une certaine rancœur ? Ce qui expliquait sans doute la complexité des sentiments qui la liaient à Jake, sans oublier ceux que Mike lui vouait à elle-même.

Un peu plus tard, Claire fit une promenade sur la plage afin de réfléchir au parallèle troublant qu'elle venait d'établir entre elle et Don et Mike d'un côté, et entre Jake et sa belle-mère de l'autre. La nécessité opposée à l'amour. Quand l'un s'était-il mis à grignoter l'autre ? Pourquoi était-il plus facile de donner que de recevoir ?

Elle s'assit, les bras autour des genoux, dans la douce lumière et le calme du crépuscule. La marée montante clapotait sur la couche d'algues séchées par le soleil, au milieu des rochers. L'odeur de sel était forte et caractéristique, aussi familière que le brouillard de pollution au citadin.

Le menton sur ses bras croisés, Claire laissa ses pensées vagabonder. Don ne s'était-il jamais rendu compte que, sans elle, on l'aurait hospitalisé ? Quand donc l'amour et la gratitude s'étaient-ils transformés en cette dépendance infantile que tout individu sain d'esprit aurait méprisée ? Dans ses brefs moments de lucidité, Don se voyait-il tel qu'il était devenu ? Et la voyait-il telle qu'elle était devenue ?

Où se situait la vérité ? Avait-elle aimé qu'on ait désespérément besoin d'elle ? Avait-elle refusé qu'on hospitalise Don pour ne pas devoir renoncer à cette impression de pouvoir sur lui — alors qu'elle seule lui apportait le réconfort dont il avait besoin, et pouvait retenir les démons qui le détruisaient ? Souhaitait-elle élever Mike non par amour ou par fidélité à Don, mais pour continuer d'être indispensable à quelqu'un ?

Pourtant, elle avait été reconnaissante à Jake de l'avoir écoutée, conseillée. Si sa présence l'avait troublée, c'était parce qu'il s'agissait d'un désir interdit, d'un fantasme secret. Jamais elle ne s'était posé de questions sur ce qu'elle lui inspirait.

En vérité, il était à ses yeux comme l'ami imaginaire d'un enfant : présent quand on avait besoin de lui, invisible le reste du temps, faisant abstraction de ses besoins pour n'attacher d'importance qu'à ceux de la jeune femme. Oui, elle s'était montrée puérile dans son égoïsme, dans sa façon de prendre ce qu'il offrait sans s'interroger sur cet homme qui lui apportait tant, à elle, une inconnue que son meilleur ami avait épousée.

Claire sut que Jake la rejoignait avant même d'entendre le bruit de ses pas sur le sable. Elle ne fut pas non plus surprise de le voir. N'avait-il pas toujours su à quels moments elle avait besoin de parler ?

Elle leva la tête. Combien de fois avait-elle vu cet homme marcher sur la plage, les mains dans les poches, les cheveux ébouriffés par la brise ? Il la regardait. Que voulait-il ?

Il s'arrêta devant elle.

— Si tu as acheté le broyeur d'ordures, je peux venir l'installer demain pendant que tu es au travail, dit-il.

Elle le fixa avec l'impression de le voir pour la première fois. Jake subit cet examen avec une sérénité apparente, mais elle vit la tension derrière laquelle il tentait de cacher la violence de ses émotions.

— Tu ne demandes jamais rien, tu ne perds jamais le contrôle de toi-même, n'est-ce pas, Jake ?

Il eut un petit sourire cynique.

— Tu as raison, mais je n'ai pas l'intention d'implorer. Une relation se construit à deux, ou elle ne vaut pas la peine d'être vécue.

— Qui implore ? fit-elle d'un ton amer en reposant le menton sur ses bras croisés. Mike a besoin de moi. J'ai besoin d'Anne. Don avait besoin de moi. J'avais besoin de toi. Et il ne le tolérait pas.

Jake s'assit à côté d'elle.

— Sans doute était-ce différent quand tu l'as épousé.

— Je suppose que oui. Il est facile d'oublier comment est un mariage normal.

— De même qu'il est facile d'oublier ce qu'est l'amour physique. Un besoin que partagent un homme et une femme.

Bien sûr, elle n'avait pas fait l'amour depuis longtemps, sa relation avec Don ayant fini par ressembler davantage à celle d'une mère avec son enfant qu'à celle d'une femme avec son mari. Etait-ce pour cela que, à cet instant, elle se sentait si émue à la pensée du corps musclé et si proche de Jake ?

Elle garda le silence. Il soupira.

— Je suppose que Mike m'en veut à mort.

— Je n'en suis pas sûre. Il refuse de parler de...

Claire s'interrompit, et Jake se tourna vers elle.

— Du baiser ou de mon... absence à l'enterrement de son père ?

— Mike était trop bouleversé à l'enterrement pour se soucier de ton absence. A mon avis, il pense que si tu m'embrasses maintenant, c'est que tu m'embrassais déjà du vivant de Don.

410

— Lui as-tu expliqué que...?

— Il refuse de m'écouter.

— Don est mort depuis plus d'un an. Tu as le droit de...

— De coucher avec un homme?

— De mener ta vie.

En un éclair, elle imagina ce que pouvait être cette vie. Toutes ces choses auxquelles le baiser de Jake avait fait allusion : tendresse, passion...

— Mike n'est qu'un gosse, dit-elle. Il a perdu ses deux parents. Je suis tout ce qui lui reste. L'idée que j'aurais pu... trahir son père lui est insupportable. Si je suis capable de duplicité, comment peut-il avoir confiance en moi?

— Mais tu n'as pas trahi Don.

— Non?

— Tu es incapable de la moindre trahison.

Soudain, il se mit à genoux.

— Moi, je sais ce que c'est, ajouta-t-il. Je voulais que tu trahisses Don.

— Non, chuchota Claire, sinon, tu m'aurais embrassée, touchée...

— Mais c'était ce que je voulais, j'y pensais sans cesse.

Il la prit dans ses bras, et, semblable à une onde électrique, le désir secoua la jeune femme. Elle l'embrassa avec ardeur. Il la releva et la serra contre lui, tout en lui caressant le dos, les hanches. Elle enfouit les doigts dans ses cheveux. Gémissante, elle pencha la tête en arrière, et les lèvres brûlantes de Jake descendirent le long de sa gorge. Elle sentit ses dents, son souffle, ses mains qui lui caressaient la poitrine...

— Non, non, Jake, je t'en prie.

Claire s'écarta. Il serra les poings.

411

— Tu me désires, toi aussi. Je le sais.

— Don...

— Don est mort, bon sang ! Mort !

La voix tremblante, elle balbutia :

— Je ne peux pas. Je ne suis pas prête.

Il se leva.

— As-tu l'intention de passer le reste de ta vie avec un fantôme ?

Sur ces mots, il s'éloigna, la laissant seule sur la plage, sous le ciel de plus en plus sombre.

412

7.

Quand Claire quitta son bureau, le lendemain, elle vit une voiture de police garée devant la librairie.

Sans doute Suzette apparaissait-elle de plus en plus suspecte aux yeux de la loi puisque aucun incendie ne s'était déclaré depuis celui de son magasin. En outre, les rumeurs qui allaient bon train ne lui rendaient pas service. D'un tempérament indépendant et peu conciliant, elle ne s'était pas fait que des amis au sein de la petite ville. Les victimes des feux avaient perçu de grosses indemnités de la part de leurs assureurs, et tout Dorset s'interrogeait sur pareille aubaine. Qui en avait eu le plus besoin ? Etait-il possible qu'Ed Kirk se soit glissé à l'insu de tous jusque chez lui pour mettre le feu, et ait détruit également la librairie ?

Autre conséquence de ce deuxième incendie : une grande affiche à la devanture de la librairie annonçait que Jacob Stanek signerait ses livres samedi en huit, à 3 heures de l'après-midi. Un coup de publicité d'envergure dans le monde de l'édition du Pacifique Nord-Ouest. Probablement le faisait-il pour aider Suzette. Ses livres ayant servi de combustible, l'identité de leur auteur n'était plus un secret pour personne, du moins à Dorset.

La police envisageait-elle d'arrêter Suzette ou se contentait-elle de la mettre sous pression dans l'espoir qu'elle finirait par craquer et tout avouer ? L'avait-on soumise au détecteur de mensonges ? Se fiant à son intuition, Claire ne rangeait pas la libraire parmi les pyromanes, mais alors, qui était l'incendiaire de Dorset ?

En entrant chez elle, la jeune femme appela Mike depuis le hall. Il lui répondit de sa chambre avant de descendre quatre à quatre l'escalier.

— Jake est venu placer le broyeur d'ordures ! annonça-t-il d'un ton guilleret.

— Oh ! Il est encore là ? s'enquit-elle avec une désinvolture feinte.

— Non, il est parti.

Claire esquissa un sourire qui, espérait-elle, masquait son dépit.

— Ça marche.

— Tu doutais de ses capacités ?

L'adolescent se rembrunit.

— Et alors ?

— Jake a toujours été un ami pour nous.

— Surtout pour toi, lança-t-il avec insolence.

— Il ne m'a jamais embrassée en dépit des insinuations de ton père.

Elle désirait plus que tout en convaincre son beau-fils. Néanmoins, elle savait qu'il n'était pas prêt à la croire. Une lueur de ressentiment, si semblable à celle qui avait brillé dans les yeux de son père, éclaira le regard de Mike.

— En attendant, c'était plus pour toi qu'il venait que pour moi.

Se serait-elle trompée ? La jalousie était-elle à l'origine de leur différend ? Mike, voyant en Jake le père qu'il n'avait plus, aurait-il souffert des attentions dont ce dernier avait entouré la jeune femme?

— Mais...

— Inutile de t'expliquer. D'ailleurs, il n'a plus l'air de s'intéresser à toi, ajouta-t-il, l'air réjoui. Il a préféré venir pendant que tu étais au bureau.

De peur de le vexer, elle n'osa lui rétorquer que c'était précisément par souci de ne pas le blesser que Jake avait pris cette précaution.

— Tu as vidé ton sac?

Une vive rougeur empourpra le visage de Mike, et Claire eut la satisfaction de voir que du moins il avait honte de ses réflexions mesquines. Il haussa les épaules.

— Je peux aller chez Geoffrey?

— As-tu fini tes devoirs?

— Je n'avais pas grand-chose à faire.

Elle se doutait que, tout comme ses manières, le travail scolaire de Mike laissait à désirer, mais elle dut se contenter de ce semblant de réponse. Aucun professeur n'avait encore pris contact avec elle, et vu la tension qui existait entre eux, il ne lui paraissait pas judicieux de sévir.

— D'accord. Sois de retour à 5 h 30.

Plus tard, sa belle-mère téléphona pour lui proposer d'emmener Mike au cinéma vendredi soir, et de le garder pour la nuit.

— Cela vous reposera un peu.

Claire ne pouvait nier que cette proposition tombait à propos.

— Volontiers. Mike me donne du fil à retordre ces derniers temps, et un peu de répit ne sera pas pour me déplaire.

Elle n'en avait jamais révélé autant au sujet des problèmes qui l'opposaient à l'adolescent, de peur que

415

Mme Talbot n'y voie une critique de son petit-fils. Mais elle se sentait terriblement isolée.

— Je m'en suis rendu compte, dit gentiment la vieille dame. Il semble... fâché contre vous.

— Vous a-t-il dit pourquoi ?

— Non, et j'avoue n'y rien comprendre.

— C'est une longue histoire, reconnut Claire d'un ton lugubre.

— Je suis toujours là pour écouter, ne l'oubliez pas.

La jeune femme entendit l'adolescent dans la pièce voisine.

— Je vous prendrai peut-être au mot un de ces jours. Désirez-vous lui parler maintenant ?

— Bien sûr.

Mike accepta avec enthousiasme la proposition de sa grand-mère.

— Super ! s'écria-t-il. Geoffrey l'a vu. Il paraît que sa mère a fermé les yeux pendant la moitié du film.

— Je préfère que ce soit vous que moi, dit Claire à sa belle-mère en reprenant l'appareil.

Mme Talbot se mit à rire.

— J'en serai quitte pour fermer les yeux, moi aussi.

Le lendemain soir, la maison était singulièrement calme quand Claire rentra du bureau. Un mot de Mike l'attendait sur la table de la cuisine. Il avait fait ses devoirs, avant d'aller manger une pizza avec sa grand-mère.

Cédant à une impulsion, Claire appela son amie Sharon, la bibliothéquaire du lycée.

— Dîner au restaurant ? dit cette dernière. Vous me sauvez la vie ! Je n'avais qu'un plat de lasagnes surgelées à me mettre sous la dent. Où allons-nous ?

416

Elles choisirent un petit restaurant de fruits de mer, si apprécié des touristes que les habitants de l'île ne cherchaient même pas à y réserver une table pendant l'été. Les deux femmes s'installèrent près d'une fenêtre d'où elles regardèrent le ferry partir, laissant une fois de plus Dorset à son isolement. Naturellement, elles connaissaient la moitié des clients, et elles saluèrent plusieurs personnes avant de commander. Alison Pierce s'arrêta même à leur table en compagnie de Tom Petersen, qui avait révélé à tout un chacun la double identité de Jake. Bien sûr, Tom n'avait aucune raison de garder ce secret pour lui, d'autant que le métier de Jake présentait sans doute à ses yeux un attrait touristique au bénéfice de Dorset.

— Il paraît que vous avez aidé Suzette à ranger sa librairie, dit Alison à Claire. Je suis inquiète pour elle. La police la soupçonne...

Alison semblait plus détendue, ce soir. Peut-être sa froideur coutumière n'était-elle due qu'à la timidité ?

— Sans preuve, ils ne peuvent rien contre elle, affirma Claire.

— Naturellement, mais elle a toujours eu du mal à joindre les deux bouts, et avec cette histoire d'assurance...

— L'accuseriez-vous d'avoir mis le feu à son magasin ? ne put s'empêcher d'interroger Claire, choquée.

— Bien sûr que non ! se récria Alison. Je me soucie simplement des rumeurs qui courent à son sujet, et qui pourraient l'obliger à fermer. Cette librairie, c'est son gagne-pain.

La plupart des gens auraient interprété ces réflexions comme l'expression d'une amie peinée de l'injustice que subissait la libraire, déjà tracassée par des revers de fortune. Pourtant, n'y avait-il pas une fausse innocence à insister sur la prétendue précarité financière de Suzette ? Et ne s'agissait-il pas plutôt de désigner cette dernière comme suspecte ? Mais peut-être Claire se laissait-elle influencer par la profonde antipathie que lui inspirait Alison Pierce.

Tom finit par entraîner sa fiancée vers le fond de la salle, et on servit les deux amies. Tandis qu'elle dégustait des *fettucine* au crabe, Claire implora :

— Parlons de n'importe quoi sauf des incendies, voulez-vous ?

— Marché conclu, acquiesça Sharon. Que dites-vous de mes problèmes de budget ?

A l'image de nombreux établissements scolaires, le lycée de Dorset souffrait d'une réduction de budget qui empêchait l'acquisition de nouveaux livres pour la bibliothèque.

— Vraiment, quelle audace de considérer que les livres sont superflus dans un lycée !

— Mike se plaignait l'autre jour de ne trouver à la bibliothèque aucune documentation pour son exposé sur le canal de Suez.

— S'il ne tenait qu'à moi, je doublerais le fonds de la bibliothèque, mais je n'en ai tout simplement pas les moyens.

— Pourquoi ne pas essayer de trouver de l'argent ensemble ?

— Organiser une autre vente de pâtisseries ? dit Sharon en reposant sa fourchette. Non, ça ne rapporte presque rien.

— Pourquoi pas une table ronde sur la littérature ? Il faudrait inviter de jeunes auteurs, et il y aurait des lectures et des programmes pour adultes. Parmi les nombreux écrivains qui habitent les îles San Juan, il y en a sûrement qui accepteront de participer. D'ailleurs, nous en avons déjà un à Dorset.

— C'est donc vrai ? fit Sharon.

— Oui. Je lui en parlerai. Jake était un grand ami de Don. Il va signer des livres dans la librairie de Suzette. S'il sort de l'ombre, pourquoi n'irait-il pas jusqu'au bout ? De plus, il s'agit du lycée qu'il a fréquenté.

L'idée enthousiasma Sharon.

— S'il accepte, nous tenons là un excellent moyen de trouver de l'argent. C'est sensationnel ! Vous connaissez réellement Jake Radovitch ?

— Je viens de lui vendre la maison des Mueller, répondit Claire, prudente. Je vous promets de lui parler de ce projet.

— Parfait. Comment ça se passe en ce moment pour vous ?

Evoquer ses problèmes avec Mike l'auraient amenée à dévoiler de nombreux aspects de sa vie. Là encore, Claire préféra se montrer prudente, en dépit de son besoin de se confier à une amie. Sharon connaissait l'histoire de son mariage dans les grandes lignes. Jake était le seul au courant des regrets qui la hantaient depuis le décès de Don.

Elle se borna donc à mentionner son dernier gros client, et si les deux jeunes femmes ne se parlèrent pas à cœur ouvert, Claire rentra chez elle enchantée de sa soirée.

A cause d'une mauvaise réception sur l'île, on ne captait à la télévision que deux ou trois chaînes, mais pour une fois, il y avait sur l'une d'elles un film à son goût. Elle s'installa sur le canapé, le chat sur les genoux, et prit plaisir à regarder une histoire que Mike aurait détestée.

Pourtant, rien ne put lui faire totalement oublier le

calme inhabituel de la maison. Et après deux incendies criminels dans le voisinage, elle se sentait forcément un peu inquiète. Avant de se coucher, elle sortit sous le porche éteint, et écouta un instant les bruits de la nuit. Il y eut le cri solitaire d'un héron, un froissement dans les buissons — sans doute les ratons-laveurs qui visitaient les poubelles. Une voiture passa sur la route. Une lumière s'éteignit chez les Petersen. Rassurée, Claire monta se coucher.

Dans la nuit, son cauchemar revint. Des flammes et la panique avec, cette fois, Don qui ne cessait de rire tandis qu'elle tentait de trouver son chemin dans la fumée. Pendant quelques instants, elle demeura dans un état de veille où elle tâchait en vain de repousser son rêve afin de se rendormir. Mais l'écran de fumée et son odeur persistaient.

Elle ouvrit les yeux, affolée, se précipita à la fenêtre et releva le store. Elle ne vit rien d'inquiétant. Mais un instant plus tard, par la fenêtre de la chambre de Mike, elle aperçut une lueur orange au-delà de la maison des Petersen.

Claire s'habilla à la hâte, et appela les pompiers qui, une fois de plus, avaient déjà été prévenus. Puis elle sortit, et, trébuchant dans le noir, suivit le chemin de la plage.

La maison de sa belle-mère était encore plongée dans l'obscurité, mais les sirènes qui se rapprochaient n'allaient pas tarder à réveiller ses occupants, ainsi que le reste du voisinage. Elle dépassa la propriété ravagée des Kirk. La falaise devenait moins abrupte, et sans gravir les marches escarpées qui menaient de la plage aux villas, elle aperçut le cottage en flammes, celui qu'on louait le week-end. Au même moment, des portes-fenêtres coulissantes explosèrent et une partie

420

du toit s'effondra. Bientôt, les sirènes furent remplacées par les cris des hommes et le grondement de l'eau qui s'échappait des lances.

En proie à d'effroyables souvenirs, Claire s'arrêta, le regard levé vers la colline. De nouveau, le dragon rugissait, les braises enflammées s'éparpillaient sur le rivage comme si un géant avait jeté au vent un mégot de cigarette encore allumé, le velours noir de la nuit se rehaussait de couleurs flamboyantes, la mer clapotait doucement, et elle était seule. S'il n'y avait pas de mort, cette fois, il s'agissait néanmoins d'un spectacle terrifiant.

Comme il ne servait à rien de regarder l'incendie, et qu'elle avait aucune envie de rejoindre les voisins probablement rassemblés autour de la maison, elle fit demi-tour, fuyant à la fois le passé et le présent.

Son pied buta contre une pierre, et malgré la douleur, elle poursuivit son chemin. Lorsqu'elle eut contourné le promontoire, la falaise lui cacha le feu. Elle se retourna, trébucha contre un rocher et tomba sur les genoux. Un sanglot lui échappa. Elle se relevait quand elle entendit le sable crisser. Quelqu'un approchait. Le cœur battant, Claire s'immobilisa.

— Qui est là ? demanda-t-elle.

La haute silhouette de Jake apparut dans l'ombre.

— Claire, c'est toi ?

Soulagée, elle eut une sensation de vertige. A moins que l'appréhension n'en ait été la cause. Voilà qui ressemblait à son cauchemar où, fuyant l'incendie, elle courait à la rencontre de Jake, ignorant si c'était lui ou le feu qui représentait le plus grand danger.

— Oui, c'est moi !

— Où est Mike ?

— Il passe la nuit chez sa grand-mère.

421

— Que fais-tu ici, toute seule?

— L'odeur de la fumée m'a réveillée, répliqua-t-elle sur la défensive, car elle aurait pu lui poser la même question.

— Il y a un cinglé qui s'amuse à incendier une maison, et tu ne trouves rien de mieux que de rôder dans les parages?

Claire croisa les bras.

— Il ne s'attaque pas aux gens.

— Pas encore.

— Si tu cherches à m'effrayer, c'est réussi. Je vais rentrer chez moi et m'y enfermer.

— Je te raccompagne.

Il la prit par le bras, mais ce fut elle qui l'entraîna. Elle courait presque.

— Pas si vite, Claire. Calme-toi.

— Il y a huit maisons le long de cette route, dont deux viennent de brûler et tu voudrais que je reste calme? cria-t-elle.

— Tu trembles...

Les doigts de Jake lui serrèrent le bras plus fort. Il l'obligea à s'arrêter et à se tourner vers lui. Elle eut le sentiment qu'il scrutait son visage, et elle se demanda ce qu'il pouvait distinguer dans la nuit.

— Je m'excuse, Claire.

— De quoi?

— De tout.

Les bras de Jake se refermèrent autour d'elle.

— Je m'excuse de m'être fâché contre toi, de ne pas avoir été là quand tu avais besoin de moi.

Tout à coup, ce fut si facile de poser la tête sur son torse et de l'enlacer, de s'imprégner de ce sentiment de sécurité qu'il lui communiquait. Comme il lui avait manqué!

422

— Tu étais là quand j'ai vraiment eu besoin de toi.

Elle le sentit se raidir. Puis, il la lâcha.

— Quand ça? Après que ton mari s'est tué sous tes yeux et t'a laissée sans aucun recours? A ce moment-là, j'étais bien trop occupé à me fustiger pour me réjouir de la mort de Don.

L'intention de Jake avait été de choquer la jeune femme, mais il n'y parvint qu'à moitié. Après tout, il s'adressait à quelqu'un qui avait également nourri sa part de pensées inavouables.

— C'est vrai? chuchota-t-elle.

Jake se détourna légèrement.

— J'aurais payé n'importe quel prix pour que tu sois libre.

— Nous avons tous notre lot de pensées honteuses. Mais ce n'est pas à cause d'elles que tu es responsable de la mort de Don. C'est lui qui a désiré sa mort.

— Je sais. Je donnerais cher pour...

Il s'interrompit. La gorge nouée, Claire lui toucha le bras.

— Jake, c'est fini maintenant. Moi aussi, j'ai des regrets. Si j'avais été plus forte, j'aurais su persuader Don de consulter de nouveau un médecin, mais peut-être n'aurait-il pas voulu vivre quand même. Il est possible qu'il se soit sacrifié pour le bien de Mike et pour le mien.

— J'ai l'impression que toute cette histoire cache un énorme malentendu. Si Don flirtait avec la mort, je crois qu'il n'avait pas l'intention de se tuer ni de mettre le feu à la maison. N'oublie pas que Mike était censé être avec lui. Penses-tu qu'il aurait pris le risque de tuer son fils? Sans oublier que s'il détestait tellement l'idée que nous puissions être ensemble un jour, crois-tu qu'il nous aurait laissé le champ libre?

Ces pensées s'étaient bien souvent imposées à l'esprit de Claire. Voilà pourquoi il lui était si difficile de surmonter ce traumatisme et de tourner la page. Au fond, elle n'avait jamais cru au suicide de Don.

— Il entendait des voix et fracassait les objets pour les faire taire, il se disait prêt à tout pour leur échapper. J'ai toujours pensé que c'étaient ces voix qu'il avait essayé de tuer.

— Viens maintenant, dit Jake, je te raccompagne chez toi.

Ils repartirent. Pourquoi avait-il si abruptement mis un terme à leur conversation ? Pour la ménager ? Pour redevenir le confident d'autrefois, qui n'exigeait aucune compensation ? Ou fuyait-il plutôt ses propres aveux ?

A deux reprises, elle faillit tomber et il la rattrapa, la lâchant dès qu'elle eut recouvré l'équilibre. Bien entendu, lui ne trébuchait pas. A croire qu'il avait des yeux de chat.

— Cet incendie m'a terrorisée, dit-elle soudain comme ils étaient presque arrivés. Je ne parviens pas à dominer ma peur.

— Depuis celui qui a détruit la librairie, nous savons que ces feux sont criminels.

Elle ferma les yeux, rassurée par cette explication rationnelle. Aussitôt, une sourde irritation la gagna à l'idée que, une fois de plus, elle cherchait du réconfort auprès de Jake. C'était toujours elle qui avait besoin de lui, toujours elle qui prenait, et lui qui donnait.

— Dans la vie, c'est le comportement d'un individu qui compte, et non ce qu'il pense ou ce qu'il ressent, dit-elle. On n'est pas coupable d'un crime dont on a secrètement rêvé. Moi-même, j'ai souvent souhaité être libre. Je peux m'en vouloir pour mon inaction, mais pas pour avoir rêvé de liberté et d'insouciance.

Sans doute pouvait-elle également s'en vouloir du désir secret qu'elle avait nourri à l'égard d'un homme qui n'était pas son mari.

— Pourquoi serais-tu différent? conclut-elle. Tu n'es qu'un être humain, toi aussi.

Il y eut un long silence.

— Don m'a beaucoup donné, dit enfin Jake avec émotion.

— Et tu as tout fait pour l'aider.

Un rire sans joie accueillit ces paroles.

— Tu crois?

Cette question contenait une douleur si intolérable que la jeune femme n'eut d'autre solution que d'affronter la raison d'une telle culpabilité.

— Me désirais-tu à ce point? chuchota-t-elle, partagée tout à la fois entre le besoin de mettre un terme à cette poignante incertitude et celui de demeurer dans la plus complète ignorance.

— J'aurais vendu mon âme pour toi. Peut-être d'ailleurs est-ce ce que j'ai fait.

— Non!

Soudain, il l'enlaça et enfouit une main dans sa chevelure.

— Et si je te le montrais? murmura-t-il avant de se pencher sur sa bouche et de l'embrasser avec fougue.

Si elles avaient jamais existé, les défenses de la jeune femme s'effondrèrent, comme sapées de l'intérieur, et quand Jake l'étreignit violemment, elle se serra contre lui. Leur baiser était ardent, passionné, douloureux même, mais elle n'était plus capable de penser et de lutter contre la voix de sa conscience.

Les mains de Jake sur sa peau la brûlaient, les battements de son cœur s'affolaient. Jamais elle n'avait éprouvé un tel désir. Il lui couvrit le visage et le cou de baisers enivrants. La respiration haletante, elle lui embrassa les cheveux, le front, les tempes, et s'empara de sa bouche. Un frisson le parcourut.

— Tu viens chez moi? demanda-t-il tout bas, en relevant la tête.

Elle n'envisagea même pas de dire non. Depuis deux ans, ne se refusait-elle pas ce bonheur? L'heure n'était plus à la lâcheté.

— Oui.

— C'est vrai?

— Je...

Le courage de la jeune femme flancha, mais le besoin désespéré qui l'habitait attendait en elle, semblable à un ressort sur le point de se détendre.

— Oui, répéta-t-elle d'une voix à peine plus tremblante.

— On est plus près de chez toi.

— Et si Mike rentrait?

— C'est maintenant que je te veux, maintenant et ici.

Claire se rendit compte du contenu aphrodisiaque de ces mots. N'était-elle pas la seule à posséder un tel pouvoir sur cet homme taciturne et réservé? Combien de fois dans sa vie une femme avait-elle la chance de donner ou de voir le paradis? Peut-être était-ce mal, peut-être trahissait-elle toutes les promesses qu'elle avait faites en épousant Don, mais elle ne pouvait plus rebrousser chemin.

— D'accord, dit-elle, la gorge serrée.

Jake sursauta, manifestement interdit. Peut-être avait-il simplement voulu la choquer, l'effrayer? Elle n'eut cependant pas le temps de s'attarder à cette éventualité. Déjà, il l'entraînait.

— Autant aller chez moi, déclara-t-il.

426

Les cinq minutes qu'il leur fallut pour longer la plage rocheuse et trouver les marches de l'escalier qui menait sur la falaise furent dignes des cauchemars qui agitaient la jeune femme. Derrière eux, brûlait une maison pour des raisons aussi incompréhensibles à son sens que les démons qui avaient tourmenté son mari, et même à cette distance, l'odeur âcre de la fumée lui piquait les narines.

Enfin, ils furent devant la maison. Sans cesser de jurer entre ses dents, Jake mit un moment à ouvrir la porte. Il était maladroit, nerveux, peut-être aussi terrifié qu'elle — une idée qui apaisa la jeune femme.

Dans un coin du vaste salon, une lampe répandit sa flaque de lumière, et là où il n'y avait eu qu'un jeu d'harmonies neutres, elle eut une rapide impression de couleurs vives et de livres. Le visage tendu, Jake referma la porte, et souleva Claire dans ses bras.

Elle se pendit à son cou comme on s'accroche à la vie, incapable de détourner les yeux de l'intensité brillante de son regard. Le désir l'emportait, lui dérobait toute faculté de résistance. Ils continuèrent de se regarder pendant tout le temps où Jake la porta à l'étage. En lui faisant visiter la maison, elle avait su d'une certaine façon que la prochaine fois qu'elle verrait la chambre, ce serait dans ces circonstances.

A la lumière d'une lampe de chevet, elle aperçut le lit recouvert de noir et des livres empilés sur le sol. Du pied, il en repoussa une pile avant de la poser sur ses pieds. Un long moment s'écoula sans qu'il bouge. Elle ne vit plus de passion vibrante dans son regard, mais de l'hésitation et de l'émerveillement.

— J'ai du mal à croire que tu es ici, chuchota-t-il.

La buvant du regard, il saisit le visage de la jeune femme entre ses mains, et se mit à suivre du pouce le contour de ses joues, de sa bouche, lui arrachant un frémissement.

— Je dois rêver...

Les mains de Jake s'immobilisèrent.

— Tu as le droit de t'en aller.

— N'y pensons pas, dit-elle tout bas. Ne pensons pas à lui.

— Si Mike se doutait de quoi que ce soit, il nous mitraillerait de derrière la fenêtre.

Claire songea que dans un an ou deux, l'adolescent tenterait sa chance auprès d'une fille à l'arrière d'une voiture d'occasion qu'il aurait achetée à force d'économies. Il avait la vie devant lui. Et elle aussi.

— Tu veux bien m'embrasser ? demanda-t-elle d'une voix qui semblait ne pas lui appartenir.

— En es-tu sûre ?

Claire essaya de parler en vain ; les lèvres tremblantes d'excitation et d'effroi, elle sourit. Jake l'embrassa avec une douloureuse tendresse. Elle ne chercha pas à se cramponner à la rive. Déjà, il l'avait capturée dans ses filets. N'en était-il pas toujours allé ainsi ? « Pas toujours », lui rappela la petite voix de sa conscience, mais elle refusa de l'écouter.

Il la serra contre lui, l'embrassa. Et elle s'abandonna à ce baiser de plus en plus sauvage.

Un peu plus tard, il lui enleva son sweater, et dégrafa le soutien-gorge. Elle baissa les yeux sur les mains bronzées posées sur ses seins blancs. Jamais encore elle n'avait éprouvé de sensation aussi intense, et elle fut choquée de s'entendre pousser de petits cris de désir.

Jake l'étendit sur le lit, et acheva de la déshabiller tandis qu'elle tentait de lui enlever son T-shirt.

— Toi aussi, chuchota-t-elle.

Avec un rire étouffé, il ôta son jean. Son corps long et svelte était beau, ses muscles jouaient sous la peau bronzée qu'elle caressait.

— Tu es ravissante, murmura-t-il. Tu as un corps de danseuse.

Claire se lova contre lui.

— Prends-moi, dit-elle. Je t'en supplie.

Elle n'avait jamais fait l'amour d'une façon aussi passionnée et désespérée. Le plaisir déferlait sur elle comme de puissantes vagues, et elle appelait sans cesse Jake, tandis qu'il restait silencieux. A la fin, il prononça son nom, avec ferveur.

Il avait l'habitude de penser que s'il pouvait l'aimer une seule fois, il mourrait heureux. Une logique aussi idiote que celle qui le poussait à croire autrefois que si son père l'approuvait ne serait-ce qu'une fois, il aurait reconquis son amour-propre. Mais de même qu'un enfant a besoin d'années de reconnaissance, il lui fallait une vie entière dans les bras de Claire avant de gagner sa récompense ou la damnation.

Cette dernière pensée lui donna des visions de feux incandescents, spirituels et réels, où apparaissait la silhouette de l'ami qui avait péri dans un incendie, l'ami qui avait aimé et épousé Claire.

Jake aurait voulu rompre le silence, chuchoter des mots de tendresse, ou avouer le sentiment de culpabilité qui l'étreignait, mais la jeune femme gardait le silence, la tête nichée sur son épaule, les mains sur son torse. Il respirait son odeur de lavande et bougeait sans bruit les lèvres sur les vagues soyeuses de sa chevelure.

Sans doute fallait-il parler, dire qu'il venait de vivre

ce dont il avait toujours rêvé, qu'il l'aimait. L'amour était-il aussi simple et éternel qu'il le ressentait? Ou était-ce quelque chose de plus compliqué, lié à l'affection et à la jalousie éprouvées pour l'ami qui avait toujours été sa bouée de sauvetage?

En réalité, il était lâche. Et si elle avait été transportée de désir, sans être prête à avouer son amour? Dans la mesure bien entendu où ce qu'elle ressentait était de l'amour. Peut-être était-elle cet oiseau sauvage sous les traits duquel lui-même se plaisait à s'imaginer. Elle s'était enfin posée sur son doigt pour le plus éphémère des instants, sans jamais avoir eu l'intention d'y rester. Si son cœur demeurait indompté, pouvait-il refermer la main sur elle et la retenir captive?

Il la sentit bouger, s'éloigner de lui. Sa main se referma, et elle recula de quelques centimètres comme si son corps se réfugiait non plus dans une attitude d'abandon et de confiance, mais au contraire de circonspection et de méfiance. Un étau de glace l'étreignit.

— Claire...

— Je ferais mieux de rentrer.

Elle se leva, et ajouta:

— On ne sait jamais. Si les sirènes ont réveillé Mike, il se peut qu'il ait décidé de rentrer à la maison. Il faut que j'y sois.

Jake aurait voulu lui demander de rester, lui dire qu'il avait besoin d'elle, mais les mots ne vinrent pas. Claire l'avait accusé de ne jamais rien demander. Néanmoins, dans leur relation, même si elle pensait le contraire, il ne cessait de la supplier intérieurement.

— Je te raccompagne, dit-il.

430

8.

Le lendemain matin, quand Mike rejoignit Claire dans la cuisine, elle le trouva si maussade qu'elle craignit qu'il n'ait découvert son escapade nocturne.

— Tu as entendu les sirènes, cette nuit ? demanda-t-elle.

Il sursauta presque, l'air inquiet.

— Des sirènes ? Il y a eu un autre incendie ?

— J'ai du mal à croire que ça ne t'a pas réveillé.

— Traite-moi de menteur, maintenant !

— Quelle idée ! Je m'étonne simplement que ta grand-mère et toi n'ayez pas été dérangés par le vacarme des pompiers. C'est le cottage voisin de la propriété des Kirk qui a brûlé, celui que les Bishop ont loué l'été dernier.

— Entièrement ?

Le regard de Claire se posa sur le bleu métallique de la mer que l'on apercevait par la fenêtre. Comme elle l'aurait préférée grise, agitée par la tempête et battue par la pluie ! Mais la sécheresse de l'été indien continuait.

— Oui. Je m'en suis approchée en passant par la plage, mais je ne suis pas allée plus loin quand j'ai vu de quelle maison il s'agissait. J'étais soulagée que ce ne soit pas celle de Mme Fowler ni le Bed & Breakfast. Je me suis assise un moment sur la plage.

L'indifférence de Mike lui imposa le silence. Elle n'avait aucune raison lui rendre compte de ses moindres faits et gestes.

— Quel est le programme aujourd'hui ?

— Pourquoi ? maugréa-t-il, toujours bourru. Tu as prévu une liste de corvées pour moi ?

— Rien que le train-train habituel. Dois-je comprendre que tu mènes une vie d'esclave ?

— Geoffrey n'a jamais de vaisselle à faire. Tout ce qu'on lui demande, à lui, c'est de tondre la pelouse.

— La mère de Geoffrey n'est pas seule. De plus, je ne suis pas d'accord avec la répartition des tâches selon les modèles traditionnels. Je trouve qu'un homme doit participer au travail de la maison, et c'est selon ce principe que j'élève mon fils.

Mike leva les yeux au ciel.

Les lèvres pincées, elle esquissa un sourire.

— Je dois me rendre au bureau aujourd'hui. Si tu sors, appelle-moi, et si je suis absente, laisse-moi un message. Ah ! et n'oublie pas de faire décongeler des hamburgers, cet après-midi.

— Comment puis-je sortir si je dois m'occuper du repas ?

— Reste à la maison, suggéra-t-elle en quittant la pièce.

Par malchance, elle n'eut quasiment rien à faire à l'agence, et elle passa la journée à penser aux événements de la nuit.

Céder à son désir pour Jake Radovitch la confrontait à de sérieuses difficultés. Hormis l'hostilité de Mike, qui représentait un problème de taille, de trop nombreuses contradictions l'animaient vis-à-vis de Jake, et si dans le feu de la passion elle les avait réprimées, elles revenaient maintenant à l'assaut.

Elle alla à la fenêtre, suivit distraitement des yeux le ferry qui accostait.

Qu'y avait-il de mal à être attirée par Jake ? Elle ne trompait pas Don, mort depuis un an. De quoi se sentait-elle coupable ? Pourquoi laisser la jalousie maladive de Don la harceler ? Mais elle ne pouvait fermer les yeux sans revoir son visage déformé par la colère, ni entendre les insultes qu'il n'avait pas hésité à lui adresser, l'accusant de « coucher » avec son meilleur ami. Pourquoi était-il si difficile de se rappeler l'homme attentionné et facile à vivre qu'elle avait épousé ?

La réponse était simple. Les éclats de rage et les accès de jalousie étaient des symptômes de sa maladie, mais pas l'épouvante qui marquait ses traits. Don savait qu'il perdait son intégrité mentale, et que peu à peu plus personne ne l'aimerait. D'ailleurs, il craignait tellement qu'elle ne le quitte qu'elle s'était toujours interdit de partir. Elle avait construit sa vie autour de lui, soucieuse avant tout de restaurer sa confiance.

Bien sûr, si elle s'était éprise d'un autre homme que Jake, quelqu'un qu'elle aurait rencontré depuis peu, tout serait différent car il s'agirait d'un nouveau départ. Mais elle avait cédé à des sentiments profondément ancrés dans son cœur, et longtemps dissimulés pour le bien de son mari, transformant ainsi ses vigoureux démentis d'alors en mensonges. Et quand bien même elle s'en accommoderait, il lui suffisait de regarder Mike pour retrouver l'effroi qui avait habité Don.

Sans ses parents, le jeune garçon se sentait probablement bien vulnérable. Par conséquent, n'était-il pas du devoir de Claire de lui assurer qu'elle ne l'abandonnerait jamais ? Et si Mike avait le sentiment de trahir son père en s'attachant à Jake, il n'accepterait jamais qu'elle s'unisse à lui.

En d'autres termes, la jeune femme se heurtait à un douloureux dilemme. Il lui fallait choisir entre son beau-fils et Jake, entre un enfant qui avait besoin d'une mère et un homme qui se passait d'elle.

Au grand déplaisir du chat, Claire se retourna une fois de plus pour consulter les chiffres verts de son réveil numérique. 1 heure du matin. Elle n'était pas la seule à souffrir d'insomnie, car un instant plus tôt, elle avait entendu Mike descendre l'escalier, et la porte du réfrigérateur s'ouvrir et se refermer.

Elle se remit sur le dos et considéra le plafond. Pourquoi Jake ne l'avait-il pas appelée ? Avait-il perdu tout intérêt pour elle, maintenant qu'il avait satisfait son désir ? L'avait-elle déçu ? De toute façon, il valait mieux se heurter au silence puisqu'elle ne savait que lui dire. Et puis, il suffisait de se souvenir de son expression de béatitude pour savoir qu'il n'était en proie à aucune désillusion.

Claire se retourna sur le ventre, et le chat, manifestement à bout de patience, gronda avant de sauter sur le sol.

Si Jake l'aimait — mais l'aimait-il ? —, comment lui expliquer que, pour le bien de Mike, elle devait renoncer à leur amour ?

Elle perçut une légère odeur de fumée. Mike cuisinait-il en pleine nuit ? A moins qu'il ne soit remonté se coucher en laissant un brûleur allumé. Mais sur le palier, elle ne décela aucune odeur en provenance du hall sombre. Etait-elle le jouet de son imagination ? S'agissait-il des prémices de son cauchemar habituel ?

434

Néanmoins, de retour dans sa chambre, l'odeur de fumée, plus tenace, la prit à la gorge. Elle se précipita vers la fenêtre entrouverte. La maison de sa belle-mère était plongée dans l'obscurité, et aucune clarté orange n'éclairait le ciel. Pourtant, Claire s'habilla rapidement, et à la lumière de la lampe de poche qu'elle gardait dans le tiroir de sa table de chevet, elle descendit dans le hall.

Dehors, il n'y avait pas de lune, et tout était silencieux, mais quelque chose brûlait tout près. Devait-elle prévenir les pompiers avant de sortir ? Mais il lui faudrait peu de temps pour vérifier que tout était tranquille du côté de chez Mme Talbot. Dès qu'elle serait rassurée, elle appellerait Jake.

Elle traversa la pelouse, éclairée par le faisceau de la lampe. Il faisait nuit noire. Elle avait laissé le porche allumé, mais Mme Talbot avait éteint le sien. Soudain, elle respira de la fumée et eut un accès de toux. Elle accéléra le pas. Maintenant, une épaisse fumée l'entourait. Tout était comme dans son rêve, pire même. Elle ne voyait rien, ses yeux la piquaient et pleuraient, son souffle, qu'elle tâchait de retenir, lui déchirait la poitrine.

— Madame Talbot ! cria-t-elle. Anne !

Vacillante, elle heurta quelque chose ou plutôt quelqu'un. La panique l'envahit, et elle recula au moment où une main ferme se refermait sur son bras. Le faisceau de sa lampe se balança ; dans les tourbillons de fumée, elle vit Jake.

Pendant quelques secondes, ce fut comme si son cauchemar devenait réalité, et en proie à une immense confusion, elle crut que Jake l'avait poursuivie. Un cri de terreur lui échappa. Il la lâcha et se mit à courir vers la maison de Mme Talbot.

Elle le suivit tant bien que mal au pas de course. Un rosier lui griffa le bras, un autre s'accrocha à sa cheville, mais c'était à peine si elle sentait la douleur car des flammes se dressaient devant elle, des flammes bien réelles.

De nouveau, elle heurta Jake, arrêté devant la maison. Un bruit de vitre brisé retentit, et le feu jaillit d'une fenêtre du rez-de-chaussée.

— La chambre d'Anne est toujours à l'étage? s'enquit Jake.

— Oui. Il y a une échelle dans le garage...

— Jette des pierres contre les vitres de sa fenêtre pour la réveiller.

Claire courut sur le côté de la maison. Par la fenêtre du rez-de-chaussée, on voyait la cuisine. Les flammes étaient dans le hall. Elle balaya fiévreusement le sol de sa lampe à la recherche d'une pierre qu'elle lança de toutes ses forces. La pierre fracassa la vitre.

— Anne! Réveillez-vous! hurla-t-elle.

Une spirale de fumée s'échappa par la fenêtre.

— Mon Dieu! Jake, vite!

Peut-être n'aurait-elle pas dû casser la vitre. Le feu ne risquait-il pas d'être aspiré vers l'escalier? Dans la cuisine, les flammes léchaient le sol.

Jake revint avec l'échelle, qu'il appuya contre la façade.

— Tiens-la, dit-il avant de grimper.

Claire passa les bras autour de l'échelle, qu'elle sentait s'enfoncer dans la terre meuble des plates-bandes. A l'étage, Jake acheva de casser la vitre, et en fit tomber les morceaux dans les massifs. Puis, l'échelle s'immobilisa. Il venait de pénétrer dans la chambre de Mme Talbot.

Claire en profita pour ramasser sa lampe dont elle

436

dirigea le faisceau sur la fenêtre, d'où sortait une épaisse fumée. Jake réussirait-il à retenir sa respiration ? Fébrile, elle se mit à prier, à compter les secondes.

Mille un, mille deux, mille trois... Pourvu qu'il ne lui soit rien arrivé !

Une silhouette sombre apparut à la fenêtre, un pied avança sur le rebord. Claire laissa tomber la lampe pour tenir l'échelle qui menaçait de glisser sur le côté, et les yeux fermés, elle s'y appuya de tout son poids de sorte qu'une vive douleur la gagna au niveau des clavicules. Il y eut une respiration rauque, l'échelle trembla. Mme Talbot sur l'épaule, Jake mit enfin pied à terre.

— Bon sang ! jura-t-il d'une voix étranglée. Que diable font les pompiers ? A croire que tout le monde ici dort du sommeil du juste !

Soudain, Claire vit par la fenêtre de la cuisine les flammes tout près du réchaud à gaz.

— Vite, il faut partir, s'écria-t-elle. Ça va exploser !

Le porche s'effondra dans un craquement sinistre et les flammes bondirent jusqu'au toit, éclairant d'une insolite lumière orange les rosiers du jardin. Ils coururent jusqu'à la route. Quelques mètres plus loin, Jake étendit Mme Talbot sur le dos.

— Elle ne respire pas, murmura-t-il en se penchant sur elle.

Derrière eux, une détonation sourde projeta des flammes à trois ou quatre mètres de haut, et une pluie de cendres retomba. Claire s'agenouilla près de sa belle-mère afin de lui tâter le pouls, tandis que Jake tentait de la réanimer. Contre tout espoir, elle sentit le pouls à sa gorge — très faible.

— Son cœur bat ! s'exclama-t-elle.

Avec un hochement de tête, Jake continua le bouche-à-bouche.

— Claire ! hurla Mike de loin. Maman ! Où es-tu ?

— Ici ! répondit-elle en se levant et en agitant la main.

Pieds nus et en pantalon de pyjama, l'adolescent les rejoignit.

— Grand-mère ! Comment va-t-elle ?

Claire entoura d'un bras protecteur les épaules de son beau-fils, qui, saisi de tremblements, se serra contre elle.

— Je crois que ça ira. Enfin, je l'espère. Grâce à Jake.

— J'ai appelé les pompiers. Pourquoi ne sont-ils pas là ?

Mike renifla, et sécha ses larmes du revers de la main.

— Ecoute, dit-elle comme le hurlement des sirènes s'entendait au loin. Ils sont en route.

Le premier camion alla jusqu'à la maison de Mme Talbot. Derrière suivait une ambulance qui se rangea rapidement en marche arrière sur l'élargissement de la route. L'équipe soignante plaça un masque à oxygène sur le visage de Mme Talbot, et la mit sur une civière qu'elle fit glisser dans l'ambulance.

— Va t'habiller, Mike, dit Claire. Nous l'accompagnons.

L'adolescent s'éloigna tandis que la jeune femme se tournait vers Jake, qui refusait de monter dans l'ambulance malgré les conseils d'un infirmier.

— Je n'ai pas besoin de soins. Ne perdez pas de temps avec moi.

— Il faut pourtant vous examiner. Vous avez inhalé de la fumée, et vos mains sont blessées.

— Ne fais pas l'idiot, intervint Claire. Va au dispensaire. Mike et moi, nous y serons. Je te raccompagnerai chez toi.

438

Il la foudroya du regard avant de monter dans l'ambulance qui partit aussitôt. Claire courut jusque chez elle. Mike laçait ses chaussures de tennis, tandis qu'elle cherchait son sac et les clés de sa voiture.

— Pourquoi je ne les mets pas toujours au même endroit ? s'exclama-t-elle, au comble de l'énervement.

— Les voilà !

Mike lui agita les clés sous le nez.

— Tu es prêt ?

Dorset étant une ville bien trop petite pour avoir son hôpital, le manque d'assistance médicale constituait un handicap pour les habitants de l'île. C'est pourquoi, quand sa mère avait présenté une faiblesse cardiaque, Don avait tenté de la persuader de déménager.

« Mes chances de survivre à un infarctus sont minimes, avait répliqué Mme Talbot. Je n'ai donc aucune raison de quitter mon jardin et ma maison au bord de l'eau pour habiter dans une rue bruyante d'Anacortes. »

Toutes les lumières étaient allumées à la clinique où l'on dispensait les soins d'urgence, les malades graves étant transportés par hélicoptère sur le continent. Une infirmière accueillit Claire et Mike.

— Mme Talbot respire, annonça-t-elle. Le médecin l'examine en ce moment. Etant donné son âge et ses antécédents, nous préférons la transporter à l'hôpital d'Anacortes. Je vais demander si vous pouvez la voir un instant.

— Et M. Radovitch ?

— Il est là.

Claire hasarda un coup d'œil dans une salle d'examen dont la porte était entrouverte. Un infirmier bandait la main de Jake. De la gaze maculée de sang encombrait la table. Jake avait de la suie sur le visage, les yeux rouges et les cheveux collés par la sueur, mais Claire n'avait qu'une envie, le prendre dans ses bras. Il leva la tête, et l'aperçut.

— Ça va ? balbutia-t-elle, déconcertée par son regard distant.

L'infirmier, qui tournait le dos à la porte, jeta un coup d'œil par-dessus son épaule.

— Claire ! Quelle nuit ! Les coupures de M. Radovitch sont superficielles. Il a eu la bonne idée d'envelopper sa main dans sa chemise avant de casser la vitre.

— S'il cherche à vous faire croire qu'il n'a rien d'un héros, ne l'écoutez pas, dit-elle. Sans lui...

— Comment va Mme Talbot ? s'enquit Jake, la voix enrouée.

— Il paraît qu'elle respire. Jake...

— Ne me transforme pas en ce que je ne suis pas.

— Tu lui as sauvé la vie.

— J'avais une dette envers elle.

Au ton brusque de cette réponse, Claire rougit. De toute évidence, Jake tenait à souligner que sa conduite n'avait rien à voir avec elle. En présence de l'infirmier cependant, elle se contenta de répondre avec le plus de dignité possible :

— Permets-moi de te remercier tout de même. Si tu n'avais pas...

— Je t'en prie, l'interrompit-il.

Qu'avait-elle fait pour provoquer cette froideur ? Etait-ce parce qu'elle avait eu peur de lui dans le jardin de Mme Talbot ? Pourtant, quoi de plus naturel, dans des circonstances pareilles ? Cela ne signifiait pas qu'elle l'avait pris pour l'incendiaire. En vérité, c'étaient ses propres sentiments qui l'effrayaient, mais

440

de toute évidence, devant témoin ou non, elle semblait condamnée au silence.

Le dimanche, Claire ne se leva pas avant midi. Malgré l'insistance du chat à se frotter à ses chevilles pour lui rappeler qu'il était temps de le nourrir, son premier geste fut d'appeler l'hôpital d'Anacortes. On lui passa Mme Talbot, qui malgré sa voix lasse prétendit se sentir bien. Toutefois, les médecins la gardaient en observation encore un jour ou deux. Rassurée, Claire autorisa Mike à parler à sa grand-mère.

Ils paressèrent tout l'après-midi, ce qui aurait été agréable si la maison n'avait été imprégnée d'une odeur persistante de fumée qui leur rappelait constamment la présence des ruines calcinées sur le terrain voisin.

Le comportement de Jake tourmentait également Claire. Aurait-elle dû lui dire qu'elle l'aimait ? qu'elle n'osait l'aimer ? Elle se souvenait aussi de sa frayeur en le reconnaissant, dans le jardin de Mme Talbot, et du moment où il avait disparu dans la maison afin d'arracher la vieille dame aux flammes. Elle revoyait sa belle-mère, gisant sur le sol, inconsciente, ainsi que le regard glacial de Jake au dispensaire, et la tendresse dont il l'avait entourée, la veille, quand il l'avait déshabillée, caressée, quand il avait prononcé son nom...

Elle jeta un coup d'œil à sa montre. Préparer le dîner la distrairait. Tant pis si elle n'avait pas faim. Mike aurait sûrement de l'appétit pour deux.

En se dirigeant vers la cuisine, Claire songea tout à coup à Phyllis Carlson, avec qui elle aurait dû cueillir les pommes du verger des Kirk. Pour la première fois de la journée, elle ne pensait pas à Jake.

— Je reviens dans un instant, lança-t-elle à Mike.

Elle sortit, prit sa voiture et roula jusqu'au verger, entièrement dépouillé de ses fruits. Ensuite, elle se rendit chez les Carlson. Le long chemin de terre qui menait à leur maison était plein de trous et d'ornières. Etait-ce dans le but de décourager les visiteurs ? En revanche, la vieille ferme était bien entretenue avec ses potagers désherbés et paillés pour l'hiver. Des poussins s'éparpillèrent devant la voiture.

Phyllis lui ouvrit la porte.

— Bonjour, entrez.

C'était une femme grande et mince avec des cheveux blonds qu'elle coiffait en une épaisse natte. Vêtue d'un T-shirt et d'un jean délavé, elle marchait pieds nus. Son visage exprimait une sérénité enviable. Manifestement, son style de vie la comblait.

— Je suis venue m'excuser de vous avoir laissé tomber.

— Ce n'est rien. Après l'incendie chez Mme Talbot, je ne vous attendais pas. Comment va votre belle-mère ?

— Bien, mais nous avons eu peur.

— Tony m'a donné un coup de main.

Phyllis montra les pots alignés sur le comptoir de la cuisine à l'ancienne.

— J'ai congelé la plupart des pommes. Si vous voulez, nous ferons des conserves ensemble un de ces jours. Tenez, voici quelques pots pour vous et pour Mme Talbot.

— Oh ! Phyllis...

Sans raison, Claire sentit les larmes lui monter aux yeux.

— Y a-t-il quelque chose que nous pouvons faire ?

— Non, merci. Anne va venir s'installer chez nous. Sa maison est complètement détruite.

— Nous sommes allés la voir, dit Tony en entrant dans la pièce. Quelle chance qu'elle ait pu sortir de chez elle à temps !

Claire ne s'était jamais sentie très à l'aise avec le mari de Phyllis. Cela venait-il de sa barbe, de son regard bleu acier, de son expression indéchiffrable ? Pourtant, c'était un bon voisin et sans doute ne fallait-il pas se laisser influencer par les préjugés. Elle imaginait mal Tony Carlson en pyromane, mais que savait-elle de lui ? Ne pouvait-il faire un suspect idéal, tout comme Bart Petersen ou Suzette Fowler ?

— En effet, acquiesça-t-elle. Si Jake n'avait pas été là...

— Nous ne le connaissons pas.

Une vive suspicion sous-tendait ce constat, évoquant l'attitude des vieux habitants de l'île. Jake étant nouveau venu, sa présence ne pouvait que provoquer la méfiance.

— C'est un ancien ami de mon mari, expliqua Claire.

— J'espère que vous prenez vos précautions la nuit, dit Tony.

— Ma belle-mère et moi, nous monterons la garde à tour de rôle. Et vous ?

— Si ce salaud s'approche d'ici, il aura la plus belle surprise de sa vie, maugréa Tony. J'ai un sacré arsenal à la maison, et je serais ravi de l'utiliser.

« Quelle perspective réconfortante ! » songea Claire tout en prenant congé.

Chargée de plusieurs pots de compote, Claire promit de revenir voir Phyllis, mais c'était à Tony qu'elle pensait tout en roulant avec précaution sur le chemin défoncé — à Tony et aux armes avec lesquelles il avait l'intention de protéger sa famille dans l'attente du

443

jugement dernier. S'il estimait nécessaire d'incendier le voisinage, se laisserait-il arrêter par la petite voix de sa conscience ?

Le lundi matin au bureau, à 13 heures à la boulangerie, et le soir au supermarché, Claire entendit les ragots qui agitaient Dorset.

— Quelqu'un en a après ce quartier, murmurait-on.

— Une maladie mentale, chuchota un autre. C'est dans la famille.

— Il a toujours été violent. C'est un déséquilibré...

Qui donc était le mystérieux individu dont tout le monde parlait ? La population masculine du quartier se bornait à Tony Carlson, Bart Petersen, son fils de deux ans, Jake et Mike. Qui donc était qualifié de violent ? Le père de Jake ?

Lorsque Mike rentra du lycée, Claire faisait son lit. Elle se pencha par-dessus la rampe de l'escalier.

— Salut ! Comment s'est passée ta journée ?

L'adolescent grimpa les marches et alla droit à sa chambre, mais elle eut le temps de voir qu'il avait pleuré. Il laissa tomber son cartable, se jeta sur le lit.

Claire s'assit à côté de lui, et lui caressa les cheveux.

— Que se passe-t-il, Mike ?

Il secoua la tête.

— C'est ton bulletin de notes ?

Pas de réaction.

— Ne devais-tu pas aller chez Ian en sortant du lycée ?

— Il n'a pas voulu. Il a invité quelqu'un d'autre.

— Mais pourquoi ? Vous êtes-vous battus ?

Mike se retourna, le visage mouillé de larmes.

— Ce n'est pas ça.

444

— Qu'est-ce que c'est alors ?

Soudain, les mots de « violent » et de « déséquilibré » s'imposèrent à l'esprit de Claire. Les commérages surpris ce matin en ville visaient-ils Mike ? Une sensation de nausée envahit la jeune femme. Mais il ne fallait pas tirer de conclusions hâtives.

— Est-ce simplement à cause de Ian ? s'enquit-elle avec prudence.

— Ce matin, au lycée, tout le monde parlait de l'incendie. Au début, on a été gentil avec moi puisque c'est ma grand-mère qui a été blessée, et puis on a commencé à chuchoter dans mon dos — tu sais, quand il suffit que tu t'approches pour que les gens s'arrêtent de parler. Et à la cantine, personne n'est venu s'asseoir près de moi.

— Même pas Geoffrey ?

— Il avait une répétition de théâtre, mais j'imagine qu'il ne m'a pas laissé tomber.

— Qu'est-ce qu'on a dit exactement ?

Il renifla, et elle lui tendit un mouchoir en papier.

— C'est Ian. Moi qui le prenais pour un ami ! Il parlait de mon père qui était fou, et qui aimait tellement le feu qu'il a incendié sa maison avant de mourir dans les flammes. Et ça le faisait rire !

— Ian Mullin, dit Claire d'un ton lugubre. Je sais d'où il tient des idées pareilles.

Elle se souvint du jour où Roger Mullin expliquait à Bart Petersen qu'il y avait des gosses à problèmes à Dorset. Ce n'était qu'en la voyant que Mullin s'était tu. Sur le moment, elle n'avait pas compris son embarras. Désormais, il n'y avait plus aucun doute, il avait été sur le point de nommer Mike.

— Ian ne fait que répéter les propos de son père. Quel idiot ! Qu'as-tu fait ?

— Je l'ai frappé.

Excellent pour étouffer les rumeurs qui le disaient violent ! Toutefois, elle-même aurait volontiers assommé Roger Mullin.

— Oh ! Mike ! Ça ne servira qu'à t'attirer des ennuis, et ça ne mettra pas un terme à ces médisances.

— En attendant, il s'est tu, et...

— Et quoi ?

— Je suis renvoyé du lycée pendant deux jours.

— Je vois.

— De toute façon, je ne serais pas allé au lycée demain. Je n'y retournerai plus jamais !

Claire lui caressa le front.

— Mais si, tu y retourneras. D'abord, c'est une obligation. Ensuite, tu ne peux laisser Ian Mullin avoir le dessus. Il y a des moments où il est essentiel de se raccrocher à son amour-propre.

— On ne peut pas déménager ?

« Pas avant d'avoir mis un terme à ces ragots », songea Claire. Et puis, qu'adviendrait-il de sa relation avec Jake ?

— Même si c'était la bonne solution, nous n'en avons pas les moyens, répondit-elle. Nous avons été heureux ici, ajouta-t-elle tout en se demandant si cet adjectif décrivait l'état neutre de sa vie avant qu'elle ne découvre l'amour dans les bras de Jake.

Mike resta silencieux.

— Je suis sûre que tu as de vrais amis comme Geoffrey, ajouta-t-elle en espérant ne pas se tromper. Et tôt ou tard, le pyromane sera arrêté. Tu sais quoi ?

Elle lui ébouriffa les cheveux.

— J'avais l'intention de prendre le ferry demain matin, pour aller chercher grand-mère à l'hôpital. Pourquoi ne pas partir dès ce soir ? Nous irons au res-

446

taurant, nous ferons les courses de Noël, et nous dormirons à l'hôtel. Demain, grand-mère rentrera avec nous. Qu'en penses-tu?

Mike s'assit.

— Je ne peux plus supporter cette île.

— Dans ce cas, préparons-nous.

Le ferry était pratiquement vide. Ils montèrent sur le pont supérieur. Mike s'absorba dans la lecture d'un livre. Trop anxieuse pour en faire autant, Claire regarda le paysage défiler derrière la vitre, tandis que le bateau se faufilait le long des étroits bras de mer pour faire escale à Orcas, Shaw et Lopez avant de se diriger vers Anacortes.

Encore choquée par les médisances qui couraient au sujet de Mike, elle se demandait comment le laver de tout soupçon. Bien sûr, il suffisait de prouver que l'adolescent était à la maison au moment de chaque incendie. Mais il aurait pu aisément se glisser hors de la maison, et remonter se coucher à son insu. En outre, n'y avait-il pas dans le garage un bidon d'essence pour la tondeuse à gazon? Il avait donc eu l'occasion et le moyen à portée de la main... Elle avait honte d'envisager, ne serait-ce qu'un instant, que Mike ait pu commettre un crime aussi atroce que de mettre le feu à la maison de sa grand-mère. Mais si tout Dorset se mettait à chuchoter à son sujet, ne lui fallait-il pas tenir compte de ces données, si absurdes soient-elles? C'était un enfant rebelle et violent. Se pouvait-il que son cœur abrite autant de haine?

Non, non et non! Elle n'en croyait rien.

Avant tout, Mike était confronté à des émotions complexes. Sa mère était morte, son père s'était suicidé, et seule sa belle-mère pouvait veiller sur lui. Dans de telles circonstances, quoi de plus naturel que d'être rebelle et violent ? Mais il n'était pas fou, et il adorait sa grand-mère. D'ailleurs, s'il était pyromane, il se serait plutôt attaqué à la villa de Jake. Et puis, le feu l'effrayait tout autant que Claire.

Un souvenir troublant revint pourtant à la mémoire de la jeune femme. Il avait paru hypnotisé par l'incendie du cottage des Kirk, et quand leur maison de l'Oregon avait brûlé, sa première réaction n'avait pas été le choc ou la peur, mais la fascination. N'avait-il pas déploré ne pas avoir son appareil photo ?

Non, c'était impossible. Tout incendie exerçait un pouvoir de fascination. Il suffisait de se rappeler l'attitude des voisins, la nuit de l'incendie chez les Kirk. Tous avaient regardé, bouche bée, le feu détruire la maison. Mike n'était pas différent d'eux.

Néanmoins, si elle l'avait entendu descendre l'escalier, la nuit de l'incendie de la maison de Mme Talbot, l'avait-elle entendu remonter ? Elle avait supposé que Mike dormait dans sa chambre mais ne s'en était pas assurée. Et s'il se trouvait dans son lit la nuit de l'incendie chez les Kirk, n'avait-il pu regagner sa chambre avant que l'odeur de fumée ne la réveille ?

Bien sûr, l'incendie de la librairie présentait davantage de difficultés, pour un enfant de son âge... Mais la ville n'était qu'à deux kilomètres de chez eux, et Mike s'y rendait tout le temps en V.T.T. Etait-ce pour cette raison que cette fois, le pyromane n'avait pas utilisé d'essence ? Transporter un bidon en vélo aurait été une preuve indéniable si jamais on l'avait vu.

Mais pourquoi se serait-il attaqué à la librairie ?

Claire observa son beau-fils en train de lire. Vêtu d'un jean lâche et d'un T-shirt, il avait l'air tellement normal. Comment l'imaginer en train d'inonder d'essence le porche des Kirk, d'y jeter une allumette, et de rentrer à toute vitesse pour se recoucher ? La gorge de la jeune femme se noua. Quant à la maison de sa grand-mère... Mais l'incendie de la librairie présentait une certaine logique. Mike détestait Jake. Or, le pyromane avait utilisé ses romans pour allumer le feu. Mais pourquoi ne pas avoir brûlé la villa de Jake ? Pourquoi avoir détruit deux maisons vides, ainsi que celle de sa grand-mère ?

En voulait-il à Mme Talbot parce qu'elle ne l'avait pas pris chez elle à la mort de son père ? Non, il savait que c'était impossible et il le comprenait ! Mike était un adolescent normal. Elle n'en démordrait pas.

A l'hôpital, la tête contre les oreillers, Anne avait l'air si fragile qu'elle semblait très différente de la femme que Claire avait l'habitude de voir un sécateur à la main. On avait natté ses cheveux gris, et elle regardait distraitement la télévision. Dès qu'elle vit Claire et Mike, elle éteignit le téléviseur.

— Je ne vous attendais pas avant demain !

— Nous avons décidé de passer la nuit à Anacortes, expliqua Claire en lui prenant la main. Nous étions impatients de vous voir.

— Comment vas-tu, grand-mère ? demanda Mike.

— Bien, répondit Mme Talbot d'une voix chevrotante. Je suis sûre qu'on aurait pu se dispenser de m'hospitaliser.

— Mieux vaut être prudent, dit Claire. Mais nous nous languissons de vous avoir à la maison.

Les yeux de Mme Talbot se remplirent de larmes.

— Vous n'avez pas la place de m'héberger. Je crois

que le moment est venu pour moi de m'installer dans une maison de retraite. C'est ce que Don voulait, vous savez.

— C'est faux, protesta Claire. Il pensait simplement que, si vous tombiez malade, vous seriez mieux soignée dans une grande ville. Mais qu'en savait-il? Vous aimez votre jardin. Il n'y a aucune raison pour que vous l'abandonniez.

— C'est vrai, grand-mère, on va reconstruire ta maison, ajouta Mike. De toute façon, il fallait changer la moquette.

— Mais cela va prendre tant de temps...

— Et alors? Tu vivras chez nous en attendant.

— Et mon jardin? murmura la vieille dame. Il a dû être détruit. Il faudrait tout recommencer.

Comme Claire assurait à sa belle-mère qu'elle pouvait compter sur leur aide, son beau-fils l'interrompit.

— Je suis allé voir le jardin, hier. Les rosiers, le buis et les autres massifs n'ont pas beaucoup souffert. Les plantes qui étaient tout près de la maison ont brûlé, mais les autres ont échappé au feu. Tu as toujours dit que les rosiers sont des plantes très résistantes.

— Mon Zepherine Drouhin est sauvé?

— C'est bien celui qui grimpe à la tonnelle, et qui sent si bon? Il est intact, assura l'adolescent.

— Oh! moi qui m'imaginais..., dit Mme Talbot avec un sanglot. En es-tu sûr?

— Me crois-tu capable de te mentir? répliqua Mike, l'air offensé.

Claire sut alors avec certitude que les incendies n'étaient pas l'œuvre de l'adolescent. Il avait pris la peine d'aller voir le jardin de sa grand-mère afin de la réconforter. Jamais il n'aurait pu brûler sa maison.

Désireuse d'aborder ce problème avec Mme Talbot,

elle le chargea de s'acheter un sandwich à la cafétéria et de lui ramener un soda afin de l'éloigner. Néanmoins, elle hésitait encore à faire part du dernier coup de théâtre à sa belle-mère.

— Que se passe-t-il ? s'enquit alors cette dernière.

Claire songea que, tôt ou tard, les médisances qui couraient sur le compte de Mike parviendraient aux oreilles de la vieille dame. Mieux valait la mettre au courant sans tarder. Elle rapporta les propos qu'elle avait entendus à Dorset, et raconta l'affront dont Mike avait été victime au lycée.

— On insinue que mon petit-fils aurait mis le feu à ma maison ? répéta Mme Talbot, indignée.

— Malheureusement oui, et comme personne n'a le courage de me le dire en face, je ne peux pas répondre.

— Mais c'est absurde ! Chaque fois qu'un feu s'est déclaré, il était chez lui ou chez moi. Comment aurait-il pu... ?

— A aucun moment, je ne peux prouver qu'il était à la maison, et la nuit du troisième incendie, il a affirmé ne rien avoir vu ou entendu, tout comme vous d'ailleurs.

— En effet, mais...

— La nuit où votre maison a brûlé, je suis sortie sans vérifier s'il était dans sa chambre. Je suis sûre qu'il y était, mais je n'en ai pas la preuve.

— Mais vous ne pensez tout de même pas... ?

— Bien sûr que non !

— Que pouvons-nous faire ?

— Dès que vous serez rétablie, nous monterons la garde la nuit à tour de rôle. Le pyromane ne va plus s'arrêter maintenant. Au prochain incendie, je veux que l'une de nous puisse attester des allées et venues de Mike.

451

Mme Talbot acquiesça vigoureusement de la tête.

— Je me sens suffisamment bien pour commencer dès demain soir. De toute façon, je peux faire la sieste dans la journée.

L'anxiété de Claire se dissipa quelque peu.

— Merci.

— Mike est mon petit-fils, vous savez.

— Je ne l'ai jamais oublié.

— Dans ce cas, pourquoi avez-vous toujours refusé mon aide ?

Claire alla à la fenêtre.

— Nous avons si souvent fait appel à vous ! Je ne suis pas votre fille.

— Mon fils vous aimait, et vous élevez mon petit-fils. Pour moi, vous faites partie de la famille.

Claire se tourna vers la vieille dame.

— J'ai toujours eu le sentiment que nous nous connaissions mal.

— Peut-être est-ce ma faute, dit Mme Talbot, l'air malheureux. Je ne sais pas comment je me suis éloignée de Don.

— Eloignée ?

Choquée, Claire revint près du lit.

— Don a simplement cherché à vous épargner. Votre santé...

— Je ne voulais pas être épargnée. Don était mon seul enfant.

— Je suis navrée.

— Bien sûr, vous n'aviez pas besoin de moi, dit Mme Talbot avec un dépit évident.

— C'est faux, murmura Claire, les yeux pleins de larmes. J'aurais tout donné pour vous avoir à mes côtés.

Elles se regardèrent pour la première fois sans réserve ni méfiance.

— J'étais triste de penser que vous ne vouliez pas de moi.

Claire sécha ses larmes.

— Quand Don est tombé malade, il a compris que son état ne ferait qu'empirer. Il a pensé que ce serait trop dur pour vous. C'est pourquoi nous sommes allés dans l'Oregon.

— Pour une raison qui m'échappait, j'ai cru vous avoir donné l'impression de désapprouver le remariage de Don, ou de ne pas vous apprécier.

— Mais non, pas du tout, je vous assure. Tout devenait si difficile avec Don. Je ne voulais pas aller contre sa volonté, et puis, je ne vous connaissais pour ainsi dire pas.

— Maintenant vous me connaissez. Pourtant, vous n'aimez toujours pas que je vous vienne en aide.

— Avec la maladie de Don, je me suis sentie désemparée, avoua Claire en détournant la tête. Je n'arrivais même pas à lui faire prendre ses médicaments. Si j'avais réagi plus tôt...

Elle serrait les mains si fort qu'elle en avait mal aux phalanges.

— Je ne supportais pas ma faiblesse. Je voulais être forte et capable. Je voulais que Mike me respecte. Je croyais que... n'avoir besoin de personne était un signe de force.

Doux et bienveillant, le regard de Mme Talbot fut comme un baume sur la blessure dont Claire avait souffert.

— Vous êtes forte, ma chérie. Je vais peut-être vous choquer, mais parfois, j'aurais préféré que vous le soyez moins. Quand on élève seule un enfant, on a tellement l'habitude de se débrouiller sans l'aide de quiconque, continua la vieille dame avec un sourire désabusé, qu'on ne comprend pas qu'on ne peut remplacer tout le monde auprès de lui.

Claire eut un sourire tremblant.

— Vous avez raison. Cette fois, j'ai réellement besoin de vous. Je ne tolérerai pas que Mike soit calomnié.

— *Nous* ne le tolérerons pas.

La jeune femme prit la main de sa belle-mère.

— Nous ne le tolérerons pas, répéta-t-elle.

9.

Claire attendit avec appréhension que Jake réponde à son coup de sonnette. Enfin, il ouvrit la porte. Les cheveux en bataille, vêtu d'un jean et d'une chemise grise toute froissée, il semblait fatigué et soucieux. S'il fut surpris de la voir, il n'en montra rien.

— Je t'apporte du pain cuit à la maison, dit-elle. Je voulais te remercier pour... avoir installé le broyeur d'ordures, et aussi m'assurer que tu étais rétabli.

— Je me sens bien.

Il hésita un instant avant de s'effacer pour la laisser entrer.

— Tu as un moment?

Une invitation bien dans sa manière... Pourquoi ne lui demandait-il pas tout simplement si elle avait envie de parler un instant avec lui?

— Oui. Merci.

Serrant la miche de pain enveloppée dans un torchon comme s'il s'agissait d'un bouclier, Claire s'arrêta sur le seuil du salon.

— Ça a changé, observa-t-elle. C'est beaucoup mieux.

— Viens dans la cuisine. Je t'offre une tasse de café?

455

— Volontiers. En fait, j'espérais pouvoir te parler.

Il lui décocha un bref regard énigmatique avant de se tourner vers un placard.

— Eh bien, parle.

Autrefois, il l'invitait à se décharger de ses soucis. Désormais, il se contentait d'accueillir avec sécheresse son désir de se confier à lui.

Elle ne se souvenait pas de cette table de bois d'érable aux pieds de fer forgé. Au centre, un lama en terre cuite tourné vers la fenêtre semblait contempler le paysage. Claire posa le pain encore chaud sur le comptoir, et s'assit.

— C'est au sujet des incendies. Ça me rend nerveuse.

— Pas suffisamment en tout cas pour te forcer à la prudence, répliqua-t-il en posant devant elle une tasse de café. Il est dangereux de s'aventurer dehors en pleine nuit quand on sait qu'un pyromane hante les lieux. Le faire une fois, c'est de la folie, mais deux fois, c'est de la bêtise.

— Mais toi aussi, tu étais dehors !

— Je suis un homme.

— Ce qui te rend invincible ?

— Disons, moins vulnérable.

— Ce type n'est pas un violeur mais un incendiaire, lança-t-elle d'un ton sec.

Jake s'assit à la table.

— Et sans doute ne tient-il pas à se faire attraper.

— Peut-être, mais s'il finit par mettre le feu dans son propre quartier, il se fera arrêter.

— Pour l'instant, le quartier auquel il se cantonne est petit. Le criminel risque donc d'être quelqu'un que tu connais.

A cette éventualité, l'exaspération de Claire se dissipa. Elle entoura des deux mains la tasse de café.

— Oui, et c'est effrayant, murmura-t-elle. Mais n'est-il pas bizarre que les incendies n'aient lieu que de ce côté-ci de Dorset ? C'est comme si nous étions encerclés, ajouta-t-elle, résistant à la tentation de se lever pour faire quelques pas dans la pièce. La propriété des Kirk, le cottage, celui d'Anne...

— Et la librairie.

— Où le pyromane a brûlé tes livres.

Le froncement de sourcils de Jake s'accentua, tandis que son regard impassible demeurait posé sur Claire. N'y tenant plus, elle se leva, crispa les doigts sur le dossier de la chaise.

— J'ai l'impression qu'un étau se resserre autour de nous. Don a péri dans un incendie, et trois feux sur quatre ont eu lieu dans notre quartier. S'agit-il d'une simple coïncidence ? Est-ce toi la cible ? ou bien Mike ? Sais-tu que ses camarades disent qu'il est... déséquilibré, comme son père, et responsable des incendies ?

A ces mots, Jake donna un coup de poing sur la table.

— Mike est un garçon bien ! Comment ose-t-on raconter des horreurs pareilles ?

— Mais qui peut bien être le coupable ? interrogea Claire. J'ai peur que quelque chose de terrible ne se produise si nous ne démasquons pas au plus vite celui ou celle qui nous déteste autant. Après tout, les incendies ont tous eu lieu près de chez nous.

— Sauf celui la librairie, dit-il, qui est peut-être l'œuvre d'un autre criminel.

— Tu crois vraiment ?

Pendant plusieurs secondes, ils s'affrontèrent du regard. Puis, la bouche de Jake tressaillit.

— Non, avoua-t-il. Je pense que tu as raison.

Elle aurait dû se sentir victorieuse. Pourtant, sous l'effet du soulagement, ses muscles se détendirent brusquement. Prise d'une immense faiblesse, elle se rassit.

— Vraiment ?

— Ça te surprend ?

— Moi qui me croyais cinglée !

— Toi ? Tu es bien trop pragmatique pour perdre la tête.

— Je me demande parfois si je n'ai pas tendance à l'obsession ou à la paranoïa, en pensant que l'un de nous est la cible de l'incendiaire.

— C'est bizarre peut-être, mais concevable. Je suppose que tu n'es pas venue que pour me mettre en garde ?

— Non, je voulais surtout te remercier, murmura-t-elle.

Jake leva les yeux au ciel.

— J'aimerais aussi que tu me parles des habitants de Dorset, ajouta-t-elle. Après tout, tu en connais une bonne moitié.

— Qu'espères-tu de moi ? Que je me transforme en commère ?

— Tu es injuste.

Elle baissa les yeux sur la tasse.

— Je n'ai jamais aimé les ragots, ajouta-t-elle. C'est d'ailleurs pour ça que je suis venue te voir. Je ne connais pas mes voisins, et je le déplore.

— Je n'aime pas beaucoup évoquer ma jeunesse, avoua-t-il. Voyons, par qui commencer ? Bart Petersen ? Bart était une nullité. Mauvais en sport, médiocre dans les autres matières, et en plus une vraie mauviette. Bon sang ! c'est à peine si je me souviens de lui. Voilà qui en dit long sur moi, n'est-ce pas ?

458

Comme c'était un bon à rien, je lui déniais toute existence.

— Tu crois qu'il aurait pu devenir pompier volontaire afin de se prouver sa virilité?

— Qui sait?

— N'oublions pas qu'aujourd'hui il est entrepreneur de maçonnerie. Il porte un casque de chantier, et passe son temps à donner des ordres à ses ouvriers.

— Ne nous laissons quand même pas trop séduire par la théorie de la revanche du plus faible.

— Non, mais c'est intéressant.

Et cela donnait à Bart Petersen une multitude de raisons de nourrir de la rancœur contre certains de ses anciens camarades de lycée, aujourd'hui ses voisins. Don et Jake n'avaient même pas eu à se moquer de lui puisqu'ils ne lui prêtaient aucune attention. Quant à Mme Talbot, elle pouvait fort bien s'être attiré l'animosité de Bart s'il l'avait entendue expliquer que son fils ne tenait pas à fréquenter le fils Petersen.

— Et Suzette Fowler? Sa librairie a brûlé et elle habite le quartier, tout près du cottage qui a été détruit.

— On peut dire que la police s'en donne à cœur joie avec elle!

Il avala une gorgée de café, et poursuivit:

— Ils ne lui laissent pas un instant de répit. J'ai toujours eu beaucoup d'amitié pour Suzette. J'ai peut-être été le seul d'ailleurs. Suzette n'était pas une tendre. Petite et maigre, avec ses grands yeux noisette, elle ne se laissait pas faire. Sans doute plus intelligente que les autres filles de son âge, on avait surtout l'impression, à l'époque, qu'elle aimait provoquer rien que pour le plaisir. Par exemple, elle s'indignait que le lycée ne possède pas d'équipe de basket féminine. Un jour, elle est sortie avec un copain de Don. Le lendemain, il a raconté que lorsqu'il avait mis la main sur sa poitrine, elle l'avait menacé de lui casser un doigt s'il ne la retirait pas dans les cinq secondes.

Jake sourit.

— La plupart des gens la trouvaient excessive, mais moi, j'enviais son assurance.

— J'ai du mal à l'imaginer, plaisanta Claire.

Le visage de Jake se referma aussitôt.

— Tu connais mon père ?

— Non, mais je l'ai vu...

Elle s'interrompit.

— Quelqu'un me l'a montré, s'empressa-t-elle de corriger. Une certaine ressemblance entre vous m'a sauté aux yeux.

— Je préfère qu'on ne me le rappelle pas.

— Mais c'est toi qui as parlé de lui...

— Bon, que dire d'autre ? enchaîna-t-il. La vieille Mme Brewer vivait déjà ici, mais son fils a dix ans de plus que moi, et il a quitté Dorset bien avant que je fréquente Don. Je vois mal Mme Brewer en pyromane.

Claire se calma. Pour l'instant, elle avait besoin de Jake. Il ne fallait donc pas lui reprocher sa réserve. D'ailleurs, à quoi s'était-elle attendue ? A une projection de diapositives accompagnée d'un chapelet d'anecdotes ? S'il la désirait — ce qui restait à prouver —, il n'était pas prêt à partager ses secrets avec elle. Après l'avoir vu avec son père, elle devait d'ailleurs s'interroger sur sa capacité à aimer... Et elle ne pouvait lui demander si son père le détestait réellement. Adam Radovitch avait manifesté de la haine pour son fils au supermarché, mais à la manière d'un homme qui n'a plus toute sa tête. Etait-il suffisamment perturbé pour tenter de tuer Jake, ou de le faire arrêter comme pyromane ? Evidemment, en voyant ses livres brûlés, Jake s'était senti visé. Mais cela ne prouvait pas qu'il avait pensé à son père.

— Et Linda Michaels, celle qui tient le Bed & Breakfast, tu la connais ? demanda-t-elle.

— Elle n'est ici que depuis sept ou huit ans. C'est ce qu'elle m'a dit quand j'ai séjourné à son hôtel.

Et tout en l'observant de son regard énigmatique, il ajouta :

— Parle-moi des Carlson. On raconte de drôles de choses à leur sujet.

— Du même genre que les bruits qui courent sur Mike ? répliqua-t-elle, glaciale.

— Je n'ai pas dit que j'y croyais.

— Excuse-moi. Les Carlson sont convaincus que le monde va être détruit par une explosion nucléaire ou une catastrophe naturelle. Il paraît qu'ils ont un abri anti-atomique. Ils cultivent la vieille ferme Dwyer, et fournissent les restaurants locaux en fruits et légumes. Phyllis fabrique des bijoux qu'elle vend lors de certaines fêtes, comme le Festival de l'artisanat. J'ai une paire de boucles d'oreilles...

— Des hippies, quoi.

— Si on veut. Ils sont très gentils. Dimanche dernier, Anne et moi devions aider Phyllis à cueillir les pommes du verger des Kirk, et faire des conserves ensemble. Nous n'y sommes pas allées, mais elle m'a donné une demi-douzaine de pots.

— Serais-tu en train de m'expliquer que Phyllis Carlson n'a pas pu mettre le feu à la maison de Mme Talbot parce qu'elle avait besoin de votre aide le lendemain matin ?

— Non, répliqua-t-elle, agacée. Je dis simplement que les Carlson sont des gens sympathiques et généreux, et qu'ils n'ont aucune raison de détruire les habitations du quartier. Nous sommes amis, ils se sont toujours montrés bienveillants envers Mike et moi.

— Et si l'un d'eux aimait mettre le feu ?

— Dans ce cas, nous perdons notre temps. Il faudrait qu'il fasse une erreur pour être arrêté.

— Tu ne m'as pas interrogé sur Alison, dit Jake.

— Elle n'habite pas vraiment le quartier.

Le magnifique manoir de style victorien dont Alison Pierce avait hérité de son père était en effet situé de l'autre côté de la route principale.

Jake se leva et passa derrière elle.

— Sa maison n'en est cependant pas loin, fit-il observer. Tu l'as d'ailleurs vue la nuit du premier incendie, n'est-ce pas ? Et puis, ce n'est pas parce que le pyromane en veut à quelqu'un du quartier qu'il vit forcément ici.

— C'est vrai, acquiesça Claire sans se retourner.

Elle resta silencieuse un moment, revoyant Jake en train de la porter jusqu'à sa chambre, de s'agenouiller devant elle, de lui faire l'amour. Immobile, elle ferma les yeux. Mieux valait ne pas penser à ces moments-là. Faire l'amour ne suffisait pas. Même s'il n'avait pas fallu s'inquiéter de la réaction de Mike, elle n'aurait pu se contenter de si peu.

— Alison a eu des raisons d'en vouloir à Don, reprit Jake.

— L'as-tu revue depuis ton arrivée ? demanda Claire, se souvenant du regard inquisiteur d'Alison Pierce sur Mike, quelque temps auparavant.

— Une fois, au supermarché. Elle a prétendu être ravie de me revoir. Nous nous sommes posé des questions sur nos vies respectives. Je ne lui ai jamais été sympathique. Un sentiment réciproque... J'imagine que nous étions jaloux l'un de l'autre.

462

— A cause de Don ? Mais tu avais d'autres amis, non ?

— Pas vraiment.

Il était clair qu'il ne tenait pas à ce qu'on l'interroge davantage. Une fois de plus, il refusait de lui parler de sa jeunesse. Tant pis. Elle avait eu les informations qu'elle souhaitait.

Elle se leva.

— Merci de ton aide, et toutes mes excuses si j'ai réveillé des souvenirs déplaisants.

Il ne bougea pas.

— Tu n'es pas obligée de t'en aller.

— Mike va se demander où je suis.

— Mme Talbot n'est-elle pas chez vous ?

— Si...

— Tu n'es donc pas pressée de rentrer.

— Ce n'est pas ce que j'ai dit.

— Claire..., dit-il soudain d'une voix étrangement rauque.

Elle recula d'un pas, et heurta la chaise.

— Non. Je n'aurais pas dû...

— Pourquoi ?

— Tu connais mes raisons, affirma-t-elle, le souffle court malgré ses efforts pour se contrôler.

— Je sais ce que j'ai ressenti l'autre nuit.

— Tu l'as pourtant gardé pour toi, répliqua-t-elle d'un ton acide.

Jake s'approcha d'elle, les sourcils froncés.

— Toi-même, tu n'as pas beaucoup parlé.

— Qu'aurais-je dû dire ?

— A ton avis ?

— Je n'en sais rien ! Et je ne tiens pas à le savoir. Mike passe avant tout. Tu ne comprends pas ça ?

— Non. C'est encore un enfant. Il s'en remettra.

— Il se remettra de quoi ? lança-t-elle avec le sentiment de donner à Jake l'occasion de se déclarer pour de bon.

Allait-il dire qu'il l'aimait, qu'il voulait l'épouser ? Et que répondrait-elle ? Mais brusquement, Jake changea de sujet.

— L'autre nuit, dans le jardin de Mme Talbot, je t'ai fait peur. Pourquoi ?

Elle aussi s'était posé cette question.

— Je... je n'ai plus su qui tu étais pendant quelques secondes.

— Tu as eu peur de moi même après m'avoir reconnu.

— Je fais souvent le même cauchemar, dit-elle en baissant la voix malgré elle. Tu y apparais toujours, au milieu de la fumée et des flammes. L'autre soir... je me suis crue de nouveau dans ce rêve...

Jake la fixait sans ciller.

— Tu avais peur de Don, n'est-ce pas ?

— Vers la fin, oui, reconnut-elle, refusant de s'excuser. Il était si... bizarre.

— Il avait changé au cours de votre mariage.

— Que veux-tu savoir ? s'écria-t-elle. Si je crois que tous les hommes changent comme Don ? Si j'ai peur que tu ne te transformes en une espèce de monstre ?

— Je pense simplement que tu as du mal à placer ta confiance en un homme.

— J'ai confiance en toi, Jake, assura-t-elle, plus calme, mais jusqu'à un certain point. Si je te connaissais mieux, peut-être serais-je plus ouverte.

— Si tu ne me connais pas après toutes ces années..., observa-t-il avec un petit rire.

— Oh ! je sais que tu es loyal, courageux, une sorte de protecteur de la veuve et de l'orphelin ! Tu m'as écoutée, aidée, conseillée, bref, tu as toujours été là quand j'avais besoin de toi.

— Pas tout à fait...

— Presque toujours, conclut-elle avec un sourire bref. Mais il y a tant de choses que tu me caches à ton sujet. Il y a très peu de temps que j'ai appris que tu écrivais, et tu ne parles jamais de ton enfance, de tes amis, de ton métier... J'en sais plus sur Phyllis Carlson ou Bart Petersen que sur toi. Voilà qui en dit long sur notre relation.

— Les actes n'en disent-ils pas plus que les paroles ?

— D'ailleurs, la question n'est pas de savoir si je te fais confiance, mais si toi, tu as confiance en moi.

— Je t'en prie !

— Pourquoi ne me parles-tu pas ?

— Et que faisons-nous en ce moment ?

— Permets-moi donc de reformuler ma question. Pourquoi ne me parles-tu pas de toi ?

— Que désires-tu savoir, au juste ? Ce que j'ai fait aujourd'hui ? Qu'à cela ne tienne. J'ai passé six heures devant mon écran d'ordinateur pour ne sauver qu'une page de texte. Quant à mes menus, les voici : flocons d'avoine et raisin au petit déjeuner, sandwich à la dinde au déjeuner. Cela te déçoit ?

— Tu ne me comprends pas, n'est-ce pas ? fit-elle après un silence.

— Non. J'ai mis mon âme à nu pour toi. Je me suis réjoui de la mort de mon meilleur ami parce que sa disparition faisait de toi une femme libre, et je te l'ai dit. Crois-tu que c'est un aveu facile ? Que veux-tu de plus ?

Elle fit une dernière tentative.

— Parle-moi de ton père.

Le regard de Jake se durcit.

— Va au diable, murmura-t-il.

— Je préfère rentrer chez moi, répondit-elle, consternée.

Elle se dirigea vers la porte. Jake la suivit, la démarche souple et silencieuse, maître de lui, dangereux. Sur le seuil, elle se retourna.

— Merci pour ton aide.

— Embrasse-moi, Claire.

— Jake...

Il l'enlaça, et elle s'abandonna à son étreinte. Puis, elle s'agrippa à lui tandis que, bouleversé, il l'embrassait avec fougue, comme s'il redoutait de la perdre.

Quand il releva la tête, des larmes roulaient sur les joues de la jeune femme. Sans doute en avait-il goûté le sel, car elle sentit qu'il frissonnait.

— Je peux apprendre, chuchota-t-il.

Claire s'écarta.

— Tu crois ?

— Donne-moi une chance.

— Je dois réfléchir.

— Ecoute ton cœur... N'oublie pas...

Elle fit encore un pas en arrière.

— Et sois prudente, ajouta-t-il.

— Toi aussi.

— Appelle-moi si tu as besoin d'aide.

— Oui.

Elle lui lança un dernier regard éperdu, plein de désarroi, sortit et s'éloigna en courant.

Le lendemain soir, Claire se rendit chez Roger Mullin. Par chance, ce fut lui qui l'accueillit, et non sa femme ou le petit Ian.

— Claire !

Il ne parvint pas tout à fait à cacher son embarras.

— J'aimerais vous parler, déclara-t-elle.

— Bien sûr... Entrez.

Au fond de la maison, on entendait les rires pré-enregistrés d'une émission de télévision. Elle le suivit dans le salon. Roger alluma une lampe et l'invita à s'asseoir, mais Claire resta debout.

— Ian accuse Mike d'être l'auteur des incendies qui se sont déclarés dans notre quartier. Je veux savoir pourquoi.

— Je lui parlerai, dit-il, le regard fuyant. Il n'est pas à la maison pour l'instant...

— Est-ce vous qui lui avez mis cette idée dans la tête ?

— Je n'ai jamais dit...

Il s'éloigna de quelques pas, se retourna, passa une main sur son crâne dégarni, et reprit avec une certaine nervosité :

— J'ai peut-être répété des propos que j'ai entendus, mais je n'ai rien affirmé. Mon fils a mal compris. Il faut l'excuser.

— Pourtant, vous connaissez Mike.

— Oui.

La mâchoire de Mullin se contracta, et quand il croisa le regard de la jeune femme, elle ne vit aucun regret dans ses yeux.

— Il est violent, et j'ai toujours pensé qu'il cherchait les ennuis. Si je me suis trompé, je suis désolé.

— Ce n'est qu'un enfant. Vous fabriquez une accusation de toutes pièces, et vous êtes simplement... désolé ?

— Je n'ai fait que répéter ce que j'ai entendu, répliqua Roger, qui malgré sa gêne n'hésita pas à élever le ton pour se disculper. Quelqu'un l'a vu sortir en courant du cottage juste avant l'incendie. Voyons, Claire, il faut regarder la réalité en face, Mike a des antécédents. Je vous aime bien, et je ne veux pas vous blesser, mais les faits sont là.

— Qui affirme l'avoir vu ?

Roger Mullin fit un pas en arrière, comme effrayé par le regard de Claire.

— Je ne sais pas, moi, j'ai simplement entendu dire...

— Et vous croyez tout ce que vous entendez ?

— Mais votre mari...

— ... Souffrait d'une maladie mentale, l'interrompit-elle d'un ton glacial. Mike est un enfant normal qui a eu le malheur, au cours de ces deux dernières années, de traverser de terribles épreuves. Votre fils et vous n'avez réussi qu'à rendre les choses encore plus difficiles pour lui.

De retour à la maison, Claire eut la joie de trouver Geoffrey et Mike en train de regarder un match de basket à la télévision. Apparemment, Geoffrey demeurait fidèle à son ami.

— Bonsoir, madame, dit-il en se levant.

— Bonsoir, Geoffrey, bonsoir, Mike. Grand-mère est dans la cuisine ?

— Je crois que oui...

Mike s'interrompit pour pousser un cri.

— Quel coup vache ! Pas étonnant que l'arbitre intervienne !

Elle les laissa décider s'il y avait eu faute ou non, et rejoignit Mme Talbot afin de lui raconter son entrevue avec Roger Mullin.

— Cet homme m'a toujours déplu, observa la vieille dame à la fin.

— A moi aussi.

— Il faut savoir qui prétend avoir vu Mike la nuit du troisième incendie, conclut Claire.

— Je vais en parler à mes amis, promit Mme Talbot.

Les premières tentatives de Claire pour découvrir qui était à l'origine de l'injustice dont Mike était victime se révélèrent vaines.

— Personne ne sait rien, dit Sally Petersen qui avait promis de demander autour d'elle. Ne pouvez-vous éloigner Mike pendant quelque temps ? L'envoyer chez des parents jusqu'à la fin de l'année ?

— Impossible, dit Claire avec un sourire las. Si vraiment nous n'avons pas le choix, nous déménagerons, mais je ne me séparerai pas de lui. Il a déjà bien trop souffert.

L'enquête de Mme Talbot ne remporta pas davantage de succès.

Linda Michaels déclara n'être au courant de rien. Et Phyllis Carlson n'était pas là quand Claire vint la voir à la ferme. Tony cependant coupait du bois derrière les bâtiments. A la question de la jeune femme, il secoua la tête d'un air indifférent.

— Nous n'avons rien vu cette nuit-là. Ce sont les sirènes qui nous ont réveillés. Désolé.

Quant à Sharon, qui s'était proposée pour parler aux élèves du lycée, elle revint également bredouille.

— Tout le monde est loin d'être d'accord avec le fils Mullin. J'espère que Mike le sait. Beaucoup de gosses estiment injuste de tenir Mike pour responsable

469

de ces feux sous prétexte que son père est mort dans un incendie. Les filles en particulier sont sceptiques. A mon avis, c'est Ian qui a tout inventé.

Désireuse de parler à Suzette, Claire retourna en ville. Elle s'arrêta d'abord à son bureau afin de vérifier s'il y avait des messages, bien que les affaires aient beaucoup ralenti depuis quelque temps. La saison n'était guère propice à la vente, et les mystérieux incendies décourageaient tout acheteur éventuel. Après avoir tenté de joindre l'avocat intéressé par la marina, elle quitta l'agence.

Avec sa moquette neuve et ses rayons remplis de livres, le magasin de Suzette ressemblait de nouveau à une librairie digne de ce nom. Quand Claire entra, Suzette faisait la vitrine.

— Qu'en pensez-vous ? s'enquit-elle en s'asseyant sur ses talons.

Sur un fond de carreaux de cuisine bleus, verts et roses, elle avait disposé de superbes livres illustrés d'architecture, de décoration et de bricolage avec, dans un coin, un rouleau de papier peint à demi défait et quelques outils posés ici et là.

— Magnifique, dit Claire. Ça donne envie de refaire sa maison.

— C'est le but.

Suzette déplaça un livre de quelques centimètres, inclina la tête avant de la hocher d'un air satisfait.

— Que puis-je pour vous ?

Claire regarda le nouveau roman de Jake.

— Je ne l'ai pas encore lu, dit-elle en prenant le livre.

— Il peut sûrement vous en donner un exemplaire.

— Oh ! je préfère l'acheter.

Suzette parut surprise, mais elle se tut.

— On a accusé Mike d'être l'auteur des incendies qui frappent Dorset depuis quelque temps, dit Claire tandis que la libraire enregistrait son achat à la caisse. Sauriez-vous par hasard qui est à l'origine de cette rumeur ?

— Alison.

— Comment ?

Alison Pierce n'avait vu l'adolescent qu'une seule fois. Comment pouvait-elle affirmer l'avoir reconnu en pleine nuit ?

— J'ai hésité à vous prévenir, dit Suzette. Alison est venue m'expliquer que, la nuit du troisième incendie, elle est passée près du cottage au moment où un gosse s'en éloignait en courant. Elle a cru reconnaître Mike, mais n'étant sûre de rien, elle n'a rien dit à personne de peur de lui attirer des ennuis.

— En a-t-elle parlé à la police ?

— Je l'ignore, mais je le lui ai conseillé. Ne vous méprenez pas, Claire, je n'ai rien contre votre fils. Je le croise parfois dans le quartier, mais je ne le connais pas. J'ai simplement pensé que vous préféreriez que tout se passe au grand jour.

— Et vous avez eu raison !

— J'ignore comment cela a transpiré, continua la libraire. Je n'aurais jamais cru Alison capable de commérages, mais peut-être a-t-elle demandé conseil à d'autres. Il suffit que l'une de ces personnes n'ait pas gardé le secret... Je suis navrée. J'aurais dû vous téléphoner.

Le cynisme de Jake était-il contagieux ? Peut-être, car sur le chemin du retour, Claire ne put s'empêcher de songer combien il était commode pour Suzette Fowler d'attirer l'attention sur Mike. Se pouvait-il qu'elle ait inventé cette histoire, en se disant que Claire n'oserait pas demander des comptes à Alison ? A moins qu'Alison ait réellement prétendu avoir vu Mike, et que la libraire ait tourné l'affaire à son avantage en ébruitant cette histoire afin de ne plus être suspectée par la police ?

Absorbée par ses pensées, Claire ne vit la voiture de police qui stationnait dans l'allée que lorsqu'elle s'arrêta devant le porche.

472

10.

Mike était assis dans un fauteuil tandis que sa grand-mère s'agitait autour de lui, fébrile et inquiète. Sur le canapé, deux policiers — l'un tenait à la main un calepin ouvert — lui faisaient face. Au bruit de la porte refermée par Claire, les quatre têtes se tournèrent vers l'entrée.

— Enfin ! s'exclama Mme Talbot avec un soulagement manifeste, une main sur le cœur. Je me demandais où vous étiez ! Claire, ces messieurs veulent interroger Mike au sujet des incendies.

Se plaçant à côté de l'adolescent, la jeune femme toisa les policiers d'un regard glacial.

— Aviez-vous l'intention d'interroger mon fils en dehors de la présence d'un parent ?

Les deux hommes échangèrent un regard bref.

— Il y avait sa grand-mère, dit celui qui tenait le calepin.

— Vous n'ignorez sans doute pas que ma belle-mère n'a quitté l'hôpital que depuis deux jours. Asseyez-vous, maman, ajouta-t-elle avec plus de douceur en regardant la vieille dame.

Au regard stupéfait de Mme Talbot, elle s'aperçut qu'elle avait spontanément appelé la vieille dame

473

« maman ». Mais il y avait plus urgent. L'un des policiers ne lui était pas inconnu. Elle se souvenait l'avoir rencontré à une réunion de parents d'élèves. Sa femme étant vice-présidente de l'association, il avait aidé à la préparation du petit déjeuner annuel de crêpes.

— Lieutenant Russell, n'est-ce pas ?

— Exact, madame Talbot. Voici l'officier Karolevitz.

Claire déclara être enchantée de faire sa connaissance, ce en quoi elle était sincère tant la peur l'étreignait.

— Que se passe-t-il ?

Le lieutenant Russell, un homme mince au crâne dégarni qui approchait de la cinquantaine, redressa son calepin sur ses genoux avant de plonger un regard franc dans celui de Claire.

— Un témoin pense avoir vu Mike sur le lieu de l'un des incendies.

— Le cottage, n'est-ce pas ?

— Oui.

Claire posa une main sur l'épaule de son beau-fils.

— Mike ?

— Je n'y étais pas ! s'écria-t-il. J'ai passé la nuit chez grand-mère. Tu t'en souviens ? Je ne me suis même pas réveillé.

L'officier Karolevitz releva un sourcil.

— Malgré les sirènes des pompiers, tu ne t'es pas réveillé ?

— Tout juste, répliqua l'adolescent d'un ton belliqueux.

— Moi non plus, intervint presque timidement Mme Talbot.

— Mike était à la maison quand les trois autres incendies ont eu lieu, affirma Claire en défiant les deux policiers du regard. La nuit du premier incendie, c'est moi qui l'ai réveillé.

474

— Etes-vous sûre qu'il dormait ?

— Oui.

Le lieutenant Russell se leva.

— Bien, nous en resterons là pour l'instant.

« Pour l'instant »... « Ils ne tarderont pas à revenir », pensa la jeune femme en raccompagnant les deux hommes jusqu'à la porte.

— Puis-je savoir qui accuse Mike ? s'enquit-elle.

— Il n'y a pas d'accusation à proprement parler, madame Talbot. La nuit du troisième incendie, un témoin a vu quelqu'un s'éloigner en courant du cottage en flammes, mais ce n'est qu'en apercevant Mike il y a quelques jours que le témoin a cru identifier l'inconnu. Cela ne constitue pas une preuve. Si Mike n'était pas là-bas, vous n'avez pas à vous inquiéter.

De nouveau, il sous-entendait que son fils et elle pouvaient ne pas dire la vérité...

Claire attendit que la voiture de police ait démarré pour rentrer. Mike n'avait pas bougé du fauteuil.

— Ils ne me croient pas, maugréa-t-il.

— Ils vérifient simplement une information.

Tremblant de rage, Mike bondit sur ses pieds.

— S'ils ne m'ont pas arrêté, c'est uniquement parce que tu leur as dis que j'étais à la maison à chaque incendie !

Il parlait avec véhémence, comme s'il détestait Claire. Vaguement consciente de l'expression choquée de Mme Talbot, la jeune femme s'assit sur le canapé.

— N'est-ce pas la vérité ?

— Tu as menti.

— A quel propos ?

— La nuit du premier incendie, j'étais réveillé quand tu es entrée dans ma chambre. Qui te dit que j'ai dormi cette nuit-là ?

— Dois-je comprendre que tu aurais pu mettre le feu à une maison sans que je m'aperçoive de rien ?

— Exactement.

Mike donna un coup de pied dans le pouf, qui alla s'écraser contre la table basse.

— Tu as affirmé que j'étais à la maison, mais tu ne peux pas en être sûre.

Jamais l'adolescent n'avait eu autant besoin du soutien de la jeune femme. Très calme, elle lui tendit une main.

— Mais si, je le sais puisque je te fais confiance.

— Impossible ! J'ai toujours des ennuis. Le principal t'a convoquée, on me renvoie du lycée pendant deux jours et...

— Tu ne serais pas un enfant normal si tu ne faisais jamais de bêtises, dit-elle en se levant. Mais tu n'as jamais blessé personne, et je sais que tu en es incapable.

La colère de l'adolescent se dissipa brusquement, et il parut plus jeune encore et plus vulnérable.

— Tu crois ? murmura-t-il.

Claire sourit.

— J'en suis persuadée.

Alors, il se jeta dans ses bras, et éclata en sanglots. Bouleversée, Mme Talbot quitta la pièce sans bruit. Plusieurs minutes s'écoulèrent avant que Mike recouvre son calme. Il sécha ses joues mouillées avec le bas de son T-shirt, renifla.

— J'ai eu tellement peur.

— Peur ? fit Claire en se rasseyant. Mais de quoi ?

— Je... J'avais peur de... Je ne sais pas, j'aurais pu agir sans m'en rendre compte et mettre le feu...

— Mettre le feu sans t'en rendre compte ? Quelle idée !

476

— Papa était fou, expliqua-t-il d'une voix étranglée. Peut-être que moi aussi, je le deviens.

— Oh ! non ! Je ne me doutais pas que tu t'inquiétais de ça. Viens t'asseoir près de moi.

Il obéit, et elle lui prit les mains.

— J'ai beaucoup lu à ce sujet, tu sais. En effet, la schizophrénie peut être héréditaire, mais dans sa famille paternelle et maternelle, seul ton père en a souffert, et avec un seul parent atteint, tu n'es pas plus prédisposé à cette maladie que n'importe qui. D'ailleurs, tu n'en présentes aucun symptôme.

— Ce n'est peut-être qu'une question de temps ?

— Tu as au pire une chance sur dix de devenir schizophrène, ce qui revient à dire que tu as neuf chances sur dix d'y échapper. Inutile de passer ta vie à craindre une éventualité aussi hasardeuse. Nous pouvons tous tomber malades un jour ou l'autre, mais pour l'instant, tu es en bonne santé. Il faut donc t'en réjouir, et ne pas t'inquiéter de l'avenir, d'accord ?

— Tu es sûre que je n'ai pas pu agir sans m'en rendre compte ?

— Un acte inconscient n'a rien à voir avec la schizophrénie. Te souviens-tu du moment où la maladie de ton père est apparue ?

Mike fronça les sourcils.

— Pas vraiment.

— Il a commencé à penser des choses bizarres. Il avait de drôles d'idées et faisait des réflexions curieuses, totalement absurdes. Au début, je me moquais de lui, jusqu'au jour où je me suis rendu compte qu'il ne voyait pas en quoi ce qu'il disait était insensé. Il est devenu paranoïaque, il s'imaginait que les gens lui en voulaient. La nuit, je le surprenais en train de regarder si personne ne se cachait derrière les rideaux. Il prétendait que quelqu'un l'épiait. Il était...

— Cinglé.

— Malade. Et toi, tu es un enfant tout à fait normal. Parfois irresponsable...

Mike se raidit.

— Parfois difficile, mais le plus souvent attentionné, gentil, agréable, amusant. Tu es un garçon bien.

— Vrai ?

La note d'espoir et de doute mêlés dans la voix de l'enfant brisa le cœur de la jeune femme.

— Oui.

Mike réfléchit un instant, et redressa les épaules.

— Alors, c'est idiot de m'imaginer que je suis responsable des incendies.

— Ce n'est pas idiot. Après la façon dont ton père est mort, toutes ces histoires d'incendie sont plutôt traumatisantes. Mais s'il existe un lien entre ces feux et nous, c'est parce que quelqu'un de méchant cherche à nous nuire. Ce n'est pas parce que quelque chose ne tourne pas rond en toi ou en moi.

Mike fit le salut militaire.

— Bien, chef !

— Parfait, répondit-elle, contente de voir que son insolence lui revenait. Si seulement tu étais toujours aussi obéissant !

— Ne rêve pas !

Jake finit par se décider à rendre visite à Claire. Il ne la verrait pas seul puisque Mme Talbot logeait chez elle, mais Mike serait à l'école.

— Jake ! s'écria-t-elle en ouvrant la porte, surprise.

— En personne, bredouilla-t-il. Je peux entrer ?

— Bien sûr, dit-elle après une courte hésitation, et avec autant d'enthousiasme que si elle acceptait un chien errant chez elle.

478

Cette fois, elle ne lui proposa pas d'aller dans la cuisine mais le fit entrer dans le salon. Là, elle l'invita à s'asseoir sur le canapé, et s'assit dans un fauteuil en face de lui.

— Le pain était très bon, commença-t-il.

— Tant mieux.

— Je suis venu te présenter mes excuses, enchaîna-t-il, jugeant préférable d'aller droit au but. Pour ma conduite de l'autre jour. Je t'ai embrassée. Je n'aurais pas dû... chercher à t'influencer.

Le regard limpide de la jeune femme croisa le sien.

— Tout juste.

Fidèle à elle-même, Claire se montrait franche, ce qui était d'ailleurs une des raisons pour lesquelles l'incertitude qu'elle affichait à son égard le déconcertait.

— Tu sais, ajouta-t-elle, je me rends parfaitement compte que c'est frustrant pour toi. D'habitude, je ne tergiverse pas autant. Mais jusqu'à présent, je n'avais pas eu à prendre de décision importante.

— Comment ça s'est passé quand tu as rencontré Don ? interrogea-t-il d'un ton bourru car il regrettait déjà sa question.

— A cette époque, la vie était plus simple. Don était beau, très séduisant, et nous nous amusions. Cela me suffisait. Je n'avais personne à charge.

— Comme Mike.

— Oui. Les enfants vous changent.

Jusqu'à présent, Jake n'avait jamais songé à devenir père de famille, mais il imagina soudain Claire enceinte, le ventre rond, la poitrine pleine, une expression de douceur sur son visage plus intelligent que joli. Il eut même une pensée pour le bébé — peut-être une petite fille qui aurait les yeux de sa mère, son rire, son corps élancé et gracieux...

— Je veux bien le croire.

Quel père de famille ferait-il? Jake ne pouvait s'empêcher de se poser cette question, car l'exemple de son propre père n'était guère encourageant. Néanmoins, l'heure n'était pas à ces interrogations.

Il s'éclaircit la voix.

— Au sujet de l'incendie de la maison de Mme Talbot... L'enquête de la police a-t-elle avancé?

— Ils ne nous ont rien dit. Enfin, ce n'est pas tout à fait vrai, corrigea-t-elle. Ils savent que l'incendiaire a versé de l'essence dans le hall et sur le seuil de la cuisine. Tu te souviens comme le feu a pris rapidement? Le criminel est tranquillement sorti par la porte d'entrée, après avoir jeté une allumette enflammée à l'intérieur.

— Mais comment s'est-il introduit dans la maison?

— La police l'ignore.

— Ce salaud a donc voulu tuer Mme Talbot!

— Du moins ne s'est-il pas soucié de son sort.

— Mais pourquoi? s'écria Jake en se levant.

Claire pencha la tête, et ses longs cheveux châtains retombèrent sur son épaule. La ligne de ses joues et son cou gracile que ce mouvement révéla bouleversèrent Jake.

— Mike s'imaginait qu'il était pyromane à son insu, dit-elle alors d'une voix sourde.

— Oh! non...

Elle releva la tête, et il vit qu'elle avait les yeux pleins de larmes.

— Il avait peur de devenir schizophrène, comme Don. J'ignorais que cette maladie le tourmentait.

— Et ma présence n'a pu que lui rappeler son père.

Claire vint s'asseoir à côté de lui.

— Les problèmes de Mike datent d'avant ton instal-

480

lation à Dorset. Peut-être est-ce un bien que tu sois revenu. Tu nous as obligés à nous pencher de nouveau sur le passé. Mais je... je ne sais vraiment que penser de ces incendies. J'aimerais que ça cesse.

Ces derniers mots ressemblaient à un cri dans la nuit. Il eut envie de la prendre dans ses bras, de lui assurer qu'elle était en sécurité, qu'il veillerait à jamais sur elle. Redoutant qu'elle ne veuille pas de ses promesses, il ne bougea pas. Le regard d'effroi qu'elle avait eu en le reconnaissant dans le jardin de Mme Talbot le hantait. Cette nuit-là, au lieu de se jeter dans ses bras, elle avait reculé. Et depuis, il n'osait plus lui imposer sa présence.

De plus, il avait ses propres craintes, qui ne lui laissaient aucun répit. Etait-il la victime visée par ces feux ? Dans ce cas, loin de protéger Claire, il la mettait en danger. Une peur familière lui noua la gorge. Oui, c'était la même terreur que celle qui l'habitait, enfant, quand son père le battait. C'était absurde, bien sûr. Mais son père était-il fou ? L'homme qui lui avait crié de partir détruisait-il tout ce qui importait à son fils, y compris les êtres auxquels il tenait le plus ?

Ainsi, l'incendie de la maison des Kirk faisait figure d'avertissement et de répétition générale, alors que celui de la librairie atteignait sa cible, Suzette étant une ancienne camarade de classe et ses propres livres servant de combustible. L'incendie du cottage vide révélait le comportement du sadique qui s'amuse de l'effroi de ses victimes. Enfin, Adam Radovitch resserrait son étau en brûlant la maison de Mme Talbot, chez qui Jake, enfant, avait l'habitude de se réfugier. Si son père savait combien il tenait à Claire et à Mike, ce ne serait pas sa villa qui brûlerait la prochaine fois, mais la maison de la jeune femme.

— La police te protège-t-elle ? interrogea-t-il, soucieux.

— Je ne crois pas qu'ils aient pensé que nous avions besoin de protection. D'ailleurs, je ne tiens pas vraiment à attirer leur attention. Ils sont déjà venus interroger Mike.

— Mais pourquoi ?

— Un témoin prétend l'avoir vu quitter en courant le cottage en location la nuit du troisième incendie.

— Et ils ne t'ont pas dit qui ?

— Non.

Elle se mordit la lèvre, et ajouta :

— D'après Suzette Fowler, c'est Alison Pierce.

— Alison ? répéta-t-il, incrédule. Elle connaît Mike ?

— C'est à peine si elle l'a entrevu une fois, et j'ai du mal à croire qu'elle ait pu le reconnaître.

— Mais pourquoi inventerait-elle une histoire pareille ?

— Il est le fils de Don.

— Bah ! c'est une vieille histoire.

Aux yeux de Jake, l'antipathie qu'Alison lui avait toujours inspirée était plus liée à ses propres insécurités d'adolescent qu'à la personnalité de la jeune femme.

Son regard s'attarda sur les cernes de Claire.

— On dirait que tu n'as guère dormi ces derniers temps.

— La nuit, Anne et moi montons la garde à tour de rôle, afin de prouver, au prochain incendie, que Mike était dans son lit.

Jake l'imagina seule dans l'obscurité, épiant un bruit de vitre brisée, le craquement d'une marche du porche, guettant l'odeur de la fumée, le premier gémissement

482

d'une sirène au loin. Que ferait-elle si un intrus s'introduisait chez elle ? Et que pourrait faire une dame âgée ?

Saisi d'une rage impuissante, il serra les poings.

— Laisse-moi t'aider.

— Je... Tu sais bien ce que pense Mike...

— Je passerai la nuit sous le porche, promit-il.

Il songea aussitôt qu'il avait là une bien mauvaise idée puisque c'était le meilleur moyen d'attirer l'attention du pyromane sur la jeune femme, un risque qu'il ne pouvait lui faire courir.

Mais bien sûr, si le criminel savait déjà...

— Si tu restes sous le porche, comment certifier à la police que Mike était dans son lit ? répliqua Claire. Nous nous débrouillons, Jake. Nous faisons la sieste dans la journée.

Il fit un effort surhumain sur lui-même pour ne pas donner un coup de poing dans le mur.

— Mme Talbot dort ?

— Non, elle est à Anacortes avec une amie. Elle doit s'acheter des vêtements. Une journée loin de la maison ne lui fera pas de mal.

Ainsi, ils étaient seuls. Il décida de prendre congé. Puisqu'il tenait à leur relation, mieux valait accorder à la jeune femme l'espace dont elle avait besoin.

— Si tu ne vas pas travailler, tu devrais te reposer, conseilla-t-il. En plein jour, j'imagine que tu es en sécurité.

— Je suis en congé aujourd'hui, car je suis allée à l'agence samedi. Je vais monter dans ma chambre et m'allonger une heure ou deux.

Il se demanda à quoi ressemblait sa chambre, son lit. Avait-elle des draps fleuris ou unis, plusieurs oreillers ou un seul ? Dormait-elle sur le dos ou sur le côté ? Jake imagina ses cheveux étalés sur l'oreiller, ses longs cils ourlant ses joues pâles, sa bouche pleine qui murmurait son nom dans son sommeil...

— Claire..., commença-t-il. Appelle-moi en cas de besoin.

Mais au fond, n'était-ce pas lui qui avait besoin d'elle ?

— Parfois, ça m'arrive, dit-elle soudain.

— D'appeler ? interrogea-t-il.

Evitant son regard, elle se passa plusieurs fois la main dans les cheveux.

— D'avoir besoin de toi, avoua-t-elle dans un souffle.

Il exulta, et ce sentiment de triomphe se mêla, puissant et fort, à des émotions plus sensuelles. Il ferma les yeux, les rouvrit.

— En ce moment ?

Elle hocha la tête.

Aussitôt, Jake l'enlaça.

— Où est ta chambre ? demanda-t-il.

Claire leva la tête.

— Aurais-tu l'intention de m'y porter ?

— Bien sûr, c'est bon pour mon ego.

— Parce que tu es capable de me porter sur une aussi longue distance ?

Si c'était par lassitude et désespoir qu'elle cédait aux sentiments confus qui l'habitaient, du moins savait-elle encore plaisanter. Dieu, comme il l'aimait !

Il s'immobilisa juste avant de la soulever. Aimer ? C'était bien la première fois qu'il employait ce mot, que ce soit pour elle ou pour une autre. C'était pourtant de l'amour que la jeune femme lui avait inspiré dès le premier jour, même s'il se rassurait en qualifiant cela de désir, de besoin, d'obsession...

Oui, il avait fait passer cet amour avant son meilleur ami, et il le ferait de nouveau, mais, contre toute attente, il n'en éprouvait plus aucune honte. Etait-ce parce qu'il avait tout à coup la certitude que Don, qui l'avait protégé de la cruauté des autres, aurait voulu qu'il protège Claire désormais ?

Quel idiot d'accorder à un constat aussi simple la puissance d'une révélation ! Néanmoins, il se sentait invincible tandis qu'il gravissait l'escalier, Claire dans ses bras.

— Cette porte, chuchota-t-elle.

La chambre de la jeune femme était austère. Des rideaux de couleur crème, des murs jaune pâle, une commode peinte en blanc, et un lit recouvert d'une courtepointe blanche.

Jake posa Claire sur ses pieds, et jeta un regard aux photos posées sur la commode : des photos de classe de Mike, une de Don adolescent, une du mariage de Don et Claire — un souvenir qui frappa Jake en plein cœur.

Ce jour-là, il avait fait la connaissance de Claire. Debout devant l'autel, à côté de son meilleur ami, il s'était retourné pour voir la mariée monter l'allée centrale, dans une robe blanche traditionnelle. Et avant même qu'elle ait relevé son voile, une curieuse sensation qui ressemblait à de l'envie à l'égard de Don l'avait étreint. En fait, il convoitait tout ce que cette cérémonie symbolisait, tout ce que jusque-là il désirait sans le savoir. C'était du moins ce qu'il s'était dit.

Puis, il avait vu le visage de la jeune femme, ses pommettes saillantes, ses sourcils bien dessinés, ses grands yeux bleus brillants. Elle ne lui avait pas adressé un seul regard, mais son estomac s'était contracté de façon si douloureuse qu'il avait dû se concentrer sur sa respiration pour étouffer un gémissement.

Au cours de la réception, il s'était acquitté avec brio de son rôle de témoin — portant un toast aux nouveaux époux, dansant une fois avec la mariée, félicitant Don —, avant de regagner sa villa solitaire sur la côte de l'Oregon. Là, il avait tenté d'oublier le désir que lui inspirait la nouvelle Mme Don Talbot.

Et maintenant, il se trouvait dans sa chambre !

— Il y a aussi une photo de toi, chuchota-t-elle.

En effet. C'était un instantané pris au cours d'une partie de basket, avec Mike beaucoup plus jeune. Il souriait au garçon prêt à bondir sur le ballon. Curieusement, Jake se souvenait de ce moment précis où il s'était tourné vers Claire qui prenait la photo, de sa soudaine tentation de poser. Ses parents n'avaient jamais eu d'appareil photo. Il n'avait donc pas l'habitude d'être photographié, même si on ne le faisait que parce qu'il se trouvait avec Mike.

— Tous les albums n'ont pas été détruits par l'incendie ?

— C'est sans doute leur disparition qui m'a le plus peinée.

Claire se mit à jouer avec un bouton de sa chemise.

— En arrivant à Dorset, j'ai parcouru les albums d'Anne, et j'ai fait refaire plusieurs clichés. Par chance, je lui avais toujours envoyé des photos de Don, de Mike et des différents endroits où nous avions habité. J'ai donc pu remplacer les meilleures. J'en avais également quelques-unes de toi...

Elle s'interrompit. Mais pour l'instant, Jake ne tenait pas trop à s'attarder sur ces souvenirs. S'ils ne cessaient de se remémorer le passé, ils n'auraient jamais d'avenir ensemble.

486

— Tu avais peur d'oublier mon visage ? dit-il d'un ton léger.

— Non.

— Tu sais ce que j'aime le plus en toi ?

— Quoi ? fit-elle, l'air rêveur, en déboutonnant la chemise de Jake.

— Ta franchise.

— Je ne sais pas mentir.

Il lui prit le visage entre ses mains.

— Heureusement !

Elle glissa une main sur le large torse, et il sentit les battements de son cœur s'accélérer.

— C'est... divin, murmura-t-il.

Les yeux de Claire s'agrandirent de surprise.

— Te mettrais-tu à parler ?

— Je te l'ai dit, je peux apprendre, répliqua-t-il avec gravité.

Elle lui embrassa le torse, tout en lui caressant le dos.

— Et ça, ça fait du bien ?

— Oui.

Haletant, il la laissa prendre le contrôle de la situation. Elle avait du cran. S'il n'avait jamais douté qu'il lui plaisait, il s'étonnait cependant d'en avoir la preuve. Pourquoi l'avoir choisi, lui ?

La main de Claire glissa plus bas, et il gémit.

— Ce n'est pas juste, murmura-t-il.

Les joues empourprées, les yeux brillants, elle lui adressa un sourire moqueur. Elle avait le même regard que le jour de son mariage avec Don. Ce fut comme un déclic pour Jake. La prenant par les épaules, il l'embrassa. Désormais, c'était lui qui dirigeait les opérations.

Il n'avait pas l'habitude de dire ce qu'il ressentait,

mais au fur et à mesure qu'il la déshabillait et qu'elle poussait de petits cris de plaisir, il s'enhardit.

— Sais-tu comme j'aime te toucher? chuchota-t-il. Ta peau est comme de la soie, et si blanche... Et tes seins sont parfaits. Sais-tu combien de fois j'ai rêvé de découvrir ton corps comme ceci, de t'embrasser ici... et ici...

Et quand le désir eut enfin raison de lui et qu'il la posséda, elle cria son nom. Et dans ce cri, il perçut de la stupeur, de l'émerveillement, de la sincérité. De la passion. De l'amour.

Plus tard, il roula sur le côté. Elle nicha la tête contre son épaule, ses longs cheveux étalés sur son torse. Il déposa un baiser sur sa tête, respira son odeur, et son regard se dirigea de nouveau vers la commode.

Dans le cadre de métal, Don en smoking, son expression à jamais figée, souriait au photographe, le bras posé presque négligemment sur les épaules de son épouse. Depuis, Claire avait changé. De minuscules rides lui marquaient les tempes, et elle possédait une assurance, un équilibre et une discrétion qui manquaient à la jolie fille de la photo.

Un sourire douloureux se dessina sur les lèvres de Jake. Il n'avait jamais vraiment dit adieu à Don et sans doute choisissait-il mal son moment, alors qu'il venait d'aimer Claire avec fougue. Mais il était temps de tourner la page. Il se remémora son amitié fidèle, car Don lui manquait, et il lui fit le serment de veiller sur Claire. Puis, il la regarda. C'était à peine s'il devinait l'arrondi de sa joue ainsi que les petites mèches bouclées qui lui collaient au front. Comme il cherchait à mieux voir son visage, elle glissa vers lui.

— Claire, chuchota-t-il.

Pas de réponse.

Les lèvres entrouvertes, ses longs cils ombrant ses joues, elle dormait.

Fermant les yeux avec un sourire, il l'étreignit plus fort. Du moins, pendant ce court instant, était-elle sienne et en sécurité.

11.

Claire ouvrit les yeux. Le parfum des roses embaumait la chambre, et le soleil de fin d'après-midi lui caressait le visage. Elle s'était endormie... dans les bras de Jake.

Elle s'assit, et comme le drap glissait, la dénudant jusqu'à la taille, une rose rouge roula sur le lit — une rose du jardin de sa belle-mère. Avec un sourire, Claire respira la fleur fraîchement coupée, ce qui indiquait que Jake venait de partir.

Mike allait bientôt rentrer du lycée, et Mme Talbot ne tarderait pas non plus. Il fallait qu'elle s'habille avant l'arrivée de son beau-fils. Celui-ci ignorait que les deux femmes montaient la garde la nuit, et il s'étonnerait de la trouver au lit à cette heure-ci.

Elle prit une douche tout en pensant à Jake, aux mots d'amour qu'il lui avait murmurés, à ses caresses tendres et passionnées. Elle qui avait craint de ne jamais réussir à briser sa réserve ! Il apprenait vite, en effet. Restait à persuader Mike de l'accepter... Peut-être le moment était-il venu de confronter l'adolescent à la réalité, de lui faire comprendre que toute situation évoluait ?

Dix minutes plus tard, Mike goûtait en racontant sa journée à Claire.

— Je crois que j'aurai une bonne note à cette interrogation d'algèbre, conclut-il.

— Tant mieux ! Heureusement que tu n'as pas besoin que je t'aide... Tu sais que les maths n'ont jamais été mon fort.

— Les filles sont souvent moins bonnes dans les matières scientifiques, déclara-t-il, condescendant.

Elle lui tira la langue, et il lui répondit d'un large sourire.

— Je vais jouer au basket avec Geoffrey, annonça-t-il.

— Je voudrais d'abord te parler un instant.

— Oui ?

— C'est au sujet de Jake. Ton attitude à son égard le peine beaucoup.

— Je m'en fiche !

— Pas moi. Jake a toujours été un ami.

— Pour toi ! fit-il observer avec son insolence coutumière.

— Tu te trompes. Aurais-tu oublié toutes vos parties de basket ? Les heures qu'il a passées à t'entraîner au base-ball ? Et le jour où il t'a aidé pour un exposé de sciences naturelles ?

— Il voulait t'impressionner. C'est tout.

— Pourquoi penses-tu une chose pareille ?

— C'est ce que papa disait, et il avait raison. Je le voyais bien à la façon dont il te regardait.

— Moi, je n'ai jamais rien remarqué, murmura Claire, la gorge nouée.

— Tu mens ! cria-t-il avec colère. Je t'ai vue dans ses bras.

— Il se comportait avec moi comme avec une amie.

492

Soudain, Mike éclata en sanglots.

— Papa croyait que tu nous quitterais.

— Et toi ?

Il baissa la tête.

— Je... J'avais peur. Et aussi de papa... quelquefois.

— Oh ! mon pauvre chéri !

Elle se leva et s'approcha de lui.

— Jamais je ne vous aurais quittés. J'avais promis à Don de rester auprès de lui pour le meilleur et pour le pire. Il était malade, il avait besoin de moi. Je ne l'aurais jamais abandonné, et toi non plus.

Elle l'enlaça, mais il ne se laissa pas attendrir.

— Pourquoi passais-tu tant de temps avec... lui ?

Ce refus de prononcer le nom de Jake terrifia Claire. Elle recula d'un pas.

— Il fallait que je parle à un autre adulte. Parfois, on a besoin de s'appuyer sur quelqu'un, ne serait-ce qu'un instant.

— En attendant, si papa n'était pas mort...

— Je ne vous aurais pas quittés ! Comment t'en convaincre ?

— Tu n'as qu'à cesser de le voir.

A ces mots, elle sentit son cœur se serrer. Cette discussion dépassait en horreur ses appréhensions les plus vives. Néanmoins, il lui fallait encore essayer.

— Même si j'avais une relation avec Jake, je serais toujours ta mère. Beaucoup de mères se remarient.

— Oui, mais je ne suis pas ton fils, répliqua-t-il avec véhémence malgré les larmes qui coulaient sur ses joues. Rien ne te lie à moi.

— Mais si, tout me lie à toi ! s'écria-t-elle en lui tendant les bras. Je t'aime, Mike. Tu es mon fils, et si je me remariais un jour, tu serais toujours mon fils. Tu aurais un beau-père, voilà tout.

D'une main rageuse, Mike essuya ses pleurs.

— Il est hors de question que je vive sous le même toit que lui. Papa ne l'aurait pas toléré. Il m'aimait, et je lui serai toujours fidèle.

Les marches du porche craquèrent. Ils se tournèrent vers la porte au moment où Jake apparaissait sur le seuil de la cuisine. Son regard pénétrant alla de Claire à Mike.

— Excusez-moi. J'ai entendu quelqu'un pleurer. Je n'aurais pas dû entrer.

— Je peux vivre chez grand-mère, déclara l'adolescent. J'irai dès que sa maison sera reconstruite.

— Ecoute, Mike, commença Jake malgré le regard belliqueux du jeune garçon, j'aimais ton père, moi aussi, et pour rien au monde je ne voudrais te blesser.

Claire vit Mike sursauter, comme s'il venait de recevoir un coup de poing. Il resta un instant immobile, puis, en proie à des sentiments qu'il ne parvenait pas à exprimer, il quitta précipitamment la pièce. Il monta l'escalier, et claqua la porte de sa chambre.

Comme Claire se laissait tomber sur une chaise, Jake s'approcha d'elle.

— Tu n'es coupable de rien, dit-il en la prenant par les épaules.

— Je n'en suis pas sûre, murmura-t-elle.

— Tu as donné à Don tout ce qu'il était humainement possible de lui donner, et à Mike aussi, assura-t-il. Tu n'imagines pas combien j'ai souffert... Je te désirais. Je t'aimais. Et je n'avais pas le droit de te le dire. Je devais me contenter d'essayer de te consoler quand tu pleurais.

Il la lâcha et se redressa, le visage tourmenté.

— Je t'aimais et je te détestais pour ta loyauté et ton courage, ajouta-t-il. Mike est un insensé qui ne se rend pas compte de sa chance.

494

Et il sortit à son tour.

Claire demeura comme terrassée. Jake venait de lui avouer son amour. Mais pour Mike, elle devait renoncer à lui, et ils le savaient tous les deux.

Pourtant, une curieuse sensation de liberté, de légèreté l'envahit bientôt. Elle n'éprouvait plus aucune culpabilité maintenant. Si Jake l'avait troublée, elle était restée fidèle à Don. Et aujourd'hui, elle avait simplement du mal à accepter que son amour pour ce mari malade se soit transformé en pitié avant qu'il ne meure. Elle ne l'aurait jamais abandonné, mais celui qu'elle avait aimé et épousé n'existait plus bien avant de périr dans l'incendie de leur maison.

Dommage que Jake n'ait pas compris qu'elle ne se sentait plus liée par son passé... D'un autre côté, les craintes de Mike et sa foi en son père risquaient d'être trop profondément ancrées en lui pour qu'il puisse s'en libérer. Bien sûr, il mènerait un jour sa vie d'adulte, et quitterait la maison familiale. Mais Jake attendait Claire depuis si longtemps qu'elle ne pouvait exiger ou espérer qu'il patiente encore des années. Et elle-même le supporterait-elle ?

Elle eut soudain besoin d'échapper au vide qui menaçait de l'aspirer, et décida de rendre visite à Alison Pierce afin de lui demander pourquoi elle accusait si gravement Mike.

Ayant écrit un message pour l'adolescent, elle le posa sur la table de la cuisine, prit son sac et les clés de sa voiture, et sortit.

Dehors, elle évita de tourner la tête du côté de la maison calcinée de sa belle-mère. Mme Talbot avait pris contact avec une entreprise de maçonnerie, et les travaux ne commenceraient pas avant une bonne quinzaine de jours.

Claire savait qu'Alison ne travaillait pas. A Dorset, on racontait que l'héritage de son père lui permettrait de vivre de ses rentes jusqu'à la fin de ses jours. Dans les années 50, M. Pierce avait acheté de nombreux terrains sur les îles San Juan. Le décès de ce dernier ne datant que de quatre mois, Alison n'avait sans doute pas encore pris de décision en ce qui concernait sa fabuleuse fortune.

Une voiture de sport vert bouteille était garée devant le perron du superbe manoir d'Alison Pierce. Bâtie au sommet d'une colline, la vieille demeure impressionnait par ses dimensions. Au-dessus d'un soubassement de granit pourvu de fenêtres d'une hauteur normale, s'élevaient trois étages. Le contraste avec la misérable petite maison de Claire était presque cocasse.

Avant de gravir les marches du perron, elle vit Alison dans le jardin. En salopette de travail, et portant des gants de jardinage, la maîtresse des lieux vint vers elle.

— Bonjour, dit-elle d'une voix aussi froide et impassible que son apparence physique.

Comme toujours, une méfiance inexplicable envahit Claire.

— Bonjour, Alison. Je vous dérange peut-être ?

— Je rangeais le bois qu'on vient de me livrer. Que puis-je pour vous ?

Claire hésita, et décida très vite de jouer franc-jeu.

— Vous prétendez avoir vu Mike près du cottage la nuit où il a brûlé.

Le beau visage d'Alison ne trahit aucun embarras.

— En effet, répondit-elle avec calme. J'ai pensé

vous en parler, mais nous ne nous connaissons pas vraiment. J'ai donc pris contact avec la police, car je ne pouvais garder pour moi cette information. Comprenez-moi. Pour rien au monde, je ne voudrais nuire au fils de Don, mais s'il est pyromane, mieux vaut pour son propre bien qu'il se fasse soigner au plus tôt.

— Mais comment pouvez-vous être sûre que c'est lui que vous avez vu ? Vous ne le connaissez pratiquement pas.

— J'ai expliqué à la police que je ne pouvais rien affirmer.

— N'avez-vous donc pas pensé que cette accusation lui porterait préjudice ?

— Nous ferions mieux d'entrer...

— Non, je préfère rester ici.

Alison enleva ses gants, et parut chercher ses mots.

— Il y a quelque chose au sujet de Don que vous ignorez probablement, dit-elle finalement.

— De quoi s'agit-il ?

— Don aimait le feu. Au lycée, il s'amusait à enflammer des corbeilles pleines de papiers. Tout le monde le savait.

— Tout le monde le savait..., répéta Claire. N'est-ce pas un peu vague ?

Le visage d'Alison exprima du désarroi.

— Mais je l'ai vu faire ! Il riait et prétendait que c'était une farce. Quand l'appariteur a été blessé à la suite d'une explosion dans le laboratoire de chimie, je n'ai pas tout de suite pensé à Don... J'étais jeune, ajouta-t-elle avec un geste maniéré de la main, et je me croyais amoureuse de lui. Naturellement, je n'ai pu me résigner à le dénoncer. J'espérais qu'il finirait par avoir peur. Les feux ont cessé, il est parti... Et puis, j'ai appris qu'il avait trouvé la mort dans un incendie.

Claire réfléchissait. Alison disait-elle la vérité ? En dépit de son arrogance, Don était un homme doux et responsable. Jamais il ne se serait livré à des plaisanteries aussi dangereuses. En outre, s'il avait réellement été pyromane, il n'aurait pu s'arrêter pendant des années. Mais bien sûr, il avait choisi de mourir par le feu, une façon horrible et inexplicable de mettre fin à ses jours.

Claire secoua la tête.

— Je ne vous crois pas, mais quand bien même ce serait vrai, quel rapport avec Mike ?

Alison lui adressa un regard apitoyé.

— Comment ne pas penser à lui dès que le premier incendie s'est déclaré ? Je comprends vos réticences, mais vous ne pouvez que...

— Non ! Il était à la maison.

— En êtes-vous sûre ?

Claire ne l'était pas, mais elle ne croyait pas Alison Pierce.

— Vous vous trompez.

— Je l'espère de tout cœur, ne serait-ce qu'en souvenir de Don.

Avec un signe bref de tête, Claire regagna sa voiture, et démarra aussitôt.

Un peu plus tard, elle se garait devant chez elle, et restait assise au volant. Que penser de la révélation d'Alison ? Vérité ou mensonge ? Mais pourquoi Alison mentirait-elle ? Et pourquoi affirmait-elle que la fascination de Don pour le feu était connue de tous ? S'agissait-il là encore d'un mensonge ? Jake et Suzette ne lui en avaient pas parlé. Pourquoi ? Don avait cependant incendié sa propre maison, et il était possible que, enfant, le feu l'ait attiré. Mais Mike ? Elle n'en croyait rien. A moins que l'attirance de l'adolescent pour le feu ne soit liée au suicide de Don...

En regardant les décombres de la maison de sa belle-mère, Claire se sentit gagnée par la nausée. Avant tout, il fallait qu'elle parle à Jake, peut-être à Suzette et à Mme Talbot, tout en évitant que Mike apprenne cette histoire sur son père.

Elle entra dans la maison, jeta un coup d'œil vers l'escalier. La porte de la chambre de Mike était fermée. Continuait-il de bouder? Il ne tarderait pas à avoir faim. Elle allait préparer le dîner, et se réconcilier avec lui plus tard.

Dans la cuisine, Mme Talbot ouvrait une barquette de surgelé.

— J'ai fait des courses d'alimentation à Anacortes, expliqua la vieille dame, et j'ai pensé qu'un plat tout prêt serait le bienvenu ce soir. Norma m'a conseillé cette marque de lasagnes.

— L'essentiel pour Mike, c'est d'avoir le ventre plein.

Comme les deux femmes échangeaient un sourire de connivence, Claire remarqua le teint coloré de sa belle-mère, et une certaine vivacité dans ses mouvements qui lui manquait depuis son hospitalisation.

— Avez-vous passé une bonne journée?

— Excellente, répondit Mme Talbot. J'avoue que j'ai dépensé pas mal d'argent, et j'espère que mon assurance me versera au plus vite les indemnités. Voulez-vous voir ce que j'ai acheté?

— Volontiers.

Au salon, Claire admira les nouvelles robes de sa belle-mère dans des tons de rouille et de corail — ses couleurs préférées. Puis, elle l'aida à en enlever les étiquettes et à les suspendre dans le placard du hall.

— Je crains de les abîmer si je les mets pour jardiner...

— Pourquoi ne pas essayer le bazar ? suggéra Claire. Il y a toujours des occasions.

— Bonne idée, fit Mme Talbot. Ah ! je vous ai apporté un cadeau, ajouta-t-elle en prenant le dernier sac.

Claire poussa une exclamation de plaisir en découvrant un ravissant chemisier de soie turquoise.

— Comme c'est gentil ! Mais vous n'auriez pas dû...

— J'espère qu'il est à votre taille. Et ça, c'est pour Mike, annonça Mme Talbot en brandissant un T-shirt orné de l'inscription : « Pas de panique ». Vous croyez que ça lui plaira ?

— Il va l'adorer.

— Il est dans sa chambre ? demanda la vieille dame.

— Je ne sais pas... Nous nous sommes disputés.

Elle faillit ajouter que ce n'était rien de grave mais quelque chose dans le regard de sa belle-mère l'en empêcha. Pourquoi lui taire la vérité ? N'étaient-elles pas amies ?

Les yeux baissés sur le chemisier de soie qu'elle se mit à lisser d'un geste machinal, elle expliqua :

— C'est à cause de Jake. Il me fait la cour, et Mike ne le supporte pas. J'ai voulu savoir pourquoi.

Mme Talbot s'assit à côté d'elle sur le canapé.

— Les derniers mois de sa vie, Don se méfiait de tout le monde, poursuivit Claire. Il était persuadé que Jake et moi...

— Que vous étiez amants.

— Comment le saviez-vous, maman ?

— Je téléphonais régulièrement à Don, et il m'en a parlé, répondit Mme Talbot avec un sourire triste.

Claire la regarda, en état de choc.

— Mais rassurez-vous, je n'ai jamais pris cette

accusation au sérieux, assura la vieille dame. Après tout, il s'imaginait également que vous vouliez l'empoisonner. Et puis, je savais Jake incapable d'une chose pareille.

Il y eut un silence.

— Je regrette que nous ne nous soyons pas parlé plus tôt, murmura soudain Claire.

— Moi aussi, mais je craignais de ne pouvoir me confier à vous.

— Je comprends.

— Mike a-t-il cru son père?

— Oui. Quand Jake est arrivé à Dorset, il s'est montré franchement hostile à son égard.

Mme Talbot lui tapota la main.

— Je lui en parlerai. Peut-être m'écoutera-t-il?

Un mois plus tôt, Claire aurait tenu à régler elle-même cette affaire. Aujourd'hui, elle se sentait profondément soulagée.

— Je vous remercie, dit-elle.

— Etiez-vous partie à sa recherche?

— Non. Je suis allée voir Alison Pierce.

Mme Talbot ne cacha pas sa surprise.

— Pourquoi?

Claire expliqua que c'était Alison qui prétendait avoir aperçu Mike près du cottage en flammes.

— Et ce n'est pas tout... Elle m'a raconté que, lorsque Don était en terminale, il y avait eu plusieurs incendies mineurs, mais volontaires, dans son lycée.

— Je m'en souviens. Et depuis un mois, je ne cesse d'y penser. La police n'a jamais découvert le coupable.

— D'après Alison, c'était Don.

— Comment? s'écria Mme Talbot, stupéfaite.

— Il paraît que tout le monde le savait.

— Mais c'est absurde. Don était bouleversé par ces feux.

— Suzette Fowler m'en a parlé, elle aussi. Un appariteur a eu les mains brûlées dans le plus grave de ces incendies qui a été aussi le dernier.

— En effet, murmura Mme Talbot, les joues cramoisies. Le malheureux a été blessé et après cet accident, le calme est revenu.

— Alison affirme avoir vu Don mettre le feu dans une corbeille pleine de papiers.

— C'est impossible. Cette année-là, il s'est cassé la jambe et a été immobilisé pendant plusieurs semaines. Il n'a pu aller au lycée pendant des semaines. Je me souviens que Jake est passé un soir, après les cours, pour nous parler du dernier incendie.

Les deux femmes se regardèrent.

— Mais alors pourquoi... ? balbutia Claire.

— Je me le demande.

Saisie d'une crainte grandissante, Claire tenta de réfléchir.

— Si c'était Alison qui avait mis le feu, Don l'aurait su.

— Sans aucun doute. Elle le suivait partout !

Intriguée par le ton acerbe de la vieille dame, Claire remarqua :

— Vous ne l'aimiez pas.

— J'avoue qu'elle me déplaisait. Je ne sais pas pourquoi au juste. Elle était toujours polie, mais... glaciale. Je n'ai jamais eu beaucoup d'affection pour elle, un sentiment réciproque d'ailleurs.

Claire se laissa aller contre le dossier du canapé.

— Ainsi, je ne suis pas la seule ! Moi aussi, je la trouve... antipathique sans trop savoir pourquoi.

Mme Talbot observa Claire d'un air pensif.

— Croyez-vous que ce soit à cause de Don ?

— Je n'en suis pas sûre. En fait, son regard

502

m'effraie. Je me demande parfois si elle ressent quelque chose.

— En tout cas, elle était folle de Don. Elle ne cessait de lui téléphoner, de lui faire des scènes s'il ne la rappelait pas ou s'il projetait une sortie avec un copain. Je mettais ça sur le compte de l'immaturité, mais au fond, je la trouvais bizarre.

— Si Don savait qu'elle était pyromane, pensez-vous qu'il aurait gardé le silence afin de la protéger ?

— Après l'accident de l'appariteur, je ne pense pas, mais je ne peux rien affirmer. Don était loyal envers ses amis.

— Et si Alison mentait afin de couvrir quelqu'un ? dit Claire. Il paraît qu'elle est fiancée à Tom Petersen.

— Oui, mais il avait déjà quitté le lycée, cette année-là, et on l'aurait remarqué s'il avait rôdé dans les parages.

— Et Bart Petersen ?

Mme Talbot eut une moue peu convaincue.

— Le frère du fiancé ? N'est-ce pas un peu tiré par les cheveux ?

— En attendant, elle a parlé de Mike à la police. Je m'étonne qu'on n'ait pas encore revu nos deux inspecteurs...

— Ils sont venus.

Claire sursauta.

— Je vais les appeler. Je ne tolère pas que cette femme fasse courir ces faux bruits sur Don.

Naturellement, le lieutenant Russell était absent pour la journée ; une voix anonyme lui assura qu'il la rappellerait.

Claire s'apprêtait à téléphoner chez Geoffrey, quand Mike arriva. L'air boudeur du jeune garçon disparut quand il vit le T-shirt. Et après le dîner, comme il se trouvait un moment seul avec sa belle-mère, il dit :

— Tu sais, je n'ai jamais vraiment pensé que Jake et toi... Enfin... je n'ai jamais cru que... Mais je savais que Jake t'aimait bien et... c'était le meilleur ami de papa.

— Jake a toujours eu une conduite irréprochable, répéta-t-elle. Je sais que tu as du mal à me croire, mais il tenait beaucoup trop à ton père pour chercher à lui prendre sa femme.

— N'est-ce pas ce qu'il essaie de faire maintenant ?

Claire lui posa une main sur le bras.

— Ton père est mort, Mike, et il serait le dernier à vouloir que nous passions le reste de notre vie à le pleurer.

— Un an, ce n'est pas très long.

Mike jeta un coup d'œil par-dessus son épaule.

— Grand-mère arrive. N'en parlons plus, d'accord ?

— Je t'aime, mon chéri.

Tout adolescent de quatorze ans aurait eu du mal à prononcer ces mots, et Mike ne fit pas mieux qu'un enfant de son âge.

— Moi aussi, je... je t'aime, murmura-t-il.

Rassurée, Claire attendit qu'il soit monté se coucher pour proposer à Mme Talbot de veiller la première.

— Vous ne m'avez pas réveillée la nuit dernière, rappela la vieille dame. Vous devez être épuisée.

— J'ai dormi toute la journée. Et après vos courses à Anacortes, je suis sûre que vous avez grand besoin de repos.

Mme Talbot finit par accepter.

— Promettez-moi de me réveiller quand vous aurez sommeil.

— Vous pouvez y compter.

La nuit fut paisible mais longue. Comme Mme Talbot dormait dans le salon, Claire ne pouvait pas allumer la radio. Elle lut le dernier roman de Jake jusqu'au bout, et comme elle s'assoupissait, elle réveilla sa belle-mère et se traîna jusqu'à son lit.

Là, elle sombra tout de suite dans un sommeil sans rêves.

— Mike est parti au lycée, annonça Mme Talbot, le lendemain matin, quand Claire la rejoignit dans la cuisine. Je lui ai dit que vous aviez du mal à vous endormir hier soir, et il a fait le moins de bruit possible pour ne pas vous réveiller.

— Déjà 10 heures ! s'exclama Claire. Je ne sais si je vais aller à l'agence aujourd'hui. Entre l'augmentation effrénée des taux d'intérêt et le pyromane de Dorset, personne n'achète en ce moment.

L'immobilier étant au mieux un travail saisonnier, la jeune femme avait épargné en vue des mois d'hiver, et grâce à l'achat de la villa Mueller par Jake, elle tiendrait le coup.

Le téléphone sonna avant qu'elle ait terminé sa première tasse de café. C'était le lieutenant Russell, qui reconnut avoir entendu dire que, le jeune homme, Don avait mis le feu au lycée. Il écouta l'autre version de l'histoire — celle de Claire, ou plus exactement de Mme Talbot.

— Il est possible que Don n'ait pas été responsable de tous les feux, répliqua-t-il finalement, et que quelqu'un l'ait imité, avec moins de prudence, ce qui expliquerait l'accident dans la salle de chimie. Mais il se peut également qu'il ait imité le premier pyromane. Son absence du lycée pendant plusieurs semaines ne le met pas au-dessus de tout soupçon.

Face à cette logique irréfutable, Claire raccrocha,

furieuse, et rapporta les propos du policier à sa belle-mère.

— C'est un raisonnement qui se tient, admit Mme Talbot. Don aimait les farces. Mais de là à mettre le feu !

— Je suis de votre avis. Peut-être Alison s'est-elle méprise sur ce qu'elle a vu, et...

La jeune femme renonça à élaborer plus avant une théorie aussi fumeuse. Comment pouvait-on se méprendre sur l'intention d'une personne que l'on surprenait en train de jeter une allumette enflammée dans une corbeille pleine de papiers ?

Cette nuit-là, Claire prit de nouveau le premier tour de garde. A deux reprises, elle monta à la chambre de Mike pour vérifier qu'il était bien dans son lit. Puis, elle prépara du café, et en but une tasse. Combien de temps pourraient-ils continuer de vivre de cette façon si le pyromane tardait à sortir de l'ombre ?

Elle n'avait qu'une petite veilleuse allumée qui lui donnait suffisamment de lumière pour lire dans le coin de la cuisine où elle avait installé le rocking-chair. A chaque balancement du fauteuil, le plancher craquait.

Bientôt, elle posa le livre sur ses genoux, et cessa de se balancer. Dans le silence qui suivit, elle perçut un crissement qui venait de l'extérieur, ou du fond de la maison.

Elle se leva sans bruit. Sans doute était-ce Mike qui allait aux toilettes, mais tant qu'elle n'en aurait pas la certitude, elle ne serait pas tranquille.

Du seuil de la cuisine, elle tendit l'oreille. Un profond silence régnait à l'étage, et elle entendait la respiration régulière de Mme Talbot couchée dans le salon.

Soudain, le panneau vitré de la porte d'entrée se brisa avec un léger cliquetis, et dans la pénombre, Claire distingua une main qui ôtait le loquet de sécurité de la porte.

12.

Debout dans l'obscurité, Claire était paralysée par la peur. Que faire ? Se précipiter sur le téléphone pour appeler les pompiers ? Mme Talbot se retrouverait alors sans protection — quelques gouttes d'essence et une allumette enflammée suffiraient pour que la vieille dame soit isolée dans le salon, séparée du reste de la maison par une barrière de flammes. Claire décida de trouver d'abord une arme pour attaquer l'intrus. La main qui avait poussé le loquet tournait la poignée de la porte...

Sans bruit, elle revint dans la cuisine à peine éclairée par la veilleuse, et parcourut fébrilement la pièce des yeux. Le balai n'était pas assez solide. Une poêle ferait l'affaire. Elle aperçut alors la bouteille de vin à peine entamée, posée sur le comptoir. La prenant par le goulot, elle retourna dans le hall.

L'intrus était là, il vidait sur le sol un bidon d'essence. Un homme ou une femme ? Avec ce masque et cet ample vêtement noir, il était impossible de l'identifier.

La tête baissée, il se dirigea vers la cuisine. Claire n'osait bouger de peur d'être vue. Arrivé au niveau de l'escalier, il s'arrêta. L'essence gargouilla en se déversant sur les marches. Cette fois, le pyromane agissait de manière que personne ne sorte vivant de la maison.

Une rage folle s'empara alors de la jeune femme. Comptant sur l'effet de surprise, elle s'avança brusquement en poussant un cri, et en brandissant la bouteille.

Mais comme elle visait l'incendiaire à la tête, il se redressa et se retourna, évitant le coup. Pourtant, la bouteille le frappa à l'épaule ou au bras, et il perdit l'équilibre. Il trébucha sur les marches.

— Mike ! Anne ! hurla Claire.

Elle se prépara à un deuxième assaut, mais le pyromane se releva et fit tourner le bras qui tenait le bidon. L'arête du bidon en métal, et non en plastique comme les nouveaux, heurta Claire à l'épaule. Elle tituba vers le mur.

— Claire !

En entendant la voix de Mme Talbot derrière elle, la jeune femme eut une seconde de distraction. Le pyromane en profita pour bondir en avant et fuir. Il repoussa Claire, qui tomba à genoux. Elle le vit bousculer Mme Talbot, et atteindre la porte d'entrée.

Dérapant sur le sol mouillé, Claire se lança à sa poursuite, et alluma la lumière du porche. Trop tard. Elle entendit les pas du criminel qui s'éloignait en courant, mais elle n'aurait su dire de quel côté il se dirigeait.

Lorsqu'elle regagna le hall, l'odeur d'essence saturait l'air.

— Ça va, Anne ?

Mike dégringola l'escalier.

— Maman ! Que se passe-t-il ?

— Attention ! Ça glisse, avertit-elle.

Elle alluma la lumière du hall, ce qui réveilla la douleur de son épaule blessée. Hébétée, Mme Talbot s'adossait à la porte du salon.

— Il faut appeler la police, dit-elle.

Claire lutta un instant pour contenir la crise de larmes qui la menaçait.

— Oui, murmura-t-elle, une main sur son épaule. Maintenant, nous savons à quoi nous en tenir.

Sa belle-mère acquiesça de la tête.

— De quoi parlez-vous ? fit Mike.

— De toi, répondit Claire. Tu m'as accusée d'avoir menti à la police. Maintenant, j'ai la preuve de ce que j'ai affirmé. Personne ne peut plus prétendre que tu es le pyromane.

— Oh !

Mike se tut un instant.

— Formidable, dit-il enfin d'une voix qui semblait plus jeune et plus légère que jamais. Comment va-t-on nettoyer le hall ?

Claire appela la police, pendant que Mme Talbot et Mike ouvraient les fenêtres du salon et de la cuisine.

Très vite, la police et les pompiers arrivèrent dans un hurlement de sirènes, suivis des voisins.

Claire ne vit pas Jake entrer. Il se trouva simplement là. Silencieux au milieu des exclamations et des conseils pour éponger l'essence.

Soudain, Claire se mit à trembler si fort qu'elle dut s'asseoir. Le lieutenant Russell lui apporta une chaise. Elle vit Jake faire un pas vers elle, avant de s'immobiliser. Puis, sa vision se troubla, comme si un voile noir venait de tomber devant ses yeux. Effrayée, tremblant toujours de tous ses membres, elle se cacha le visage des mains.

— Excusez-moi, murmura-t-elle. Je ne sais pas ce qui m'arrive...

— C'est le choc, expliqua l'inspecteur. Tenez, avalez ça.

Il lui tendit une tasse de thé, qu'il dut l'aider à boire. La boisson chaude lui fit du bien, et elle finit par se ressaisir.

— Pouvez-vous me dire ce qui s'est passé ? demanda alors l'officier de police, tandis que Jake restait sur le seuil de la cuisine.

— Depuis le dernier incendie, ma belle-mère et moi, nous montons la garde chaque nuit, à tour de rôle.

Jake crispa les mâchoires, et le lieutenant Russell secoua la tête.

— Et ce soir, c'était votre tour...

Claire relata les événements. Voyant l'expression glaciale de Jake, elle conclut d'une voix pleine de défi et accablée à la fois :

— Si nous montions la garde, ma belle-mère et moi, c'était pour prouver l'innocence de Mike quand le prochain incendie se déclarerait.

— Heureusement que vous ne dormiez pas, commenta le lieutenant. Pensez-vous avoir blessé l'agresseur ?

Claire fronça les sourcils. Tout s'était passé si vite...

— La bouteille l'a touché. Il se peut qu'il ait une contusion.

— Vous n'avez pas vu son visage ?

— Non. Il portait un masque. Une de ces cagoules en laine pour le ski, avec des trous pour les yeux et la bouche.

— A-t-il parlé ?

— Non.

— Sa taille ?

— C'est une personne plus grande que moi, répondit-elle, et plutôt mince.

512

Le lieutenant Russell se tourna vers Jake.

— Avez-vous une déclaration à faire, monsieur Radovitch?

— Non.

— Dans ce cas, pourquoi êtes-vous là?

— Je suis un ami de la famille, déclara-t-il d'un ton sinistre.

— Bien, j'en ai fini avec vous, madame Talbot, reprit l'inspecteur. L'ambulance est à votre disposition, si vous désirez vous rendre au dispensaire pour vous faire examiner.

— Non, merci, dit-elle. Un bain chaud me fera le plus grand bien.

— Comme vous voudrez.

La plupart des voisins étaient rentrés chez eux, et les pompiers roulaient la vieille moquette du hall qu'ils venaient d'arracher.

— Ne l'entreposez pas près de la maison, ordonna Jake sans se soucier de leurs regards agacés.

— Et il joue au petit chef! maugréa Claire, tout en sachant que Jake se souciait simplement de sa sécurité.

En effet, une moquette imbibée d'essence à proximité de la maison pouvait fort bien servir de combustible pour une deuxième tentative d'incendie.

Les pompiers lavèrent le hall à grande eau afin de diluer le plus possible l'essence qui avait pénétré le bois.

En se tournant vers la cuisine, Claire manqua se heurter à Jake.

— Il a fallu que tu joues au justicier, fit-il, le regard étincelant de rage tant il avait eu peur pour elle, pour Mike et pour Mme Talbot.

— Tu sais pourquoi j'ai agi ainsi.

— Tu ne me faisais pas confiance, n'est-ce pas?

Mais tu es inconsciente ! Il ne t'est pas venu à l'idée que tu mettais la vie de Mike et de Mme Talbot en danger ?

Après les péripéties de la nuit, Claire n'était pas d'humeur à supporter des reproches, même si elle devinait que cet accès de colère cachait un effroi sincère.

— Inutile de me parler de confiance, répliqua-t-elle. Tu es encore plus méfiant que moi, Jacob Stanek !

Le visage de Jake exprima une douleur poignante.

— Que désires-tu ? gronda-t-il à voix basse. Que je te parle de mon père ? C'est un salaud qui a battu ma mère jusqu'à ce qu'elle n'ose plus se révolter contre lui, et qui ensuite s'en est pris à moi. Tu veux savoir quel effet ça fait de recevoir des coups, jour après jour, et de devoir en cacher les marques à des camarades de classe qui se moquent de toi ? Je ne pensais qu'à me venger. Si tu savais combien de fois je me suis battu en regrettant que ce ne soit pas mon père qui s'effondre sous mes poings ! J'imaginais le sang qui giclait de son nez, je le voyais tomber à genoux, se protéger la tête des bras, implorer ma pitié...

Des gouttes de sueur perlaient sur le front de Jake, il respirait avec difficulté.

— A moins que tu ne préfères en savoir davantage sur l'amitié qui me liait à Don ? Cette amitié que je trahissais chaque fois que je te regardais...

Il se dirigea vers la porte, mais Mme Talbot lui prit le bras, et il s'arrêta.

— Jake..., commença-t-elle.

— N'en parlons plus, dit-il d'une voix qui semblait ne pas lui appartenir.

Il sortit de la maison.

Claire était terrassée par le remords. Pourquoi avoir

tant désiré qu'il partage avec elle son enfance malheureuse ? Elle y avait vu une sorte d'épreuve, un symbole de la dévotion qu'il lui vouait. Pourtant, Jake lui avait témoigné son amour de mille autres façons, qui comptaient davantage que des confidences sur son passé. Mais elle avait voulu le posséder entièrement, elle avait exigé qu'il lui livre son âme tourmentée, qu'il rampe à ses pieds.

Des sanglots silencieux la secouèrent. A travers ses larmes, elle crut voir du mépris sur le visage de sa belle-mère, et elle se dit qu'elle le méritait.

— C'est ma faute, dit soudain Mike d'une voix étranglée.

Incapable de répondre, elle se tourna vers lui.

— J'avais peur de te perdre, chuchota-t-il.

— Je sais, articula-t-elle avec effort. Viens.

Elle étreignit ce petit garçon qui la dépassait d'une tête, et tous deux fondirent en larmes.

Mike avait-il encore peur ? Claire ne jugea pas nécessaire de lui poser la question. Peu importait désormais. Jake venait de sortir de sa vie.

Le lendemain matin, pendant que Mike était au lycée, Claire et Mme Talbot lavèrent le plancher et les murs du hall. Puis, elles se rendirent en ville afin d'acheter une nouvelle moquette.

Claire essaya d'appeler Jake, mais elle tomba chaque fois sur son répondeur. Elle lui laissa deux messages.

— Jake, c'est Claire. Excuse-moi. Je t'en prie, rappelle-moi, dit-elle d'abord d'une voix tremblante.

Une heure plus tard, elle ne put que balbutier :

— S'il te plaît, Jake...

Elle fit d'autres tentatives, mais raccrocha au premier mot du message enregistré. A quoi bon? Il ne refusait pas de lui parler. Il était parti. Et elle ne pouvait lui en vouloir.

Sous prétexte qu'elle devait faire des courses en ville, elle alla chercher Mike au lycée. Son inquiétude n'avait pas de raison assez précise pour qu'elle en parle au jeune garçon, car s'il avait failli trouver la mort dans l'incendie, rien ne le désignait pour autant comme la cible privilégiée du pyromane. Pourtant, dans l'éventualité où leur maison aurait brûlé, et où cet incendie aurait été le dernier, la responsabilité aurait fort bien pu en être rejetée sur Mike. Entre les bruits qui couraient sur Don et l'accusation d'Alison qui prétendait avoir vu l'adolescent près du cottage en flammes, la plupart des habitants de Dorset croyaient le jeune garçon coupable.

Se heurtait-elle à une tentative délibérée de le faire accuser?

Malgré son absence d'appétit, elle prépara des spaghettis à la sauce tomate, et mit le couvert avec un soin particulier. Le pain à l'ail réchauffait dans le four. Et elle songea que c'était le même menu que le soir où elle avait annoncé à Mike que Jake s'installait à Dorset. Il y avait à peine six semaines de cela.

Elle sourit à son beau-fils, tout en posant le pain sur la table.

— Ça sent bon! dit Mme Talbot.

— Il n'y a aucune raison pour que ce pyromane perturbe davantage nos vies, répondit Claire.

— Je peux monter la garde cette nuit? proposa Mike.

Claire eut d'abord envie de refuser, mais elle se sentait brisée de fatigue et Mme Talbot avait également besoin d'une bonne nuit de sommeil. Après tout, Mike était capable de donner l'alarme. Quelques semaines plus tôt, il aurait été vexé de la voir hésiter ainsi. Mais aujourd'hui, il ajouta :

— Je ne suis plus un gamin, tu sais. Je suis plus fort que toi.

— D'accord. Mais tu me promets d'appeler dès que tu entends un bruit suspect ? Pas question de jouer à Sherlock Holmes.

— C'est pourtant ce que tu as fait.

— Oui, et c'était idiot.

— Pourtant, il s'en est fallu de peu que tu attrapes le type...

Sous le regard sévère de Claire, Mike obtempéra.

— O.K., je te réveille au premier bruit suspect. Tu veux bien me passer les brocolis, grand-mère ?

Mike avait toujours son appétit d'ogre. Claire aurait bien voulu l'imiter, et se libérer d'une sensation de malaise persistante.

— Je pense que pendant quelque temps il faut rester vigilant, dit-elle. Toi aussi, Mike. Ne fais plus de vélo seul, ne monte dans la voiture de personne, n'ouvre pas la porte en notre absence sans demander qui est là. Je crois même qu'il vaut mieux que tu ne répondes que si c'est Jake ou Geoffrey.

— Mais pourquoi ? Je comprends que nous montions la garde la nuit, mais dans la journée...

— Je n'en sais rien, avoua la jeune femme. Les trois premiers incendies ont pris dans des maisons vides, mais avec celui qui a détruit la maison de ta grand-mère, et la tentative de cette nuit, c'est comme si...

— ... Quelqu'un voulait nous tuer, conclut Mike gravement.

Claire acquiesça d'un signe de tête.

Elle s'en voulait de l'obliger à considérer la situation sous cet angle, en particulier alors qu'il se remettait à peine du suicide de son père et de ses craintes quant à sa propre santé mentale. Mais sans doute valait-il mieux un excès de prudence que pas assez.

— Tu connais le père de Jake?

— C'est le carrossier?

— Oui, répondit Claire, consciente de la légère agitation qui s'emparait de Mme Talbot. L'as-tu déjà vu rôder par ici?

— Ici? Dans notre quartier? Bien sûr que non! dit Mike, manifestement surpris.

— Et Alison Pierce?

— Qui?

— Alison Pierce, répéta Claire. Elle habite le manoir victorien à l'angle de Cross Island Road. Je parlais avec elle et Sharon, un jour où tu es venu à l'agence en vélo.

— Comment veux-tu que je m'en souvienne!

S'il avait vu la réaction d'Alison en apprenant qu'il était le fils de Don, sans doute cette question lui aurait-elle semblé moins saugrenue. Mais Claire ne savait comment décrire ou expliquer l'étrange impression qu'elle avait gardée de ces instants.

— C'était la petite amie de ton père quand ils étaient au lycée.

— Je me souviens que papa a parlé d'elle un jour, mais je ne sais pas à quoi elle ressemble. C'est important?

— Non, non.

Claire s'étonnait que, au sein d'une ville aussi petite que Dorset, son beau-fils ignore qui était Alison Pierce, mais les enfants ne s'intéressaient pas vraiment

518

au monde des adultes. D'ailleurs, elle-même la croisait rarement en ville. Peut-être faisait-elle la plus grande partie de ses courses à Anacortes.

Comment mettre Mike en garde contre une femme qu'il ne connaissait pas, ou contre le père de Jake, un homme qu'il connaissait à peine ? Et cela, quand les inquiétudes de Claire étaient apparemment si peu fondées ? Elle n'avait pu établir aucune ressemblance entre le pyromane et Alison ou M. Radovitch. Son agresseur semblait de la taille d'Alison, mais une impression ne constituait en aucun cas une preuve.

Ce soir-là, Mike monta la garde pendant deux heures.

— Je peux veiller encore, proposa-t-il quand Claire prit la relève.

— Non, tu as cours demain. Va dormir.

Claire s'installa dans la cuisine. Elle prit un livre, mais fut incapable de lire. Elle écoutait les bruits de la nuit, et sa main se posait sur le téléphone à chaque mouvement de Mme Talbot dans le canapé-lit du salon. A 4 heures du matin, sa belle-mère la remplaça. Et quand Claire descendit prendre le petit déjeuner, Mike était déjà parti pour le lycée.

— J'ai oublié de lui dire que j'irai le chercher ce soir. A-t-il pris le bus ? demanda-t-elle.

— Non, il est parti en vélo.

Mme Talbot, qui versait du lait sur ses céréales, semblait particulièrement lasse et soucieuse.

— Vous pensez qu'il est réellement en danger ?

— C'est sans doute un excès de prudence de ma part, répondit Claire avec un sourire qu'elle espérait rassurant. Mais je ne serai vraiment tranquille que quand ce criminel sera sous les verrous.

— Moi aussi.

Il y eut un silence, et Mme Talbot reprit :

— Demain, les ouvriers commencent à démolir les ruines de ma maison. Seules les fondations peuvent être sauvées.

— Vous y vivez depuis si longtemps que cela doit être très pénible pour vous, fit Claire gentiment.

Les yeux de Mme Talbot se remplirent de larmes.

— C'est idiot. Cette maison était dans un tel état de délabrement. Je me disais qu'il suffisait d'y faire quelques améliorations.

— Mais de là à la reconstruire entièrement...

— Oui, et vous savez ce que c'est, dit la vieille dame en posant une main sur celle de Claire.

Contre toute attente, la jeune femme se mit à pleurer.

— Ce sont surtout les petites choses qui m'ont le plus manqué, avoua-t-elle, des photos, un chemisier que j'aimais particulièrement, mes livres... Dire que vous avez perdu les photos de Don bébé, le bel édredon de votre lit, les meubles de vos parents...

— Dieu merci, personne n'est mort, dit Mme Talbot. J'ai Mike et vous.

— Mike et moi, nous n'avons que vous, maman. Vous êtes toute notre famille.

Elles échangèrent un sourire plein de tendresse.

— Maintenant, je dois partir, annonça Claire.

— Attendez, dit Mme Talbot. Hier soir, vous avez sous-entendu que le père de Jake pouvait être l'incendiaire...

— Je l'ai vu un jour au supermarché se disputer avec Jake. J'ai eu l'impression qu'il détestait son fils.

— Ce serait donc à moi qu'il en voudrait, n'est-ce pas ? Il me haïrait parce que je m'occupais de Jake quand il était enfant ?

520

— Oui, ou alors, il ne se soucie pas de vous, mais il sait que Jake tient à vous.

— Et il essaierait d'atteindre Jake en me faisant du mal ? Mon Dieu ! C'est horrible, mais ça semble logique.

— A condition qu'il soit vraiment fou.

— Jake, c'est Claire. Excuse-moi. Je t'en prie, rappelle-moi.

Jake posa une main sur le téléphone mais ne décrocha pas. Il serra le poing. Le silence parut trembler tandis qu'elle attendait, qu'elle espérait... Enfin il y eut le clic du combiné qu'on repose, le répondeur sonna, et la lumière rouge se remit à clignoter.

Il n'avait aucune envie d'entendre la jeune femme bredouiller des excuses. Pourquoi ne s'était-il pas tu ? N'avait-elle pas assez souffert ? Pourquoi lui avoir crié sa frustration, son exaspération, sa douleur ? Il l'avait suppliée de l'aimer ! Et elle avait choisi Mike.

Jake regarda l'écran de l'ordinateur, devant lui. Il essayait de travailler. La date à laquelle il devait rendre son texte approchait, et un mois plus tôt, il avait jeté la moitié du manuscrit pour tout reprendre depuis le début. Quelle ironie si ce roman se révélait être le meilleur de tous ceux qu'il avait publiés jusqu'à présent !

Ses autres livres étaient écrits du point de vue d'un narrateur qui observait avec froideur les manies et les travers des autres. Cette fois, le narrateur s'engageait dans l'action, et il se pouvait même qu'il devienne le meurtrier. Jake penchait pour cette solution. Tant pis si son éditeur s'en offusquait ! L'important était de canaliser ses propres pulsions meurtrières. L'écriture avait toujours été un exutoire pour lui. Ce qui changeait, c'était que ses émotions s'imposaient davantage par leur violence, et qu'il devenait moins facile de les contenir. Il ne voulait plus observer mais vivre.

Il relut ce qu'il venait d'écrire. Il n'aimait pas la première phrase. Il la rectifia, passa à la suivante. Bientôt, il fut complètement absorbé par son travail.

Soudain, le téléphone sonna de nouveau.

— S'il te plaît, Jake...

La voix de Claire se brisa à peine en prononçant son nom, mais cela suffit à le bouleverser. Pourquoi ne lui parlait-il pas ? Pourquoi ne lui avouait-il pas la vérité ? Il avait eu tellement peur pour elle, qu'il n'avait su réagir que par la colère. Impossible de le lui dire... Ce serait reconnaître qu'il comprenait son choix, qu'il l'approuvait. Mike était en effet prioritaire.

Jake ferma les yeux. Il ferait pour le fils de Don ce qu'il avait fait pour Don : il partirait. Il avait passé sa vie à payer le prix d'une enfance où personne ne l'avait jamais accepté, ni aimé, encore moins préféré. Et il refusait de voler à Mike un amour que seuls quelques rares élus avaient la chance de recevoir.

Oui, il s'en irait, mais pas avant de s'assurer que Claire et Mike étaient en sécurité. Et si pour eux il devait faire arrêter son propre père, il le ferait.

Claire aurait pu arriver en retard au bureau car peu de travail l'y attendait. Les affaires piétinaient. Elle donna plusieurs coups de fil, et tenta d'en débloquer quelques-unes en vain. Elle s'apprêtait à rentrer chez elle tôt, quand Joanne l'appela par l'Interphone.

— Ligne 2, M. Sheehan.

L'avocat de Seattle intéressé par la marina ! Elle l'avait presque oublié.

Le cœur battant, elle prit la communication.

— Comment allez-vous, monsieur Sheehan?

— Bien, merci. J'ai une offre d'achat à faire. Pouvons-nous nous voir samedi matin?

— Bien sûr. Quel est le montant de votre offre?

C'était une proposition tout à fait acceptable. Le rendez-vous pris, elle appela le propriétaire de la marina.

— Allô! Marty? Ici, Claire Talbot. M. Sheehan vient samedi matin me présenter son offre d'achat par écrit, mais voici ce qu'il m'a dit au téléphone.

— C'est trop bas, dit Marty.

— Combien demandez-vous?

Marty le lui dit; la différence étant minime, Claire était convaincue que l'affaire était réglée lorsqu'elle raccrocha. Elle en parla à son patron. Et une demi-heure plus tard, elle jeta un coup d'œil à sa montre, et se leva.

— 16 h 45! Je devais aller chercher Mike. Il faut que je me dépêche...

La cour du lycée était presque déserte. Il y avait encore quelques voitures dans le parking, et une demi-douzaine de vélos sur le râtelier, mais Mike était parti.

Rongée par une angoisse inexplicable, Claire suivit la route qu'il empruntait pour rentrer. Elle arriva à la maison sans l'avoir vu. Et son vélo n'était pas là. Il avait dû le ranger dans le garage.

Elle entra dans le hall.

— Mike? Maman? Il y a quelqu'un?

Mme Talbot surgit sur le seuil de la cuisine, les mains pleines de farine.

— Je prépare des cookies, expliqua-t-elle. Vous

deviez prendre Mike à la sortie du lycée, il me semble?

— Je suis arrivée trop tard. Il n'a pas téléphoné?

Elle tentait de garder son sang-froid en dépit de l'affolement qui la gagnait.

— Non. Mais il est encore tôt.

— Je sais. J'ignore pourquoi je m'inquiète autant!

— Nous lui avons recommandé la plus grande prudence. Il nous préviendra s'il s'attarde en chemin.

— Il est sûrement chez Geoffrey!

Ce fut précisément l'ami de Mike qui répondit au téléphone.

— Bonsoir, madame Talbot. Non, Mike n'est pas ici. Il m'a promis de m'appeler plus tard.

— Avait-il l'intention de rentrer directement à la maison?

— Je crois que oui. Que se passe-t-il?

— Il n'est pas encore là...

— Il a peut-être fait un tour au terrain de basket... Mais non, c'est impossible, il n'avait pas son ballon.

Claire avait le cœur battant, la bouche sèche, les mains moites.

— C'est un peu tôt pour se faire du souci, dit-elle à Geoffrey, étonnée de s'entendre parler avec autant de calme. Si tu l'as au téléphone, dis-lui de m'appeler.

— Bien sûr.

Elle raccrocha, se tourna vers sa belle-mère.

— Où a-t-il bien pu aller?

— Chez Ryan?

Claire composa aussitôt le numéro, mais personne ne répondit.

— Chez Ian Mullin? suggéra Mme Talbot, gagnée par l'angoisse. Ils se sont fâchés, mais ils se sont peut-être réconciliés...

524

— Il n'a pas tellement d'amis, fit observer Claire. Je vais appeler toutes les personnes qu'il connaît.

Dix minutes plus tard, c'était chose faite. Certaines étaient absentes, d'autres ne l'avaient pas vu depuis la récréation ou le déjeuner...

Claire consulta sa montre. Une heure de retard! Son anxiété se transforma en panique.

— J'appelle Jake.

Elle ne put réprimer un gémissement quand, après quatre sonneries, le répondeur de Jake se mit en marche.

« Pourvu qu'il soit là, pourvu qu'il m'entende », pensa-t-elle, affolée.

— C'est encore moi, Jake. Mike n'est pas à la maison. Il n'est pas rentré du lycée. Je ne sais que faire. Je t'en prie, si tu es là... Nous avons besoin de toi, dit-elle avant de raccrocher.

— Et si on appelait la police? proposa Mme Talbot.

— Je crains que ce ne soit inutile, expliqua Claire. Il s'agit simplement d'un lycéen en retard. Et je crois qu'ils n'entreprennent des recherches qu'après vingt-quatre heures de disparition...

Mike avait ses défauts, mais il tenait toujours Claire au courant de ses déplacements. Il s'était passé quelque chose de grave.

— Je pars à sa recherche, dit-elle à Mme Talbot. Appelez la police.

13.

La voiture d'Alison était garée devant le manoir. Et l'énorme demeure victorienne se dressait, massive, avec ses ouvertures qui évoquaient une multitude d'yeux aveugles, ses toits imbriqués, ses fenêtres en saillie ici et là, et sa demi-douzaine de cheminées de brique. Des pignons tarabiscotés peints en gris-bleu encadraient les étroites fenêtres des combles. Bien que ce fût superbe, Claire n'aurait pas aimé y vivre seule.

Elle ne vit pas le vélo de Mike, mais cela ne prouvait rien. Peut-être était-il caché dans la grange ou autre part. En venant ici, Claire avait suivi son instinct, mais si Alison avait enlevé Mike, elle pouvait fort bien l'avoir emmené dans les bois. A moins que le ravisseur pyromane ne soit un inconnu ou un autre habitant de Dorset qui n'avait pas éveillé ses soupçons, une éventualité guère plausible cependant.

Après mûre réflexion, elle savait que sa réaction à l'égard d'Alison ne venait pas de la jalousie ni de la gêne sous prétexte qu'elles avaient toutes deux aimé le même homme. Alison l'effrayait, tout simplement. Avait-elle perçu la bizarrerie de cette femme parce que la maladie mentale l'avait touchée de près ? Malgré des symptômes différents, Don avait été volé de sa personnalité, métamorphosé en un être inconnu, et c'était cette impression précisément que lui donnait Alison.

Le cœur battant, elle gravit d'un pas résolu les dix marches qui menaient au porche. Quel prétexte invoquer pour se faire inviter à l'intérieur ? Au cas où son intuition se révélerait fausse, elle ne pourrait exiger qu'Alison lui rende son beau-fils.

Elle sonna, et le son étouffé du carillon retentit dans la maison. Par la vitre ovale à petits carreaux sertis de plomb qui ornait la porte de chêne massif, elle vit la silhouette d'Alison se rapprocher. Elle décida de dire que Mike l'inquiétait, et de la supplier de revenir sur son accusation...

La porte s'ouvrit.

— Excusez-moi de vous déranger, mais j'aimerais vous parler...

Elle s'interrompit. Alison pointait sur elle le canon d'un revolver.

— Mike est ici, haleta-t-elle, la gorge nouée.

— Bien sûr, répondit Alison. Entrez, je vous en prie.

— Et si je refuse ?

— Je me dois d'insister, répliqua Alison avec une amabilité feinte. Prenez l'escalier, ajouta-t-elle en reculant.

Malgré son effroi, Claire se sentit terrassée par une vertigineuse sensation d'irréalité. Alison paraissait tellement fidèle à elle-même : ses beaux cheveux auburn coiffés avec goût et relevés en chignon, un chemisier de soie écru mis en valeur par un collier de perles de bois lisses, un pantalon de laine marron à la coupe impeccable. Lui imputer la responsabilité des incendies avait toujours semblé insensé, même si sa froideur choquait. Pourtant, sa main se refermait bel et bien sur la crosse d'un revolver.

Elle monta le grand escalier jusqu'au premier étage, et suivant les indications d'Alison, en emprunta un plus étroit qui menait aux combles. La chaleur y était étouffante.

— Au bout du couloir, dit Alison.

Claire songea un instant à tenter de la désarmer. Etait-il possible de prendre sa geôlière par surprise ? Un regard derrière elle lui apprit que cette dernière se tenait sur ses gardes. A trois mètres de distance, elle agita son arme en voyant Claire hésiter.

— Dans cette pièce, ordonna-t-elle.

Claire remarqua que la porte était munie d'une serrure et d'une clé anciennes. Elle entra dans une chambre tapissée de jaune, meublée d'un grand lit à baldaquin et d'une commode en noisetier. Recroquevillé au pied du lit, le visage blême et le regard effaré, Mike la regardait. Du sang coulait sur son front.

— Mike ! s'exclama Claire.

Avec horreur, elle s'aperçut qu'il avait les pieds et les mains attachés au lit par une corde de Nylon bleu.

Elle se retourna vers Alison.

— Vous êtes folle !

— Peut-être, mais efficace. Non, ajouta-t-elle en levant son arme au niveau de la poitrine de Claire. Pas un pas de plus. Je préférerais ne pas vous tuer de cette façon, mais si vous m'y obligez, je n'hésiterai pas. Je laisserai le revolver. La police en déduira que vous avez suivi Mike, et qu'il vous a tuée.

— La police est en route en ce moment même.

— J'en doute fort, répliqua Alison avec un éclat de rire.

Une peur panique remplaça l'impression d'irréalité de Claire. Pourquoi ne pas avoir tenté de maîtriser Alison dès la porte d'entrée ? Désormais, au moindre mouvement, elle risquait de recevoir une balle en plein cœur. Or, il fallait sauver Mike.

— Aujourd'hui, c'est ma maison qui va être la cible du pyromane, c'est-à-dire de Mike, expliqua Alison avec un sourire. Mais cette fois, jeune homme, tu resteras prisonnier des flammes à cause de ta belle-mère qui est arrivée au dernier moment pour t'empêcher de commettre un crime de plus. Quelle belle tragédie !

Elle secoua la tête avec un air apitoyé, mais dans ses yeux une lueur malveillante étincelait, et quelque chose de plus troublant qui remplaçait leur vide habituel.

— Je vais te tuer comme j'ai tué Don. Tu mourras comme lui.

Mike poussa un cri étouffé, et Claire crut défaillir. Don n'avait donc pas choisi de mettre un terme à ses jours !

— Pourquoi ne pas nous laisser tranquilles, puisque c'est Don que vous haïssiez ? interrogea-t-elle avec effort.

— Mike constitue un danger pour moi, avoua Alison. Il m'a vue ce jour-là. Nous nous sommes croisés sur la plage. Il ne m'a guère prêté attention, mais il aurait fini par me remarquer dans Dorset. Lorsqu'il aurait su qui j'étais, il aurait compris mon rôle dans cet incendie. Logique, non ? Je préfère ne pas courir ce risque.

— Mais vous auriez pu partir d'ici, aller vivre ailleurs ! s'écria Claire, atterrée. Vous n'auriez couru aucun danger !

— Je n'ai pas envie de déménager, répondit froidement Alison.

Face à une réaction aussi monstrueuse, Claire demeura sans voix. Mais sans doute son visage exprima-t-il de la répulsion, car un muscle tressauta sur la mâchoire d'Alison.

— Don a tué mon bébé. Ce n'est que justice que je tue son fils.

Claire perçut le frémissement d'effroi qui parcourut Mike.

— Don a tué... ? murmura-t-elle, incrédule.

— J'étais enceinte, cet été-là, dit Alison, une lueur de défi dans les yeux. Je n'ai même pas pu le lui annoncer, car il m'a envoyé une lettre de rupture. Vous rendez-vous compte ? Nous nous aimions, nous étions fiancés, et il m'a écrit pour m'annoncer son mariage !

— Qu'avez-vous fait ? balbutia Claire.

— J'ai avorté. Je ne pouvais guère lui imposer un bébé.

Alison fixa Mike, le fils qui avait pris la place de son enfant, le fils d'une femme qu'elle avait dû détester autant que Don.

— Si vous lui aviez parlé...

— Il m'aurait versé une pension alimentaire. Et quelle existence aurais-je eue ?

Une vie peu agréable, Claire n'en doutait pas. Aujourd'hui encore, l'existence d'une mère célibataire de dix-huit ans et sans métier n'avait rien d'enviable. D'après Jake, les parents d'Alison n'étaient pas affectueux ni tolérants, et Don l'avait traitée avec cruauté. Mais bien sûr, il n'avait pas su qu'elle attendait un bébé.

— Je suis navrée, dit-elle avec sincérité.

Le visage d'Alison trahissait maintenant les émotions contradictoires qui la tourmentaient, mais il était évident qu'elle ne dévierait pas de son objectif initial. En effet, de sa main libre, elle soutint la main qui tenait l'arme et qui s'était légèrement abaissée.

— Moi aussi, lança-t-elle sans regret apparent. Si vous étiez restée chez vous, vous ne seriez pas impliquée dans cette histoire.

— Mike est mon fils. Je ne pouvais pas rester chez moi.

Une lueur d'envie et de dépit traversa le regard d'Alison.

— Le feu prendra derrière cette porte. Inutile d'essayer de la forcer. Et la fenêtre est très haute au-dessus du jardin.

Elle recula dans le couloir.

— Je vais prendre le ferry pour Anacortes, faire du shopping, dîner dans un bon restaurant. Quel choc à mon retour !

— Mais la police sait que Mike n'est pas le pyromane.

Alison sourit.

— Ignorez-vous la théorie du criminel qui s'inspire des crimes des autres ? Tout le monde croira Mike coupable.

Claire bondit en avant. Trop tard. La porte claqua, et la clé tourna dans la serrure.

Jake s'inquiéta tout de suite de voir Claire rentrer seule chez elle. Où était Mike ? Pourquoi ne le ramenait-elle pas du lycée ? Il fronça les sourcils. Que se passait-il ?

Apparemment rien. Mike n'apparut pas, et aucune voiture de police ne freina brutalement devant le porche, précédée du hurlement des sirènes. Les ruines de la maison de Mme Talbot ayant été démolies, il voyait très bien la porte d'entrée de la maison de Claire, ainsi que celle de la cuisine. C'était d'ailleurs pour cette raison qu'il avait choisi d'arrêter sa voiture à cet emplacement, sur un élargissement de la route masqué par les arbres. Bien sûr, une question demeurait : que guettait-il ?

Il n'avait pas eu l'intention de veiller sur Claire vingt-quatre heures sur vingt-quatre, mais vers 14 h 30, une sensation de malaise l'avait poussé à éteindre l'ordinateur et à sortir pour surveiller la maison. Si un incendie se déclarait, il aurait ainsi une chance de mettre la main sur le pyromane...

Il appuya la tête contre le dossier du siège, et attendit. Une demi-heure s'écoula, quarante-cinq minutes... Et Mike n'arrivait pas.

Au lieu de ça, Claire sortit de la maison, monta dans sa voiture et démarra. Il était trop loin pour voir son visage. Venait-elle de s'apercevoir qu'elle n'avait plus de sauce tomate ou de crème fraîche pour le dîner ? Et tandis qu'elle faisait une rapide marche arrière, il s'interrogea sur la conduite à tenir. Fallait-il la suivre ou rester à son poste de guet ? Il choisit la deuxième solution. Mme Talbot se trouvait à la maison, et elle était peut-être la cible du pyromane, plutôt que Claire ou Mike. En outre, jusqu'à présent, l'incendiaire n'avait pas encore pris d'assaut les voitures qui sillonnaient les routes de l'île. Il était donc plus probable qu'il reviendrait mettre le feu chez Claire.

Les minutes passèrent lentement. Où diable était Mike ? Où Claire était-elle partie ?

Au sommet de la route, une voiture surgit, ralentit et hésita avant de s'engager dans le chemin du Bed & Breakfast. Soudain, Jake aperçut Mme Talbot qui sortait sous le porche, la tête tournée vers la route. Intrigué, il la rejoignit. Elle regardait au loin avec une telle intensité qu'elle ne le vit qu'au moment où il remontait

533

l'allée. Un soulagement si profond se lut alors sur son visage que l'anxiété de Jake redoubla.

— Jacob! Dieu merci, te voilà! Je ne savais plus que faire.

— Que se passe-t-il?

— Mike n'est pas rentré du lycée. Claire est partie à sa recherche, et j'ai prévenu la police mais ils ne sont pas encore là. Je n'ai pas de nouvelles de Claire...

Furieux, Jake songea qu'une fois de plus la jeune femme avait préféré affronter seule le danger. Il serra les poings.

— Où est-elle? interrogea-t-il.

— Elle doit passer d'abord chez Alison Pierce. Nous avons pensé que...

L'hypothèse des deux femmes constituait tout à coup une image parfaite, trop parfaite, comme des mots arrangés par son inconscient avant que ses doigts ne touchent le clavier de l'ordinateur. Lui aussi avait soupçonné Alison Pierce, mais ses craintes au sujet de son père l'avaient écarté de cette piste.

— Je sais, dit-il sobrement.

En effet, Alison avait bien plus de raisons de détester Don que n'importe qui d'autre. Comment la haine pouvait se muer en obsession, il n'aurait su l'expliquer, mais cela semblait aussi plausible que la violence d'un père qui incendierait des maisons dans le but de punir son fils.

— J'y vais. Rappelez la police. Demandez à parler au lieutenant Russell. Où Claire a-t-elle l'intention de se rendre ensuite?

— Je suis désolée, mais...

— Mon père, n'est-ce pas?

— Oui... Je m'excuse.

— Inutile.

534

Jake partit à toute vitesse. Une demi-heure s'était écoulée depuis le départ de Claire, et tant d'événements pouvaient se produire pendant ce laps de temps. Si Alison était l'incendiaire, il risquait d'arriver trop tard, et si c'était son père le coupable, ne tombait-il pas dans son piège en volant au secours de la jeune femme ?

— Il faut enfoncer la porte ! cria Mike, affolé.

— Elle me tuerait, murmura Claire.

Elle tomba à genoux, et enlaça l'adolescent autant pour le réconforter que pour se rassurer. Il ne put lui rendre son étreinte mais il se blottit contre elle avec le désarroi d'un enfant épouvanté.

De l'autre côté de la porte, il y eut des coups sourds, puis le bruit d'un liquide répandu sur le sol. Alison versait de l'essence dans le couloir. Quand elle craquerait une allumette, tout exploserait. Ils n'avaient aucune chance d'échapper au feu en passant par la maison.

— Il faut que je te détache, dit Claire fébrilement.

D'un mouvement de tête, Mike tenta d'essuyer ses joues mouillées de larmes sur son T-shirt. Elle s'attaqua aux nœuds qui lui liaient les poignets. La corde passait autour du solide cadre du lit, et il n'y avait d'autre solution que de la dénouer. En Nylon, elle était trop épaisse pour être coupée par un objet que son sac aurait contenu, et suffisamment mince pour se dérober sous ses doigts. En outre, à force de tirer dessus dans l'espoir de se libérer, Mike n'avait fait que consolider les nœuds.

Et si elle ne parvenait pas à le libérer ? De l'autre côté de la porte, il y eut une détonation, suivie d'un grondement sourd. Claire releva la tête. Le feu ! La fumée serait leur premier ennemi. Comment gagner du temps ?

— Le dessus-de-lit !

Elle en calfeutra le bas de la porte, et prit dans son sac son trousseau de clés. L'une d'elles se révéla plus efficace que ses ongles. Mike ne bougeait pas, mais sa respiration sifflait tant il était oppressé. Enfin, le premier nœud se desserra. Claire poussa un soupir de soulagement. Il lui fallut une minute pour libérer les mains de Mike. Il s'attaqua aussitôt aux liens qui lui maintenaient les chevilles.

— C'est trop serré, chuchota-t-il entre deux sanglots.

— Laisse-moi faire.

Elle jeta un coup d'œil vers la porte. La fumée s'infiltrait dans la pièce par les fentes latérales.

— Un instant.

Derrière la porte, le feu grondait et crépitait. Elle posa une main hésitante sur le bois, la retira brusquement. La porte était brûlante. Le feu ne tarderait pas à la détruire. Avait-elle le temps de libérer Mike ? La corde partait d'une cheville pour faire une boucle autour du lourd pied de lit avant d'entourer l'autre cheville. Elle tenta de déplacer le lit qui bougea à peine. De nouveau, elle jeta un regard vers la porte. Des flammes en léchaient les bords.

— Il faut sortir d'ici, dit-elle. Je soulève, et tu tires sur la corde.

— Faisons l'inverse, suggéra-t-il. Je suis plus fort que toi.

Les muscles de ses bras se gonflèrent sous l'effort qu'il fit. En gémissant et en craquant, l'énorme meuble se souleva de quelques centimètres. Claire tira preste-

536

ment sur la corde. Mike avait toujours les pieds attachés, mais il était libre.

La fumée commençait à les faire suffoquer.

— Par la fenêtre !

— Mais c'est trop haut...

— On n'a pas le choix.

Ils durent ramper sur le sol tant la fumée était épaisse. La haute fenêtre à guillotine avait été peinte fermée, sans doute des années auparavant, et Claire prit un tiroir de la commode pour fracasser la vitre. Les flammes de la porte jaillirent plus haut, mais ils purent enfin respirer une bouffée d'air frais.

Au premier regard sur le jardin, elle perdit tout espoir. De ce côté de la maison, le terrain descendait plus bas que les fondations, et un mur de soutènement formait une terrasse étroite au-dessus d'un à-pic d'environ trois mètres. Jamais ils ne survivraient à un saut pareil.

— Nous pouvons descendre sur ce toit, dit-elle. Le feu ne l'atteindra pas avant quelques minutes.

Le petit toit en pente raide recouvrait les grandes fenêtres en saillie du rez-de-chaussée et du premier étage.

— A quoi bon gagner quelques minutes ?

— Ta grand-mère sait que je suis ici. Elle a appelé la police. J'espère qu'ils ne vont pas tarder.

— Vas-y, maman, dit Mike, pris d'un accès de toux. Vite.

Il avait raison. C'était à elle d'enjamber le rebord de la fenêtre, puis de sauter en bas et sur le côté. N'ayant pas les chevilles attachées, elle avait plus de chances de trouver un appui, et une fois à califourchon sur le toit, elle pourrait aider Mike à la rejoindre.

— D'accord.

Quand elle s'accroupit sur le rebord de la fenêtre, elle eut un bref instant de vertige. Sans s'autoriser une seconde d'hésitation, elle sauta et atterrit durement sur le toit, bras et jambes écartés. Elle glissa de quelques centimètres avant de se retenir au faîte, et, ravalant un sanglot, se redressa tant bien que mal. L'essentiel était de ne pas regarder vers le sol, et ces mots tournaient dans sa tête comme une ritournelle que l'aiguille d'un vieux phono n'aurait cessé de reproduire. Les yeux fermés, elle se hissa sur l'arête du toit, et passa la jambe droite de l'autre côté. Elle tournait le dos au jardin.

— Vas-y! cria-t-elle à Mike qui enjambait la fenêtre.

Il prit une profonde inspiration, se tendit et sauta. Il tomba à côté d'elle, ses pieds dérapant à la recherche d'une prise inexistante sur les bardeaux de cèdre. De ses mains tendues, il agrippa l'arête du toit. Claire le saisit par les épaules et le hissa. Tous deux tremblaient et haletaient quand il s'assit gauchement à califourchon sur le toit, les genoux pliés.

— Et maintenant? demanda-t-il.

— On attend.

— Tu ne crois pas qu'on pourrait essayer d'atteindre la fenêtre, là, au-dessous de nous?

— Non, dit-elle avec le sentiment de donner la réplique à Arnold Schwarzenegger. Ça ne servirait à rien. Alison a dû verser de l'essence jusqu'à la porte d'entrée pour ne courir aucun risque quand le feu prendrait.

— Tu as raison.

Surmontant son vertige, la jeune femme s'obligea à regarder autour d'elle. Il n'y avait nulle part où aller.

— Sa voiture est partie.

— Elle a tué papa.

538

— Oui.

— Je préfère ça. C'est affreux, mais je ne supportais pas qu'il ait voulu se suicider.

Le même soulagement habitait Claire. Comme si on lui avait ôté un poids des épaules. Elle était enfin débarrassée de sa culpabilité, et seul le regret l'habitait désormais.

Les premières flammes jaillirent par la fenêtre de la pièce où ils avaient été enfermés. Tout crépitait autour d'eux. Le feu ne perdait pas de temps pour ronger la vieille demeure transformée en fournaise.

— On devrait peut-être sauter, dit Mike s'efforçant de parler avec la nonchalance qu'aurait affichée Jean-Claude Van Damme dans une situation semblable.

Claire ferma les yeux, et respira lentement dans le but de ne pas montrer à quel point cette perspective l'effrayait.

— En se laissant glisser doucement, on amortira peut-être notre chute.

Le grondement du feu s'intensifiait, la chaleur les dévorait, la fumée s'élevait en une épaisse colonne noire. Quelqu'un n'allait pas tarder à la voir et à appeler les pompiers, mais il serait trop tard.

Trop tard... Soudain, le passé se superposa au présent, et Claire ne se cramponnait plus au toit, mais courait vers sa maison qui brûlait en appelant Don et Mike de toutes ses forces. Ses pieds s'enfonçaient dans le sable, ce qui lui donnait la désagréable impression d'avancer au ralenti. Un mur craqua à l'intérieur, les couleurs incandescentes de l'incendie s'élevèrent plus haut sur le fond d'un noir huileux, et le jour se changea en nuit. D'emblée, elle avait su qu'elle arrivait trop tard, que son mari était mort, et peut-être aussi son beau-fils...

539

Et voilà que la mort guettait de nouveau Mike. Même s'il survivait à cette chute, ne risquait-il pas de finir ses jours dans un fauteuil roulant? Ramenée brusquement à la réalité, Claire songea qu'elle risquait de mourir elle aussi. Elle ne verrait plus Jake, elle ne pourrait jamais lui dire combien elle l'aimait. Il lui parut alors terriblement important qu'il sache, même si elle devait renoncer à lui pour le bien de Mike. Oui, il lui fallait vivre pour avouer à Jake son amour. Un sursaut de colère l'envahit. Alison Pierce ne finirait pas ses jours en paix...

La chaleur était devenue insupportable, et elle se recroquevilla sur le côté pour s'en écarter. Aurait-elle le courage de se jeter dans le vide?

— Une voiture! hurla Mike en bougeant afin de mieux voir.

Et il dut se retenir à Claire pour ne pas tomber.

— C'est Jake! ajouta-t-il, la voix tremblante. Jake! Jake!

Claire se tourna vers le devant de la maison. La Porsche noire n'avait pas encore freiné, mais Mike ne cessait de crier:

— Jake! Jake!

Elle se mit à l'appeler, elle aussi, agitant la main en dépit de son équilibre précaire. Quand Jake bondit de la voiture et regarda frénétiquement autour de lui, elle cria plus fort. Il leva la tête, les aperçut. Comme sur le visage d'un mime, l'effroi qui figea ses traits parut exagéré.

— Je reviens! lança-t-il en courant vers la grange.

Il fallait espérer qu'il allait trouver une échelle.

— Combien de temps allons-nous pouvoir attendre? murmura Mike.

Elle se retourna, et dut baisser la tête tant le souffle

d'air chaud était puissant. Le feu avait traversé les murs de la maison ; dans quelques secondes, il lécherait le coin du toit où ils avaient trouvé refuge. Mais Jake revint avec une échelle. Il l'appuya contre la maison, et grimpa rapidement les échelons. Arrivé au sommet, il lui manquait deux mètres cinquante environ pour les atteindre.

— Claire ! appela-t-il. Vous allez vous laisser glisser jusqu'à moi. Mike d'abord. Tourne-moi le dos. Claire va t'aider.

Mike pivota prudemment sur lui-même, roula sur le ventre et glissa en se tenant au faîte du toit, ce qui lui permit de ralentir sa descente. Puis, il lâcha prise. Il arriva droit sur Jake qui, les pieds passés sous les barreaux afin d'assurer son appui, l'attendait, les bras ouverts. Sous le choc, l'échelle oscilla sur le côté avant de s'immobiliser contre la façade principale de la maison. Jake rattrapa l'adolescent et le descendit à terre.

Claire ferma les yeux, incapable d'assister à ce sauvetage périlleux. Elle roula à son tour sur le ventre, et s'agrippa à la ligne de faîte. Une pluie de braises se déversait, imprimant des cercles noirs sur les bardeaux de bois, et elle sursautait à chaque étincelle qui lui brûlait la peau. Le toit n'allait pas tarder à s'embraser.

— A ton tour ! cria Jake.

Elle jeta un regard paniqué par-dessus son épaule. Seul le sommet du crâne de Jake se voyait. Mieux valait ne pas penser à ce qui se produirait s'il ne parvenait pas à l'attraper.

Elle commença sa descente.

Ses ongles crissèrent sur les bardeaux de cèdre, sa joue les érafla, et elle resta suspendue par l'extrémité des doigts, les paupières closes, terrifiée.

— Maintenant, ordonna Jake.

Et elle lâcha prise.

14.

Claire eut un haut-le-cœur en glissant. Malgré elle, ses doigts cherchèrent à agripper les bardeaux de cèdre. Son genou heurta une arête aiguë de métal — la gouttière — qui lui érafla le ventre, et elle glissa dans le vide. L'instant d'après, une masse solide l'arrêtait. Des bras l'entourèrent, l'échelle vacilla, Jake jura, puis, quand l'échelle se stabilisa, il la serra fort contre lui.

— Claire, mon amour, chuchota-t-il, la bouche dans ses cheveux.

Secouée de tremblements, elle eut vaguement conscience de claquer des dents.

— J'ai horreur de l'altitude, balbutia-t-elle.

Jake eut un rire étranglé.

— Il est temps de descendre.

— Bonne idée.

Le pied hésitant de la jeune femme se posa sur un barreau de l'échelle, et elle descendit jusqu'au suivant tout en se cramponnant à Jake qui resta immobile. Encore un pas, puis un autre. Elle se tint à ses jambes, à ses chevilles, aux montants de l'échelle. Sans regarder vers le sol, ni vers le toit, elle déplaçait avec précaution un pied, puis l'autre, une main, puis l'autre. Mike lui saisit la cheville.

— C'est moi, maman. N'aie pas peur.

Elle tâtonna sur le dernier mètre, vacilla en atteignant enfin le sol. Mike continuait de tenir l'échelle. Jake était juste au-dessus, descendant presque aussi rapidement qu'il avait grimpé. Les braises ne cessaient de pleuvoir sur eux, et Claire secoua la tête à plusieurs reprises car ses cheveux brûlaient.

— Vite, partons d'ici ! cria Jake en sautant à terre.

Il souleva Mike et le porta sur son épaule, prit la jeune femme par le bras, et se mit à courir. Arrivé à la voiture, il reposa l'adolescent sur ses pieds. Tous trois se retournèrent vers le manoir. Des flammes gigantesques jaillissaient des fenêtres et des portes. Par-dessus le rugissement du feu, le toit s'effondra dans un fracas assourdissant. Claire se demanda s'il serait possible de récupérer sa voiture garée devant le perron.

— Les pompiers, dit soudain Mike. J'entends les sirènes.

— Il est temps, murmura Claire avant de se tourner vers Jake, le visage ruisselant de larmes. Si tu n'étais pas venu...

Les bras de Jake se refermèrent sur elle. Vaguement elle comprit qu'il étreignait Mike également. Une fois de plus, passé et présent se confondirent. Jake les avait déjà serrés contre lui devant une autre maison en flammes, et comme aujourd'hui, c'était par amour qu'il les avait tenus enlacés.

Lorsque le premier camion-citerne freina, les vitres des fenêtres venaient d'exploser. La substance de la maison avait fondu pour n'en laisser que l'ossature — de massives poutres anciennes —, d'un rouge incandescent. Les pompiers déroulèrent leurs lances qu'ils dirigèrent d'abord sur la voiture de Claire, la grange et les champs d'herbe sèche des alentours.

Le lieutenant Russell s'approcha d'eux.

— Où est Mme Pierce ?

— En route pour Anacortes, dit Claire. Un peu de lèche-vitrine, un bon dîner au restaurant, et elle rentrera ce soir... pour apprendre que l'incendie a détruit son manoir.

La jeune femme s'attendait à une réaction de surprise, voire de doute de la part de l'inspecteur. Mais il se contenta d'un bref hochement de tête.

— Je vais appeler mes collègues d'Anacortes pour qu'on l'arrête à la descente du ferry. Mais non, on a encore une chance, dit-il en consultant sa montre. Le bateau n'est pas encore parti.

Il courut à sa voiture, et lança un appel par radio.

— Vous sentez-vous suffisamment bien pour me dire ce qui s'est passé ? demanda-t-il quand il les rejoignit.

Mike releva le menton d'un air de défi.

— Allez-vous m'accuser d'avoir mis le feu à cette maison ?

— J'étais censé le croire, n'est-ce pas ? dit Russell.

— Elle a tué mon père.

— Comment ?

— C'est une longue histoire, intervint Claire avec lassitude.

Epuisée, elle ne tenait plus debout.

— Je vous écoute, dit l'inspecteur.

Il prit cependant le temps d'examiner la bosse que Mike avait à la tête. L'état de l'adolescent ne nécessitant pas de soins, ils s'assirent sur le mur de soutènement qui bordait l'allée et Mike commença son récit.

Il rentrait du lycée en vélo, quand Alison l'avait arrêté un peu avant qu'il n'arrive à la maison. Elle lui avait proposé cinq dollars pour déplacer un meuble chez elle.

— Je t'avais pourtant recommandé d'être prudent, dit Claire.

— Je sais que je me suis conduit comme un idiot, mais ça ne devait prendre qu'une minute, c'était une femme et j'étais plus fort qu'elle. Je n'aurais jamais cru...

Baissant les yeux, il n'acheva pas sa phrase.

— Je ne la connaissais pas, et elle portait des lunettes de soleil. J'ai vaguement eu l'impression de l'avoir déjà vue.

— C'est ma faute, dit Claire. De peur de t'effrayer, je n'ai pas été assez explicite quand je t'ai mis en garde.

— Tu t'attendais à une chose pareille ?

La jeune femme jeta un coup d'œil à Jake, qui garda le silence.

— Je ne sais pas à quoi je m'attendais, murmura-t-elle.

— Cette femme est folle, maman. Comment aurais-tu pu deviner qu'elle voulait me tuer ?

L'inspecteur Russell s'éclaircit la voix.

— Peux-tu reprendre ton récit ?

Mike s'exécuta. Il était donc allé chez Alison, et il entrait dans la chambre du grenier quand elle l'avait assommé.

— Je n'ai pas perdu connaissance, mais j'étais étourdi. Tout s'est passé très vite. Je me suis retrouvé attaché au lit.

Ce fut au tour de Claire de poursuivre.

— Depuis quelque temps, mes soupçons se portaient sur Alison, car c'était la seule personne qui pouvait nous en vouloir, expliqua-t-elle. Elle haïssait Don et tous ses proches : Mike, Mme Talbot et peut-être moi aussi. J'étais convaincue que ces incendies nous visaient.

546

— Nous avons enquêté sur Alison Pierce dès l'instant où elle a accusé Mike de pyromanie, dit le lieutenant Russell. Jusqu'à son retour à Dorset, elle habitait un faubourg de Portland dans l'Oregon, où plusieurs incendies criminels se sont déclarés : une clinique du planning familial qui pratique les interruptions volontaires de grossesse a brûlé deux fois — les autorités ont d'ailleurs conclu à un attentat anti-avortement —, ainsi que deux églises et des maisons...

— Elle a subi un avortement, l'interrompit Claire qui entreprit de raconter l'histoire d'Alison. Peut-être avait-elle vu, quand elle était enceinte, un pasteur qui n'avait pas répondu à son attente, ce qui expliquerait son ressentiment vis-à-vis de l'Eglise.

Russell prenait des notes.

— Intéressant, dit-il. La police de Portland enquêtera probablement pour savoir si elle connaissait les occupants des maisons incendiées. Elle semble avoir des rancunes tenaces.

— A mon avis, elle a toujours été un peu déséquilibrée, dit Claire. Jeune fille, elle a mis plusieurs fois le feu au lycée. Je pense que Don a eu peur d'elle.

Le policier alla à sa voiture, revint et annonça :

— Alison Pierce vient d'être arrêtée. Je ne sais si vous pouvez également la faire inculper pour le meurtre de votre mari...

— Mais c'est elle que j'ai croisée ce jour-là ! s'écria Mike. J'étais sur la plage quand j'ai aperçu la fumée de l'incendie, et il y avait une femme qui regardait dans la même direction que moi. Elle ne m'a vu qu'au moment où je la dépassais. Elle avait l'air bizarre, et j'ai eu l'impression qu'elle sursautait en me voyant. Elle est partie vers la villa des Lowell en disant qu'elle allait appeler les pompiers. Oui, c'est bien ça. Ça m'a étonné car les Lowell étaient absents, mais j'ai cru qu'elle logeait chez eux. Quand j'ai vu notre maison en flammes, je n'ai plus pensé à elle.

— L'aurais-tu reconnue ? s'enquit Claire.

— Sans ses lunettes de soleil, je l'aurais sûrement reconnue aujourd'hui. Le jour où notre maison a brûlé, je l'ai bien vue.

Jake se leva.

— J'aimerais emmener Mike chez le médecin, et le reconduire ensuite chez lui avec sa mère.

— Bien sûr, dit l'inspecteur.

Il tendit la main à l'adolescent.

— Toutes mes excuses, jeune homme, mais il faut me comprendre.

— Ce n'est rien, marmonna Mike en haussant les épaules. Il fallait bien que vous meniez votre enquête.

— Je m'excuse également pour le retard des pompiers, ajouta Russell en se tournant vers Claire et Jake. Je n'étais pas à mon bureau, et le policier qui a répondu à l'appel de Mme Talbot a cherché à me joindre pour vérifier son histoire.

— Rien de plus normal, reconnut Claire, puisque nos soupçons se fondaient sur une intuition et non sur des faits.

Mike monta à l'arrière de la Porsche, la jeune femme à l'avant, et Jake démarra.

— Elle est géniale, cette voiture, remarqua l'adolescent.

— Tu n'as pas ton permis de débutant ? demanda Jake.

— Pas avant l'année prochaine.

— Eh bien, l'année prochaine, je te passerai le volant.

Ses sens engourdis, Claire écouta cet échange de

civilités. Etait-ce une façon pour Mike de faire la paix avec Jake ? Une façon pour Jake de dire qu'il serait auprès d'eux... l'année prochaine ?

Au dispensaire, pendant que le médecin examinait Mike, Claire appela sa belle-mère de la réception. Mme Talbot décrocha dès la première sonnerie. Elle écouta stoïquement le récit des événements, y compris la nouvelle du meurtre de son fils.

— Ce cauchemar est terminé, dit-elle enfin avec soulagement.

— Reste le procès. Je dois raccrocher, ajouta Claire en voyant Mike venir vers elle. Nous rentrons.

Le médecin posa le dossier de Mike sur le comptoir, sourit.

— Ce jeune homme risque d'avoir un mauvais mal de crâne demain matin au réveil. A part ça, tout va bien. Il a la tête dure.

Sur le chemin du retour, encore abasourdie par les événements qui venaient de se dérouler, Claire songeait qu'en effet il n'y avait plus rien à craindre désormais. Seul le regard pénétrant de Jake qui l'observait de temps à autre l'embarrassait, mais de peur de trahir son trouble, elle ne se tournait pas vers lui.

Pourtant, pourquoi taire ses sentiments ? N'avait-elle pas espéré pouvoir lui avouer son amour ? C'était l'occasion ou jamais. Elle laisserait Mike rentrer à la maison, et parlerait à Jake. Elle lui dirait qu'elle l'aimait, mais qu'il lui fallait s'occuper de Mike. Quitte à avoir le cœur brisé, mieux valait en finir au plus vite.

La Porsche s'immobilisa dans l'allée. Claire descendit et rabattit le siège avant pour laisser passer Mike.

— Je voulais te dire..., balbutia l'adolescent avant de sortir.

— Oui ? fit Jake.

— Je t'ai toujours bien aimé. Je me suis mal conduit avec toi, mais papa... Enfin... Je m'excuse.

Comme il s'apprêtait à descendre, Jake le retint d'une main. L'adolescent releva la tête, le visage empourpré, leurs regards se croisèrent et Jake sourit, lentement, affectueusement. Puis, il lui lâcha le bras et lui tapota l'épaule.

— Ne t'en fais pas.

Mike rougit encore, et descendit de voiture.

— Si tu veux, tu peux rester avec Jake, dit-il à Claire.

— Tu crois ? interrogea la jeune femme, stupéfaite.

— Bien sûr.

— Je veux lui parler, en effet, reconnut-elle.

En entendant ces mots, Jake se demanda si elle allait lui dire adieu. La façon dont elle avait évité son regard l'effrayait. Pourquoi, depuis l'arrivée de la police, se montrait-elle si distante ? Et maintenant que Mike venait de s'excuser, quel prétexte allait-elle invoquer pour le rejeter ?

— A plus tard ! cria Mike. Si on te demande, je ne dirai pas où tu es.

Un bras sur le dossier du siège du passager, Jake se pencha vers Claire qui, décontenancée, suivait son beau-fils des yeux.

— Aurais-je la permission de t'enlever ? dit-il d'un ton léger.

Elle eut un rire étouffé.

— C'est vrai que je voulais te parler. Décidément, c'est la journée des aveux.

Ignorant s'il souhaitait entendre le sien, il hocha la tête, circonspect.

— Monte.

Ils roulèrent en silence jusque chez lui, et quand il coupa le moteur, aucun d'eux ne bougea.

— Je t'aime, balbutia-t-elle soudain d'une petite voix, en regardant devant elle.

Jake sentit son cœur exulter, et il dut tendre l'oreille pour saisir les mots magiques que la jeune femme répéta.

— Je t'aime. Je t'ai toujours aimé. Du vivant de Don, je refusais cette évidence, et quand je me suis retrouvée seule, j'ai voulu t'oublier, mais je ne cessais de rêver de toi. Et tu es arrivé. Mike a mal réagi. Je ne pouvais pas l'abandonner.

Un long silence suivit cet aveu.

— Si tu m'aimes, pourquoi es-tu partie seule à la recherche de Mike ? demanda-t-il.

Elle se tourna vers lui, interdite.

— Mais... mes messages... ?

— Quels messages ?

— Je t'ai appelé. Entrons chez toi. Tu vas voir.

La jeune femme alla dans la cuisine, où se trouvait le répondeur. La lumière rouge clignotait. Sans un mot, Claire appuya sur le bouton. Sa voix tremblante résonna étrangement dans le silence.

« ... Mike n'est pas encore rentré... Je ne sais que faire. Je t'en prie, si tu es là... Nous avons besoin de toi... »

Jake songea avec amertume que, à ce moment-là, il surveillait la maison de Claire, à quelques mètres de chez elle.

De nouveau la voix de Claire s'éleva :

« Jake, tu es là ? Mon Dieu ! tu es parti... Tant pis. »

Jake lui prit la main.

« Pour que... tu le saches, disait-elle dans le troisième message, au cas où tu rentrerais chez toi. Je vais chez Alison Pierce à la recherche de Mike. Mme Talbot appelle la police, mais je doute qu'ils fassent grand cas de nos soupçons. Pour eux, Mike n'a pas disparu depuis assez longtemps, mais j'ai un mauvais pressentiment. Bon, je... Ça devient une habitude de t'appeler au secours, mais c'est ta faute puisque tu viens toujours ! Dieu merci. Je ne sais pas ce que je ferais sans toi. »

Quand le silence revint, tous deux avaient les yeux rivés sur le répondeur.

— Où étais-tu ? demanda Claire.

Jake l'attira contre lui.

— Je surveillais ta maison. Je te protégeais de façon totalement inefficace, comme les événements l'ont prouvé. Si j'étais resté chez moi, j'aurais pu répondre au téléphone au lieu de...

Claire lui couvrit la bouche d'une main.

— L'essentiel est que tu sois arrivé à temps.

Il lui embrassa la paume, qu'il appuya ensuite contre sa joue.

— Je t'ai vue rentrer du bureau et repartir. J'ai failli te suivre, mais je craignais tellement que le pyromane ne mette le feu une deuxième fois à ta maison que je suis resté sur place. Quand Mme Talbot est sortie sous le porche pour guetter la police, ça m'a inquiété. Je suis allé lui parler. Elle m'a dit où tu étais, et je m'y suis rendu aussi vite que possible. Sans elle...

A cette pensée intolérable, la main de Jake se referma sur celle de la jeune femme.

— Je t'aime, chuchota-t-elle.

Il l'embrassa. Ils avaient tant de choses à se dire. Mais pour l'instant, l'heure n'était pas aux confidences. Depuis qu'il l'avait vue partir à la recherche de

Mike, il avait obéi à l'urgence de la situation. En un éclair, le cauchemar de ces dernières heures s'imposa à son esprit : la colonne de fumée qui s'échappait des arbres, les flammes qui jaillissaient des fenêtres, son soulagement et son effroi quand il avait aperçu Claire et Mike réfugiés sur le faîte du toit, si haut au-dessus du sol... Heureusement qu'il y avait eu une échelle dans la grange !

Alors, désireux de la posséder, de s'assurer qu'elle était enfin en sécurité, il l'embrassa avec une fougue nouvelle. Elle aussi ressentait ce désir premier de s'unir à lui. Déjà, elle gémissait, ses hanches bougeaient contre les siennes, ses mains le caressaient, son regard devenait langoureux, ses lèvres lui effleuraient la joue.

Il lui enleva son sweat-shirt et son soutien-gorge tandis qu'elle tirait sur sa chemise qui tomba à terre. La nudité de la jeune femme lui arracha un gémissement de plaisir. Elle était ravissante avec son cou gracile et sa taille menue, ses petits seins blancs comme l'ivoire, dont la rondeur parfaite lui remplissait les mains.

Jake s'empara de nouveau de sa bouche tout en descendant la fermeture Eclair de son jean, une tâche peu aisée car elle cherchait à lui enlever son T-shirt.

D'ordinaire, il se serait senti ridicule de faire l'amour dans une cuisine, mais seul comptait leur désir. Elle avait achevé de se dévêtir et se tenait devant lui, avec dans les yeux l'expression d'un besoin absolu. Pourtant, son attitude trahissait de l'incertitude, elle se mordillait la lèvre inférieure.

— Je te fais peur ? demanda-t-il.

— Non.

La jeune femme esquissa un sourire tremblant.

— Je me fais peur à moi-même.

Lui aussi fut parcouru d'un sursaut d'effroi. Son sang rugissait dans ses veines. Il voulait aller jusqu'au bout, mais si elle n'était pas prête, il patienterait.

Il ferma brièvement les yeux, serra les dents, recula d'un pas.

— Je fais toujours pareil.

— Tu t'imposes à moi, c'est ça ? demanda-t-elle, un sourire coquin dissipant sa fragilité. Tu ne t'imposes pas assez, à mon avis.

— Je te veux.

— Je suis à toi, dit-elle gravement.

Jake la souleva dans ses bras, et elle répondit à son baiser avec autant d'ardeur que lui. Jamais il n'avait été aimé avec autant de générosité, de liberté. Il se sentait la brutalité d'un animal mais n'en éprouvait aucune honte car les gémissements de la jeune femme signifiaient qu'elle le désirait autant qu'il la voulait.

Et quand elle l'appela, il cria son nom sur le même ton d'émerveillement.

Claire ne s'était jamais sentie aussi bien, même si sa position manquait à la fois de dignité et de confort. Le bois du comptoir de la cuisine était froid sous ses cuisses, et sa tête s'appuyait contre la porte d'un placard. Mais la bouche de Jake se déplaçait tendrement sur son front, ses tempes, ses oreilles.

Et il était si beau, si puissant, si viril ! Ses muscles frémissaient, sa peau humide tressaillait quand elle le caressait.

— Nous devrions peut-être nous rhabiller, murmura-t-elle. Au cas où la police ou les pompiers viendraient.

— Mike a promis de ne pas dire où nous étions.

L'évocation de son beau-fils atténua quelque peu l'euphorie de la jeune femme.

— S'il nous voyait...

— Je ne crois pas qu'il serait étonné.

Elle se souvint de son sourire quand il les avait quittés.

— Tu as raison. Mais il est suffisamment innocent pour nous imaginer en train de discuter.

— Innocent ? A quatorze ans ? Tu plaisantes.

— Suggérerais-tu que quand il rentre tard à la maison, c'est parce qu'il a fait sauvagement l'amour avec une fille ?

— Est-ce ce que nous venons de faire ? s'enquit Jake, amusé.

Elle rougit.

— Je crois que oui. A moins que ce soit moi l'ingénue !

— En effet. Mais c'est vrai, nous avons fait sauvagement l'amour. Tu es magnifique, chérie. Le rêve de tout adolescent.

— Tu n'es plus un adolescent...

— Je crois que je serai toujours amoureux de toi comme un adolescent.

Jake l'embrassa de nouveau, et le cœur de Claire s'emballa.

— Et puis, je ne suggérais pas que Mike faisait sauvagement l'amour avec une fille, mais qu'il aimerait le faire.

Se souvenant d'avoir trouvé un numéro de *Penthouse* sous le matelas de Mike en changeant les draps de son lit, Claire garda le silence.

Jake cependant s'écarta, quelque peu rembruni, et une vague angoisse gagna la jeune femme.

— Rhabillons-nous, murmura-t-il. Il faut que nous parlions.

Elle tressaillit. Pourquoi cette soudaine distance ? Que s'apprêtait-il à lui annoncer ?

— On va dans le salon ? proposa-t-il quand elle fut prête.

Un peu plus tard, elle s'asseyait sur le canapé de cuir. Jake prit place à côté d'elle, de manière à ne pas la toucher.

— J'ai un aveu à te faire, commença-t-il.

— Oui ? s'enquit-elle, anxieuse.

— Tu avais raison quand tu m'as accusé de me replier sur moi-même. Le simple fait de penser à mon enfance me répugne, expliqua-t-il d'un ton dénué de passion en dépit d'un sujet qui le touchait au plus près. D'ailleurs, je n'en ai jamais parlé. En général, les hommes ne s'intéressent pas à ce genre d'anecdotes. Même Don...

Il s'interrompit, haussa les épaules.

— Don ne m'a jamais posé de questions sur mon père. S'il voyait de nouvelles marques de coups, il disait : « Le salaud ! »... et c'était tout.

A ces mots, le cœur de Claire se gonfla de compassion. Mais les paroles de Jake provoquèrent également un profond soulagement en elle. Pour parler ainsi, il fallait qu'il l'aime vraiment.

— Jake...

— Non, laisse-moi terminer. Pour comble d'ironie, je voulais tout savoir sur toi. Je suppose que je n'étais pas sûr de ce que tu verrais si je me livrais trop à toi. Un enfant battu se demande toujours s'il n'est pas responsable des violences qu'il subit. Plus tard, il se dit qu'il s'en est remis, mais peut-être se leurre-t-il. Je n'en sais rien.

— C'est toi qui as raison, Jake, dit-elle doucement, et moi qui ai tort. Tu ne t'es pas caché. Tu t'es montré à moi, tel que tu es. Si je t'ai reproché ton silence, c'est pour pouvoir te repousser. Au fond, j'espérais avoir la force d'affronter la vie seule. Quand Don est tombé malade, tu étais l'unique personne à qui je dévoilais mon besoin, mes défaillances, mon inaptitude, et je m'en voulais de ce que je considérais comme de la faiblesse. Je crois, ajouta-t-elle après un silence, que j'ai reporté ce ressentiment sur toi.

— Je suppose que ça ne t'a pas aidée, que je sois le meilleur ami de ton mari.

— Don est mort, dit-elle, constatant qu'elle pouvait enfin faire face à cette réalité. S'il avait vécu, je crois que je n'aurais jamais réellement compris mes sentiments pour toi. Un exemple de plus de ma lâcheté, j'imagine.

— Le genre de lâcheté dont tu as témoigné aujourd'hui ?

— La vaillance physique et le courage moral sont deux choses différentes.

— Tu possèdes les deux.

— Et toi, tu es partial.

— Possible.

Le regard de Jake s'assombrit.

— Je ne sais pas si je peux vivre avec le fantôme de Don, avoua-t-il.

— Je l'ai exorcisé. Curieusement, cela m'aide de... Elle buta sur les mots.

— ... De savoir qu'Alison l'a tué ? acheva-t-il en lui prenant la main.

— Elle exultait, murmura Claire, frissonnant d'effroi au souvenir de sa conversation avec Alison. Si elle savait combien c'est important pour Mike et

557

moi que Don ne se soit pas suicidé... Bien sûr, c'est atroce de penser qu'il...

Jake lui broya la main.

— Je ne cessais de me demander si c'était moi qui avais poussé mon meilleur ami au suicide. J'avais beau essayer de me convaincre que jamais Don n'aurait abandonné la partie, au fond, je n'en savais rien. Don était lucide sur sa maladie et il se pouvait qu'il ait préféré disparaître pour... nous laisser la voie libre en quelque sorte. Et après tout ce qu'il m'avait déjà donné...

— Tu ne supportais pas de penser qu'il m'avait donnée à toi, dit Claire lentement, comprenant enfin le tourment de Jake.

— C'était un cauchemar.

Songeant à l'homme qu'elle avait épousé, Claire plongea son regard dans celui de Jake.

— Et si Don avait réellement voulu que tu veilles sur moi ? Je crois que ça me plairait de savoir que nous avons son approbation.

— Je le soupçonne en effet de nous avoir joué ce tour.

Le pouls de Claire s'accéléra.

— Alors ?

— Il y a quelqu'un d'autre dont il faut nous soucier.

— N'oublie pas que Mike t'a donné la permission de m'enlever !

— Peut-être sur une impulsion du moment. A son âge, on ne pense pas à l'avenir. Il m'est reconnaissant de vous avoir sauvé la vie. Cela ne signifie pas qu'il m'accepte.

— Au contraire, à mon avis, c'est précisément une façon de te dire qu'il ne te rejette plus, mais si je me trompe...

558

Claire hésita un instant avant de se jeter à l'eau. Elle se sentait enfin en paix avec elle-même.

— Eh bien, il faudra qu'il apprenne à t'accepter.

Le gris des yeux de Jake devint argent, mais il demeura impassible.

— Pourquoi ce revirement?

— J'étais tellement obsédée par mes propres craintes, dit-elle, entre le sourire et les larmes, que je ne réfléchissais pas à la situation du point de vue de Mike. Mais ces derniers jours, j'ai pensé à tous les moments que vous avez passés ensemble autrefois, à sa joie quand tu lui proposais une partie de basket ou quand vous alliez pêcher des palourdes pour le dîner. Tu t'en souviens?

Les mâchoires contractées, Jake détourna la tête.

— Oui, je m'en souviens, dit-il après un silence.

— Je ne pense pas que Mike ait voulu te rejeter, mais il avait tellement peur de perdre de nouveau son foyer... Et il lui a fallu du temps pour comprendre qu'il pouvait compter sur nous.

— Sur toi.

— Aujourd'hui, c'est grâce à toi que nous sommes en vie. Mike n'est pas idiot.

— La reconnaissance..., commença Jake avec dureté.

— ... N'est pas de l'amour, l'interrompit-elle. Je sais. Mais un argument joue en ta faveur : Mike t'aimait déjà. Pourquoi crois-tu qu'il t'a détesté avec autant de violence?

Jake la regarda. Dans ses yeux se lisaient une souffrance et une vulnérabilité à vif. Le cœur de la jeune femme se serra.

— Je ne sais pas. Je ne sais pas pourquoi tu m'aimes.

— L'amour s'explique-t-il? demanda-t-elle, au bord des larmes.

— C'est la première fois qu'on me parle ainsi.

Claire l'embrassa doucement.

— Peut-être n'as-tu jamais permis à personne de t'en dire autant.

Les doigts de Jake s'enfoncèrent dans les bras de la jeune femme tandis qu'il scrutait son visage d'un regard intense.

— Tu es sincère, n'est-ce pas? demanda-t-il d'une voix étouffée.

— Oui.

— Et si je ne me confie pas assez? Si je ne sais pas comment faire?

— Tu apprendras, dit-elle en souriant à travers ses larmes.

— Je peux compter sur toi?

— Je te le promets. Et qui sait? Peut-être qu'en faisant sauvagement l'amour...

Une lueur de malice éclaira le regard de Jake.

— Dans ce cas, nous sommes sur la bonne voie.

Le cœur de Claire battait si fort qu'elle entendit à peine la voix de Jake.

— Veux-tu m'épouser? demanda-t-il alors.

Elle eut l'impression d'avoir attendu ce moment toute sa vie, ou peut-être simplement depuis que Jake l'avait tenue dans ses bras, la première fois où elle avait eu besoin de cet inconnu qui était également son meilleur ami. Ce qu'elle n'avait pas su, c'était combien il avait eu besoin d'elle.

— Oui, répondit-elle.

— Je te veux, toi et ton fils, ajouta-t-il, le visage tout près du sien.

— Mike t'aimera, je le sais.

560

Et elle ne put s'empêcher de penser que Don, l'homme qu'elle avait épousé et perdu depuis si longtemps, se serait réjoui de ce dénouement.

Car, après bien des épreuves, elle connaissait de nouveau l'amour — le grand amour.

Chère lectrice,

Vous nous êtes fidèle depuis longtemps?
Vous venez de faire notre connaissance?

C'est pour votre plaisir que nous avons
imaginé un rendez-vous chaque mois
avec vos auteurs préférés, vos
AUTEURS VEDETTE dans les
collections Azur et Horizon.

Les AUTEURS VEDETTE vous
donneront rendez-vous pour de
nouveaux livres vedette.

Pour les reconnaître, cherchez
l'étoile... Elle vous guidera!

Éditions Harlequin

HARLEQUIN

LE FORUM DES LECTEURS ET LECTRICES

CHERS(ES) LECTEURS ET LECTRICES,

VOUS NOUS ETES FIDÈLES DEPUIS LONGTEMPS?

VOUS VENEZ DE FAIRE NOTRE CONNAISSANCE?

SI VOUS AVEZ DES COMMENTAIRES, DES CRITIQUES À FORMULER, DES SUGGESTIONS À OFFRIR, N'HÉSITEZ PAS… ÉCRIVEZ-NOUS À:

LES ENTERPRISES HARLEQUIN LTÉE.
498 RUE ODILE
FABREVILLE, LAVAL, QUÉBEC.
H7R 5X1

C'EST AVEC VOS PRÉCIEUX COMMENTAIRES QUE NOUS ALLONS POUVOIR MIEUX VOUS SERVIR.

DE PLUS, SI VOUS DÉSIREZ RECEVOIR UNE OU PLUSIEURS DE VOS SÉRIES HARLEQUIN PRÉFÉRÉE(S) À VOTRE DOMICILE, NE TARDEZ PAS À CONTACTER LE SERVICE D'ABONNEMENT; EN APPELANT AU (514) 875-4444 (RÉGION DE MONTRÉAL) OU 1-800-667-4444 (EXTÉRIEUR DE MONTRÉAL) OU TÉLÉCOPIEUR (514) 523-4444 OU COURRIER ELECTRONIQUE: AQCOURRIER@ABONNEMENT.QC.CA OU EN ÉCRIVANT À:

ABONNEMENT QUÉBEC
525 RUE LOUIS-PASTEUR
BOUCHERVILLE, QUÉBEC
J4B 8E7

MERCI, À L'AVANCE, DE VOTRE COOPÉRATION.

BONNE LECTURE.

HARLEQUIN.

VOTRE PASSEPORT POUR LE MONDE DE L'AMOUR.

ROUGE PASSION

De fiévreuses histoires d'amour sensuelles!

De provocantes histoires d'amour passionnées et romantiques qu'on lit d'une seule traite. Aventureuses, parfois humoristiques, et sensuelles, elles mettent en vedette des hommes et des femmes d'aujourd'hui.

**ROUGE PASSION...
trois nouveaux titres
chaque mois.**

GEN-RP-R

COLLECTION HORIZON

Des histoires d'amour romantiques qui vous mènent au bout du monde!

Découvrez la passion et les vives émotions qu'apportent à la Collection Horizon des auteurs de renommée internationale!

Captivantes, voire irrésistibles, ces histoires d'amour vous iront assurément droit au coeur.

Surveillez nos trois nouveaux titres chaque mois!

La **COLLECTION AZUR**

Offre une lecture rapide et

- ☑ *stimulante*
- ☑ *poignante*
- ☑ *exotique*
- ☑ *contemporaine*
- ☑ *romantique*
- ☑ *passionnée*
- ☑ *sensationnelle!*

COLLECTION AZUR...des histoires d'amour traditionnelles qui vous mènent au bout monde!
Cinq nouveaux titres chaque mois.

GEN-RP-R

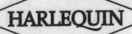

L'ASTROLOGIE EN DIRECT TOUT AU LONG DE L'ANNÉE.

(France métropolitaine uniquement)
Par téléphone 08.92.68.41.01
0,34 € la minute (Serveur JET MULTIMEDIA).

Composé et édité par les
éditions Harlequin
Achevé d'imprimer en octobre 2006

BUSSIÈRE
GROUPE CPI

à Saint-Amand-Montrond (Cher)
Dépôt légal : novembre 2006
N° d'imprimeur : 61829 — N° d'éditeur : 12444

Imprimé en France